宅建士 一発合格！シリーズ

2025

日建学院

どこでも！学ぶ

宅建士

テーマ別 過去問題集

JN094133

はじめに

　宅建本試験は、**類似問題が繰り返し出題**される傾向が強いため、過去によく出題されたテーマに習熟することが、合格の**絶対条件**です。

　本書は、日建学院が宅建本試験当日に行った無料採点サービス『**Web解答速報リサーチ**』に登録された**受験生のデータを分析**し、合格者・不合格者の「**正答率の差**」に着目して、概ね過去20年の本試験問題から「**重要出題**」のみ、計300問あまりを厳選しました。

　学習効率がググッと上がる「**分野別・論点別**」の構成で、応用力の強化や苦手なテーマの重点克服など、2025年度本試験に合格するための**効率学習**をきっちり行うことができます。また、シリーズの基本書『**どこでも！学ぶ宅建士基本テキスト**』とも項目の並び順をそろえており、セット学習に最適です。

　本書の学習で、本試験への対応力をしっかり養いましょう！

　受験生の皆さんが本書をフル活用され、2025年度の宅建本試験に見事合格されますことを、講師一同、心から祈念しています。

2024年11月
日建学院／宅建講座講師室

● 法改正・統計情報等のご案内 ●

　本書は、令和6年12月1日施行中の法令および令和7年4月1日までに施行されることが判明している法令に基づいて編集されています。

　本書編集時点以後に発生した「法改正」および「最新の統計情報」等につきましては、弊社HP内でご案内いたします。ご確認ください（2025年8月末日頃公開予定）。

HPにアクセス！ https://www.kskpub.com ➡ **おしらせ(訂正・追録)**

本書の利用法

本書は、「合格者・不合格者の正答率の差」を基準に、概ね過去20年間の本試験問題から合格の決め手となる良問・300問あまりを厳選して、使いやすい「分野別・テーマ（項目）別」に収録しました。

重要度と実力診断の目安！「重要ランク」

令和7年度本試験における各問題の「重要ランク」を、「**S**（特に重要！合格者は絶対落とさない）・**A**（必ず取りたい）・**B**（合否の分かれ目！取れれば合格は目前）・**C**（難問だけど、取れれば儲けもの）」の4段階で表示しました。

正誤確認の「Check」欄

間違えた問題は「×」、迷った問題は「△」と目印をつけるなど、学習達成度の確認にご利用ください。

法改正対応の「改」マーク

法改正への対応によって「改題済み」であることの印です。

補完知識の「＋αコラム」

その肢に関連する「補足的知識」です。理解が深まりますので、必ずあわせて確認しましょう。

アドバイスや解法テクが満載！「講師陣の必勝コメント」

日建学院・講師陣によるミニ「解き方・考え方講座」です。"正答率"の分析や"解法の極めワザ"が満載！ここで合格への足がかりをつかみましょう！

民法（債権）　　　　　□□□ Check！　　重要ランク **A**

売 買

問題 44　Aは、中古自動車を売却するため、Bに売買の媒介を依頼し、報酬として売買代金の3％を支払うことを約した。Bの媒介によりAは当該自動車をCに100万円で売却した。この場合に関する次の記述のうち、民法の規定及び判例によれば、正しいものはどれか。

[H29-問05改]

❶ Bが報酬を得て売買の媒介を行っているので、CはAから当該自動車の引渡しを受ける前に、100万円をAに支払わなければならない。

❷ 当該自動車が品質に関して契約の内容に適合しないものであった場合には、CはAに対しても、Bに対しても、契約不適合責任を追及することができる。

❸ 売買契約が締結された際に、Cが解約手付として手付金10万円をAに支払っている場合には、Aはいつでも20万円を現実に提供して売買契約を解除することができる。

❹ 売買契約締結時には当該自動車がAの所有物ではなく、Aの父親の所有物であったとしても、AC間の売買契約は有効に成立する。

> **日建学院・講師陣の必勝コメント**
>
> 「正答率データ」によると、合格者と不合格者の差が大きい問題です。❷を筆頭にかなり難しい問題ですが、少なくとも重要基本知識の❶にひっかからないというだけで、正解できる確率がグッと上がります。

"合否の実力の差"が、一発逆転の指標!
「合格者・不合格者別 正答率データ」

宅建本試験当日に『日建学院 Web解答速報リサーチ』に登録された実際の受験生のデータを分析して、各問題ごとに「合格者の正答率・不合格者の正答率」の両方を表示しました。

各正答率の差が大きい問題ほど、「コレを取れれば他の受験生に一気に差がつけられる問題」であることがわかり、また、不合格者がひっかかった"落とし穴"にハマっていないか等、ご自分の実力の把握の目安としてください。

注:合格者・不合格者の「分析実績がなかった年度」については、「──」と表示しています。

学習をナビする「アイコン」

 よく狙われる論点。受かる人は必ず理解、ココを落としたら命取り!

 ひとクセある危険な出題。引っかからないように要注意!

 少々ハイレベルで、理解するには努力が必要。でも、逃げてはダメ!

 "重箱の隅"を突っつくマニアックな内容。立入り厳禁、無視してOK!!

解説

「どこでも!学ぶ宅建士」
第1編「権利関係」
⊙13 売買(P120〜)

| | 合格者 | 76.6 % |
| 正答率 | 不合格者 | 44.0 % |

売買

❶ 誤り。売買契約➡原則として、同時履行の抗弁あり。
双務契約の当事者の一方は、相手方がその債務の履行を提供するまでは、自己の債務の履行を拒むことができます。したがって、買主Cは、売主Aが当該自動車の引渡しの提供をするまでは、代金の支払を拒むことができます。このことは、媒介をしている者が報酬を得て行っているかどうかには関係ありません。　　　　民法533条、判例

❷ 誤り。契約不適合責任を負うのは、売主のみ。
目的物が種類、品質に関して契約の内容に不適合のときは、買主は、売主に対し、売主の担保責任(契約不適合責任)を追及できます。しかし、この契約不適合責任は、売主に対してのみ追及でき、媒介を行った者等に対しては追及することができません。　　　　562条、563条、564条

❸ 誤り。手付解除➡両当事者とも、相手方が履行に着手するまで。
買主が売主に手付を交付したときは、相手方が契約の履行に着手するまでは、買主はその手付を放棄し、売主はその倍額を現実に提供して、契約の解除ができます。したがって、売主Aが手付の倍額を現実に提供して手付解除ができるのは、買主Cが契約の履行に着手するまでに限られます。　　　　557条

❹ 正しい。民法上、他人物売買は有効。　　　　561条

 +α 他人の権利を売買の目的としたときは、売主は、その権利を取得して買主に移転する義務を負います。

確認や復習に!
『基本テキスト』とリンク

シリーズの「基本テキスト」の参照ページです。疑問が生じた点は戻って確認するなど、知識の相互補完に便利です。

核心を突く「1行解説」

正誤判断のためのキーワードや要点を集約、簡潔に記述しました。本試験で狙われる最重要知識を重点的に、短時間で習得できます。

攻略POINT 解約手付

手付解除の方法	買主は手付を放棄し、売主は手付の倍額を現実に提供すれば、契約解除できる
解除の時期	相手方が履行に着手するまで
効果	●契約は、さかのぼって消滅する ●損害賠償請求はできない

【正解 ❹】

要点整理の「攻略POINT」

繰り返し出題されている要点を集中確認できるように整理した"まとめ"の図表です。

目　　次

Contents

第3編　法令上の制限

第4編　税・価格の評定

第5編　5問免除科目

第**1**編

権利関係

- ●民 法
- ●借地借家法
- ●区分所有法
- ●不動産登記法

制限行為能力者

問題 1 制限行為能力者に関する次の記述のうち、民法の規定及び判例によれば、正しいものはどれか。[H28-問02]

❶ 古着の仕入販売に関する営業を許された未成年者は、成年者と同一の行為能力を有するので、法定代理人の同意を得ないで、自己が居住するために建物を第三者から購入したとしても、その法定代理人は当該売買契約を取り消すことができない。

❷ 被保佐人が、不動産を売却する場合には、保佐人の同意が必要であるが、贈与の申し出を拒絶する場合には、保佐人の同意は不要である。

❸ 成年後見人が、成年被後見人に代わって、成年被後見人が居住している建物を売却する際、後見監督人がいる場合には、後見監督人の許可があれば足り、家庭裁判所の許可は不要である。

❹ 被補助人が、補助人の同意を得なければならない行為について、同意を得ていないにもかかわらず、詐術を用いて相手方に補助人の同意を得たと信じさせていたときは、被補助人は当該行為を取り消すことができない。

🔥 日建学院・講師陣の必勝コメント

　本問で、苦しまぎれに、内容が細かすぎるため "立ち入り厳禁" である❷を選択した方は、要注意！
　合否の分かれ目は、「細かい知識を知っているかどうかより、基本知識の正確性にある」ということに尽きます。

解説

『どこでも！学ぶ宅建士』
第1編「権利関係」
➡ 1 制限行為能力者（P12～）

正答率	合格者	**90.6** %
	不合格者	**60.5** %

❶ **誤り。未成年者 ➡ 成年者と同一の行為能力を有するのは「許された営業」のみ。**
　一種または数種の営業を許された未成年者は、その営業に関してのみは、成年者と同一の行為能力を有します。
　本肢の未成年者が許されているのは、「古着の仕入販売」に関する営業だけであり、不動産の売買に関しては、許されていません。
　したがって、法定代理人は、当該売買契約を取り消すことができます。
➡ 民法6条

❷ **誤り。①不動産の売買、②贈与の申込みの拒絶 ➡ ①②ともに保佐人の同意が必要。**
　被保佐人は、不動産の売買などの重要な財産に関する権利の得喪を目的とする行為を行う場合だけでなく、贈与の申し出（申込み）を拒絶する場合にも、保佐人の同意を得なければなりません。
➡ 13条

❸ **誤り。成年被後見人の居住用不動産の処分 ➡ 家裁の許可が必要。**
　成年後見人は、成年被後見人に代わって、その居住の用に供する建物・その敷地について、売却・賃貸・賃貸借の解除・抵当権の設定その他これらに準ずる処分をするには、家庭裁判所の許可を得なければなりません。
　たとえ後見監督人の同意等があったとしても、家庭裁判所の許可が必要なことには変わりません。
➡ 859条の3、864条、13条、852条参照

> **+α**　「後見監督人」とは、後見人の事務の監督などを職務とする者をいいます。家庭裁判所は、成年後見人について、必要があると認めるときは、被後見人・その親族・後見人本人の請求により、または職権によって、後見監督人を選任することができます。

❹ **正しい。制限行為能力者による詐術 ➡ 取消しは不可。**
　制限行為能力者が、自己を行為能力者であると信じさせるため詐術を用いたときは、その行為を取り消すことができません。本肢のように、保護者の同意を得たと信じさせるために詐術を用いたときも、同様です。
➡ 21条、判例

【正解 ❹】

制限行為能力者

問題 2　制限行為能力者に関する次の記述のうち、民法の規定及び判例によれば、正しいものはどれか。　　　　　　　　　　[R4-問03]

❶　成年後見人は、後見監督人がいる場合には、後見監督人の同意を得なければ、成年被後見人の法律行為を取り消すことができない。

❷　相続の放棄は相手方のない単独行為であるから、成年後見人が成年被後見人に代わってこれを行っても、利益相反行為となることはない。

❸　成年後見人は成年被後見人の法定代理人である一方、保佐人は被保佐人の行為に対する同意権と取消権を有するが、代理権が付与されることはない。

❹　令和4年4月1日からは、成年年齢が18歳となったため、18歳の者は、年齢を理由とする後見人の欠格事由に該当しない。

👆 日建学院・講師陣の必勝コメント

　　全肢とも、宅建試験初出題の内容でした。一般的なテキスト等では、❸以外の内容を詳細には取り上げていませんので、「知識」で正解する必要はありません。そのため、ここでの復習の際には、❸だけをしっかり確認しておけば十分です。

　　意外にも正答率は高いのですが、それは、出題当時「成年年齢引下げ」の話題が社会を賑わせたことから、多くの方が「成年年齢に絡む❹が意味ありげ」と当たりを付けたから、ともいえるかもしれません。

　　ただし、それも日頃から社会事象に関心を持っていればこそ働く "ヤマカン・第六感"。鍛え上げて、このような問題で1点ゲットできれば、儲けものです！

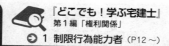

解 説

『どこでも！学ぶ宅建士』
第1編「権利関係」
➡ 1 制限行為能力者（P12～）

❶ **誤り。後見人による取消権の行使には、後見監督人の同意は不要。**

　成年後見人は、後見監督人がいる場合でも、後見監督人の同意を得ずに、成年被後見人がした契約などの法律行為を取り消すことができます。

➡ 民法9条、120条、864条、13条参照

❷ **誤り。相続の放棄 ➡ 利益相反行為になり得る。**

　相続の放棄をする者と、これによって相続分が増加する者とは、**利益が相反する関係**にあります。したがって、相続の放棄は、相手方のない単独行為ではあるものの、利益相反行為となることがあります。

➡ 860条、826条、判例

❸ **誤り。保佐人 ➡ 代理権を付与されることがある。**

　保佐人は、被保佐人がする一定の行為に対する同意権と取消権を持つだけでなく、家庭裁判所の審判によって、さらに、**被保佐人がする特定の法律行為に関する「代理権」**が付与される場合があります。

➡ 859条、13条、120条、876条の4

> **+α** なお、「成年後見人が成年被後見人の法定代理人である」とする点については、正しい内容です。

❹ **正しい。**

　令和4年4月1日以降、**成年年齢は**18歳となりました。したがって、18歳の者は、そもそも未成年者ではなく、そのため、年齢（未成年＝18歳未満）を理由とする「後見人の欠格事由」には該当しません。

➡ 847条、4条

【正解 ❹】

意思表示

問題 **3**	ＡがＢに甲土地を売却した場合に関する次の記述のうち、民法の規定及び判例によれば、誤っているものはどれか。

[H30-問01改]

❶ 甲土地につき売買代金の支払と登記の移転がなされた後、第三者の詐欺を理由に売買契約が取り消された場合、原状回復のため、ＢはＡに登記を移転する義務を、ＡはＢに代金を返還する義務を負い、各義務は同時履行の関係となる。

❷ Ａが甲土地を売却した意思表示に錯誤があったとしても、Ａに重大な過失があって取り消すことができない場合は、ＢもＡの錯誤を理由として取り消すことはできない。

❸ ＡＢ間の売買契約が仮装譲渡であり、その後ＢがＣに甲土地を転売した場合、Ｃが仮装譲渡の事実を知らなければ、Ａは、Ｃに虚偽表示による無効を対抗することができない。

❹ Ａが第三者の詐欺によってＢに甲土地を売却し、その後ＢがＤに甲土地を転売した場合、Ｂが第三者の詐欺の事実を知らず、かつ、知ることができなかったとしても、Ｄが第三者の詐欺の事実を知っていれば、Ａは詐欺を理由にＡＢ間の売買契約を取り消すことができる。

❶ 正しい。

　　第三者の詐欺によって売買契約を行った売主・買主は、相手方がその事実を知り、または知ることができたときに限り、その契約の取消しができます。そして、取り消された契約は、「初めから無効」とみなされ、両当事者は原状回復義務を負うことになります。

　　つまり、売買契約が、詐欺を理由として取り消された場合、当事者双方の**原状回復義務**は、同時履行の関係となります。

　　　　　　　　　　➡ 民法96条、121条、121条の2、533条、判例

❷ 正しい。

　　意思表示の内容の重要な部分に錯誤があるときは、その意思表示を取り消すことができます。ただし、その錯誤が、意思表示をした者（**表意者**）の**重大な過失**による場合には、原則として、取消しができません。

　　そして、錯誤によって取り消すことができるのは、表意者本人・その代理人・承継人に限定されます。したがって、売買の相手方である買主Bは、Aの錯誤を理由として売買契約を取り消すことはできません。

　　　　　　　　　　➡ 95条、120条

❸ 正しい。

　　相手方と共謀してした**虚偽の意思表示**の無効は、**善意の第三者**に対抗することができません。

　　　　　　　　　　➡ 94条

❹ 誤り。第三者の詐欺 ➡ 「相手方が悪意または有過失」に限り、取消し可。

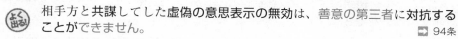

　　第三者の詐欺によって売買契約を行った売主・買主は、**相手方がその事実を知り**（悪意）、**または知ることができた**（善意有過失）ときに限り、その意思表示を**取り消す**ことができます。

　　よって、本肢では、相手方である買主Bが、「AのBに対する甲土地の売却が第三者の詐欺によるものだった」という事実を知らず（善意）、かつ、知ることができなかったので（無過失）、Aは、AB間の売買契約を取り消すことができません。

　　そして、この結論は、転売の相手方である**D**が悪意でも、変わりません。

　　　　　　　　　　➡ 96条

【正解 **❹**】

意思表示

問題 **4**

AがBに甲土地を売却し、Bが所有権移転登記を備えた場合に関する次の記述のうち、民法の規定及び判例によれば、誤っているものはどれか。
[R元-問02改]

❶ AがBとの売買契約をBの詐欺を理由に取り消した後、CがBから甲土地を買い受けて所有権移転登記を備えた場合、ＡＣ間の関係は対抗問題となり、Aは、いわゆる背信的悪意者ではないCに対して、登記なくして甲土地の返還を請求することができない。

❷ AがBとの売買契約をBの詐欺を理由に取り消す前に、Bの詐欺について悪意のCが、Bから甲土地を買い受けて所有権移転登記を備えていた場合、AはCに対して、甲土地の返還を請求することができる。

❸ Aの売却の意思表示に錯誤があり、その錯誤が法律行為の目的及び取引上の社会通念に照らして重要なものである場合、その錯誤がAの重大な過失によるものでなければ、Aは、BからAの錯誤について悪意で甲土地を買い受けたCに対して、錯誤による当該意思表示の取消しを主張して、甲土地の返還を請求することができる。

❹ Aの売却の意思表示に錯誤があり、その錯誤が法律行為の目的及び取引上の社会通念に照らして重要なものである場合、その錯誤がAの重大な過失によるものであったとしても、AはBに対して、常に錯誤による当該意思表示の取消しを主張して、甲土地の返還を請求することができる。

解説 『どこでも！学ぶ宅建士』 第1編「権利関係」 → 2 意思表示（P18〜）

正答率 合格者 **94.6**％ 不合格者 **82.0**％

❶ **正しい。**

詐欺を理由に取消しをした売主Aは、「Bの詐欺による意思表示の取消し後の第三者」である本肢の転得者Cに対して、原則として登記がなければ、所有権を対抗して、甲土地の返還を請求できません。 ➡ 民法96条、177条、判例

❷ **正しい。**

詐欺による意思表示の取消しは、善意・無過失の第三者に対抗できません。しかし、悪意の第三者には対抗できます。また、この場合、その第三者が登記を備えているか否かは関係ありません。 ➡ 96条参照

❸ **正しい。**

 行った意思表示の重要な部分に錯誤があるときは、取消しができます。ただし、その錯誤が、表意者の重大な過失によるものであった場合は、原則として、取消しができません。

そして、この錯誤による意思表示の取消しは、錯誤について善意・無過失の第三者には対抗できませんが、悪意の第三者には対抗できます。

➡ 95条、判例

❹ **誤り。表意者に重過失あり ➡ 原則として錯誤の取消しはできない。**

 意思表示の重要な部分に錯誤がある場合であっても、その錯誤が、表意者の重大な過失によるものであったときは、原則として、取消しができません。

➡ 95条

攻略POINT 錯誤による取消しの要件 ────────────

錯誤による取消しの要件を、きちんと理解しましょう。

1 次の「錯誤」に基づくこと

❶ 意思表示に対応する意思を欠く錯誤

❷ 表意者が法律行為の基礎とした事情（動機）について、その認識が真実に反する錯誤。ただし、動機が法律行為の基礎とされていることが表示されている場合に限定される

2 その錯誤が、法律行為の目的および取引上の社会通念に照らして重要なこと

3 表意者に重大な過失がないこと

【正解 ❹】

意思表示（錯誤による取消し）

問題 5

AとBとの間で令和7年7月1日に締結された売買契約に関する次の記述のうち、民法の規定によれば、売買契約締結後、AがBに対し、錯誤による取消しができるものはどれか。

[R2(10)-問06改]

❶ Aは、自己所有の自動車を100万円で売却するつもりであったが、重大な過失によりBに対し「10万円で売却する」と言ってしまい、Bが過失なく「Aは本当に10万円で売るつもりだ」と信じて購入を申し込み、AB間に売買契約が成立した場合

❷ Aは、自己所有の時価100万円の壺（つぼ）を10万円程度であると思い込み、Bに対し「手元にお金がないので、10万円で売却したい」と言ったところ、BはAの言葉を信じ「それなら10万円で購入する」と言って、AB間に売買契約が成立した場合

❸ Aは、自己所有の時価100万円の名匠の絵画を贋作（がんさく）だと思い込み、Bに対し「贋作（がんさく）であるので、10万円で売却する」と言ったところ、Bも同様に贋作（がんさく）だと思い込み「贋作（がんさく）なら10万円で購入する」と言って、AB間に売買契約が成立した場合

❹ Aは、自己所有の腕時計を100万円で外国人Bに売却する際、当日の正しい為替レート（1ドル100円）を重大な過失により1ドル125円で計算して「8,000ドルで売却する」と言ってしまい、Aの錯誤について過失なく知らなかったBが「8,000ドルなら買いたい」と言って、AB間に売買契約が成立した場合

🤚 **日建学院・講師陣の必勝コメント**

「錯誤による取消し」ができる場合か否か、事例問題の具体例に即して判断できるようにしましょう。事例問題の克服なしに合格はあり得ない、ということの証明の一例です。

解　説　『どこでも！学ぶ宅建士』
第1編「権利関係」
➡ 2 意思表示（P22～）

正答率	合格者	**88.0** %
	不合格者	**56.2** %

❶ **できない。表意者に重大な過失あり ➡ 原則、錯誤による取消しは不可。**
　　行った意思表示の重要な部分に錯誤があるときは、取り消すことができます。しかし、その錯誤が、表意者の重大な過失によるものであった場合には、①相手方が、表意者に錯誤があることを知り、または自己の重大な過失によってそれを知らなかったとき、②相手方が表意者と同一の錯誤に陥っていたときを除き、取消しはできません。
　　Bは、Aの意思表示に錯誤があることを過失なく知らないため（善意・無過失）、①②のどちらにも該当しません。したがって、Aは、錯誤による取消しはできません。　　　　　　　　　　　　　　　　　　　　➡ 民法95条

❷ **できない。基礎事情が表示されていない ➡ 錯誤による取消しは不可。**
　　動機の錯誤による意思表示の取消しは、その事情が法律行為の基礎とされていることが表示されていたときに限り、することができます。
　　Aは、「時価100万円の壺を10万円程度の価値しかない」と勘違いした事情（＝法律行為の基礎とした事情）を、売却する際に買主Bに表示していませんので、錯誤による取消しはできません。　　　　　　　　➡ 95条

❸ **できる。基礎事情の表示あり ➡ 錯誤による取消し可。**
　　Aは、「贋作だから」という、絵画を売却した理由（＝法律行為の基礎とした事情）をBに表示したうえで絵画を売却しているため（❷解説参照）、錯誤による取消しができます。　　　　　　　　　　　　　➡ 95条

❹ **できない。表意者に重大な過失あり ➡ 原則、錯誤による取消しは不可。**
難　❶解説を参照。買主Bは、Aに錯誤があることを過失なく知らないため（善意・無過失）、①②のどちらにも該当しません。したがって、Aは、錯誤による取消しはできません。　　　　　　　　　　　　　　　➡ 95条

【正解 ❸】

民法（総則）

□ □ □ Check!

重要ランク A

代　理

問題 **6**

代理に関する次の記述のうち、民法の規定及び判例によれば、誤っているものはどれか。
[H24-問02]

❶　未成年者が代理人となって締結した契約の効果は、当該行為を行うにつき当該未成年者の法定代理人による同意がなければ、有効に本人に帰属しない。

❷　法人について即時取得の成否が問題となる場合、当該法人の代表機関が代理人によって取引を行ったのであれば、即時取得の要件である善意・無過失の有無は、当該代理人を基準にして判断される。

❸　不動産の売買契約に関して、同一人物が売主及び買主の双方の代理人となった場合であっても、売主及び買主の双方があらかじめ承諾をしているときには、当該売買契約の効果は両当事者に有効に帰属する。

❹　法定代理人は、やむを得ない事由がなくとも、復代理人を選任することができる。

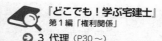 

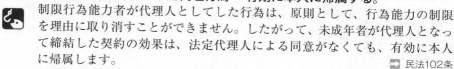

❶ 誤り。制限行為能力者がした代理行為 ➡ 有効に本人に帰属する。

制限行為能力者が代理人としてした行為は、原則として、行為能力の制限を理由に取り消すことができません。したがって、未成年者が代理人となって締結した契約の効果は、法定代理人による同意がなくても、有効に本人に帰属します。

➡ 民法102条

> **+α** なぜなら、代理人の行為によって生じた権利義務は、すべて本人に帰属するため、代理人が行為能力者でなくても問題ないからです。

❷ 正しい。

法人について即時取得の成否が問題となる場合、即時取得の要件である善意・無過失の有無は、第一次的にはその代表機関（例えば、株式会社であれば、代表取締役）について決するべきですが、その代表機関が代理人により取引をしたときは、その代理人を基準に判断されます。

➡ 192条、101条、判例

❸ 正しい。売主・買主の双方が許諾した行為 ➡ 双方代理OK。

同一の法律行為について、同一の者が当事者双方の代理人としてした行為は、原則として、代理権を有しない者（無権代理人）がした行為（無権代理行為）とみなされます。

ただし、例外として、当事者双方があらかじめ許諾した行為については、双方の代理人となることができます。したがって、本肢の売買契約の効果は、両当事者に有効に帰属します。

➡ 108条

> **+α** 無権代理行為とならない「例外」には、他に、単なる債務の履行・登記の申請など、本人に不利益とならない行為があります。

❹ 正しい。法定代理人 ➡ 自己の責任で復代理人を選任できる。

法定代理人は、自己の責任で復代理人を選任することができます。したがって、やむを得ない事由がなくても、復代理人を選任することができます。

➡ 105条

【正解 ❶】

代　理

代理に関する次の記述のうち、民法の規定及び判例によれば、誤っているものはいくつあるか。　　　　　　　　［H26-問02改］

ア　代理権を有しない者がした契約を本人が追認する場合、その契約の効力は、別段の意思表示がない限り、追認をした時から将来に向かって生ずる。

イ　不動産を担保に金員を借り入れる代理権を与えられた代理人が、本人の名において当該不動産を売却した場合、相手方において本人自身の行為であると信じたことについて正当な理由があるときは、表見代理の規定を類推適用することができる。

ウ　代理人は、行為能力者であることを要しないが、代理人が後見開始の審判を受けたときは、代理権が消滅する。

エ　代理人が相手方に対してした意思表示の効力が意思の不存在、錯誤、詐欺、強迫又はある事情を知っていたこと若しくは知らなかったことにつき過失があったことによって影響を受けるべき場合には、その事実の有無は、本人の選択に従い、本人又は代理人のいずれかについて決する。

❶　一つ

❷　二つ

❸　三つ

❹　四つ

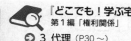 

解説 『どこでも！学ぶ宅建士』
第1編「権利関係」
→ 3 代理 (P30～)

正答率 合格者 **64.2** %
不合格者 **46.5** %

ア 誤り。**本人の追認** ➡ 「**契約時にさかのぼって**」**有効**。

 無権代理行為の追認の効力は、別段の意思表示がないときは、契約の時にさかのぼって生じます。　　　　　　　　　　　　　➡ 民法116条

イ 正しい。

 不動産の担保権設定の**代理権を与えられたにすぎない代理人**が、代理人としてではなく、**本人の名**で、その不動産を売却した場合にも、**権限外の行為に関する表見代理**の規定を類推適用できます。　　　➡ 110条類推適用

ウ 正しい。

制限行為能力者が代理人としてした行為は、原則として、行為能力の制限を理由に取り消すことができません。つまり、代理人は、行為能力者であることを要しません。

しかし、代理権は、代理人が後見開始の審判を受けたことによって消滅します。　　　　　　　　　　　　　　　　　　　➡ 102条、111条

エ 誤り。**代理行為の瑕疵** ➡ **代理人を基準に判断**。

代理人が相手方に対してした意思表示の効力が、意思の不存在・錯誤・詐欺・強迫、または、ある事情を知っていた・もしくは知らなかったことについて**過失があったことによって左右される**場合には、その事実の有無は、**代理人を基準**として決せられます。

本人の選択によって決せられるわけではありません。　　　➡ 101条

よって、誤っているものは**ア・エ**の２つであり、正解は**❷**となります。

【正解 ❷】

重要ランク
A

代　理

<table>
<tr><td>問題 8</td><td>Aが、所有する甲土地の売却に関する代理権をBに授与し、BがCとの間で、Aを売主、Cを買主とする甲土地の売買契約（以下この問において「本件契約」という。）を締結した場合における次の記述のうち、民法の規定及び判例によれば、正しいものはどれか。
[H30-問02改]</td></tr>
</table>

❶　Bが売買代金を着服する意図で本件契約を締結し、Cが本件契約の締結時点でこのことを知っていた場合であっても、本件契約の効果はAに帰属する。

❷　AがBに代理権を授与するより前にBが補助開始の審判を受けていた場合、Bは有効に代理権を取得することができない。

❸　BがCの代理人にもなって本件契約を成立させた場合、Aの許諾の有無にかかわらず、本件契約は代理権を有しない者がした行為となる。

❹　AがBに代理権を授与した後にBが後見開始の審判を受け、その後に本件契約が締結された場合、Bによる本件契約の締結は無権代理行為となる。

日建学院・講師陣の必勝コメント

　この問題では、❷で勘違いしたら、出題者の思うツボです。未成年者に関連して問われることが多い知識ですが、同じ制限行為能力者である**被補助人**でも同じと気づけたかどうかで、実力の差がはっきり出ます。

解説

『どこでも！学ぶ宅建士』
第1編「権利関係」
➡ **3 代理**（P30～）

正答率 | 合格者 **79.3**% | 不合格者 **48.5**%

❶ **誤り。代理人の権限濫用について相手方が悪意または有過失➡本人は免責される。**

代理人が、自己または第三者の利益を図る目的で代理権の範囲内の行為をした場合で、相手方が、その目的について悪意または善意・有過失であるときは、その行為は、「代理権を有しない者（＝無権代理人）がした代理権の濫用行為（＝無権代理行為）」とみなされます。本肢の場合、相手方Cは、代理人Bが売買代金を着服する意図で本件契約を締結したことを知っていた（悪意）ので、Bの行為は、無権代理行為とみなされます。したがって、本件契約の効果は、Aに帰属しません。　　　　　　　　➡ 民法107条

❷ **誤り。制限行為能力者も、原則、代理人となれる。**

制限行為能力者でも、代理人となることができます。そして、制限行為能力者が代理人としてした行為は、原則として、行為能力の制限を理由に、取り消すことができません。

したがって、代理権が授与される前に補助開始の審判を受けたB（被補助人）でも、有効に代理権を取得できます。　　　　　　　　➡ 102条

❸ **誤り。双方代理➡有効となるには「本人があらかじめ許諾」することが必要。**

同一の法律行為について、当事者双方の代理人としてした行為は、代理権を有しない者（＝無権代理人）がした行為（＝無権代理行為）とみなされます。ただし、本人があらかじめ許諾した行為は、有効です。したがって、本肢のように、「Aの許諾の有無にかかわらず、本件契約が無権代理行為となる」わけではありません。　　　　　　　　➡ 108条

❹ **正しい。**

代理人が、後見開始の審判を受ければ、代理権は消滅します。したがって、代理権の授与後に後見開始の審判を受けたBによる契約の締結は、**無権代理行為**となります。　　　　　　　　➡ 111条

攻略POINT 代理権の消滅事由

この問題を機に、**代理権の消滅事由**を整理しておきましょう。

（〇＝消滅する、✕＝消滅しない）

		❶死亡	❷破産	❸後見開始の審判
任意代理	本人	〇	〇	✕
	代理人	〇	〇	〇
法定代理	本人	〇	✕	✕
	代理人	〇	〇	〇

【正解 ❹】

代　理

AがBに対して、A所有の甲土地を売却する代理権を令和7年7月1日に授与した場合に関する次の記述のうち、民法の規定及び判例によれば、正しいものはどれか。　[R2⑿-問02改]

❶ Bが自己又は第三者の利益を図る目的で、Aの代理人として甲土地をDに売却した場合、Dがその目的を知り、又は知ることができたときは、Bの代理行為は無権代理とみなされる。

❷ BがCの代理人も引き受け、AC双方の代理人として甲土地に係るAC間の売買契約を締結した場合、Aに損害が発生しなければ、Bの代理行為は無権代理とはみなされない。

❸ AがBに授与した代理権が消滅した後、BがAの代理人と称して、甲土地をEに売却した場合、AがEに対して甲土地を引き渡す責任を負うことはない。

❹ Bが、Aから代理権を授与されていないA所有の乙土地の売却につき、Aの代理人としてFと売買契約を締結した場合、AがFに対して追認の意思表示をすれば、Bの代理行為は追認の時からAに対して効力を生ずる。

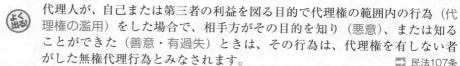

❶ 正しい。

代理人が、自己または第三者の利益を図る目的で代理権の範囲内の行為（代理権の濫用）をした場合で、相手方がその目的を知り（悪意）、または知ることができた（善意・有過失）ときは、その行為は、代理権を有しない者がした無権代理行為とみなされます。

➡ 民法107条

❷ 誤り。売主・買主の双方代理 ➡ 原則、無権代理とみなされる。

同一の法律行為について、代理人が当事者双方の代理人としてした行為は、①債務の履行、及び②本人があらかじめ許諾した行為であるという2つの例外を除き、代理権を有しない者がした無権代理行為とみなされます。

したがって、本肢のように、単に「本人Aに損害が発生しない」というだけでは、その「2つの例外」に該当せず、Bの双方代理は、無権代理行為とみなされます。

➡ 108条

❸ 誤り。表見代理が成立 ➡ 本人は、相手方に対して履行義務を負う。

代理権を有しない者が他人の代理人として締結した契約は、本人がその追認をしなければ、原則、無権代理行為として、本人に対して効力を生じません。しかし、他人に代理権を与えた者は、その代理権の範囲内で代理権の消滅後にその他人が第三者との間でした行為についても、代理権の消滅について善意・無過失の第三者に対しては、責任を負います（代理権消滅後の表見代理）。

したがって、本肢の場合、本人Aは、相手方Eに対して甲土地を引き渡す責任を負います。

➡ 113条、112条

❹ 誤り。本人の追認 ➡ 「契約の時にさかのぼって」効力を生じる。

追認は、契約の時にさかのぼって、その効力を生じます。したがって、本人Aが相手方Fに対して追認の意思表示をすれば、Bの代理行為の効力は、乙土地の売買契約の時にさかのぼって生じます。

「追認の時から」ではありません。

➡ 116条

【**正解 ❶**】

代理（無権代理）

重要ランク A

問題 10　A所有の甲土地につき、Aから売却に関する代理権を与えられていないBが、Aの代理人として、Cとの間で売買契約を締結した場合における次の記述のうち、民法の規定及び判例によれば、誤っているものはどれか。なお、表見代理は成立しないものとする。

[H24-問04]

❶　Bの無権代理行為をAが追認した場合には、AC間の売買契約は有効となる。

❷　Aの死亡により、BがAの唯一の相続人として相続した場合、Bは、Aの追認拒絶権を相続するので、自らの無権代理行為の追認を拒絶することができる。

❸　Bの死亡により、AがBの唯一の相続人として相続した場合、AがBの無権代理行為の追認を拒絶しても信義則には反せず、AC間の売買契約が当然に有効になるわけではない。

❹　Aの死亡により、BがDとともにAを相続した場合、DがBの無権代理行為を追認しない限り、Bの相続分に相当する部分においても、AC間の売買契約が当然に有効になるわけではない。

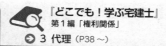 

解　説

『どこでも！学ぶ宅建士』
第1編「権利関係」
→ 3 代理（P38〜）

正	合格者	**89.5** %
答率	不合格者	**70.6** %

❶ 正しい。本人の追認 ➡ 「契約時」にさかのぼって有効。

　無権代理人の行為を本人が追認すると、契約の時にさかのぼって効力を生じます。したがって、Bの無権代理行為をAが追認した場合、AC間の売買契約は有効となります。

→ 民法116条

❷ 誤り。無権代理人が本人を単独相続 ➡ 当然に有効。

　本人Aが追認も追認拒絶もしないまま死亡し、無権代理人Bが本人を単独で相続した場合、Bが本人の資格で追認を拒絶することは、民法の信義則（「権利の行使及び義務の履行は、信義に従い誠実に行わなければならない」、民法1条）に反するため許されず、その無権代理行為は当然に有効となります。

　したがって、無権代理人Bは、自らの無権代理行為の追認を拒絶できません。

→ 113条、判例

❸ 正しい。本人が無権代理人を相続 ➡ 追認拒絶ができる。

　本人Aが無権代理人Bを相続した場合にAが追認を拒絶しても、民法の信義則に反するとはいえず、無権代理行為は、当然に有効とはなりません。

→ 113条、判例

❹ 正しい。共同相続 ➡ 全員の追認が必要。

　本人が死亡し、無権代理人が、本人の地位を他の相続人と共同相続した場合、追認権は、相続人全員で行使しなければなりません。

　したがって、DがBの無権代理行為の追認を拒絶したときは、Bのみでは追認権を行使できないため、Bの相続分についてした売買契約は、当然に有効とはなりません。

→ 113条、判例

攻略POINT 無権代理と相続

　無権代理人と相続の関係を整理しておきましょう。

ケース		無権代理行為の効果
本人が死亡	無権代理人が単独相続する場合	追認を拒絶できない（有効）
	無権代理人が他の相続人と共同相続する場合	共同相続人が全員で追認しない限り、有効にならない
無権代理人が死亡	本人が相続する場合	追認を拒絶できる（無効）

【正解 ❷】

重要ランク **A**

代理（無権代理）

<table>
<tr><td>問題 **11**</td><td>次の❶から❹までの記述のうち、民法の規定及び判例並びに下記判決文によれば、誤っているものはどれか。</td></tr>
</table>

（判決文）

　本人が無権代理行為の追認を拒絶した場合には、その後に無権代理人が本人を相続したとしても、無権代理行為が有効になるものではないと解するのが相当である。けだし、無権代理人がした行為は、本人がその追認をしなければ本人に対してその効力を生ぜず（民法113条１項）、本人が追認を拒絶すれば無権代理行為の効力が本人に及ばないことが確定し、追認拒絶の後は本人であっても追認によって無権代理行為を有効とすることができず、右追認拒絶の後に無権代理人が本人を相続したとしても、右追認拒絶の効果に何ら影響を及ぼすものではないからである。　　　　　[R元-問05]

❶　本人が無権代理行為の追認を拒絶した場合、その後は本人であっても無権代理行為を追認して有効な行為とすることはできない。

❷　本人が追認拒絶をした後に無権代理人が本人を相続した場合と、本人が追認拒絶をする前に無権代理人が本人を相続した場合とで、法律効果は同じである。

❸　無権代理行為の追認は、別段の意思表示がないときは、契約の時にさかのぼってその効力を生ずる。ただし、第三者の権利を害することはできない。

❹　本人が無権代理人を相続した場合、当該無権代理行為は、その相続により当然には有効とならない。

日建学院・講師陣の必勝コメント

　判決文問題のスタイルはとっているものの、問われている内容は**無権代理**と相続に関する基本事項です。しっかり復習しておきましょう。

代理（無権代理）

本問の判決文は、最高裁判所判決平成10年7月17日によるものです。

❶ **正しい。追認拒絶後➡それをした本人も追認不可。**

本人が追認を拒絶すれば、無権代理行為の効力が本人に及ばないことが確定します。したがって、いったん追認を拒絶した後は、本人でも、追認によって無権代理行為を有効とすることはできません。 ➡ 判決文、民法113条参照

❷ **誤り。無権代理人が本人を相続した効果は、追認拒絶の前後で異なる。**

本人が無権代理行為の追認を拒絶した後に、無権代理人が本人を相続した場合は、無権代理行為が有効になることはありません。

これに対して、無権代理人が本人を単独相続し、本人と代理人との資格が同一人に帰するに至った場合は、本人が自ら法律行為をしたのと同様の法律上の地位を生じます。つまり、無権代理行為は、相続と共に、当然に有効となります。

したがって、本人が追認拒絶をした後に無権代理人が本人を相続した場合と、本人が追認拒絶する前に無権代理人が本人を相続した場合とでは、法律効果は異なります。 ➡ 判決文、判例

❸ **正しい。追認➡契約の時にさかのぼって効力を生じる。**

無権代理行為の追認は、別段の意思表示がないときは、契約の時にさかのぼって効力を生じます。ただし、第三者の権利を害することはできません。 ➡ 116条

❹ **正しい。本人が無権代理人を相続➡当然には有効とならない。**

判決文とは逆の事例として、「本人が無権代理人を相続」した場合について問う内容です。

被害者的立場にある本人が、「本人としての地位」に基づいて被相続人の無権代理行為の追認を拒絶したとしても、それは、民法の信義則（「権利の行使及び義務の履行は、信義に従い誠実に行わなければならない」、民法1条）に反するものではありません。

したがって、被相続人の無権代理行為は、「相続により当然に有効」とはなりません。 ➡ 113条、判例

+α なお、本問の判決文では言及していませんが、別の判例によれば、本肢の内容は正しい記述です。

【正解 ❷】

時　効

問題 **12**　権利の取得や消滅に関する次の記述のうち、民法の規定及び判例によれば、正しいものはどれか。　[H26-問03改]

❶　売買契約に基づいて土地の引渡しを受け、平穏に、かつ、公然と当該土地の占有を始めた買主は、当該土地が売主の所有物でなくても、売主が無権利者であることにつき善意で無過失であれば、即時に当該不動産の所有権を取得する。

❷　所有権は、権利を行使することができる時から20年間行使しないときは消滅し、その目的物は国庫に帰属する。

❸　買主の売主に対する目的物の種類又は品質に関する担保責任による損害賠償請求権には消滅時効の規定の適用があり、この消滅時効は、買主が権利を行使することができることを知った時又は権利を行使することができる時から進行する。

❹　20年間、平穏に、かつ、公然と他人が所有する土地を占有した者は、占有取得の原因たる事実のいかんにかかわらず、当該土地の所有権を取得する。

解説

『どこでも！学ぶ宅建士』
第1編「権利関係」
→ 4 時効（P44～）

正答率	合格者	53.5 %
	不合格者	34.6 %

時効

❶ 誤り。「不動産を即時に取得」する制度は存在しない。

「所有の意思」をもって、平穏に、かつ、公然と他人の物を占有した者は、その占有の開始の時に善意無過失のときは「10年間」で、その所有権を取得します。つまり、所有権を時効によって取得するには、「所有の意思」が必要です。また、不動産については「即時に」所有権を取得する旨の規定はありません。

→ 民法162条、192条参照

❷ 誤り。所有権 ➡ 消滅時効にかからない。

債権や地役権などは、権利を行使することができる時から20年間行使しないときは、時効によって消滅します。しかし、所有権は、消滅時効にかかりません。したがって、20年間行使しなくても、消滅してその目的物が国庫に帰属するようなことはありません。

→ 166条参照

❸ 正しい。契約不適合責任の損害賠償請求権 ➡ 消滅時効にかかる。

目的物の種類または品質に関する担保責任による損害賠償請求権については、債権として消滅時効の規定の適用があります。なお、本肢の「権利を行使することができる時」とは、「買主が売買の目的物の引渡しを受けた時」を指します。

→ 166条、566条、判例参照

> **+α** 買主は、目的物が種類・品質に関して契約の内容に適合しないことを知った時から1年以内にその旨を売主に通知しないときは、契約不適合を理由とした損害賠償の請求等をすることが不可能となります。

❹ 誤り。所有権を時効取得 ➡ 所有の意思が必要。

20年間、所有の意思をもって、平穏に、かつ、公然と他人の物を占有した者は、その所有権を取得します。その反面、本肢のように、当該土地の賃貸借契約を占有取得の原因とした場合は、そもそも所有の意思がないので、所有権を取得することはできません。よって、「占有取得の原因たる事実のいかんにかかわらず」という点が誤りです。

→ 162条参照

【正解 ❸】

時　効

問題 **13**	Aが甲土地を所有している場合の時効に関する次の記述のうち、民法の規定及び判例によれば、誤っているものはどれか。

[R2⑽-問10]

❶ Bが甲土地を所有の意思をもって平穏かつ公然に17年間占有した後、CがBを相続し甲土地を所有の意思をもって平穏かつ公然に3年間占有した場合、Cは甲土地の所有権を時効取得することができる。

❷ Dが、所有者と称するEから、Eが無権利者であることについて善意無過失で甲土地を買い受け、所有の意思をもって平穏かつ公然に3年間占有した後、甲土地がAの所有であることに気付いた場合、そのままさらに7年間甲土地の占有を継続したとしても、Dは、甲土地の所有権を時効取得することはできない。

❸ Dが、所有者と称するEから、Eが無権利者であることについて善意無過失で甲土地を買い受け、所有の意思をもって平穏かつ公然に3年間占有した後、甲土地がAの所有であることを知っているFに売却し、Fが所有の意思をもって平穏かつ公然に甲土地を7年間占有した場合、Fは甲土地の所有権を時効取得することができる。

❹ Aが甲土地を使用しないで20年以上放置していたとしても、Aの有する甲土地の所有権が消滅時効にかかることはない。

👉 **日建学院・講師陣の 必勝コメント**

「正答率データ」によると、合格者と不合格者の差が大きい問題です。少なくとも、❷❸の「2択勝負」までは持ち込めなければなりません。あとは、「善意無過失」をいつの時点で判断するのか？　基本知識であればあるほど、あいまいな記憶は命取りです。

解説

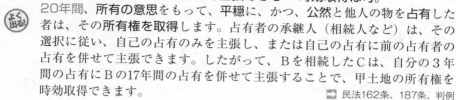

『どこでも！学ぶ宅建士』
第1編「権利関係」
➡ 4 時効（P44〜）

❶ 正しい。前の占有者の占有を併せて主張できる ➡ 時効取得は可。

20年間、所有の意思をもって、平穏に、かつ、公然と他人の物を占有した者は、その所有権を取得します。占有者の承継人（相続人など）は、その選択に従い、自己の占有のみを主張し、または自己の占有に前の占有者の占有を併せて主張できます。したがって、Bを相続したCは、自分の3年間の占有にBの17年間の占有を併せて主張することで、甲土地の所有権を時効取得できます。　　　　　　　　➡ 民法162条、187条、判例

❷ 誤り。占有開始時に「善意無過失」 ➡ 10年間で時効取得可。

10年間、所有の意思をもって、平穏に、かつ、公然と他人の物を占有した者は、その占有の開始の時に善意無過失であれば、その所有権を取得します。占有の途中で事実に気が付いても関係ありません。Dは、占有開始時に善意無過失です。したがって、Dは、10年間、所有の意思をもって平穏かつ公然に占有を継続すれば、甲土地の所有権を時効取得できます。

➡ 162条

❸ 正しい。前の占有者の善意無過失も承継 ➡ 10年間で時効取得可。

占有者の承継人は、その選択に従い、自己の占有のみを主張し、または自己の占有に前の占有者の占有を併せて主張できます。この「前の占有者の占有を併せて主張」する場合には、占有者の「善意無過失」は、**占有開始の時点だけで判断します。**したがって、Dの占有を承継したFは、自分の占有の7年間に、Dの善意無過失で開始した占有の3年間を併せて主張することで、甲土地の所有権を時効取得できます。　　➡ 162条、187条、判例

❹ 正しい。所有権 ➡ 消滅時効にかからない。　　　　　　　　➡ 166条参照

【正解 ❷】

時　効

問題 14

AはBに対し、自己所有の甲土地を売却し、代金と引換えにBに甲土地を引き渡したが、その後にCに対しても甲土地を売却し、代金と引換えにCに甲土地の所有権登記を移転した。この場合におけるBによる甲土地の所有権の時効取得に関する次の記述のうち、民法の規定及び判例によれば、正しいものはどれか。　　　　　[R4-問10]

❶ Bが甲土地をDに賃貸し、引き渡したときは、Bは甲土地の占有を失うので、甲土地の所有権を時効取得することはできない。

❷ Bが、時効の完成前に甲土地の占有をEに奪われたとしても、Eに対して占有回収の訴えを提起して占有を回復した場合には、Eに占有を奪われていた期間も時効期間に算入される。

❸ Bが、甲土地の引渡しを受けた時点で所有の意思を有していたとしても、AC間の売買及びCに対する登記の移転を知ったときは、その時点で所有の意思が認められなくなるので、Bは甲土地を時効により取得することはできない。

❹ Bが甲土地の所有権を時効取得した場合、Bは登記を備えなければ、その所有権を時効完成時において所有者であったCに対抗することはできない。

🦊 日建学院・講師陣の 必勝コメント

　完全に消去法で解くべき問題。合格者と不合格者の正答率の差は、正解肢以外の3肢の知識の精度を上げられていたかどうかの違いです。

　少なくとも、過去問頻出の❹で迷っていては消去法は利用不可能ですので、まずは❹の知識を最優先で復習しましょう。「Cは**時効完成前の第三者**と**時効完成後の第三者**のどちらなのか？」を事例から見抜けるかどうかが、運命の分かれ目です。

解 説 『どこでも！学ぶ宅建士』
第1編「権利関係」

→ 4 時効 (P44〜)

正答率　合格者 **81.1**%　不合格者 **50.5**%

❶ **誤り。賃借人による間接占有➡時効取得ОК。**
時効取得の要件である占有については、必ずしも占有者が自ら物理的に占有する必要はなく、賃借人による占有でもよいとされています（間接占有）。
➡ 民法181条参照

❷ **正しい。占有回収の訴えによって占有回復➡占有を奪われていた期間も算入。**
占有権は、占有者が占有の意思を放棄し、または占有物の所持を失うことによって消滅します。ただし、占有者が占有回収の訴を提起して勝訴し、現実にその物の占有を回復したときは、現実に占有しなかった間も占有を失わず「占有が継続していた」と扱われます。
➡ 203条、判例

❸ **誤り。占有の途中で悪意➡当初の所有の意思は失われない。**
占有における所有の意思の有無は、占有取得の原因たる事実によって外形的・客観的に定められます。したがって、土地の買主が売買契約に基づいて当該土地の占有を取得した時に、売買によって直ちにその所有権を取得できないことを買主が知っていたとしても、特段の事情のない限り、買主の占有には、所有の意思が認められます。
➡ 162条、判例

❹ **誤り。時効完成「前」の第三者➡登記なしでも対抗ОК。**
不動産の時効取得をした者と時効完成当時の当該不動産の所有者（時効完成前の第三者）は、物権変動の当事者のような関係にあるといえます。したがって、時効取得をした者は、時効完成当時の不動産の所有者に対して、登記がなくても、その不動産の時効取得を対抗できます。
➡ 162条、判例

【正解 ❷】

時　効

| 問題 | **15** | 時効に関する次の記述のうち、民法の規定及び判例によれば、誤っているものはどれか。なお、時効の対象となる債権の発生原因は、令和２年４月１日以降に生じたものとする。 |

[R2⑿-問05]

❶　消滅時効の援用権者である「当事者」とは、権利の消滅について正当な利益を有する者であり、債務者のほか、保証人、物上保証人、第三取得者も含まれる。

❷　裁判上の請求をした場合、裁判が終了するまでの間は時効が完成しないが、当該請求を途中で取り下げて権利が確定することなく当該請求が終了した場合には、その終了した時から新たに時効の進行が始まる。

❸　権利の承認があったときは、その時から新たに時効の進行が始まるが、権利の承認をするには、相手方の権利についての処分につき行為能力の制限を受けていないことを要しない。

❹　夫婦の一方が他方に対して有する権利については、婚姻の解消の時から６箇月を経過するまでの間は、時効が完成しない。

解説 『どこでも！学ぶ宅建士』
第1編「権利関係」
➡ 4 時効 (P44〜)

正答率 合格者 **70.3**% 不合格者 **39.3**%

時
効

❶ **正しい。**「消滅時効の援用権者」＝「債務者・保証人・物上保証人・第三取得者等」。

難 時効は、当事者が援用しなければ、裁判所がこれによって裁判できません。この「当事者」には、消滅時効の場合、債務者のほか、保証人・物上保証人・第三取得者その他権利の消滅について正当な利益を有する者を含みます。

➡ 民法145条

❷ **誤り。確定判決等なしで裁判が終了 ➡ 時効が完成猶予されるのみで、更新しない。**

難 裁判上の請求をした場合には、原則として裁判上の請求が終了するまでの間は、時効は完成しませんが（時効の完成猶予）、確定判決等によって権利が確定したときは、時効は、裁判上の請求が終了した時から新たにその進行を始めます（時効の更新）。

これに対して、同じ裁判上の請求をした場合でも、その裁判上の請求が、確定判決等によって権利が確定することなく終了したとき（例えば、裁判上の請求を取り下げた場合等）は、その終了の時から6ヵ月を経過するまでの間は、時効は完成しませんが（時効の完成猶予）、時効の更新は生じません。

➡ 147条

❸ **正しい。承認による時効更新 ➡ 行為能力・権限は不要。**

時効は、権利の承認があったときは、その時から新たにその進行を始めます。この承認をするには、相手方の権利についての処分につき、行為能力の制限を受けていないこと、または権限があることは無関係です。 ➡ 152条

❹ **正しい。夫婦間の権利 ➡ 婚姻解消時から6ヵ月間は時効の完成猶予を受ける。**

夫婦の一方が他の一方に対して有する権利については、婚姻の解消の時から6ヵ月を経過するまでの間、時効は完成しません。 ➡ 159条

【正解 ❷】

条 件

問題 16　Ａは、自己所有の甲不動産を３か月以内に、1,500万円以上で第三者に売却でき、その代金全額を受領することを停止条件として、Ｂとの間でＢ所有の乙不動産を2,000万円で購入する売買契約を締結した。条件成就に関する特段の定めはしなかった。この場合に関する次の記述のうち、民法の規定によれば、正しいものはどれか。

[H23-問02]

❶　乙不動産が値上がりしたために、Ａに乙不動産を契約どおり売却したくなくなったＢが、甲不動産の売却を故意に妨げたときは、Ａは停止条件が成就したものとみなしてＢにＡＢ間の売買契約の履行を求めることができる。

❷　停止条件付法律行為は、停止条件が成就した時から効力が生ずるだけで、停止条件の成否が未定である間は、相続することはできない。

❸　停止条件の成否が未定である間に、Ｂが乙不動産を第三者に売却し移転登記を行い、Ａに対する売主としての債務を履行不能とした場合でも、停止条件が成就する前の時点の行為であれば、ＢはＡに対し損害賠償責任を負わない。

❹　停止条件が成就しなかった場合で、かつ、そのことにつきＡの責に帰すべき事由がないときでも、ＡはＢに対し売買契約に基づき買主としての債務不履行責任を負う。

👆 日建学院・講師陣の必勝コメント

❷に関連して、相続のほかに、**条件の成否が未定の間でも、処分・保存・担保**が可能ということを押さえておきましょう。

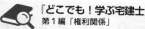

❶ **正しい。故意に成就を妨げられた条件 ➡ 成就とみなすことができる。**

よく
出る！ 条件の成就によって不利益を受ける者が、故意にその条件が成就することを妨げた場合、相手方はその条件が成就したとみなすことができます。したがって、Bが甲不動産の売却を故意に妨げた場合、Aは、本件停止条件が成就したものとみなして、Bに、AB間の売買契約の履行を求めることができます。

➡ 民法130条

❷ **誤り。成否が未定の条件付き権利でも、相続できる。**

条件の成否が未定の間でも、条件付きの権利を処分したり、相続したりすることができます。

➡ 129条

❸ **誤り。条件の成就未定の間でも、相手方の利益侵害は不可。**

条件付きの法律行為（契約など）の各当事者は、条件の成否が未定である間は、条件が成就した場合にその法律行為から生ずべき相手方の利益を害することができません。したがって、たとえ停止条件の成否が未定である間であっても、BがAに対する債務を履行不能にした場合、Bは、Aに対して損害賠償の責任を負います。

➡ 128条、709条

❹ **誤り。停止条件付き契約 ➡ 条件の成就前は効力を生じない。**

停止条件付きの契約は、停止条件が成就した時から効力を生じます。したがって、条件が成就しなければ、契約の効力は生じません。そして、条件が成就しないことについてAに帰責性もないのであれば、Aは、Bに対して、「売買契約に基づいた買主」としての債務不履行責任を負いません。

➡ 127条、415条

【正解 ❶】

不動産物権変動

問題 17

Aが所有者として登記されている甲土地の売買契約に関する次の記述のうち、民法の規定及び判例によれば、正しいものはどれか。 [H19-問03]

❶　Aと売買契約を締結したBが、平穏かつ公然と甲土地の占有を始め、善意無過失であれば、甲土地がAの土地ではなく第三者の土地であったとしても、Bは即時に所有権を取得することができる。

❷　Aと売買契約を締結したCが、登記を信頼して売買契約を行った場合、甲土地がAの土地ではなく第三者Dの土地であったとしても、Dの過失の有無にかかわらず、Cは所有権を取得することができる。

❸　Aと売買契約を締結して所有権を取得したEは、所有権の移転登記を備えていない場合であっても、正当な権原なく甲土地を占有しているFに対し、所有権を主張して甲土地の明渡しを請求することができる。

❹　Aを所有者とする甲土地につき、AがGとの間で10月1日に、Hとの間で10月10日に、それぞれ売買契約を締結した場合、G、H共に登記を備えていないときには、先に売買契約を締結したGがHに対して所有権を主張することができる。

解説

『どこでも！学ぶ宅建士』
第1編「権利関係」

➡ 5 不動産物権変動（P54～）

❶ 誤り。**取得時効の成立 ➡ 善意無過失でも10年必要。**

　　所有の意思をもって、平穏かつ公然と他人の不動産を占有したBは、①占有の開始の時に善意無過失であれば10年間、②それ以外（悪意または善意有過失）であれば20年間、占有することによって所有権を時効取得します。Bは占有開始時に善意無過失（①）ですから、10年間占有しないと所有権を時効取得できません。
➡ 民法162条

❷ 誤り。**所有者に落ち度があれば、登記を信頼した者が保護される。**

　　不実の登記を信頼して無権利者と売買契約を締結した者は、所有権を取得できないのが原則です。もっとも、不実の登記がされたことを知りながら、これを所有者Dが黙認していた、というようにDに一定の責任がある場合、Cは、善意無過失であれば所有権を取得できます。
➡ 判例

❸ 正しい。**不法占有者に対しては、登記がなくても対抗できる。**

　　甲土地の所有者Eは、不法占有者Fに対して、登記がなくても自己の所有権を主張して甲土地の明渡しを請求できます。
➡ 177条、判例

❹ 誤り。**二重譲渡の買主は、登記を備えなければ対抗できない。**

　　不動産の二重譲渡があった場合、所有権の取得は、登記の先後によって決まります。したがって、売買契約の先後自体は関係なく、Gはあくまでも登記を備えなければ、Hに対して所有権を主張できません。

【正解 ❸】

不動産物権変動

問題 18　A所有の甲土地についての所有権移転登記と権利の主張に関する次の記述のうち、民法の規定及び判例によれば、正しいものはどれか。
[H24-問06]

❶　甲土地につき、時効により所有権を取得したBは、時効完成前にAから甲土地を購入して所有権移転登記を備えたCに対して、時効による所有権の取得を主張することができない。

❷　甲土地の賃借人であるDが、甲土地上に登記ある建物を有する場合に、Aから甲土地を購入したEは、所有権移転登記を備えていないときであっても、Dに対して、自らが賃貸人であることを主張することができる。

❸　Aが甲土地をFとGとに対して二重に譲渡してFが所有権移転登記を備えた場合に、AG間の売買契約の方がAF間の売買契約よりも先になされたことをGが立証できれば、Gは、登記がなくても、Fに対して自らが所有者であることを主張することができる。

❹　Aが甲土地をHとIとに対して二重に譲渡した場合において、Hが所有権移転登記を備えない間にIが甲土地を善意のJに譲渡してJが所有権移転登記を備えたときは、Iがいわゆる背信的悪意者であっても、Hは、Jに対して自らが所有者であることを主張することができない。

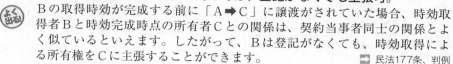

不動産物権変動

正答率　合格者 **79.6**% ／ 不合格者 **53.5**%

❶ 誤り。「時効完成前の第三者」に対しては、登記がなくても主張可。

Bの取得時効が完成する前に「A➡C」に譲渡がされていた場合、時効取得者Bと時効完成時点の所有者Cとの関係は、契約当事者同士の関係とよく似ているといえます。したがって、Bは登記がなくても、時効取得による所有権をCに主張することができます。
➡ 民法177条、判例

❷ 誤り。**賃貸人たる地位を主張するには、登記が必要。**

賃借人Dは、借地上に登記ある建物を有しているため、対抗要件を備えた賃借人です。他方、Dに賃貸している不動産を所有者Aから譲り受けたEは、賃貸人たる地位も譲り受けたことになります。しかし、Eが賃貸人たる地位を賃借人Dに主張するには、その所有権の登記が必要です。したがって、Eは、所有権の移転登記を備えていなければ、Dに対して自らが賃貸人であることを主張できません。
➡ 借地借家法10条、民法605条の2、判例

❸ 誤り。**二重譲渡➡登記の有無で優劣が決まる。**

甲土地が「A➡F・G」に二重に譲渡された場合、F・Gは、先に登記を備えたほうが他方に所有権の取得を対抗できます。契約締結の時期は関係ありません。したがって、A・G間の売買契約のほうがA・F間の売買契約よりも先だとしても、Gは、登記なしに、Fに対して自らが所有者であることを主張できません。
➡ 民法177条

❹ 正しい。「背信的悪意者からの譲受人」に対しては、登記なしでは主張不可。

いわゆる背信的悪意者であるIは、所有権移転登記を備えたとしても、信義則上、Hに所有権を主張できません。もっとも、背信的悪意者は、あくまでも「信義則上」、相手に所有権を主張できないにすぎず、所有権自体を取得できないというわけではありません。したがって、背信的悪意者Iからの譲受人であるJは、有効に所有権を取得できます。よって、Hは、登記なしでは、Jに対して、自らが所有者であることを主張できません。
➡ 177条、判例

攻略POINT 登記がなくても勝てる「相手方」

次の者に対しては、登記がなくても、所有権を主張できます。

●不法占拠者　●無権利者　●背信的悪意者　●売主の相続人
●前主　●時効完成前の第三者（上記❶）

【正解 ❹ 】

不動産物権変動

問題 19　AがA所有の甲土地をBに売却した場合に関する次の記述のうち、民法の規定及び判例によれば、正しいものはどれか。

[H28-問03改]

❶　Aが甲土地をBに売却する前にCにも売却していた場合、Cは所有権移転登記を備えていなくても、Bに対して甲土地の所有権を主張することができる。

❷　AがBの詐欺を理由に甲土地の売却の意思表示を取り消しても、取消しより前にBが甲土地をDに売却し、Dが所有権移転登記を備えた場合には、DがBの詐欺の事実を知っていたかあるいは知らなかったことにつき過失があったか否かにかかわらず、AはDに対して甲土地の所有権を主張することができない。

❸　Aから甲土地を購入したBは、所有権移転登記を備えていなかった。Eがこれに乗じてBに高値で売りつけて利益を得る目的でAから甲土地を購入し所有権移転登記を備えた場合、EはBに対して甲土地の所有権を主張することができない。

❹　AB間の売買契約が、Bの意思表示の動機に錯誤があって締結されたものである場合、Bが所有権移転登記を備えていても、AはBの錯誤を理由にAB間の売買契約の無効を主張することができる。

🖐日建学院・講師陣の必勝コメント

　「正答率データ」によると、合格者と不合格者の差が大きい問題です。❷❹は、意思表示の内容としては基本的ですが、不動産物権変動の問題に突然紛れ込んでいると、**意思表示の肢と気づきにくい**です。

　日頃から、肢別タイプの問題集（例えば、「どこでも！学ぶ宅建士」シリーズの『チャレンジ！重要一問一答』など）を併用して、「他の肢と見比べることなく○×の判断ができる実力」を鍛えておきましょう。

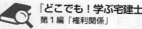 

❶ **誤り。不動産の所有権の取得 ➡ 登記がなければ第三者に主張不可。**

不動産の所有権の取得は、登記をしなければ、第三者に対抗できません。したがって、Cは、所有権の移転の登記を備えていなければ、Bに対して甲土地の所有権を主張できません。　　　　　　　　　　　　➡ 民法177条

❷ **誤り。詐欺につき善意・無過失の第三者 ➡ 登記がなくても保護される。**

詐欺による意思表示の取消しは、善意・無過失の第三者に対抗できません。この第三者は、登記を備えていなくても保護されます。したがって、AがDに対して甲土地の所有権を主張できないのは、第三者DがBの詐欺を知らず（善意）、かつ、過失のない（無過失）場合だけです。なお、このことは、Dが所有権の移転の登記を備えたかどうかは関係ありません。　➡ 96条、判例

❸ **正しい。背信的悪意者自身 ➡ 登記を備えていても、主張不可。**

背信的悪意者に対しては、登記がなくても、所有権の取得を主張できます。その反面、背信的悪意者自身は、登記を備えても、所有権の取得を主張できません。本肢のEは、Bに高値で売りつけて利益を得る目的で購入したのですから、「背信的悪意者」に該当します。したがって、Eは、Bに対して甲土地の所有権を主張できません。　　　　　　　　　➡ 177条、判例

❹ **誤り。表意者の相手方 ➡ 錯誤による意思表示の取消しは不可。**

錯誤に基づく意思表示は「取り消すことができる」のであって、「無効」を主張できるのではありません。また、錯誤によって取り消すことができる行為は、表意者などに限られます。したがって、錯誤に基づく意思表示をしたBの相手方であるAは、取消しできません。このことは、表意者が登記を備えたかどうかとは無関係です。　　　　　　　　　➡ 95条、120条

【正解 ❸】

不動産物権変動

問題 20　Aは、Aが所有している甲土地をBに売却した。この場合に関する次の記述のうち、民法の規定及び判例によれば、誤っているものはどれか。　[R元-問01]

❶　甲土地を何らの権原なく不法占有しているCがいる場合、BがCに対して甲土地の所有権を主張して明渡請求をするには、甲土地の所有権移転登記を備えなければならない。

❷　Bが甲土地の所有権移転登記を備えていない場合には、Aから建物所有目的で甲土地を賃借して甲土地上にD名義の登記ある建物を有するDに対して、Bは自らが甲土地の所有者であることを主張することができない。

❸　Bが甲土地の所有権移転登記を備えないまま甲土地をEに売却した場合、Eは、甲土地の所有権移転登記なくして、Aに対して甲土地の所有権を主張することができる。

❹　Bが甲土地の所有権移転登記を備えた後に甲土地につき取得時効が完成したFは、甲土地の所有権移転登記を備えていなくても、Bに対して甲土地の所有権を主張することができる。

👆 **日建学院・講師陣の必勝コメント**

「正答率データ」によると、合格者と不合格者の差が約2倍と大きい問題です。

実力不足な方にとって"アリ地獄"である❸については、「そもそもAが登記名義をBに移さないから、Eが登記を備えることができないのだ」とイメージしましょう。そうすれば、結論が納得できるはずです。

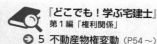

『どこでも！学ぶ宅建士』
第1編「権利関係」
➡ 5 不動産物権変動（P54～）

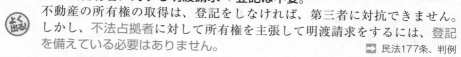

正答率	合格者	**83.7** %
	不合格者	**41.9** %

❶ 誤り。不法占有者に対する明渡請求➡登記は不要。

（よく出る！）　不動産の所有権の取得は、登記をしなければ、第三者に対抗できません。しかし、不法占拠者に対して所有権を主張して明渡請求をするには、登記を備えている必要はありません。　　　　　➡ 民法177条、判例

❷ 正しい。登記がなければ、対抗力を備えた賃借人に対抗できない。

借地権が設定された土地を取得した者は、所有権移転登記を備えていなければ、借地上に自己名義の登記ある建物を有する賃借人（借地権者）に対して、所有者であることを主張できません。　　➡ 177条、借地借家法10条、判例

❸ 正しい。後主➡登記なしで、前主に対抗可。

（難）　不動産の後の持主（後主）は、所有権移転登記を備えていなくても、前の持主（前主）に対して、所有権の取得を主張できます。　　➡ 民法177条、判例

❹ 正しい。時効完成前の第三者➡登記がなくても所有権を主張可。

（よく出る！）　不動産の時効取得者は、時効完成前の第三者に対しては、登記がなくても、時効による所有権の取得を主張できます。　　➡ 162条、177条、判例

【**正解 ❶**】

☐☐☐ ✎ **Check!**

重要ランク B

共 有

[H23-問03]

問題 21 共有に関する次の記述のうち、民法の規定及び判例によれば、誤っているものはどれか。

❶ 各共有者は、いつでも共有物の分割を請求することができるが、5年を超えない期間内であれば、分割をしない旨の契約をすることができる。

❷ 共有物である現物の分割請求が裁判所になされた場合において、分割によってその価格を著しく減少させるおそれがあるときは、裁判所は共有物の競売を命じることができる。

❸ 各共有者は、共有物の不法占拠者に対し、妨害排除の請求を単独で行うことができる。

❹ 他の共有者との協議に基づかないで、自己の持分に基づいて1人で現に共有物全部を占有する共有者に対し、他の共有者は単独で自己に対する共有物の明渡しを請求することができる。

❶ 正しい。5年を超えない期間で、分割禁止の特約ができる。

各共有者は、いつでも共有物の分割請求をすることができますが、共有者間で、5年を超えない期間内は分割しない旨の契約をすることができます。
→ 民法256条

❷ 正しい。競売による代金分割も、認められる。

共有物の分割について共有者間の協議が調わない場合は、裁判所に分割を請求することができます。裁判所が行う分割の方法は①現物分割または②賠償分割が原則ですが、①②の方法により共有物の現物を分割することができないとき、または分割によってその価格を著しく減少させるおそれがあるときは、競売を命じて売却代金を分ける方法（競売分割）をとることもできます。
→ 258条

❸ 正しい。不法占拠者への明渡し請求 ➡ 各共有者が単独で可。

不法占拠者に対する明渡し請求は、共有物の保存行為ですから、各共有者は、その持分にかかわらず、単独ですることができます。　→ 252条、判例

❹ 誤り。各共有者には、共有物全部を使用する権利あり。

各共有者は、持分に応じて、共有物の全部を使用できます。他の共有者との協議に基づかないで共有物全部を占有する共有者であっても、その共有物を全部使用できるため、他の共有者がその明渡しを請求することは、当然にはできません。
→ 249条、判例

【正解 ❹】

共　有

問題 **22**

次の❶から❹までの記述のうち、民法の規定及び下記判決文によれば、誤っているものはどれか。

（判決文）

　　共有者の一部の者から共有者の協議に基づかないで共有物を占有使用することを承認された第三者は、その者の占有使用を承認しなかった共有者に対して共有物を排他的に占有する権原を主張することはできないが、現にする占有がこれを承認した共有者の持分に基づくものと認められる限度で共有物を占有使用する権原を有するので、第三者の占有使用を承認しなかった共有者は右第三者に対して当然には共有物の明渡しを請求することはできないと解するのが相当である。　　　　　　　　　　[H29-問03]

❶　共有者は、他の共有者との協議に基づかないで当然に共有物を排他的に占有する権原を有するものではない。

❷　AとBが共有する建物につき、AB間で協議することなくAがCと使用貸借契約を締結した場合、Bは当然にはCに対して当該建物の明渡しを請求することはできない。

❸　DとEが共有する建物につき、DE間で協議することなくDがFと使用貸借契約を締結した場合、Fは、使用貸借契約を承認しなかったEに対して当該建物全体を排他的に占有する権原を主張することができる。

❹　GとHが共有する建物につき、Gがその持分を放棄した場合は、その持分はHに帰属する。

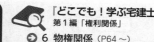

本問の判決文は、最高裁判所判決昭和63年5月20日によるものです。

❶ 正しい。共有者➡共有物全部を持分に応じて使用できる。

各共有者は、共有物の全部について、その「持分に応じた」使用ができます。したがって、共有者は、他の共有者の協議に基づかないで、当然に共有物を排他的に占有する権原を持つわけではありません。　　　　➡ 民法249条、判例

❷ 正しい。一部共有者が占有を承認する第三者に対しては、当然には明渡請求不可。

判決文の後半部分より、共有者の一部の者から共有物を占有使用することを承認された第三者に対して、占有使用を承認しなかった共有者は、当然には、共有物の明渡しを請求できません。　　　　➡ 判決文

❸ 誤り。一部共有者が占有を承認する第三者は、排他的な占有の主張不可。

判決文の前半部分より、共有者の一部の者から共有者の協議に基づかないで共有物を占有使用することを承認された第三者は、その者の占有使用を承認しなかった共有者に対して共有物を排他的に占有する権原を主張できません。　　　　➡ 判決文

❹ 正しい。持分放棄➡その持分は他の共有者に帰属。

共有者の1人が、その持分を放棄したときは、その持分は、他の共有者に帰属します。　　　　➡ 255条

【正解 ❸】

問題 **23** 相隣関係に関する次の記述のうち、民法の規定によれば、正しいものはどれか。 [R5-問02]

❶ 土地の所有者は、境界標の調査又は境界に関する測量等の一定の目的のために必要な範囲内で隣地を使用することができる場合であっても、住家については、その家の居住者の承諾がなければ、当該住家に立ち入ることはできない。

❷ 土地の所有者は、隣地の竹木の枝が境界線を越える場合、その竹木の所有者にその枝を切除させることができるが、その枝を切除するよう催告したにもかかわらず相当の期間内に切除しなかったときであっても、自らその枝を切り取ることはできない。

❸ 相隣者の一人は、相隣者間で共有する障壁の高さを増すときは、他方の相隣者の承諾を得なければならない。

❹ 他の土地に囲まれて公道に通じない土地の所有者は、公道に出るためにその土地を囲んでいる他の土地を自由に選んで通行することができる。

日建学院・講師陣の 必勝コメント

　一見難しく見えますが、ある意味、"常識" にしたがって判断すれば、必ず正解できる問題です。❷については、「枝の切除」単独ではなく、「根の切除」とセットで理解しておきましょう。

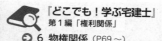

解 説

『どこでも！学ぶ宅建士』
第1編「権利関係」
● 6 物権関係（P69〜）

正答率　合格者 **56.4** %　不合格者 **40.5** %

相隣関係

❶ 正しい。住家の立入り➡居住者の承諾が必要。

土地の所有者は、境界標の調査または境界に関する測量などの一定の目的のため必要な範囲内で、隣地を使用できます。ただし、住家は、その居住者の承諾がなければ、立ち入ることはできません。　➡ 民法209条

❷ 誤り。「竹木所有者への催告」＋「相当期間内の切除なし」➡土地所有者が切除可。

土地の所有者は、隣地の竹木の枝が境界線を越えるときは、原則として、その竹木の所有者に、その枝を切除させることができます。

ただし、①竹木の所有者に枝を切除するよう催告したにもかかわらず、竹木の所有者が相当の期間内に切除しないとき、②竹木の所有者を知ることができず、またはその所在を知ることができないとき、③急迫の事情があるときは、土地の所有者は、その枝を切り取ることができます。➡ 233条

+α 土地の所有者は、隣地の竹木の根が境界線を越えるときは、その根の切り取りができます。

❸ 誤り。共有障壁を高くする場合➡他方の相隣者の承諾は不要。

相隣者の1人は、共有する障壁の高さを増すことができます。ただし、この場合、他方の相隣者の承諾を得る必要はありません。　➡ 231条

❹ 誤り。他の土地の通行の場所・方法➡必要かつ損害が最も少ないものを要選択。

他の土地に囲まれて公道に通じない土地の所有者は、公道に至るため、その土地を囲んでいる他の土地を通行することができます。この場合、通行の場所及び方法は、通行権を有する者のために必要であり、かつ、他の土地のために損害が最も少ないものを選ばなければなりません。

したがって、通行する場所等を自由に選んで通行できるわけではありません。　➡ 210条、211条

【正解 ❶】

抵当権

問題 24 抵当権に関する次の記述のうち、民法の規定及び判例によれば、正しいものはどれか。 [H25-問05]

---

❶ 債権者が抵当権の実行として担保不動産の競売手続をする場合には、被担保債権の弁済期が到来している必要があるが、対象不動産に関して発生した賃料債権に対して物上代位をしようとする場合には、被担保債権の弁済期が到来している必要はない。

❷ 抵当権の対象不動産が借地上の建物であった場合、特段の事情がない限り、抵当権の効力は当該建物のみならず借地権についても及ぶ。

❸ 対象不動産について第三者が不法に占有している場合、抵当権は、抵当権設定者から抵当権者に対して占有を移転させるものではないので、事情にかかわらず抵当権者が当該占有者に対して妨害排除請求をすることはできない。

❹ 抵当権について登記がされた後は、抵当権の順位を変更することはできない。

🖐日建学院・講師陣の必勝コメント

❷に関しては、「土地・建物いずれか一方に設定された抵当権は、他方に及ばないが、借地上の建物に設定された抵当権の効力は、借地権にも及ぶ」ということに注意しましょう。

 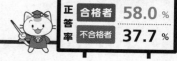

解　説　『どこでも！学ぶ宅建士』第1編「権利関係」

→ **7 抵当権**（P74〜）

正答率　合格者 **58.0** %　不合格者 **37.7** %

抵当権

---

❶ 誤り。物上代位できるのは、被担保債権の履行期以後。

　抵当権は、その担保する債権について不履行があったときは、その後に生じた抵当不動産の果実に及びます。したがって、物上代位をすることができるのは、被担保債権の履行期が「到来した後」となります。　→ 民法371条

❷ 正しい。借地上の建物に対する抵当権の効力 → 借地権にも及ぶ。

　抵当権の対象不動産が借地上の建物であった場合、特段の事情がない限り、抵当権の効力は、当該建物のみならず借地権についても及びます。

→ 370条、判例

❸ 誤り。抵当権者 → 妨害排除請求は可。

　第三者が抵当不動産を不法占有していることにより、競売手続の進行が害され適正な価額よりも売却価額が下落するおそれがあるなど抵当不動産の交換価値の実現が妨げられ、抵当権者の優先弁済請求権の行使が困難となるような状態があるときは、抵当権者は、妨害排除請求ができます。

→ 369条、判例

❹ 誤り。抵当権の順位 → 変更可。

　抵当権の順位は、各抵当権者の合意によって変更できます（なお、さらに、利害関係を有する者がいるときは、その承諾が必要です）。これは、抵当権の登記をした後も同様です。　→ 374条

> **+α** 抵当権の順位の**変更**は、その登記をしなければ**効力が生じません**。

【正解 ❷】

抵当権

問題 **25**

A所有の甲土地にBのCに対する債務を担保するためにCの抵当権（以下この問において「本件抵当権」という。）が設定され、その旨の登記がなされた場合に関する次の記述のうち、民法の規定によれば、正しいものはどれか。 [R4-問04]

❶ Aから甲土地を買い受けたDが、Cの請求に応じてその代価を弁済したときは、本件抵当権はDのために消滅する。

❷ Cに対抗することができない賃貸借により甲土地を競売手続の開始前から使用するEは、甲土地の競売における買受人Fの買受けの時から6か月を経過するまでは、甲土地をFに引き渡すことを要しない。

❸ 本件抵当権設定登記後に、甲土地上に乙建物が築造された場合、Cが本件抵当権の実行として競売を申し立てるときには、甲土地とともに乙建物の競売も申し立てなければならない。

❹ BがAから甲土地を買い受けた場合、Bは抵当不動産の第三取得者として、本件抵当権について、Cに対して抵当権消滅請求をすることができる。

🖐 日建学院・講師陣の必勝コメント

　いずれも、"超頻出"ではなくとも**既出題の内容**であり、ほとんどのテキスト等に収載されています。そのため、合格者の多くは確実に正解しています。

　それに対して、不合格者は、出題者の策略どおり、❷❸あたりで足元をすくわれている模様…。やはり、過去問集と、例えば『どこでも！学ぶ宅建士基本テキスト』のようなテキストとの"往復学習"が、**勝利の秘訣**です！

解 説

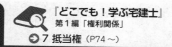

『どこでも！学ぶ宅建士』
第1編「権利関係」
➡ 7 抵当権（P74〜）

正答率　合格者 **76.1** %
不合格者 **50.1** %

❶ **正しい。第三取得者が抵当権者の請求に応じて代価弁済➡抵当権は消滅する。**
抵当不動産を買い受けた第三者が、抵当権者の請求に応じてその抵当権者にその代価を弁済したときは、抵当権は、その第三者のために消滅します。
➡ 民法378条

❷ **誤り。6ヵ月の引渡し猶予➡「建物」の使用者のみに許される。**
抵当権者に対抗できない賃貸借により抵当権の目的である「建物」を競売手続の開始前から使用・収益する者（抵当建物使用者）は、その建物の競売における買受人の買受けの時から6ヵ月を経過するまでは、その建物を買受人に引き渡す必要はありません。しかし、「土地」の使用収益をする者については、このような「引渡しの猶予」の規定はありません。　➡ 395条

❸ **誤り。一括競売を行うかどうかは、抵当権者の任意。**
更地に抵当権が設定された後に抵当地に建物が築造されたときは、抵当権者は、土地とともにその建物を競売「することができます」。つまり、一括競売は、抵当権者が「任意」に行うことができる権利であって、義務ではありません。
➡ 389条

❹ **誤り。債務者➡抵当権消滅請求は不可。**
抵当不動産の第三取得者は、原則として、抵当権消滅請求ができます。しかし、主たる債務者、保証人およびこれらの者の承継人は、例外的に、抵当権消滅請求ができません。
➡ 379条、380条

【正解 ❶ 】

Check!

重要ランク
C

抵当権

問題 26

Aは、A所有の甲土地にBから借り入れた3,000万円の担保として抵当権を設定した。この場合における次の記述のうち、民法の規定及び判例によれば、誤っているものはどれか。

[H28-問04]

❶ Aが甲土地に抵当権を設定した当時、甲土地上にA所有の建物があり、当該建物をAがCに売却した後、Bの抵当権が実行されてDが甲土地を競落した場合、DはCに対して、甲土地の明渡しを求めることはできない。

❷ 甲土地上の建物が火災によって焼失してしまったが、当該建物に火災保険が付されていた場合、Bは、甲土地の抵当権に基づき、この火災保険契約に基づく損害保険金を請求することができる。

❸ AがEから500万円を借り入れ、これを担保するために甲土地にEを抵当権者とする第2順位の抵当権を設定した場合、BとEが抵当権の順位を変更することに合意すれば、Aの同意がなくても、甲土地の抵当権の順位を変更することができる。

❹ Bの抵当権設定後、Aが第三者であるFに甲土地を売却した場合、FはBに対して、民法第383条所定の書面を送付して抵当権の消滅を請求することができる。

日建学院・講師陣の必勝コメント

❹と関連して、主たる債務者や保証人は、**抵当権消滅請求**をすることができないことも、あわせて押さえておきましょう。

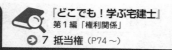 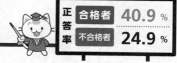

『どこでも！学ぶ宅建士』
第1編「権利関係」
→ 7 抵当権（P74～）

❶ 正しい。法定地上権が成立 ➡ 競落人は、土地の明渡しの請求不可。

法定地上権の成立要件は、次のとおりです。

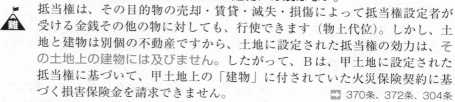

①　抵当権設定時に、土地の上に建物が存すること
②　抵当権設定時に、土地とその上の建物が同一の所有者に属すること
③　抵当権の実行により、土地と建物の所有者が別人になったこと

①～③にあてはまる本肢では、法定地上権が成立し、競落人Dは、建物所有者Cに対して甲土地の明渡しを求めることはできません。　➡ 民法388条、判例

❷ 誤り。土地の抵当権の効力 ➡ 土地上の建物には及ばない。

抵当権は、その目的物の売却・賃貸・滅失・損傷によって抵当権設定者が受ける金銭その他の物に対しても、行使できます（物上代位）。しかし、土地と建物は別個の不動産ですから、土地に設定された抵当権の効力は、その土地上の建物には及びません。したがって、Bは、甲土地に設定された抵当権に基づいて、甲土地上の「建物」に付されていた火災保険契約に基づく損害保険金を請求できません。　➡ 370条、372条、304条

❸ 正しい。抵当権の順位の変更 ➡ 抵当権設定者の同意は不要。

抵当権の順位は、各抵当権者の合意によって変更できます（利害関係を有する者がいるときは、その承諾も必要）。したがって、本肢の場合、抵当権者であるBとEが合意すれば、抵当権設定者Aの同意がなくても、抵当権の順位を変更できます。　➡ 374条

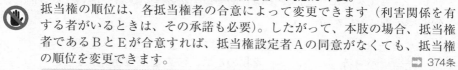 抵当権の順位の変更は、登記をしなければ**効力が生じません。**

❹ 正しい。抵当権消滅請求 ➡ 第三取得者が抵当権者に書面送付して行う。

抵当不動産の第三取得者は、登記をした各債権者に対し、所定の書面を送付するという手続によって、抵当権消滅請求ができます。　➡ 379条、383条

【正解 ❷】

抵当権（法定地上権）

問題 27

Aが所有する甲土地上にBが乙建物を建築して所有権を登記していたところ、AがBから乙建物を買い取り、その後、Aが甲土地にCのために抵当権を設定し登記した。この場合の法定地上権に関する次の記述のうち、民法の規定及び判例によれば、誤っているものはどれか。

[H30-問06]

❶　Aが乙建物の登記をA名義に移転する前に甲土地に抵当権を設定登記していた場合、甲土地の抵当権が実行されたとしても、乙建物のために法定地上権は成立しない。

❷　Aが乙建物を取り壊して更地にしてから甲土地に抵当権を設定登記し、その後にAが甲土地上に丙建物を建築していた場合、甲土地の抵当権が実行されたとしても、丙建物のために法定地上権は成立しない。

❸　Aが甲土地に抵当権を設定登記するのと同時に乙建物にもCのために共同抵当権を設定登記した後、乙建物を取り壊して丙建物を建築し、丙建物にCのために抵当権を設定しないまま甲土地の抵当権が実行された場合、丙建物のために法定地上権は成立しない。

❹　Aが甲土地に抵当権を設定登記した後、乙建物をDに譲渡した場合、甲土地の抵当権が実行されると、乙建物のために法定地上権が成立する。

正答率　合格者 **42.1**%　不合格者 **27.8**%

法定地上権の**成立要件**は、次のとおりです。

① 抵当権設定時に、土地の上に建物が存すること
② 抵当権設定時に、土地とその上の建物が同一の所有者に属すること
③ 抵当権の実行により、土地と建物の所有者が別人になったこと

❶ 誤り。登記の有無は、法定地上権の成立に影響しない。
土地及びその地上建物の所有者が、建物の所有権移転登記を経由せず土地に抵当権を設定した場合でも、法定地上権は成立します。　➡ 388条、判例

❷ 正しい。更地に抵当権を設定 ➡ 法定地上権は不成立。
本肢では、更地にしてから土地に抵当権を設定していることから、抵当権設定時に、土地の上に建物が存在しないため、上記の**要件①**を満たしません。よって、法定地上権は成立しません。これは、抵当権設定後に土地上に建物を建築していた場合でも同様です。　➡ 388条、判例

❸ 正しい。土地と建物に共同抵当権 ➡ 再築しても法定地上権は不成立。
所有者が土地及び地上建物に共同抵当権を設定した後、建物が取り壊され、土地上に新たに建物が建築された場合には、新建物の所有者が土地の所有者と同一で、かつ、新建物が建築された時点での土地の抵当権者が新建物に土地の抵当権と同順位の共同抵当権の設定を受けたなどの特段の事情のない限り、新建物のために法定地上権は成立しません。　➡ 388条、判例

❹ 正しい。要件を満たした後に所有者が変更 ➡ 法定地上権は成立する。
上記**要件②**の土地と建物が同一の所有者に属することという要件は、抵当権設定時に満たされていれば足り、その後、土地建物の所有者が代わっても、法定地上権は成立します。　➡ 388条、判例

攻略POINT 法定地上権 ────────────────

法定地上権の成立要件の具体例は、次のとおりです。

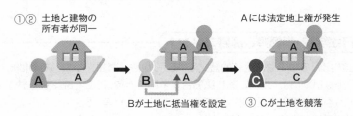

①② 土地と建物の所有者が同一　　　　　Aには法定地上権が発生

Bが土地に抵当権を設定　③ Cが土地を競落

【正解 ❶】

根抵当権

問題 **28** 普通抵当権と元本確定前の根抵当権に関する次の記述のうち、民法の規定及び判例によれば、正しいものはどれか。

[H15-問06]

❶ 普通抵当権でも、根抵当権でも、設定契約を締結するためには、被担保債権を特定することが必要である。

❷ 普通抵当権でも、根抵当権でも、現在は発生しておらず、将来発生する可能性がある債権を被担保債権とすることができる。

❸ 普通抵当権でも、根抵当権でも、被担保債権を譲り受けた者は、担保となっている普通抵当権又は根抵当権を被担保債権とともに取得する。

❹ 普通抵当権でも、根抵当権でも、遅延損害金については、最後の2年分を超えない利息の範囲内で担保される。

🌸 **日建学院・講師陣の必勝コメント**

　民法の出題の中では、比較的**短文**です。しかし、問題文が短いものは**ヒント**もその分少ないため、かえって難しい場合が多いことを、ここで確認しておきましょう。出題当時の「**全体正答率**」の低さ（12.3%、合格者・不合格者を平均したデータ）が、それを物語っています。

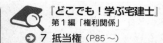

❶ 誤り。根抵当権の設定に、被担保債権の特定は不要。

普通抵当権は、特定の債権を担保しますから、設定段階で債権の特定が不可欠です。一方、根抵当権は、**一定の範囲に属する不特定の債権を一括して担保**しますから、設定段階で被担保債権を特定する必要はありません。

➡ 民法398条の2

> **+α** 例えば、右の①②の債権が、③の弁済によって消滅しても、根抵当権そのものは消滅せず、さらに④の債権が発生すれば、④は根抵当権によって担保されることになります。
>
>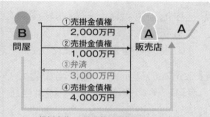
>
> 根抵当権：極度額5,000万円

❷ 正しい。将来生じる可能性がある債権を被担保債権にできる。

普通抵当権は、将来発生することが確定的なものであれば、その債権を被担保債権とすることができます。一方、根抵当権は、一定の範囲に属する不特定の債権を担保しますから、将来発生する債権でも、その範囲内にあれば担保されます。

➡ 判例

❸ 誤り。確定前の根抵当権は、被担保債権と共には移転しない。

普通抵当権では、被担保債権が移転すれば、それに伴って、普通抵当権も移転します（随伴性）。一方、元本確定前の根抵当権では、被担保債権となっている個々の債権が移転しても、根抵当権は移転しません。　➡ 398条の7

❹ 誤り。根抵当権では、極度額が限度額となる。

普通抵当権の場合、利息・遅延損害金等は原則として最後の2年分についてのみ担保されます。一方、根抵当権の場合は2年分といった制限はなく、極度額の範囲内であれば、確定した元本・利息・遅延損害金等の合計額が、すべて担保されます。

➡ 375条

【正解 ❷】

根抵当権

<table>
<tr><td>問題</td><td>**29**</td><td>根抵当権に関する次の記述のうち、民法の規定によれば、正しいものはどれか。
[H23-問04]</td></tr>
</table>

❶ 根抵当権者は、総額が極度額の範囲内であっても、被担保債権の範囲に属する利息の請求権については、その満期となった最後の２年分についてのみ、その根抵当権を行使することができる。

❷ 元本の確定前に根抵当権者から被担保債権の範囲に属する債権を取得した者は、その債権について根抵当権を行使することはできない。

❸ 根抵当権設定者は、担保すべき元本の確定すべき期日の定めがないときは、一定期間が経過した後であっても、担保すべき元本の確定を請求することはできない。

❹ 根抵当権設定者は、元本の確定後であっても、その根抵当権の極度額を、減額することを請求することはできない。

日建学院・講師陣の 必勝コメント

「正答率データ」によると、合格者の正答率は、不合格者のほぼ２倍です。

根抵当権は、毎年出る項目ではないからこそ、ここでポイントを絞って押さえましょう。本問では、ポイントとなる❶❷の知識を磨き上げることが最優先です。

❶ 誤り。**根抵当権では、極度額が限度額となる。**

　普通抵当権の場合であれば、原則として、利息・遅延損害金等は最後の2年分についてのみ担保されますが、根抵当権の場合は、このような制限はありません。したがって、極度額の範囲内であれば、確定した元本・利息・遅延損害金等の合計額がすべて担保されます。　　➡ 民法375条、398条の3

❷ 正しい。**確定前の根抵当権は、被担保債権と共に移転しない。**

　普通抵当権では、被担保債権が移転すればそれに伴って普通抵当権も移転します（随伴性）。しかし、元本確定前の根抵当権には、随伴性がありません。したがって、被担保債権となっている個々の債権が譲渡されても、根抵当権は移転しないので、取得者は、それを行使できません。　➡ 398条の7

❸ 誤り。**根抵当権設定者は、3年経過で元本確定請求ができる。**

　元本確定期日の定めがないときは、根抵当権設定者は、根抵当権の設定の時から3年を経過すれば、担保すべき元本の確定を請求できます。

➡ 398条の19

❹ 誤り。**確定後は、根抵当権設定者は、極度額の減額を請求可。**

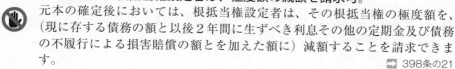

　元本の確定後においては、根抵当権設定者は、その根抵当権の極度額を、（現に存する債務の額と以後2年間に生ずべき利息その他の定期金及び債務の不履行による損害賠償の額とを加えた額に）減額することを請求できます。

➡ 398条の21

【正解 ❷ 】

保証債務

問題 **30**　保証に関する次の記述のうち、民法の規定及び判例によれば、誤っているものはどれか。

[H22-問08]

❶　保証人となるべき者が、主たる債務者と連絡を取らず、同人からの委託を受けないまま債権者に対して保証したとしても、その保証契約は有効に成立する。

❷　保証人となるべき者が、口頭で明確に特定の債務につき保証する旨の意思表示を債権者に対してすれば、その保証契約は有効に成立する。

❸　連帯保証ではない場合の保証人は、債権者から債務の履行を請求されても、まず主たる債務者に催告すべき旨を債権者に請求できる。ただし、主たる債務者が破産手続開始の決定を受けたとき、又は行方不明であるときは、この限りでない。

❹　連帯保証人が2人いる場合、連帯保証人間に連帯の特約がなくとも、連帯保証人は各自全額につき保証責任を負う。

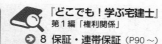

解 説

❶ **正しい。「保証契約」＝「債権者と保証人との契約」。**

保証契約は、債権者と保証人との間で行われますから、主たる債務者からの委託がなく、また、何ら債務者に連絡をしなくても、有効に成立します。なお、委託を受けない保証人は、求償について一定の制約を受けます。

➡ 民法462条

❷ **誤り。保証契約 ➡ 書面でしなければ無効。**

軽率に保証人となってしまうことを防ぐため、保証契約は、書面（または電磁的記録）で締結しなければ、その効力を生じません。 ➡ 446条

❸ **正しい。原則として、連帯保証でない保証人には催告の抗弁権がある。**

連帯保証でない保証人は催告の抗弁権を有しますから、債権者からの請求に対し、まず主たる債務者に請求するよう主張できます。ただし、主たる債務者が破産手続開始の決定を受けたとき、またはその行方が不明なときは、催告の抗弁権を行使できません。 ➡ 452条

❹ **正しい。連帯保証人には、分別の利益がない。**

連帯保証人には分別の利益がありませんから、連帯保証人が複数いる場合、特段の合意がなくても、各連帯保証人は債権者に対して、債務全額について保証債務を負います。 ➡ 判例

【正解 ❷】

保証債務

問題 31　保証に関する次の記述のうち、民法の規定及び判例によれば、誤っているものはどれか。なお、保証契約は令和7年4月1日に締結されたものとする。 ［R2⑽-問07改］

❶ 特定物売買における売主の保証人は、特に反対の意思表示がない限り、売主の債務不履行により契約が解除された場合には、原状回復義務である既払代金の返還義務についても保証する責任がある。

❷ 主たる債務の目的が保証契約の締結後に加重されたときは、保証人の負担も加重され、主たる債務者が時効の利益を放棄すれば、その効力は連帯保証人に及ぶ。

❸ 委託を受けた保証人が主たる債務の弁済期前に債務の弁済をしたが、主たる債務者が当該保証人からの求償に対して、当該弁済日以前に相殺の原因を有していたことを主張するときは、保証人は、債権者に対し、その相殺によって消滅すべきであった債務の履行を請求することができる。

❹ 委託を受けた保証人は、履行の請求を受けた場合だけでなく、履行の請求を受けずに自発的に債務の消滅行為をする場合であっても、あらかじめ主たる債務者に通知をしなければ、同人に対する求償が制限されることがある。

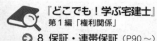
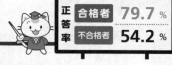

解説

『どこでも！学ぶ宅建士』
第1編「権利関係」
→ 8 保証・連帯保証（P90～）

正答率　合格者 **79.7** %　不合格者 **54.2** %

保証債務

❶ 正しい。保証人は、債務不履行解除の原状回復義務も負う。

保証債務は、主たる債務に関する利息・違約金・損害賠償その他その債務に従たるすべてのものを包含します。不動産などの特定物（物の個性に着目して取引の対象となっている物のこと）の売買契約における売主のための保証人は、特に反対の意思表示のない限り、売主の債務不履行により契約が解除された場合における原状回復義務についても、保証の責任を負います。

➡ 民法447条、判例

❷ 誤り。保証債務は加重されず、時効の利益の放棄も及ばない。

主たる債務の目的または態様が保証契約の締結後に加重されたときであっても、保証人の負担は加重されません。また、主たる債務者が時効の利益の放棄をしても、その効力は連帯保証人には及びません。　➡ 448条、判例

❸ 正しい。主債務者が相殺原因を主張➡債権者に履行請求可。

保証人が主たる債務者の委託を受けて保証をした場合で、主たる債務の弁済期前に債務の消滅行為をしたときは、その保証人は、主たる債務者に対し、主たる債務者がその当時利益を受けた限度において求償権を有します。また、この場合で、主たる債務者が債務の消滅行為の日以前に相殺の原因を有していたことを主張するときは、保証人は、債権者に対し、その相殺によって消滅すべきであった債務の履行を請求できます。　➡ 459条の2

❹ 正しい。主債務者への事前通知なしでした債務の消滅行為➡求償権が制限。

保証人が主たる債務者の委託を受けて保証をした場合で、主たる債務者にあらかじめ通知しないで債務の消滅行為をしたときは、主たる債務者は、債権者に対抗することができた事由をもって、その保証人に対抗できます。このことは、保証人が、債権者から履行の請求を受けた場合だけでなく、自発的に債務の消滅行為をする場合であっても、同様です。　➡ 463条

【正解 ❷】

連帯債務

債務者Ａ、Ｂ、Ｃの３名が、令和７年７月１日に、内部的な負担部分の割合は等しいものとして合意した上で、債権者Ｄに対して300万円の連帯債務を負った場合に関する次の記述のうち、民法の規定によれば、誤っているものはどれか。

[R3⑽-問02改]

❶ ＤがＡに対して裁判上の請求を行ったとしても、特段の合意がなければ、ＢとＣがＤに対して負う債務の消滅時効の完成には影響しない。

❷ ＢがＤに対して300万円の債権を有している場合、Ｂが相殺を援用しない間に300万円の支払の請求を受けたＣは、ＢのＤに対する債権で相殺する旨の意思表示をすることができる。

❸ ＤがＣに対して債務を免除した場合でも、特段の合意がなければ、ＤはＡに対してもＢに対しても、弁済期が到来した300万円全額の支払を請求することができる。

❹ ＡとＤとの間に更改があったときは、300万円の債権は、全ての連帯債務者の利益のために消滅する。

解 説

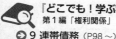

『どこでも！学ぶ宅建士』
第1編「権利関係」
➡ 9 連帯債務（P98～）

正答率	合格者	**67.9**%
	不合格者	**44.0**%

連帯債務

❶ **正しい。裁判上の請求 ➡ 原則、他の連帯債務者に影響しない。**

連帯債務者の1人に対する請求の効力は、債権者及び他の連帯債務者の1人が別段の意思を表示したときを除き、他の連帯債務者に及びません。したがって、裁判上の請求に関する時効の完成猶予または更新の効力も、原則として、他の連帯債務者に生じません。よって、BとCの債務の消滅時効の完成には影響しません。

➡ 民法441条

❷ **誤り。反対債権のない連帯債務者 ➡ 履行拒否できるのは、負担部分の限度内のみ。**

債権を有する連帯債務者が相殺を援用しない間は、その連帯債務者の負担部分の限度において、他の連帯債務者は、債権者に対して債務の履行を拒むことができます。したがって、Cは、Bの負担部分（100万円）の限度で、Dに対して債務の履行を拒むことができるだけで、BのDに対する債権で相殺の意思表示をすることはできません。

➡ 439条

❸ **正しい。債務の免除 ➡ 原則、他の連帯債務者に影響しない。**

連帯債務者の1人に対する免除の効力は、債権者及び他の連帯債務者の1人が別段の意思を表示したときを除き、他の連帯債務者に及びません。したがって、Dは、A・Bに対して、300万円全額の支払を請求することができます。

➡ 441条

❹ **正しい。更改 ➡ 他の連帯債務者に影響する。**

連帯債務者の1人と債権者との間に更改があったときは、債権は、すべての連帯債務者の利益のために消滅します（絶対的効力）。したがって、連帯債務者の1人であるAと債権者Dの間に更改があったときは、それが他の連帯債務者B・Cにも影響して、300万円の債権は、すべて消滅します。

➡ 438条

【正解 ❷】

債権譲渡

問題 33　Aが、Bに対する債権をCに譲渡した場合に関する次の記述のうち、民法の規定及び判例によれば、正しいものはどれか。なお、民法第466条の5に規定する預金口座又は貯金口座に係る預金又は貯金に係る債権（預貯金債権）については、考慮しないものとする。

[H28-問05改]

❶　AのBに対する債権に譲渡制限の意思表示があり、Cがその意思表示の存在を知りながら債権の譲渡を受けていれば、Cからさらに債権の譲渡を受けた転得者Dがその意思表示の存在を知らなかったことにつき重大な過失がない場合でも、BはDに対して債務の履行を拒むことができる。

❷　AがBに債権譲渡の通知を発送し、その通知がBに到達していなかった場合には、Bが債権譲渡の承諾をしても、BはCに対して当該債権に係る債務の履行を拒否することができる。

❸　AのBに対する債権に譲渡制限の意思表示がなく、Cに譲渡された時点ではまだ発生していない将来の取引に関する債権であった場合、その取引の種類、金額、期間などにより当該債権が特定されていたときは、特段の事情がない限り、AからCへの債権譲渡は有効である。

❹　Aに対し弁済期が到来した貸金債権を有していたBは、Aから債権譲渡の通知を受けるまでに、債権譲渡の承諾をせず、相殺の意思表示もしていなかった。その後、Bは、Cから支払請求を受けた際に、Aに対する貸金債権との相殺の意思表示をしたとしても、Cに対抗することはできない。

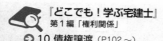

解説

『どこでも！学ぶ宅建士』
第1編「権利関係」

→ 10 債権譲渡（P102〜）

正答率　合格者 **79.1**%　不合格者 **53.1**%

債権譲渡

❶ **誤り。譲渡制限の意思表示➡悪意または重過失の第三者には履行拒否可。**

当事者が債権譲渡を禁止し、または制限する旨の意思表示（譲渡制限の意思表示）をしたときであっても、債権譲渡は有効です。しかし、譲渡制限の意思表示がされたことを知り（悪意）、または重大な過失によって知らなかった（善意重過失）譲受人・転得者などの第三者に対しては、債務者は、その債務の履行を拒むことができます。したがって、譲受人Cが悪意であっても、転得者D自身が善意かつ無重過失であれば、債務者Bは、Dに対して、債務の履行を拒むことができません。　　　　　　　　　→ 民法466条、判例

❷ **誤り。債務者への対抗要件➡譲渡人の通知または債務者の承諾。**

債権譲渡は、譲渡人が債務者に通知をし、または債務者が承諾をしなければ、債務者その他の第三者に対抗できません。この場合は、①譲渡人の通知か、②債務者の承諾のどちらかがあれば足ります。したがって、譲渡人Aの通知が債務者Bに到達していなくても、債務者Bが承諾をしていれば、譲受人Cは債権を譲り受けたことを債務者Bに対抗できますので、Bは、Cに対して履行を拒否できません。　　　　　　　　　　　　　→ 467条

❸ **正しい。将来発生する債権の譲渡➡債権を特定すれば、原則有効。**

債権譲渡は、その意思表示の時に債権が現に発生していることが条件ではありません。将来発生すべき債権を目的とする債権譲渡契約は、譲渡の目的とされる債権が特定されている限り、原則として有効です。したがって、譲渡された時点ではまだ発生していない将来の取引に関する債権であっても、取引の種類・金額・期間などにより当該債権が特定されていたときは、特段の事情がない限り、債権譲渡は有効です。　　　　→ 466条の6、判例

❹ **誤り。債務者➡対抗要件具備前に取得した債権による相殺を対抗可。**

債務者は、対抗要件具備時より前に取得した譲渡人に対する債権による相殺をもって、譲受人に対抗できます。本肢の債務者Bは、AのBに対する債権をCに譲渡した旨の通知を受ける前に、Aに対する貸金債権を有していますので、Aに対する貸金債権との相殺を、Cに対抗できます。

→ 469条

【正解 ❸】

債権譲渡

問題 34　売買代金債権（以下この問において「債権」という。）の譲渡（令和7年7月1日に譲渡契約が行われたもの）に関する次の記述のうち、民法の規定によれば、誤っているものはどれか。

[R3(10)-問06改]

❶　譲渡制限の意思表示がされた債権が譲渡された場合、当該債権譲渡の効力は妨げられないが、債務者は、その債権の全額に相当する金銭を供託することができる。

❷　債権が譲渡された場合、その意思表示の時に債権が現に発生していないときは、譲受人は、その後に発生した債権を取得できない。

❸　譲渡制限の意思表示がされた債権の譲受人が、その意思表示がされていたことを知っていたときは、債務者は、その債務の履行を拒むことができ、かつ、譲渡人に対する弁済その他の債務を消滅させる事由をもって譲受人に対抗することができる。

❹　債権の譲渡は、譲渡人が債務者に通知し、又は債務者が承諾をしなければ、債務者その他の第三者に対抗することができず、その譲渡の通知又は承諾は、確定日付のある証書によってしなければ、債務者以外の第三者に対抗することができない。

日建学院・講師陣の必勝コメント

　この問題では、❶で正誤判断に迷っても問題ありませんが、❷❸❹については迷ってはなりません。なかでも、❷の「将来債権の譲渡の可否」については、確実に覚えておくことが肝要です！

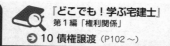 

解 説

『どこでも！学ぶ宅建士』
第1編「権利関係」

➡ 10 債権譲渡（P102〜）

正答率　合格者 **70.4**%　不合格者 **38.8**%

債権譲渡

❶ 正しい。譲渡制限の意思表示がある債権譲渡は有効 ➡ 債務者は供託可。

当事者が債権譲渡を禁止し、または制限する旨の意思表示（譲渡制限の意思表示）をしたときでも、債権譲渡は有効です。そして、債務者は、譲渡制限の意思表示がされた金銭の給付を目的とする債権が譲渡されたときは、その債権の全額に相当する金銭を、債務の履行地の供託所に供託できます。

➡ 民法466条、466条の2

❷ 誤り。将来債権も譲渡可能で、譲受人は発生した債権を当然に取得。

債権譲渡は、その意思表示の時に債権が現に発生していることを要しません。そして、債権が譲渡された場合で、その意思表示の時に債権が現に発生していないときは、譲受人は、発生した債権を当然に取得します。

➡ 466条の6

❸ 正しい。悪意または重過失の譲受人に、債務者は履行拒否・弁済等を対抗可。

譲渡制限の意思表示がされたことを知り（悪意）、または重大な過失によって知らなかった（善意重過失）譲受人その他の第三者に対しては、債務者は、その債務の履行を拒むことができ、かつ、譲渡人に対する弁済その他の債務を消滅させる事由をもってその第三者に対抗できます。　➡ 466条

❹ 正しい。第三者への対抗要件は、「確定日付ある証書による通知・承諾」。

債権譲渡は、譲渡人が債務者に通知をし、または債務者が承諾をしなければ、債務者その他の第三者に対抗できません。この「通知または承諾」は、確定日付のある証書によってしなければ、債務者以外の第三者に対抗できません。

➡ 467条

【正解 ❷】

重要ランク
A

債務不履行

問題 **35**

債務不履行に基づく損害賠償請求権に関する次の記述のうち、民法の規定及び判例によれば、誤っているものはどれか。

[H24-問08改]

❶　AがBと契約を締結する前に、信義則上の説明義務に違反して契約締結の判断に重要な影響を与える情報をBに提供しなかった場合、Bが契約を締結したことにより被った損害につき、Aは、不法行為による賠償責任を負うことはあっても、債務不履行による賠償責任を負うことはない。

❷　AB間の利息付金銭消費貸借契約において、利率に関する定めがない場合、借主Bが債務不履行に陥ったことによりAがBに対して請求することができる遅延損害金は、年3分の利率により算出する。

❸　AB間でB所有の甲不動産の売買契約を締結した後、Bが甲不動産をCに二重譲渡してCが登記を具備した場合、AはBに対して債務不履行に基づく損害賠償請求をすることができる。

❹　AB間の金銭消費貸借契約において、借主Bは当該契約に基づく金銭の返済をCからBに支払われる売掛代金で予定していたが、その入金がなかった（Bの責めに帰すべき事由はない。）ため、返済期限が経過してしまった場合、Bは債務不履行には陥らず、Aに対して遅延損害金の支払義務を負わない。

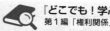

❶ 正しい。契約締結前 ➡ 債務不履行による賠償責任は生じない。

そもそも契約を締結していなければ、契約上の債務は発生しません。したがって、本肢の場合、不法行為による賠償責任を負うことはありますが、債務不履行による賠償責任を負うことはありません。　➡ 民法709条

❷ 正しい。法定利率 ➡ 年3％。

利息を生ずべき債権について別段の意思表示がないときは、その利率は、その利息が生じた最初の時点における**法定利率**（年3％、変動制）によります。この「利息」には遅延損害金も含みますので、本肢において、AはBに対して、年3分の利率により算出した遅延損害金を請求できます。

➡ 404条

> **+α** 法定利率は、「3年を1期」とし、1期ごとに、所定の規定により変動する可能性があります。

❸ 正しい。不動産の二重譲渡 ➡ 債務不履行となる。

不動産の売主は、買主に対して、目的不動産を引き渡し、登記を移転する債務を負っています。不動産を二重に譲渡した売主Bは、対抗要件を具備できなかった買主Aに対して、債務の本旨に従った履行をしなかったといえます。したがって、AはBに対して、債務不履行（履行不能）に基づく損害賠償を請求できます。　➡ 415条、判例

❹ 誤り。金銭債務 ➡ 不可抗力をもって抗弁できない。

金銭債務の不履行について損害賠償請求がされた場合、債務者は、不可抗力を抗弁とすることができません。BはCの未入金のせいで返済できなかったとしても、返済期限に弁済できなかった以上、債務不履行に陥ります。したがって、BはAに対して遅延損害金の支払義務を負います。　➡ 419条

【正解 ❹】

債務不履行

問題 36　債務不履行に関する次の記述のうち、民法の規定及び判例によれば、誤っているものはどれか。なお、債務は令和2年4月1日以降に生じたものとする。　　　　　　[R2⑫-問04]

❶ 債務の履行について不確定期限があるときは、債務者は、その期限が到来したことを知らなくても、期限到来後に履行の請求を受けた時から遅滞の責任を負う。

❷ 債務の目的が特定物の引渡しである場合、債権者が目的物の引渡しを受けることを理由なく拒否したため、その後の履行の費用が増加したときは、その増加額について、債権者と債務者はそれぞれ半額ずつ負担しなければならない。

❸ 債務者がその債務について遅滞の責任を負っている間に、当事者双方の責めに帰することができない事由によってその債務の履行が不能となったときは、その履行不能は債務者の責めに帰すべき事由によるものとみなされる。

❹ 契約に基づく債務の履行が契約の成立時に不能であったとしても、その不能が債務者の責めに帰することができない事由によるものでない限り、債権者は、履行不能によって生じた損害について、債務不履行による損害の賠償を請求することができる。

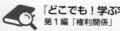

解説

『どこでも！学ぶ宅建士』
第1編「権利関係」
→ 11 債務不履行と契約の解除（P106〜）

正答率 合格者 **97.3**% / 不合格者 **76.8**%

❶ 正しい。履行請求を受けた時または期限到来を知った時の早いほうから、遅滞。

債務の履行について不確定期限があるときは、債務者は、その期限の到来した後に履行の請求を受けた時、またはその期限の到来したことを知った時のいずれか早い時から、遅滞の責任を負います。したがって、債務者は、その期限が到来したことを知らなくても、期限到来後に履行の請求を受けた時から、履行遅滞の責任を負います。

→ 民法412条

❷ 誤り。債権者の履行の受領拒否 ➡ 増加費用は「債権者」負担。

債権者が債務の履行を受けることを拒み、または受けることができないこと（受領遅滞）によってその履行の費用が増加したときは、その増加額は、債権者の負担となります。

→ 413条

❸ 正しい。債務者の履行遅滞中に、帰責事由なく履行不能 ➡ 債務者の責任。

債務者がその債務について遅滞の責任を負っている間に当事者双方の責めに帰することができない事由によってその債務の履行が不能となったときは、その履行の不能は、債務者の責めに帰すべき事由によるものとみなされます。

→ 413条の2

❹ 正しい。原始的不能 ➡ 債務者の帰責事由があれば、損害賠償請求できる。

契約に基づく債務の履行が契約の成立時に不能（原始的不能）でも、その不能について債務者の帰責事由があれば、債権者は、履行不能によって生じた損害について、債務不履行による損害賠償を請求できます。

→ 412条の2、415条

【正解 ❷】

契約の解除

重要ランク B

問題 **37**

次の❶から❹までの契約に関する記述のうち、民法の規定及び下記判決文によれば、誤っているものはどれか。なお、これらの契約は令和7年4月1日に締結されたものとする。

（判決文）

　法律が債務の不履行による契約の解除を認める趣意は、契約の要素をなす債務の履行がないために、該契約をなした目的を達することができない場合を救済するためであり、当事者が契約をなした主たる目的の達成に必須的でない附随的義務の履行を怠ったに過ぎないような場合には、特段の事情の存しない限り、相手方は当該契約を解除することができないものと解するのが相当である。

[R2⑽-問03改]

❶　土地の売買契約において、売主が負担した当該土地の税金相当額を買主が償還する付随的義務が定められ、買主が売買代金を支払っただけで税金相当額を償還しなかった場合、特段の事情がない限り、売主は当該売買契約の解除をすることができない。

❷　債務者が債務を履行しない場合であっても、債務不履行について債務者の責めに帰すべき事由がないときは付随的義務の不履行となり、特段の事情がない限り、債権者は契約の解除をすることができない。

❸　債務不履行に対して債権者が相当の期間を定めて履行を催告してその期間内に履行がなされない場合であっても、催告期間が経過した時における債務不履行がその契約及び取引上の社会通念に照らして軽微であるときは、債権者は契約の解除をすることができない。

❹　債務者が債務を履行しない場合であって、債務者がその債務の全部の履行を拒絶する意思を明確に表示したときは、債権者は、相当の期間を定めてその履行を催告することなく、直ちに契約の解除をすることができる。

日建学院・講師陣の必勝コメント

　判決文問題は、判決文で述べられている内容を的確に読み取り、これと各選択肢の内容が矛盾しているかどうか、現場思考で分析することが大切です。

解 説

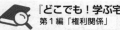

『どこでも！学ぶ宅建士』
第1編「権利関係」

→ 11 債務不履行と契約の解除（P111〜）

正答率	合格者	68.9 %
	不合格者	31.7 %

契約の解除

本判決文は、最高裁判所判決昭和36年11月21日によるものです。

この判決文の要旨は、「当事者の一方が契約をなした主たる目的の達成に必須的でない付随的義務の履行を怠ったにすぎない場合には、特段の事情がない限り、相手方は、その義務の不履行を理由として契約を解除できない」というものです。

❶ 正しい。付随的義務の履行を怠ったのみ➡本体契約の解除は、原則不可。

土地の税金相当額を買主が償還する付随的義務は、契約をした主たる目的の達成には必須的でない、付随的義務といえます。したがって、この付随的義務の履行を怠ったにすぎない場合は、特段の事情がない限り、売主は土地の売買契約を解除できません。　　　　　　　　　　　　➡ 判決文

❷ 誤り。「債務者に帰責性がない債務不履行」➡「付随的義務の不履行」ではない。

債務不履行について債務者の責めに帰すべき事由がないときであっても、それが付随的義務の不履行となるわけではありません。したがって、債権者が解除できなくなるとは限りません。　　　　　　　　　➡ 民法541条

> **+α** 契約の解除は、債務者に責めに帰すべき事由がなくても、することができます。

❸ 正しい。債務不履行が軽微➡契約解除不可。

当事者の一方がその債務を履行しない場合で、相手方が相当の期間を定めてその履行の催告をし、その期間内に履行がないときは、相手方は、契約の解除ができます。ただし、その期間を経過した時における債務の不履行が、その契約及び取引上の社会通念に照らして軽微であるときは、契約の解除はできません。　　　　　　　　　　　　　　　　　　　　　➡ 541条

❹ 正しい。債務全部の履行拒絶の意思を明確に表示➡直ちに解除可。

①債務の全部の履行が不能、②債務者がその債務の全部の履行を拒絶する意思を明確に表示した、などの場合には、債権者は、催告なしで、直ちに契約の解除ができます。　　　　　　　　　　　　　　　　➡ 542条

【正解 ❷】

重要ランク B

同時履行の抗弁権

問題 38 同時履行の抗弁権に関する次の記述のうち、民法の規定及び判例によれば、正しいものはいくつあるか。 [H27-問08]

ア マンションの賃貸借契約終了に伴う賃貸人の敷金返還債務と、賃借人の明渡債務は、特別の約定のない限り、同時履行の関係に立つ。

イ マンションの売買契約がマンション引渡し後に債務不履行を理由に解除された場合、契約は遡及的に消滅するため、売主の代金返還債務と、買主の目的物返還債務は、同時履行の関係に立たない。

ウ マンションの売買契約に基づく買主の売買代金支払債務と、売主の所有権移転登記に協力する債務は、特別の事情のない限り、同時履行の関係に立つ。

❶ 一つ

❷ 二つ

❸ 三つ

❹ なし

🏫 日建学院・講師陣の 必勝コメント

　本問での判断の分かれ目は、当事者間の公平です。

　「いっせいのせっ！」でないと**当事者間の公平を欠く場合**には同時履行となり、逆に、どちらかの履行を先にしてもらわなければ当事者間の公平を欠く場合には、同時履行とはなりません。

　一度、当事者の気持ちになって納得しておけば、本番で判断を間違えることはありません。

解説 『どこでも！学ぶ宅建士』 第1編「権利関係」

▶ 11 債務不履行と契約の解除（P111〜）、14 賃貸借（P130〜）

正答率　合格者 **62.8** %　不合格者 **40.9** %

ア 誤り。①賃貸人の敷金返還と②賃借人の明渡し➡原則、②が先履行。

 賃貸借契約終了に伴う賃貸人の敷金返還債務と、賃借人の賃貸目的物の明渡債務とでは、別段の特約等がない限り、賃借人の明渡債務が先履行です。したがって、両債務は、同時履行の関係に立ちません。

▶ 民法622条の2、判例

+α 賃貸人は、敷金を受け取っている場合で、①賃貸借が終了し、かつ、賃貸物の返還を受けたとき、②賃借人が適法に賃借権を譲り渡したときは、賃借人に対し、その受け取った敷金の額から、賃貸借契約に基づいて生じた賃借人の賃貸人に対する金銭の給付を目的とする債務の額を控除した残額を返還しなければなりません。

イ 誤り。売主の代金返還と買主の目的物返還➡同時履行。

債務不履行を理由に売買契約が解除された場合の売主の代金返還債務と、買主の目的物返還債務は、同時履行の関係に立ちます。

▶ 545条、533条、判例

ウ 正しい。買主の代金支払と売主の登記移転協力➡原則、同時履行。

買主の売買代金支払債務と売主の所有権移転登記に協力する債務は、特別の約定がない限り、同時履行の関係に立ちます。

▶ 533条、判例

よって、正しいものは**ウ**1つのみであり、正解は**❶**となります。

攻略POINT 同時履行の抗弁権 ————————————

ここで、「同時履行となるもの」と「ならないもの」を、比較整理しましょう。

同時履行と なるもの	●取消し・無効による当事者の原状回復義務 ●弁済と受取証書の交付
同時履行と ならないもの	●弁済と債権証書の交付　（弁済が先） ●弁済と抵当権の抹消　　（弁済が先） ●明渡しと敷金の返還　　（明渡しが先）

【正解 ❶】

弁　済

Aを売主、Bを買主として甲建物の売買契約が締結された場合におけるBのAに対する代金債務（以下「本件代金債務」という。）に関する次の記述のうち、民法の規定及び判例によれば、誤っているものはどれか。 [R元-問07]

❶ Bが、本件代金債務につき受領権限のないCに対して弁済した場合、Cに受領権限がないことを知らないことにつきBに過失があれば、Cが受領した代金をAに引き渡したとしても、Bの弁済は有効にならない。

❷ Bが、Aの代理人と称するDに対して本件代金債務を弁済した場合、Dに受領権限がないことにつきBが善意かつ無過失であれば、Bの弁済は有効となる。

❸ Bが、Aの相続人と称するEに対して本件代金債務を弁済した場合、Eに受領権限がないことにつきBが善意かつ無過失であれば、Bの弁済は有効となる。

❹ Bは、本件代金債務の履行期が過ぎた場合であっても、特段の事情がない限り、甲建物の引渡しに係る履行の提供を受けていないことを理由として、Aに対して代金の支払を拒むことができる。

🖐️ 日建学院・講師陣の **必勝**コメント

　正解肢は正誤の判断が難しいかもしれませんが、"消去法"のテクニックを使って解きたい問題です。

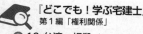

解 説

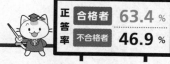

❶ **誤り。受領権者以外の者への弁済➡債権者が利益を受けた限度で有効。**

受領権者以外の者に対してした弁済は、債権者がこれによって利益を受けた限度においてのみ、その効力を有します。したがって、弁済を権限なく受領したCが、受領した代金を債権者Aに引き渡したのであれば、その限度で、Bの弁済は有効になります。　　　　　　　　　　　　　→ 民法479条

❷ **正しい。「代理人」と称した者に善意・無過失で行った弁済➡有効。**

受領権者（債権者及び法令の規定または当事者の意思表示によって弁済を受領する権限を付与された第三者）以外の者であって、取引上の社会通念に照らして受領権者としての外観を有する者に対してした弁済は、その弁済をした者が善意・無過失のときに限り、効力を有します。そして、債権者の代理人と称して債権を行使する者についても、同様に扱われます。

→ 478条、判例参照

❸ **正しい。相続人と称した者に、善意・無過失で行った弁済➡有効。**

債権者の相続人と称して債権を行使する者も、❷解説と同様の扱いとなります。　　　　　　　　　　　　　　　　　　　　　　　　→ 478条、判例参照

❹ **正しい。履行期が過ぎても、同時履行の抗弁権を主張できる。**

双務契約の当事者の一方は、相手方の債務が弁済期にないときを除き、相手方がその債務の履行を提供するまでは、自己の債務の履行を拒むことができます（同時履行の抗弁権）。したがって、Bは、原則として、Aから履行の提供を受けていないことを理由に、同時履行の抗弁権を主張して代金の支払を拒むことができます。これは、代金債務の履行期が過ぎていても、同様です。　　　　　　　　　　　　　　　　　　　　　　　　　　→ 533条

【正解 ❶】

相　殺

重要ランク A

問題 40

Aは、令和7年10月1日、A所有の甲土地につき、Bとの間で、代金1,000万円、支払期日を同年12月1日とする売買契約を締結した。この場合の相殺に関する次の記述のうち、民法の規定及び判例によれば、正しいものはどれか。

[H30-問09改]

❶　BがAに対して同年12月31日を支払期日とする貸金債権を有している場合には、Bは同年12月1日に売買代金債務と当該貸金債権を対当額で相殺することができる。

❷　同年11月1日にAの売買代金債権がAの債権者Cにより差し押さえられても、Bは、同年11月2日から12月1日までの間にAに対する別の債権を取得した場合には、同年12月1日に売買代金債務と当該債権を対当額で相殺することができる。

❸　同年10月10日、BがAの自動車事故によって身体の被害を受け、Aに対して不法行為に基づく損害賠償債権を取得した場合には、Bは売買代金債務と当該損害賠償債権を対当額で相殺することができる。

❹　BがAに対し同年9月30日に消滅時効の期限が到来する貸金債権を有していた場合には、Aが当該消滅時効を援用したとしても、Bは売買代金債務と当該貸金債権を対当額で相殺することができる。

日建学院・講師陣の必勝コメント

　相殺で「最頻出の基本知識」が、❸の「不法行為の被害者からの相殺の可否」。合格者は正確に判断できています。

　つまり、❸で迷いさえしなければ、頭を悩ます❶❷❹で解答時間をムダに費やすこともありません。

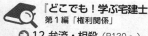

解 説

❶ 誤り。相殺➡少なくとも、自働債権が弁済期にあることが要件。

相殺をするには、少なくとも、自働債権が弁済期にある必要があります。したがって、本肢の場合、Bは、自働債権である貸金債権の支払期日である12月31日にならなければ、相殺ができません。

➡ 民法505条

❷ 誤り。支払の差止め後に取得した債権では、相殺を対抗できない。

差押えを受けた債権の債務者は、差押え後に取得した債権による相殺を差押債権者に対抗できません。よって、AのBに対する代金債権がCによって差止めを受けた後に別の債権を取得したBは、相殺をCに対抗できません。

➡ 511条

❸ 正しい。不法行為の「被害者側」から相殺をすることは可能。

①悪意による不法行為に基づく損害賠償の債務、②人の生命または身体の侵害による損害賠償の債務の債務者は、相殺をもって債権者に対抗できません。したがって、人の生命または身体の侵害による不法行為等の「加害者」の側から相殺をすることはできません。しかし、被害者から相殺することは可能です。よって、Bは、売買代金債務と当該損害賠償債権を、対当額で相殺できます。

➡ 509条、判例

❹ 誤り。時効消滅「以前」に相殺適状にないと、相殺不可。

時効によって消滅した債権が、その消滅以前に相殺に適する状態になっていた場合には、その債権者は、相殺できます。本肢の場合、BのAに対する貸金債権は9月30日に時効で消滅していますが、AがBに対して代金債権を取得したのは10月1日ですから、時効消滅以前に、両債権は相殺に適する状態ではありませんでした。したがって、Bは、相殺できません。

➡ 508条

攻略POINT　自働債権と受働債権

相殺を主張する者の債権を「自働債権」、その相手方の債権を「受働債権」といいます。

相殺します　A　代金債権（10万円）　自働債権　貸金債権（10万円）　受働債権　B

Aのほうから相殺の意思表示をしたときは、Aの代金債権が自働債権、Bの貸金債権が受働債権となる。

【正解 ❸ 】

売　買

問題 41 売買契約の目的物が品質に関して契約の内容に適合しない場合において、当該契約不適合が売主及び買主のいずれの責めにも帰することができない事由によるものであるとき、履行の追完請求権、代金の減額請求権、損害賠償請求権及び契約の解除権のうち、民法の規定によれば、買主が行使することができない権利のみを掲げたものとして正しいものは次の記述のうちどれか。なお、上記帰責性以外の点について、権利の行使を妨げる事情はないものとする。 [R6-問10]

❶ 履行の追完請求権、損害賠償請求権、契約の解除権

❷ 代金の減額請求権、損害賠償請求権、契約の解除権

❸ 履行の追完請求権、代金の減額請求権

❹ 損害賠償請求権

日建学院・講師陣の必勝コメント

　「契約不適合責任」に関する買主の４つの追及手段の中には、売主の帰責事由の有無によって行使できるか否かが分かれるものがあります。

　本試験の現場で迷わず判断するには、この点を正確に覚えておかなければなりません。

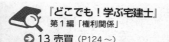

解 説　『どこでも！学ぶ宅建士』
第1編「権利関係」
➡ 13 売買（P124〜）

正答率	合格者	**85.8** %
	不合格者	**55.5** %

売
買

売主に帰責事由がない ➡ 買主が行使できないのは、損害賠償請求権のみ。

引き渡された目的物が種類・品質・数量に関して契約の内容に適合しないものである場合、買主は、売主に対して、原則として、次の4つの権利を、「売主の契約不適合責任」の追及手段として行使できます。

> ① 履行の追完請求権　② 代金の減額請求権
> ③ 損害賠償請求権　④ 契約の解除権

ただし、「③損害賠償請求権」は、契約不適合について売主に帰責事由がある場合のみ、行使できます。

その一方で、契約不適合について買主に帰責事由がある場合は、買主は、①履行の追完請求権、②代金の減額請求権、④契約の解除権を行使できません。

本問の『当該契約不適合が売主及び買主のいずれの責めにも帰することができない事由によるものである』（＝売主・買主の両者ともに帰責事由がない）場合には、買主は、売主に対して、①履行の追完請求権、②代金の減額請求権、④契約の解除権を行使できますが、③損害賠償請求権を行使することはできません。

したがって、「買主が行使することができない権利のみ」を掲げているのは、「**❹損害賠償請求権**」です。

📖 民法562〜564条、415条、541条〜543条

攻略POINT 契約不適合責任追及と売主・買主の帰責事由

買主の責任追及手段	売主の帰責事由の要否	買主に帰責事由がある場合
① 履行の追完請求権	不要	行使不可
② 代金の減額請求権	不要	行使不可
③ 損害賠償請求権	必要	（規定なし）
④ 契約の解除権	不要	行使不可

【正解 ❹】

売　買

問題 **42**

事業者ではないＡが所有し居住している建物につきＡＢ間で売買契約を締結するに当たり、Ａは建物引渡しから３か月に限り担保責任を負う旨の特約を付けたが、売買契約締結時点において当該建物の構造耐力上主要な部分の種類又は品質が契約の内容に適合しないものであり、Ａはそのことを知っていたがＢに告げず、Ｂはそのことを知らなかった。この場合に関する次の記述のうち、民法の規定によれば、正しいものはどれか。

[R元-問03改]

❶　Ｂが当該不適合の存在を建物引渡しから１年が経過した時に知ったとき、当該不適合の存在を知った時から１年以内にその旨をＡに通知しなくても、ＢはＡに対して担保責任を追及することができる。

❷　建物の構造耐力上主要な部分の種類又は品質が契約の内容に適合しないものであるときは、契約の目的を達成することができない場合に限り、Ｂは当該不適合を理由に売買契約を解除することができる。

❸　Ｂが当該不適合を理由にＡに対して損害賠償請求をすることができるのは、当該不適合を理由に売買契約を解除することができない場合に限られる。

❹　ＡＢ間の売買をＢと媒介契約を締結した宅地建物取引業者Ｃが媒介していた場合には、ＢはＣに対して担保責任を追及することができる。

解 説

『どこでも！学ぶ宅建士』
第1編「権利関係」
→ 13 売買 (P124〜)

正答率		
合格者	92.7	%
不合格者	72.7	%

　本問の売主Aは、「建物引渡しから3ヵ月に限り担保責任を負う」旨の特約を付けていますが、当該建物は、売買契約締結の時点において、構造耐力上主要な部分の種類または品質が契約の内容に不適合であり、Aは、そのことを知っていたものの、Bに告げていません。したがって、売主は、担保の責任を負わない旨の特約をしたときであっても、知りながら告げなかった事実については、その責任を免れることができません（民法572条）。

　以上のように、「売主Aは、引渡しから3ヵ月を超えても担保責任を負う」ことが、各選択肢の前提です。

❶ **正しい。原則、買主は、不適合を知った時から1年以内に売主に通知。**

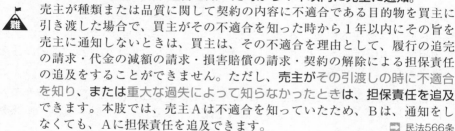

　　売主が種類または品質に関して契約の内容に不適合である目的物を買主に引き渡した場合で、買主がその不適合を知った時から1年以内にその旨を売主に通知しないときは、買主は、その不適合を理由として、履行の追完の請求・代金の減額の請求・損害賠償の請求・契約の解除による担保責任の追及をすることができません。ただし、**売主がその引渡しの時に不適合を知り**、**または重大な過失によって知らなかったとき**は、担保責任を追及できます。本肢では、売主Aは不適合を知っていたため、Bは、通知をしなくても、Aに担保責任を追及できます。　　　　　　　　　　　➡ 民法566条

❷ **誤り。契約の目的を達することができるか否かを問わず、解除可。**

　　引き渡された目的物が種類、品質または数量に関して契約の内容に不適合のときは、買主は、売主に対し、債務不履行の規定に基づき解除権の行使ができます。この解除権の行使は、不適合により契約をした目的を達することができるか否かを問いません。　　　　　➡ 564条、541条、542条

❸ **誤り。契約の解除とあわせて、損害賠償の請求もできる。**

　　引き渡された目的物が種類、品質または数量に関して契約の内容に不適合のときは、買主は、売主に対し、債務不履行の規定に基づき損害賠償の請求ができます。その損害賠償の請求は、❷解説の「契約の解除」ができるときでも、あわせてすることができます。　　➡ 564条、415条、545条

❹ **誤り。売主の担保責任は、売主に対してのみ行うことができる。**

　　売主の担保責任は、売主に対してのみ行うことができます。したがって、その売買契約を宅建業者が媒介していた場合であっても、その媒介を行った宅建業者に対して、担保責任を追及できません。　➡ 562条、563条、564条

【正解 ❶】

売　買

問題 **43**

Ａを売主、Ｂを買主として、Ａ所有の甲自動車を50万円で売却する契約（以下この問において「本件契約」という。）が令和7年7月1日に締結された場合に関する次の記述のうち、民法の規定によれば、誤っているものはどれか。

[R3⑽-問07改]

❶　Ｂが甲自動車の引渡しを受けたが、甲自動車のエンジンに契約の内容に適合しない欠陥があることが判明した場合、ＢはＡに対して、甲自動車の修理を請求することができる。

❷　Ｂが甲自動車の引渡しを受けたが、甲自動車に契約の内容に適合しない修理不能な損傷があることが判明した場合、ＢはＡに対して、売買代金の減額を請求することができる。

❸　Ｂが引渡しを受けた甲自動車が故障を起こしたときは、修理が可能か否かにかかわらず、ＢはＡに対して、修理を請求することなく、本件契約の解除をすることができる。

❹　甲自動車について、第三者ＣがＡ所有ではなくＣ所有の自動車であると主張しており、Ｂが所有権を取得できないおそれがある場合、Ａが相当の担保を供したときを除き、ＢはＡに対して、売買代金の支払を拒絶することができる。

🖐️ **日建学院・講師陣の必勝コメント**

❹は細かい知識ではあるものの、❶〜❸は、「売主の担保責任」についての"典型ど真ん中"の出題です。あまりに典型的すぎて、合格者・不合格者ともにほぼ変わらず、高い正答率となっていますので、逆にいえば、ここでの失点は、致命傷となります。しっかり復習しておきましょう。

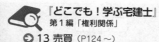
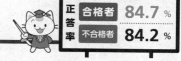
❶ **正しい。目的物の品質等に契約不適合あり ➡ 履行の追完請求可。**

引き渡された目的物が種類、品質または数量に関して契約の内容に不適合のときは、買主は、売主に対し、目的物の修補、代替物の引渡しまたは不足分の引渡しによる履行の追完を請求できます。 ➡ 民法562条

❷ **正しい。目的物の品質等に契約不適合あり ➡ 代金の減額請求可。**

引き渡された目的物が種類、品質または数量に関して契約の内容に不適合のときは、買主が相当の期間を定めて履行の追完の催告をし、その期間内に履行の追完がないときは、買主は、その不適合の程度に応じて代金の減額を請求できます。しかし、履行の追完が不能である等の場合は、買主は、催告なしで、直ちに代金の減額を請求できます。 ➡ 563条

❸ **誤り。修理可能 ➡ まずは履行の催告として補修請求しなければ、解除不可。**

当事者の一方がその債務を履行しない場合でも、相手方が相当の期間を定めてその履行の催告をし、その期間内に履行がないときでなければ、相手方は、原則として、契約の解除ができません。債権者が、催告をすることなく、直ちに契約の解除をすることができるのは、債務の全部の履行が不能であるなど、一定の場合に限られます。したがって、修理が可能な場合には、BはAに対して、修理の請求（履行の催告）をしたうえでなければ、本件契約の解除ができません。 ➡ 564条、541条、542条

❹ **正しい。権利主張する者がいる場合 ➡ 買主は、原則、代金支払拒絶できる。**

売買の目的について権利を主張する者があるなどの事由により、買主がその買い受けた権利の全部・一部を取得することができず、または失うおそれがあるときは、買主は、売主が相当の担保を供したときを除き、その危険の程度に応じて、代金の全部・一部の支払を拒むことができます。

➡ 576条

【正解 ❸ 】

売 買

問題 **44**

Aは、中古自動車を売却するため、Bに売買の媒介を依頼し、報酬として売買代金の3％を支払うことを約した。Bの媒介によりAは当該自動車をCに100万円で売却した。この場合に関する次の記述のうち、民法の規定及び判例によれば、正しいものはどれか。

[H29-問05改]

❶ Bが報酬を得て売買の媒介を行っているので、CはAから当該自動車の引渡しを受ける前に、100万円をAに支払わなければならない。

❷ 当該自動車が品質に関して契約の内容に適合しないものであった場合には、CはAに対しても、Bに対しても、契約不適合責任を追及することができる。

❸ 売買契約が締結された際に、Cが解約手付として手付金10万円をAに支払っている場合には、Aはいつでも20万円を現実に提供して売買契約を解除することができる。

❹ 売買契約締結時には当該自動車がAの所有物ではなく、Aの父親の所有物であったとしても、AC間の売買契約は有効に成立する。

解説

『どこでも！学ぶ宅建士』
第1編「権利関係」
→ 13 売買（P124～）

正答率	合格者	76.6 %
	不合格者	44.0 %

❶ 誤り。売買契約➡原則として、同時履行の抗弁あり。

双務契約の当事者の一方は、相手方がその債務の履行を提供するまでは、自己の債務の履行を拒むことができます。したがって、買主Cは、売主Aが当該自動車の引渡しの提供をするまでは、代金の支払を拒むことができます。このことは、媒介をしている者が報酬を得て行っているかどうかは関係ありません。

➡ 民法533条、判例

❷ 誤り。契約不適合責任を負うのは、売主のみ。

目的物が種類、品質に関して契約の内容に不適合のときは、買主は、売主に対し、売主の担保責任（契約不適合責任）を追及できます。しかし、この契約不適合責任は、売主に対してのみ追及でき、媒介を行った者等に対しては追及することができません。

➡ 562条、563条、564条

❸ 誤り。手付解除➡両当事者とも、相手方が履行に着手するまで。

買主が売主に手付を交付したときは、相手方が契約の履行に着手するまでは、買主はその手付を放棄し、売主はその倍額を現実に提供して、契約の解除ができます。したがって、売主Aが手付の倍額を現実に提供して手付解除ができるのは、買主Cが契約の履行に着手するまでに限られます。

➡ 557条

❹ 正しい。民法上、他人物売買は有効。

➡ 561条

+α 他人の権利を売買の目的としたときは、売主は、その権利を取得して買主に移転する義務を負います。

よく出る！

攻略POINT 解約手付

手付解除の方法	買主は手付を放棄し、売主は手付の倍額を現実に提供すれば、契約解除できる
解除の時期	相手方が履行に着手するまで
効果	●契約は、さかのぼって消滅する ●損害賠償請求はできない

【正解 ❹】

売買・贈与

問題 45 Aがその所有する甲建物について、Bとの間で、①Aを売主、Bを買主とする売買契約を締結した場合と、②Aを贈与者、Bを受贈者とする負担付贈与契約を締結した場合に関する次の記述のうち、民法の規定及び判例によれば、正しいものはどれか。なお、これらの契約は、令和7年7月1日に締結され、担保責任に関する特約はないものとする。

[R2(10)-問09改]

❶ ①の契約において、Bが手付を交付し、履行期の到来後に代金支払の準備をしてAに履行の催告をした場合、Aは、手付の倍額を現実に提供して契約の解除をすることができる。

❷ ②の契約が書面によらずになされた場合、Aは、甲建物の引渡し及び所有権移転登記の両方が終わるまでは、書面によらないことを理由に契約の解除をすることができる。

❸ ②の契約については、Aは、その負担の限度において、売主と同じく担保責任を負う。

❹ ①の契約については、Bの債務不履行を理由としてAに解除権が発生する場合があるが、②の契約については、Bの負担の不履行を理由としてAに解除権が発生することはない。

👊 日建学院・講師陣の 必勝コメント

「正答率データ」によると、合格者と不合格者の差が大きい問題です。❷を筆頭にかなり難しい問題ですが、少なくとも重要基本知識の❶にひっかからないというだけで、正解できる確率がグッと上がります。

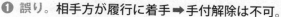
 解説 『どこでも！学ぶ宅建士』第1編「権利関係」
→ 13 売買 (P124〜)、15 委任・請負・その他の契約 (P143〜)

❶ 誤り。相手方が履行に着手➡手付解除は不可。

買主が売主に手付を交付したときは、買主はその手付を放棄し、売主はその倍額を現実に提供して、契約の解除ができます。ただし、その相手方が契約の履行に着手した後は、手付解除できません。履行期の到来後に、買主（債務者）が代金支払の準備をして売主（債権者）に対し債務の履行を催告したことは、一般的には、買主の金銭支払債務につき「履行の着手あり」といえます。したがって、本肢のBは「履行に着手した後」ですから、Aは、手付解除できません。
→ 民法557条、判例

❷ 誤り。書面によらない贈与➡引渡しまたは所有権移転登記で、解除不可。

書面によらない贈与は、各当事者が解除できます。ただし、履行の終わった部分については、解除できません。不動産の贈与契約に基づいてその不動産について引渡しまたは所有権の移転の登記がなされたときは、「履行が終わった」ものとなります。したがって、甲建物の引渡し、または所有権移転登記のどちらかが終われば、Aは、書面によらないことを理由に、②の負担付贈与契約を解除できません。
→ 550条、判例

❸ 正しい。負担付贈与➡負担の限度で、売主同様に担保責任を負う。

負担付贈与については、贈与者は、その負担の限度において、売買契約の売主と同じく担保責任を負います。
→ 551条

❹ 誤り。売買契約でも負担付贈与契約でも、債務不履行解除は可。

当事者の一方がその債務を履行しない場合、相手方は、契約の解除ができます。売買については、買主が義務の履行を怠るときは、売主は、売買契約の解除ができます。また、負担付贈与についても、受贈者がその負担である義務の履行を怠るときは、贈与者は、贈与契約の解除ができます。
→ 541条、542条、553条、判例

【正解 ❸】

賃貸借

問題 **46**

賃貸人Aから賃借人Bが借りたA所有の甲土地の上に、Bが乙建物を所有する場合における次の記述のうち、民法の規定及び判例によれば、正しいものはどれか。なお、Bは、自己名義で乙建物の保存登記をしているものとする。 [H26-問07]

❶ BがAに無断で乙建物をCに月額10万円の賃料で貸した場合、Aは、借地の無断転貸を理由に、甲土地の賃貸借契約を解除することができる。

❷ Cが甲土地を不法占拠してBの土地利用を妨害している場合、Bは、Aの有する甲土地の所有権に基づく妨害排除請求権を代位行使してCの妨害の排除を求めることができるほか、自己の有する甲土地の賃借権に基づいてCの妨害の排除を求めることができる。

❸ BがAの承諾を得て甲土地を月額15万円の賃料でCに転貸した場合、AB間の賃貸借契約がBの債務不履行で解除されても、AはCに解除を対抗することができない。

❹ AB間で賃料の支払時期について特約がない場合、Bは、当月末日までに、翌月分の賃料を支払わなければならない。

> 🖐 **日建学院・講師陣の必勝コメント**
>
> ❷は要するに、土地所有者の所有権に「代位」することと、賃借人としての賃借権から「直接」妨害排除することの両方ができる、ということです。

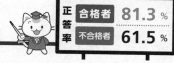

解　説

『どこでも！学ぶ宅建士』
第1編「権利関係」
→ 14 賃貸借（P130〜）

| 正答率 | 合格者 | 81.3 % |
| | 不合格者 | **61.5** % |

❶ 誤り。借地上の建物の「賃貸」➡賃貸人の承諾は不要。

賃借人は、賃貸人の承諾を得なければ、その賃借権を譲り渡し、または賃借物を転貸できません。賃借人がこれに違反して第三者に賃借物の使用・収益をさせたときは、賃貸人は、契約の解除ができます。ですから、借地上の建物を「譲渡」する場合は、土地の賃借権の譲渡を伴うので、土地の賃貸人の承諾が必要です。しかし、本肢のように借地上の建物を「賃貸」する場合は、土地の賃貸人の承諾は不要です。　　　　　→ 民法612条、判例

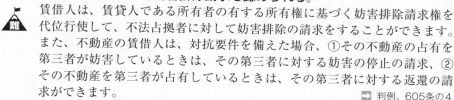

+α なぜなら、借地上の建物を第三者に賃貸して収益することも、「土地の賃借人」の土地利用権の範囲内といえるからです。

❷ 正しい。賃借権に基づく妨害排除請求も認められる。

賃借人は、賃貸人である所有者の有する所有権に基づく妨害排除請求権を代位行使して、不法占拠者に対して妨害排除の請求をすることができます。また、不動産の賃借人は、対抗要件を備えた場合、①その不動産の占有を第三者が妨害しているときは、その第三者に対する妨害の停止の請求、②その不動産を第三者が占有しているときは、その第三者に対する返還の請求ができます。　　　　　→ 判例、605条の4

❸ 誤り。債務不履行による解除の場合は、転借人に対抗可。

賃借人の債務不履行に基づいて賃貸借契約が解除された場合、賃貸人は、転借人に対して、その解除を対抗できます。　　　　　→ 613条、判例

❹ 誤り。賃料は、後払いが原則。

賃貸借契約においては、賃料は、建物や宅地については、毎月末に支払わなければなりません。つまり、後払いが原則です。　　　　　→ 614条

【正解 ❷】

賃貸借

賃貸借

問題 47

AがBに甲建物を月額10万円で賃貸し、BがAの承諾を得て甲建物をCに適法に月額15万円で転貸している場合における次の記述のうち、民法の規定及び判例によれば、誤っているものはどれか。

[H28-問08]

❶　Aは、Bの賃料の不払いを理由に甲建物の賃貸借契約を解除するには、Cに対して、賃料支払の催告をして甲建物の賃料を支払う機会を与えなければならない。

❷　BがAに対して甲建物の賃料を支払期日になっても支払わない場合、AはCに対して、賃料10万円をAに直接支払うよう請求することができる。

❸　AがBの債務不履行を理由に甲建物の賃貸借契約を解除した場合、CのBに対する賃料の不払いがなくても、AはCに対して、甲建物の明渡しを求めることができる。

❹　AがBとの間で甲建物の賃貸借契約を合意解除した場合、AはCに対して、Bとの合意解除に基づいて、当然には甲建物の明渡しを求めることができない。

────────────

🔖 日建学院・講師陣の 必勝コメント

「正答率データ」によると、合格者の正答率は、不合格者の2倍以上！　特に❶と❸は「債務不履行解除と転借人」という"ワンセット"の重要基本知識ですから、どちらも必ず自信を持って判断できなければなりません。

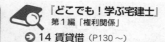
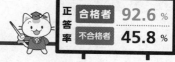
❶ 誤り。賃貸人は、転借人に支払の機会を与えることは不要。

当事者の一方がその債務を履行しない場合で、相手方が相当の期間を定めてその履行の催告をし、その期間内に履行がないときは、相手方は、契約の解除ができます。そして、賃料の滞納を理由として賃貸借を解除するには、賃貸人は賃借人に対して催告をすれば足り、転借人にその支払の機会を与える必要はありません。

➡ 民法541条、613条、判例

❷ 正しい。賃借人の債務の範囲内で、転借人に直接賃料請求可。

賃借人が適法に賃借物を転貸したときは、転借人は、賃貸人と賃借人との間の賃貸借に基づく賃借人の債務の範囲を限度として、賃貸人に対して転貸借に基づく債務を直接履行する義務を負います。したがって、本肢の場合、賃貸人Aは、転借人Cに対して10万円を限度に直接支払うよう請求できます。

➡ 613条

❸ 正しい。賃貸人 ➡ 債務不履行による解除を転借人に対抗できる。

賃借人の債務不履行により賃貸借が解除されたときは、転借人は、その転借権を賃貸人に対抗できません。したがって、賃貸人Aは、転借人Cに対して、甲建物の明渡しを求めることができます。

➡ 613条、判例

❹ 正しい。合意解除 ➡ 原則、転借人に対抗不可。

賃借人が適法に賃借物を転貸した場合には、賃貸人は、賃借人との間の賃貸借を合意により解除したことをもって、転借人に対抗できません。したがって、賃貸人Aは、転借人Cに対して、当然には甲建物の明渡しを求めることはできません。

➡ 613条

攻略POINT 債務不履行による解除と合意解除

債務不履行による解除と合意解除とでは、転借人に対抗できるかどうかが異なります。注意しましょう！

| ① 債務不履行による解除 | ➡ | 対抗可 |
| ② 合意解除 | ➡ | 原則、対抗不可 |

【正解 ❶ 】

賃貸借

| 問題 **48** | 建物の賃貸借契約が期間満了により終了した場合における次の記述のうち、民法の規定によれば、正しいものはどれか。なお、賃貸借契約は、令和7年7月1日付けで締結され、原状回復義務について特段の合意はないものとする。　[R2⑽-問04改] |

❶ 賃借人は、賃借物を受け取った後にこれに生じた損傷がある場合、通常の使用及び収益によって生じた損耗も含めてその損傷を原状に復する義務を負う。

❷ 賃借人は、賃借物を受け取った後にこれに生じた損傷がある場合、賃借人の帰責事由の有無にかかわらず、その損傷を原状に復する義務を負う。

❸ 賃借人から敷金の返還請求を受けた賃貸人は、賃貸物の返還を受けるまでは、これを拒むことができる。

❹ 賃借人は、未払賃料債務がある場合、賃貸人に対し、敷金をその債務の弁済に充てるよう請求することができる。

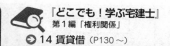 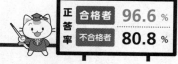

解説 『どこでも！学ぶ宅建士』
第1編「権利関係」
→ 14 賃貸借（P130〜）

正答率　合格者 **96.6**%　不合格者 **80.8**%

❶ 誤り。通常の損耗・経年変化 ➡ 賃借人は原状回復義務を負わない。

賃借人は、賃借物を受け取った後にこれに生じた損傷（通常の使用・収益によって生じた賃借物の損耗並びに賃借物の経年変化を除く）がある場合で、賃貸借が終了したときは、原則として、その損傷を原状に復する義務（原状回復義務）を負います。したがって、賃借人は、通常の使用及び収益によって生じた賃借物の損耗については、原状回復義務を負いません。

➡ 民法621条

❷ 誤り。帰責事由のない損傷 ➡ 賃借人は原状回復義務を負わない。

賃借人は、賃借物を受け取った後に生じた損傷が、賃借人の責めに帰することができない事由によるものであるときは、原状回復義務を負いません。

➡ 621条

❸ 正しい。賃貸物の返還なし ➡ 賃貸人は敷金返還を拒絶可。

よく出る！

賃貸人は、敷金を受け取っている場合で、賃貸借が終了し、かつ、賃貸物の返還を受けたときは、賃借人に対し、その受け取った敷金の額から、賃貸借に基づいて生じた賃借人の賃貸人に対する金銭の給付を目的とする債務の額を控除した残額を、返還しなければなりません。その反面、賃貸人は、賃貸物の返還を受けるまでは、敷金の返還を拒むことができます。

➡ 622条の2

❹ 誤り。敷金からの充当 ➡ 賃借人からは請求不可。

よく出る！

賃貸人は、賃借人が賃貸借に基づいて生じた金銭の給付を目的とする債務を履行しないときは、敷金を、その債務の弁済に充てることができます。しかし、この場合、賃借人からは、賃貸人に対し、敷金をその債務の弁済に充てることを請求できません。

➡ 622条の2

【正解 ❸】

賃貸借

問題 49

AはBにA所有の甲建物を令和7年7月1日に賃貸し、BはAの承諾を得てCに適法に甲建物を転貸し、Cが甲建物に居住している場合における次の記述のうち、民法の規定及び判例によれば、誤っているものはどれか。　　　　　[R2(12)-問06]

❶ Aは、Bとの間の賃貸借契約を合意解除した場合、解除の当時Bの債務不履行による解除権を有していたとしても、合意解除したことをもってCに対抗することはできない。

❷ Cの用法違反によって甲建物に損害が生じた場合、AはBに対して、甲建物の返還を受けた時から1年以内に損害賠償を請求しなければならない。

❸ AがDに甲建物を売却した場合、AD間で特段の合意をしない限り、賃貸人の地位はDに移転する。

❹ BがAに約定の賃料を支払わない場合、Cは、Bの債務の範囲を限度として、Aに対して転貸借に基づく債務を直接履行する義務を負い、Bに賃料を前払いしたことをもってAに対抗することはできない。

🖐日建学院・講師陣の必勝コメント

　「正答率データ」によると、正答率自体がきわめて低いだけでなく、合格者と不合格者の差がきわめて小さい問題です。頻出の「合意解除は転借人に対抗できない」という知識に引っ張られて、❶がその例外（出題当時の改正点）であると気付かない受験生が多かったから、と考えられます。

　とはいえ、再出題の可能性十分の知識ですから、ここでしっかりと確認しておきましょう。

解 説

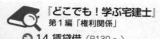

『どこでも！学ぶ宅建士』
第1編「権利関係」
➡ 14 賃貸借（P130〜）

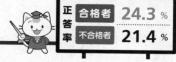

❶ **誤り。合意解除の場合で債務不履行による解除権がある➡転借人に対抗可。**
　　賃借人が適法に賃借物を転貸した場合には、賃貸人は、賃借人との間の賃貸借を合意により解除したことをもって転借人に対抗できません。しかし、解除した当時に、賃貸人が、賃借人の債務不履行による解除権を有していたときは、合意解除を転借人に対抗できます。　　　　　　　➡ 民法613条

❷ **正しい。用法違反の損害賠償請求➡返還を受けた時から1年以内に行使が必要。**
　　契約の本旨に反する使用・収益によって生じた損害の賠償については、賃貸人が返還を受けた時から1年以内に請求しなければなりません。
　　　　　　　　　　　　　　　　　　　　　　　　　　　　➡ 622条、600条

❸ **正しい。賃借人が対抗要件具備➡原則、譲渡に伴い賃貸人たる地位も移転。**
　　賃借人が賃貸借の対抗要件を備えた場合において、その不動産が譲渡されたときは、その不動産の賃貸人たる地位は、譲受人に移転します。
　　　　　　　　　　　　　　　　　　　　　　　　　　　　➡ 605条の2

> **+α** 不動産の譲渡人と譲受人が、賃貸人たる地位を譲渡人に留保する旨及びその不動産を譲受人が譲渡人に賃貸する旨の合意をしたときは、賃貸人たる地位は、譲受人に移転しません。

❹ **正しい。転借人は➡賃借人の債務の限度で、賃貸人に直接義務を負う。**
　　賃借人が適法に賃借物を転貸したときは、転借人は、賃貸人と賃借人との間の賃貸借に基づく賃借人の債務の範囲を限度として、賃貸人に対して、転貸借に基づく債務を直接履行する義務を負います。この場合、賃料の前払をもって賃貸人に対抗できません。　　　　　　　　　　　　　➡ 613条

【正解 ❶】

賃貸借

問題 50　次の❶から❹までの記述のうち、民法の規定、判例及び下記判決文によれば、正しいものはどれか。

（判決文）

賃貸人は、特別の約定のないかぎり、賃借人から家屋明渡を受けた後に前記の敷金残額を返還すれば足りるものと解すべく、したがって、家屋明渡債務と敷金返還債務とは同時履行の関係にたつものではないと解するのが相当であり、このことは、賃貸借の終了原因が解除（解約）による場合であっても異なるところはないと解すべきである。　[R3⑽-問01]

❶　賃借人の家屋明渡債務が賃貸人の敷金返還債務に対し先履行の関係に立つと解すべき場合、賃借人は賃貸人に対し敷金返還請求権をもって家屋につき留置権を取得する余地はない。

❷　賃貸借の終了に伴う賃借人の家屋明渡債務と賃貸人の敷金返還債務とは、1個の双務契約によって生じた対価的債務の関係にあるものといえる。

❸　賃貸借における敷金は、賃貸借の終了時点までに生じた債権を担保するものであって、賃貸人は、賃貸借終了後賃借人の家屋の明渡までに生じた債権を敷金から控除することはできない。

❹　賃貸借の終了に伴う賃借人の家屋明渡債務と賃貸人の敷金返還債務の間に同時履行の関係を肯定することは、家屋の明渡までに賃貸人が取得する一切の債権を担保することを目的とする敷金の性質にも適合する。

日建学院・講師陣の必勝コメント

「正答率データ」によると、合格者と不合格者の差が大きい問題です。

例年の判決文問題とは異なり、引用された判決文からストレートに正誤を判断できない肢が多くありますが、内容を正確に読み取って、その前提や帰結を合理的に推測できれば、なんとか正解にたどり着くことができるはずです。

本問の判決文は、昭和49年9月2日の最高裁判所判決によるものです。

❶ **正しい。家屋明渡債務が敷金返還債務に対し先履行➡留置権は生じない。**

他人の物の占有者は、その物に関して生じた債権を有するときは、その債権の弁済を受けるまで、その物を留置できます。ただし、その債権が弁済期にないときは、留置できません。したがって、賃借人の家屋明渡債務が、賃貸人の敷金返還債務に対し先履行の関係に立つと解すべき場合、賃借人は、家屋を明け渡さなければ、賃貸人に対して敷金を返還するように請求できないため、「その物に関して生じた債権を有するとき」とはいえず、留置権を取得できません。　　　　　　　　　　　　　　➡ 民法295条、判例

❷ **誤り。家屋明渡債務と敷金返還債務➡対価的債務の関係にない。**

敷金契約は、賃貸人が賃借人に対して取得する債権を担保するために締結され、賃貸借契約に付随するものですが、賃貸借契約そのものではありません。したがって、賃貸借の終了に伴う賃借人の家屋明渡債務と賃貸人の敷金返還債務とは、1個の双務契約によって生じた対価的債務の関係にあるとはいえません。　　　　　　　　　　　　　　　　➡ 533条、判例

❸ **誤り。敷金➡賃貸借終了後家屋明渡しまでに生じた一切の債権を担保する。**

家屋賃貸借における敷金は、賃貸借存続中の賃料債権のみならず、賃貸借終了後家屋明渡義務履行までに生じた、賃貸借契約により賃貸人が貸借人に対して取得する一切の債権を担保するものです。したがって、賃貸借終了後、家屋明渡しがされた時に、それまでに生じた一切の被担保債権を敷金から控除することができます。　　　　　　　　　　　➡ 622条の2、判例

❹ **誤り。同時履行の肯定➡明渡しまでの一切の債権を担保する敷金の性質と不適合。**

本判決は、「賃貸借における敷金は、賃貸借の終了後家屋明渡義務の履行までに生ずる賃料相当額の損害金債権その他賃貸借契約により賃貸人が賃借人に対して取得することのある一切の債権を担保するものであることを前提に、家屋明渡債務と敷金返還債務とは同時履行の関係に立つものではない」と述べています。したがって、本肢の内容は、本判決文の内容に適合しません。　　　　　　　　　　　　　➡ 533条、622条の2、判決文

【正解 ❶】

賃貸借・使用貸借

問題 **51**

Ａを貸主、Ｂを借主として、Ａ所有の甲土地につき、資材置場とする目的で期間を２年として、ＡＢ間で、①賃貸借契約を締結した場合と、②使用貸借契約を締結した場合に関する次の記述のうち、民法の規定によれば、正しいものはどれか。

[R4-問06]

❶ Ａは、甲土地をＢに引き渡す前であれば、①では口頭での契約の場合に限り自由に解除できるのに対し、②では書面で契約を締結している場合も自由に解除できる。

❷ Ｂは、①ではＡの承諾がなければ甲土地を適法に転貸することはできないが、②ではＡの承諾がなくても甲土地を適法に転貸することができる。

❸ Ｂは、①では期間内に解約する権利を留保しているときには期間内に解約の申入れをし解約することができ、②では期間内に解除する権利を留保していなくてもいつでも解除することができる。

❹ 甲土地について契約の本旨に反するＢの使用によって生じた損害がある場合に、Ａが損害賠償を請求するときは、①では甲土地の返還を受けた時から５年以内に請求しなければならないのに対し、②では甲土地の返還を受けた時から１年以内に請求しなければならない。

日建学院・講師陣の必勝コメント

　賃貸借と使用貸借の比較は、過去にも数度出題された"出題者好み"の手法です。日頃から両者を対比して、「相違点」と「共通点」を整理しておく必要があります。
　もちろん重要なのは「相違点」なのですが、本問では、逆に意外と見落としがちな「共通点」を意識的に出題しているのがイヤなところ…。ここで「共通点」にも、しっかり目配りしておきましょう。

解説　『どこでも！学ぶ宅建士』
第1編「権利関係」
→ 14 賃貸借（P130〜）、15 委任・請負・その他の契約（P144〜）

正答率　合格者 **81.4**%　不合格者 **61.3**%

賃貸借・使用貸借

　本問のＡＢ間の甲土地の①**賃貸借契約**は、資材置場とする目的で締結されており、建物の所有を目的とするものではないため、借地借家法は適用されず、民法の賃貸借の規定が適用されます。また、②**使用貸借契約**についても、借地借家法は適用されず、民法の使用貸借の規定が適用されます。

❶ 誤り。自由に解除できるのは、口頭による使用貸借のみ。

　①**賃貸借契約**では、契約を口頭で締結したか・書面で締結したかにかかわらず、目的物の引渡し前であれば自由に解除できる旨の規定はありません。これに対して、②**使用貸借契約**では、貸主は、借主が借用物を受け取るまで解除ができますが、書面で契約した場合は、解除できません。

→ 民法593条の2

❷ 誤り。いずれも、貸主の承諾なく転貸できない。

　①**賃貸借契約**では、賃借人は、賃貸人の承諾を得なければ、賃借権の譲渡または賃借物の転貸ができません。また、②**使用貸借契約**でも、借主は、貸主の承諾を得なければ、第三者に借用物の使用・収益をさせることができません。

→ 612条、594条

❸ 正しい。解約権を留保すれば、いつでも解約申入れ可。

　①**賃貸借契約**では、当事者が賃貸借の期間を定めた場合でも、その一方または双方がその期間内に解約をする権利を留保したときは、解約権を留保した当事者は、いつでも解約の申入れができます。よって、賃借人Ｂは、いつでも解約の申入れができます。また、②**使用貸借契約**でも、借主は、いつでも契約を解除できます。

→ 618条、598条

❹ 誤り。いずれも、貸主が返還を受けた時から1年以内。

　①**賃貸借契約**では、契約の本旨に反する使用・収益によって生じた損害の賠償は、貸主が返還を受けた時から「1年以内」に請求しなければなりません。この点は、②**使用貸借契約**でも、同様です。

→ 622条、600条

【正解 ❸】

請　負

問題 52　Aを注文者、Bを請負人として、A所有の建物に対して独立性を有さずその構成部分となる増築部分の工事請負契約を締結し、Bは3か月間で増築工事を終了させた。この場合に関する次の記述のうち、民法の規定及び判例によれば、誤っているものはどれか。なお、この問において「契約不適合」とは品質に関して契約の内容に適合しないことをいい、当該請負契約には契約不適合責任に関する特約は定められていなかったものとする。

[R5-問03]

❶　AがBに請負代金を支払っていなくても、Aは増築部分の所有権を取得する。

❷　Bが材料を提供して増築した部分に契約不適合がある場合、Aは工事が終了した日から1年以内にその旨をBに通知しなければ、契約不適合を理由とした修補をBに対して請求することはできない。

❸　Bが材料を提供して増築した部分に契約不適合があり、Bは不適合があることを知りながらそのことをAに告げずに工事を終了し、Aが工事終了日から3年後に契約不適合を知った場合、AはBに対して、消滅時効が完成するまでは契約不適合を理由とした修補を請求することができる。

❹　増築した部分にAが提供した材料の性質によって契約不適合が生じ、Bが材料が不適当であることを知らずに工事を終了した場合、AはBに対して、Aが提供した材料によって生じた契約不適合を理由とした修補を請求することはできない。

日建学院・講師陣の 必勝コメント

❶は細かいですが、❷～❹は基本的な知識といえます。ですから、なんとか答えは出せるはずです！

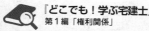

❶ 正しい。不動産の所有者 ➡ 増築部分の所有権も取得する。

不動産の所有者は、原則として、その不動産に従として付合した物の所有権を取得します。したがって、建物の所有者である注文者Aは、請負人Bに請負代金を支払っているかどうかに関係なく、増築部分の所有権を取得します。

➡ 民法242条、判例

❷ 誤り。担保責任の通知期間 ➡ 「知った時」から1年以内。

請負人が種類・品質に関して契約の内容に適合しない仕事の目的物を注文者に引き渡した場合でも、注文者がその不適合を知った時から1年以内にその旨を請負人に通知しないときは、注文者は、原則として、その不適合を理由として、担保責任（目的物の修補などによる履行の追完請求・報酬の減額請求・損害賠償請求・契約解除）を追及できません。

したがって、請負人の担保責任の通知期間は、「工事が終了した日から1年以内」ではありません。

➡ 637条

❸ 正しい。請負人が不適合につき悪意または重過失 ➡ 通知なしで延々と追及可。

仕事の目的物を注文者に引き渡した時に、請負人が不適合を知り、または重大な過失によって知らなかった場合（悪意または善意重過失）は、注文者は、「不適合を知った時から1年以内にその旨を請負人に通知」しなくても、消滅時効の完成までは、担保責任を追及できます。

➡ 637条

❹ 正しい。注文者が提供した材料の性質による不適合 ➡ 担保責任の追及は不可。

注文者が提供した材料の性質または注文者が与えた指図によって契約不適合が生じた場合、注文者は、請負人がその材料または指図が不適当であることを知りながら告げなかったときを除き、その不適合を理由として、担保責任を追及できません。

本肢では、注文者Aが提供した材料の性質によって契約不適合が生じ、請負人Bが、材料が不適当であることを知らずに工事を終了しているので、Aは、Bに対して、修補請求はできません。

➡ 636条

【正解 ❷】

各種契約

問題 53　個人として事業を営むＡが死亡した場合に関する次の記述のうち、民法の規定によれば、誤っているものはいくつあるか。なお、いずれの契約も令和７年７月１日付けで締結されたものとする。　［R3⑽-問03改］

ア　ＡがＢとの間でＢ所有建物の清掃に関する準委任契約を締結していた場合、Ａの相続人は、Ｂとの間で特段の合意をしなくても、当該準委任契約に基づく清掃業務を行う義務を負う。

イ　ＡがＡ所有の建物について賃借人Ｃとの間で賃貸借契約を締結している期間中にＡが死亡した場合、Ａの相続人は、Ｃに賃貸借契約を継続するか否かを相当の期間を定めて催告し、期間内に返答がなければ賃貸借契約をＡの死亡を理由に解除することができる。

ウ　ＡがＡ所有の土地について買主Ｄとの間で売買契約を締結し、当該土地の引渡しと残代金決済の前にＡが死亡した場合、当該売買契約は原始的に履行が不能となって無効となる。

エ　ＡがＥ所有の建物について貸主Ｅとの間で使用貸借契約を締結していた場合、Ａの相続人は、Ｅとの間で特段の合意をしなくても、当該使用貸借契約の借主の地位を相続して当該建物を使用することができる。

❶　一つ

❷　二つ

❸　三つ

❹　四つ

👆 日建学院・講師陣の 必勝コメント

「正答率データ」によると、合格者と不合格者の差が大きい問題です。記述イ・ウは現場思考でなんとか判断できますが、記述ア・エは基本知識を覚えていなければ、手も足も出ません。個数問題では、基本知識の正確さで特に大きな差がつきます。自信を持って判断できなければなりません。

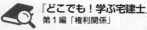

ア 誤り。**委任（準委任）に基づく義務は、原則として相続しない。**

「委任」とは、ある法律行為を相手方に委託することですが、法律行為でない事務を委託することを「準委任」といいます。また、準委任については、委任の規定が準用されますので、委任とほぼ同様の扱いとなります。委任は、委任者または受任者の死亡によって終了します。したがって、準委任契約に基づく受任者の義務についても、原則として、相続人は承継しません。

➡ 民法656条、653条

イ 誤り。**賃貸人の相続人 ➡ 賃貸人の権利義務を承継する。**

そもそも、本記述のような規定は存在しません。賃貸人が死亡しても、賃貸借契約は終了せず、賃貸人の相続人は、賃貸人の権利義務を承継します。したがって、賃貸人Aの相続人が、賃借人Cとの賃貸借契約をAの死亡を理由に解除することはできません。

➡ 896条

ウ 誤り。**売買契約後、「引渡し＋残代金決済前」に売主が死亡 ➡ 契約はそのまま有効。**

売主が死亡しても、売買契約は終了せず、売主の相続人は、売主の権利義務を承継します。したがって、売買契約締結後に、引渡しと残代金決済前に売主が死亡しても、売買契約は無効とはなりません。

➡ 896条、412条の2参照

エ 誤り。**使用貸借 ➡ 借主の死亡によって終了。**

使用貸借は、借主の死亡によって終了します。したがって、使用貸借の借主の相続人は、借主の地位を相続して当該建物を使用することはできません。

➡ 597条

　以上より、誤っているものは**ア・イ・ウ・エ**の4つすべてであり、正解は**④**となります。

【正解 ④ 】

不法行為

重要ランク
S

Check !

問題 **54**

Aに雇用されているBが、勤務中にA所有の乗用車を運転し、営業活動のため顧客Cを同乗させている途中で、Dが運転していたD所有の乗用車と正面衝突した（なお、事故についてはBとDに過失がある。）場合における次の記述のうち、民法の規定及び判例によれば、正しいものはどれか。 [H25-問09]

❶ Aは、Cに対して事故によって受けたCの損害の全額を賠償した。この場合、Aは、BとDの過失割合に従って、Dに対して求償権を行使することができる。

❷ Aは、Dに対して事故によって受けたDの損害の全額を賠償した。この場合、Aは、被用者であるBに対して求償権を行使することはできない。

❸ 事故によって損害を受けたCは、AとBに対して損害賠償を請求することはできるが、Dに対して損害賠償を請求することはできない。

❹ 事故によって損害を受けたDは、Aに対して損害賠償を請求することはできるが、Bに対して損害賠償を請求することはできない。

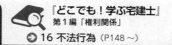

解 説 『どこでも！学ぶ宅建士』
第1編「権利関係」
16 不法行為（P148～）

正答率	合格者	90.9 %
	不合格者	79.1 %

❶ **正しい。全額を賠償した使用者 ➡ 共同不法行為者に求償できる。**

本肢のAは、使用者として使用者責任を果たしています。使用者責任を果たした使用者は、被用者と共同不法行為者の過失割合に従って、共同不法行為者に対して求償できます。　　　➡ 民法715条、719条、436条、442条、判例

❷ **誤り。使用者責任を果たした使用者 ➡ 被用者に求償できる。**

❶同様、使用者責任を果たした使用者は、被用者に対して求償できます。

➡ 715条

❸ **誤り。被害者 ➡ すべての共同不法行為者に対して請求できる。**

数人が共同の不法行為によって他人に損害を加えたときは、各自が連帯してその損害を賠償する責任を負います。ですから、被害者Cは、共同不法行為者A（使用者責任）・B・Dの誰に対しても、損害の全額の賠償を請求できます。　　　　　　　　　　　　　　　　　➡ 719条、709条、436条

❹ **誤り。使用者責任が成立する場合でも、被用者に請求できる。**

使用者責任が成立する場合でも、被害者は、被用者に対して損害賠償の請求ができます。　　　　　　　　　　　　　　　　　　　　　➡ 709条、715条

【正解 ❶】

不法行為

問題 **55**

不法行為（令和2年4月1日以降に行われたもの）に関する次の記述のうち、民法の規定及び判例によれば、誤っているものはどれか。 [R2(12)-問01]

❶ 建物の建築に携わる設計者や施工者は、建物としての基本的な安全性が欠ける建物を設計し又は建築した場合、設計契約や建築請負契約の当事者に対しても、また、契約関係にない当該建物の居住者に対しても損害賠償責任を負うことがある。

❷ 被用者が使用者の事業の執行について第三者に損害を与え、第三者に対してその損害を賠償した場合には、被用者は、損害の公平な分担という見地から相当と認められる額について、使用者に対して求償することができる。

❸ 責任能力がない認知症患者が線路内に立ち入り、列車に衝突して旅客鉄道事業者に損害を与えた場合、当該責任無能力者と同居する配偶者は、法定の監督義務者として損害賠償責任を負う。

❹ 人の生命又は身体を害する不法行為による損害賠償請求権は、被害者又はその法定代理人が損害及び加害者を知った時から5年間行使しない場合、時効によって消滅する。

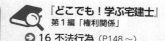
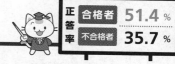

❶ **正しい。設計者等➡居住者等に不法行為による損害賠償責任を負う場合あり。**

建物の建築に携わる設計者や施工者は、契約関係にない居住者に対する関係から鑑みても、建物としての基本的な安全性が欠けることがないように配慮すべき注意義務を負うといえます。そして、これを怠ったために、建築された建物に安全性を損なう瑕疵が発生し、居住者等の生命・身体・財産が侵害された場合には、特段の事情がない限り、不法行為による損害賠償責任を負います。 🔲 民法709条、判例

❷ **正しい。被用者から使用者に対して求償できる。**

被用者が使用者の事業の執行について第三者に損害を加え、その損害を賠償した場合には、「被用者」は、**損害の公平な分担**という見地から、相当と認められる額について、「使用者」に対して求償できます。 🔲 715条、判例

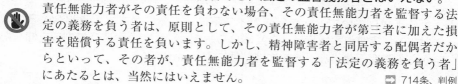

+α ある事業のために他人を使用する者は、原則として、被用者がその事業の執行について第三者に加えた損害を賠償する責任を負います（使用者責任）。損害を賠償した使用者は、被用者に対して求償権を行使できます。

❸ **誤り。精神障害者と同居する配偶者でも、法定の監督義務者とはいえない。**

責任無能力者がその責任を負わない場合、その責任無能力者を監督する法定の義務を負う者は、原則として、その責任無能力者が第三者に加えた損害を賠償する責任を負います。しかし、精神障害者と同居する配偶者だからといって、その者が、責任無能力者を監督する「法定の義務を負う者」にあたるとは、当然にはいえません。 🔲 714条、判例

❹ **正しい。人の生命・身体を害する不法行為の消滅時効➡知った時から5年。**

不法行為による損害賠償の請求権は、①被害者またはその法定代理人が損害及び加害者を知った時から3年間（人の生命または身体を害する不法行為については「5年間」）行使しないとき、②不法行為の時から20年間行使しないときには、時効によって消滅します。 🔲 724条、724条の2

【正解 ❸】

不法行為

 Aが1人で居住する甲建物の保存に瑕疵があったため、令和7年7月1日に甲建物の壁が崩れて通行人Bがケガをした場合（以下この問において「本件事故」という。）における次の記述のうち、民法の規定によれば、誤っているものはどれか。　　[R3⑽-問08改]

❶　Aが甲建物をCから賃借している場合、Aは甲建物の保存の瑕疵による損害の発生の防止に必要な注意をしなかったとしても、Bに対して不法行為責任を負わない。

❷　Aが甲建物を所有している場合、Aは甲建物の保存の瑕疵による損害の発生の防止に必要な注意をしたとしても、Bに対して不法行為責任を負う。

❸　本件事故について、AのBに対する不法行為責任が成立する場合、BのAに対する損害賠償請求権は、B又はBの法定代理人が損害又は加害者を知らないときでも、本件事故の時から20年間行使しないときには時効により消滅する。

❹　本件事故について、AのBに対する不法行為責任が成立する場合、BのAに対する損害賠償請求権は、B又はBの法定代理人が損害及び加害者を知った時から5年間行使しないときには時効により消滅する。

日建学院・講師陣の必勝コメント

　❶❷の工作物責任の知識は "ワンセット" です。「❶の知識（占有者が一次的に責任を負う）」➡「❷の知識（占有者が必要な注意をして免責される場合には所有者が二次的に無過失責任を負う）」という流れで、知識をまとめておきましょう。

　なお、❷では、「占有者が必要な注意をしたかどうか」の記述が欠けているので問題自体がやや言葉足らずといえますが、❶との対比で正誤判断できる以上、❷で迷ってはなりません！

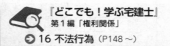

解説 『どこでも！学ぶ宅建士』
第1編「権利関係」
→ 16 不法行為（P148～）

正答率	合格者	93.3 %
	不合格者	65.7 %

❶ 誤り。占有者 ➡ 必要な注意をしたときを除き、責任を負う。

土地の工作物の設置または保存に瑕疵があることによって他人に損害を生じたときは、その工作物の占有者は、占有者が損害の発生を防止するのに必要な注意をしたときを除き、被害者に対してその損害賠償責任を負います。 ➡ 民法717条

❷ 正しい。所有者 ➡ 必要な注意をしても、免責されない。

土地の工作物の設置または保存に瑕疵があることによって他人に損害を生じた場合で、その工作物の占有者が損害の発生を防止するのに必要な注意をしたときは、所有者がその損害を賠償しなければなりません。したがって、（本肢に記述はありませんが）もし上記の条件を満たす場合であれば、Aは、自分が損害の発生の防止に必要な注意をしたかどうかに関係なく、Bに対して不法行為責任を負います。 ➡ 717条

> **+α** この「二次的に所有者が負う責任」は、いわゆる無過失責任です。

❸ 正しい。不法行為による損害賠償請求権 ➡ 不法行為時から20年で時効消滅。

不法行為による損害賠償の請求権は、不法行為の時から20年間行使しないときには、時効によって消滅します。この場合は、被害者またはその法定代理人が損害または加害者を知らないときでも、時効消滅します。 ➡ 724条

❹ 正しい。生命・身体を害する不法行為 ➡ 知った時から５年で時効消滅。

人の生命または身体を害する不法行為による損害賠償請求権は、被害者またはその法定代理人が損害及び加害者を知った時から５年間行使しないときには、時効によって消滅します。 ➡ 724条の2、724条

【正解 ❶】

重要ランク
B

法定相続

問題 **57**

1億2,000万円の財産を有するＡが死亡した。Ａには、配偶者はなく、子Ｂ、Ｃ、Ｄがおり、Ｂには子Ｅが、Ｃには子Ｆがいる。Ｂは相続を放棄した。また、Ｃは生前のＡを強迫して遺言作成を妨害したため、相続人となることができない。この場合における法定相続分に関する次の記述のうち、民法の規定によれば、正しいものはどれか。

[H29-問09]

❶ Ｄが4,000万円、Ｅが4,000万円、Ｆが4,000万円となる。

❷ Ｄが1億2,000万円となる。

❸ Ｄが6,000万円、Ｆが6,000万円となる。

❹ Ｄが6,000万円、Ｅが6,000万円となる。

👆 **日建学院・講師陣の必勝コメント**

「正答率データ」によると、合格者と不合格者の差が大きい問題です。法定相続の出題で、真っ先にしなければならないのは、法定相続人の確定です。実は、それだけで肢を絞り込めることも多く、計算が苦手な方でも、簡単に答えが出せることがあります。あきらめずに食らいつきましょう！

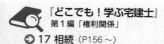

解 説

相続放棄は代襲相続不可。相続欠格は代襲相続可。

① まず、「法定相続人」については、配偶者がおらず、第1順位の子のみがいることからB・C・Dが法定相続人の候補となります。しかし、Bは相続を放棄していますので、法定相続人となることができず、その子であるEも代襲して相続できません。また、Cも、生前のAを強迫して遺言作成を妨害していますから、相続欠格に該当し、法定相続人となることができません。しかし、その子であるFは代襲して相続人となることができます。したがって、DとFが法定相続人となります。

② 次に、「法定相続分」を検討しますと、子が数人あるときは、各自の相続分は、相等しいものとなります。FはCを代襲して相続しますので、本来Cが相続するはずであった相続分を引き継ぎます。よって、DとFの法定相続分は、1／2ずつということになります。

　そうすると、Aの遺産は1億2,000万円ですから、Dはその1／2の6,000万円、Fも同様に、1／2の6,000万円を相続します。

　　民法887条、891条、939条、900条

よって、正解は❸となります。

攻略POINT　法定相続

[法定相続人と法定相続分]

	法 定 相 続 人	法 定 相 続 分
第1順位	配偶者＋子	配偶者　：1／2 子　　　：1／2
第2順位	配偶者＋直系尊属	配偶者　　：2／3 直系尊属　：1／3
第3順位	配偶者＋兄弟姉妹	配偶者　　：3／4 兄弟姉妹　：1／4

[代襲相続するための要件]

● 相続開始前または同時に相続人が死亡していること
● 相続欠格・廃除の場合であること
　　➡ 相続放棄のときは、代襲しない

【正解 ❸】

 Check!

法定相続

Aには死亡した夫Bとの間に子Cがおり、Dには離婚した前妻Eとの間に子F及び子Gがいる。Fの親権はEが有し、Gの親権はDが有している。AとDが婚姻した後にDが令和7年7月1日に死亡した場合における法定相続分として、民法の規定によれば、正しいものはどれか。

[R3(10)-問09改]

❶ Aが2分の1、Fが4分の1、Gが4分の1

❷ Aが2分の1、Cが6分の1、Fが6分の1、Gが6分の1

❸ Aが2分の1、Gが2分の1

❹ Aが2分の1、Cが4分の1、Gが4分の1

日建学院・講師陣の必勝コメント

　「正答率データ」によると、正答率自体がきわめて低いだけでなく、合格者と不合格者の差もきわめて小さい問題です。とはいえ、実は、「離婚した配偶者や婚姻した相手方の子は、法定相続人にならない」ことを知っていれば解ける問題です。しかも、法定相続人の確定だけで肢の絞り込みができてしまうので、本当は計算不要の問題です。

　もし再出題されたら、必ず対応できるようにしましょう！

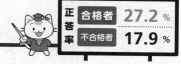

解 説

『どこでも！学ぶ宅建士』
第1編「権利関係」

→ 17 相続 （P156〜）

正答率	合格者	**27.2** %
	不合格者	**17.9** %

法定相続

離婚した配偶者・婚姻した相手方の子 ➡ 法定相続人にならない。

① 被相続人の配偶者は、常に相続人となります。したがって、本問の場合、被相続人Dの配偶者であるAは、法定相続人となります。一方、離婚した前妻Eは、相続が発生した時点では法律上の配偶者ではないため、法定相続人とはなりません。

② 被相続人の子は、第1順位の法定相続人となります。したがって、被相続人Dの子であるFとGは、法定相続人となります。この場合、被相続人がその子の親権を有しているかどうかは、その子が法定相続人となることには影響しません。これに対して、婚姻した相手方の子（配偶者の、いわゆる連れ子）であるCは、被相続人の養子となっている等でない限り、法定相続人にはなりません。

よって、配偶者A・子F・子Gが、法定相続人となります。

③ 子及び配偶者が相続人となるときは、子の相続分及び配偶者の相続分は、各1／2となります。そして、子が数人あるときは、各自の相続分は、相等しいものとなります。　　　　　　　　📖 民法887条、890条、900条

　以上より、本問の場合、法定相続分は「Aが1／2、Fが1／4、Gが1／4」となりますので、正解は❶となります。

【正解 ❶】

相　続

[H24-問10改]

問題 59

Aは未婚で子供がなく、父親Bが所有する甲建物にBと同居している。Aの母親Cは令和6年3月末日に死亡している。AにはBとCの実子である兄Dがいて、DはEと婚姻して実子Fがいたが、Dは令和7年3月末日に死亡している。この場合における次の記述のうち、民法の規定及び判例によれば、正しいものはどれか。

❶　Bが死亡した場合の法定相続分は、Aが2分の1、Eが4分の1、Fが4分の1である。

❷　Bが死亡した場合、甲建物につき法定相続分を有するFは、甲建物を1人で占有しているAに対して、当然に甲建物の明渡しを請求することができる。

❸　Aが死亡した場合の法定相続分は、Bが4分の3、Fが4分の1である。

❹　Bが死亡した後、Aがすべての財産を第三者Gに遺贈する旨の遺言を残して死亡した場合、FはGに対して遺留分侵害額に相当する金銭の支払を請求することができない。

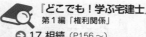

解説

『どこでも！学ぶ宅建士』
第1編「権利関係」

→ 17 相続（P156〜）

正答率 | 合格者 42.9 % | 不合格者 22.1 %

❶ 誤り。被相続人の子が死亡 ➡ その者の子が代襲相続する。

被相続人が死亡した場合、被相続人の子またはその代襲者が第1順位の相続人になります。被相続人の子が相続開始以前に死亡しているときは、その者の子が代襲相続人となります。本肢において、Bが死亡した場合、子であるA・Dが相続人となります。もっとも、DはBの相続開始以前に死亡していますので、Dの子であるFが代襲相続人となります。子同士の相続分は相等しいものとされていますので、Aが1／2、Fが1／2となります。Dの妻であるEは相続人とならず、相続分はありません。

➡ 民法887条、900条、901条

❷ 誤り。各共有者 ➡ 共有物全部を使用する権利がある。

相続人が数人あるときは、相続財産は、その共有に属します。各共有者は、共有物の全部について、その持分に応じた使用をすることができます。そのため、他の共有者がその明渡しを請求することは当然にはできません。したがって、Fは、Aに対して当然に甲建物の明渡しを請求することができるわけではありません。

➡ 898条、249条、判例

❸ 誤り。「子➡直系尊属 ➡ 兄弟姉妹」の順で相続人になる。

相続人の順位は、子またはその代襲者が第1順位、直系尊属が第2順位、兄弟姉妹が第3順位となります。Aが死亡した場合、Aには子がいないので、直系尊属であるBが相続人になります。Fは相続人になりません。

➡ 887条、889条

❹ 正しい。兄弟姉妹 ➡ 遺留分を有しない。

よく出る！

遺留分権利者及びその承継人は、受遺者または受贈者に対し、遺留分侵害額に相当する金銭の支払を請求できます。しかし、遺留分は、兄弟姉妹以外の相続人に認められています。Aが死亡した場合、Aの兄弟姉妹であるDの子FはDを代襲して相続人になりますが、Fは兄弟姉妹の地位を代襲していますので、遺留分侵害額に相当する金銭の支払を請求できません。

➡ 889条、1046条

【正解 ❹】

問題 **60**

甲建物を所有するＡが死亡し、相続人がそれぞれＡの子であるＢ及びＣの２名である場合に関する次の記述のうち、民法の規定及び判例によれば、誤っているものはどれか。

[H28-問10]

❶　Ｂが甲建物を不法占拠するＤに対し明渡しを求めたとしても、Ｂは単純承認をしたものとはみなされない。

❷　Ｃが甲建物の賃借人Ｅに対し相続財産である未払賃料の支払いを求め、これを収受領得したときは、Ｃは単純承認をしたものとみなされる。

❸　Ｃが単純承認をしたときは、Ｂは限定承認をすることができない。

❹　Ｂが自己のために相続の開始があったことを知らない場合であっても、相続の開始から３か月が経過したときは、Ｂは単純承認をしたものとみなされる。

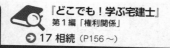

解説

『どこでも！学ぶ宅建士』
第1編「権利関係」

→ 17 相続（P156〜）

正答率 合格者 **76.5**% 不合格者 **50.2**%

相続

❶ 正しい。相続財産の保存行為 ➡ 単純承認とはみなされない。

相続人は、相続財産の全部または一部を処分したときは、単純承認をしたものとみなされます。しかし、保存行為をしたとしても、単純承認をしたものとはみなされません。本肢の不法占拠者に対する明渡しの請求は、保存行為に当たります。　　　　　　　　　　　　　　　　　　　📖 民法921条

❷ 正しい。相続財産の処分 ➡ 単純承認とみなされる。

相続人は、相続財産の全部または一部を処分したときは、単純承認をしたものとみなされます。本肢のような未払い賃料の支払いを求めて収受するといった「債権の取立て」は、この処分行為に当たります。　📖 921条、判例

❸ 正しい。限定承認 ➡ 共同相続人の全員が共同して行う。

相続人が数人あるときは、限定承認は、共同相続人の全員が共同してのみこれをすることができます。したがって、共同相続人の1人が単純承認をしますと、他の共同相続人は限定承認ができなくなります。　📖 923条

❹ 誤り。相続の承認・放棄をすべき期間 ➡ 「知った時」から3ヵ月以内。

相続人は、自己のために相続の開始があったことを知った時から3ヵ月以内に、相続について、単純もしくは限定の承認または放棄をしなければならず、この期間内に限定承認または相続の放棄をしなかったときは、単純承認をしたものとみなされます。この期間は、相続人がそれぞれ自己のために相続の開始があったことを「知った時」から個別に進行します。したがって、Bが自己のために相続の開始があったことを知らない場合は、たとえ相続開始から3ヵ月経過しても、Bは単純承認したとみなされることはありません。　📖 915条、921条、判例

【正解 ❹】

相　続

問題 61　次の❶から❹までの記述のうち、民法の規定、判例及び下記判決文によれば、誤っているものはどれか。　[R5-問01]

（判決文）
遺産は、相続人が数人あるときは、相続開始から遺産分割までの間、共同相続人の共有に属するものであるから、この間に遺産である賃貸不動産を使用管理した結果生ずる金銭債権たる賃料債権は、遺産とは別個の財産というべきであって、各共同相続人がその相続分に応じて分割単独債権として確定的に取得するものと解するのが相当である。

❶　遺産である不動産から、相続開始から遺産分割までの間に生じた賃料債権は、遺産である不動産が遺産分割によって複数の相続人のうちの一人に帰属することとなった場合、当該不動産が帰属することになった相続人が相続開始時にさかのぼって取得する。

❷　相続人が数人あるときは、相続財産は、その共有に属し、各共同相続人は、その相続分に応じて被相続人の権利義務を承継する。

❸　遺産分割の効力は、相続開始の時にさかのぼって生ずる。ただし、第三者の権利を害することはできない。

❹　遺産である不動産が遺産分割によって複数の相続人のうちの一人に帰属することとなった場合、当該不動産から遺産分割後に生じた賃料債権は、遺産分割によって当該不動産が帰属した相続人が取得する。

👉 日建学院・講師陣の 必勝コメント

　判決文問題の出題では、「判決文」以外の内容からの選択肢もありますが、正解肢は、「判決文そのもの」で判断できることが多いです。
　ですから、学習不十分なテーマであっても、"国語の読解問題"だと思って食らいつきましょう。意外にも、あっさり答えが出せます！

本問の判決文は、平成17年9月8日の最高裁判所判決によるものです。

❶ 誤り。遺産分割前の賃料債権 ➡ 相続分に応じて分割取得。

判決文では、遺産は「相続開始から遺産分割までの間、共同相続人の共有に属する」としたうえで、この間に、遺産である賃貸不動産を使用管理した結果生じた金銭債権たる賃料債権は「各共同相続人がその相続分に応じて分割単独債権として確定的に取得する」とされています。

要するに、「相続開始から遺産分割までの間の賃料債権は、各共同相続人が相続分に応じて確定的に取得するため、その後の遺産分割の影響を受けない」ということです。

したがって、遺産分割によって結果的にその不動産が帰属することになった相続人は、その賃料債権を、相続開始時にさかのぼって取得することはできません。

→ 民法909条、427条、判決文

❷ 正しい。相続財産 ➡ 共同相続人が共有し、相続分に応じて権利義務を承継。

相続人が数人いるときは、相続財産は、その共有に属します。この場合、各共同相続人は、その相続分に応じて被相続人の権利義務を承継します。判決文では一部のみの言及にとどまりますが、本肢は、民法の規定によれば、正しい内容です。

→ 898条、899条

❸ 正しい。遺産分割の効力 ➡ 相続開始時に遡及する。ただし、例外あり。

（よく出る！）遺産の分割は、相続開始の時にさかのぼって効力を生じます。ただし、第三者の権利を害することはできません。判決文では言及していませんが、本肢は、民法の規定によれば、正しい内容です。

→ 909条

> **+α** ここでいう「第三者」とは、たとえば、「遺産分割前に、共同相続人の1人から遺産に属する不動産の持分の譲渡を受けて所有権移転登記を備えた者」などを指します。

❹ 正しい。遺産分割後に生じた賃料債権 ➡ 不動産を取得した相続人が取得。

（難）不動産から生ずる法定果実（賃料など）は、その不動産の所有権が帰属する者が取得します。したがって、当該不動産から遺産分割後に生じた賃料債権は、遺産分割によってその不動産を取得した相続人が取得します。判決文では言及していませんが、本肢は、民法の規定によれば、正しい内容です。

→ 88条、89条

【正解 ❶】

遺 言

問題 62 遺言に関する次の記述のうち、民法の規定によれば、正しいものはどれか。 [H22-問10]

❶ 自筆証書遺言は、その内容をワープロ等で印字していても、日付と氏名を自書し、押印すれば、有効な遺言となる。

❷ 疾病によって死亡の危急に迫った者が遺言する場合には、代理人が2名以上の証人と一緒に公証人役場に行けば、公正証書遺言を有効に作成することができる。

❸ 未成年であっても、15歳に達した者は、有効に遺言をすることができる。

❹ 夫婦又は血縁関係がある者は、同一の証書で有効に遺言をすることができる。

❶ 誤り。自筆証書遺言 ➡ 原則、全文・日付・氏名を自書する。

自筆証書によって遺言をするには、遺言者が、その全文、日付及び氏名を自書し（相続財産目録を除く）、これに印を押さなければなりません。したがって、内容をワープロ等で作成・印字したものは、自筆証書遺言としては無効となります。

➡ 民法968条

> **+α** 「財産目録」を添付する場合は、その目録については、自書することを要しませんが、その目録の毎葉（＝1枚ごと）に署名し、印を押さなければなりません。

❷ 誤り。公正証書遺言 ➡ 本人が公証人に口授してする。

疾病等によって死亡の危急に迫った者が遺言をする場合は、特別の方式として、証人3名以上の立会いをもって、その1人に遺言の趣旨を口授してすることができます。これに対して、公正証書遺言は、証人2名以上の立会いの下、遺言者本人が遺言の趣旨を公証人に口授して行います。したがって、代理人によることはできません。

➡ 969条、976条

❸ 正しい。15歳以上 ➡ 遺言ができる。

未成年者であっても、15歳に達した者は、単独で有効な遺言ができます。

➡ 961条

❹ 誤り。共同遺言 ➡ 禁止される。

遺言は、たとえ夫婦や血縁関係にある者であっても、2名以上の者が同一の証書ですることができません。

➡ 975条

【正解 ❸】

配偶者居住権

問題 63

被相続人Ａの配偶者Ｂが、Ａ所有の建物に相続開始の時に居住していたため、遺産分割協議によって配偶者居住権を取得した場合に関する次の記述のうち、民法の規定によれば、正しいものはどれか。

[R3(10)-問04]

❶ 遺産分割協議でＢの配偶者居住権の存続期間を20年と定めた場合、存続期間が満了した時点で配偶者居住権は消滅し、配偶者居住権の延長や更新はできない。

❷ Ｂは、配偶者居住権の存続期間内であれば、居住している建物の所有者の承諾を得ることなく、第三者に当該建物を賃貸することができる。

❸ 配偶者居住権の存続期間中にＢが死亡した場合、Ｂの相続人ＣはＢの有していた配偶者居住権を相続する。

❹ Ｂが配偶者居住権に基づいて居住している建物が第三者Ｄに売却された場合、Ｂは、配偶居住権の登記がなくてもＤに対抗することができる。

日建学院・講師陣の必勝コメント

　全体として、細かい内容が問われた難問といえます。今後、再び出題された時に正誤を判断できるよう、各肢のポイントをしっかり覚えておきましょう。

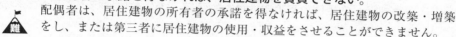

解 説

『どこでも！学ぶ宅建士』
第1編「権利関係」

➡ 17 相続（P165〜）

❶ 正しい。遺産分割協議で存続期間が確定 ➡ その期間の満了で消滅。

配偶者居住権の存続期間は、配偶者の終身の間（存命中）となります。ただし、①遺産分割の協議・遺言に別段の定めがあるとき、または②家庭裁判所が遺産の分割の審判において別段の定めをしたときは、その定めによります。したがって、②によって配偶者居住権の存続期間が定められたときは、配偶者居住権は、その期間が満了することによって終了します。

➡ 民法1030条、1036条・597条

❷ 誤り。所有者の承諾を得なければ、居住建物を賃貸できない。

配偶者は、居住建物の所有者の承諾を得なければ、居住建物の改築・増築をし、または第三者に居住建物の使用・収益をさせることができません。

➡ 1032条

❸ 誤り。配偶者の死亡 ➡ 居住権は終了。

配偶者居住権は、配偶者の死亡によって終了し、相続の対象となりません。

➡ 1030条、1036条・597条

❹ 誤り。配偶者居住権 ➡ 登記をすれば第三者に対抗できる。

配偶者居住権は、これを登記したときは、その居住用建物について物権を取得した者その他の第三者に対抗できます。

➡ 1031条・605条

【正解 ❶】

遺留分

問題 64 相続に関する次の記述のうち、民法の規定によれば、誤っているものはどれか。 [R4-問02]

---

❶ 被相続人の生前においては、相続人は、家庭裁判所の許可を受けることにより、遺留分を放棄することができる。

❷ 家庭裁判所への相続放棄の申述は、被相続人の生前には行うことができない。

❸ 相続人が遺留分の放棄について家庭裁判所の許可を受けると、当該相続人は、被相続人の遺産を相続する権利を失う。

❹ 相続人が被相続人の兄弟姉妹である場合、当該相続人には遺留分がない。

👆 日建学院・講師陣の 必勝コメント

遺留分は、近年の改正で、「現物を取り戻せる権利」から「**金銭を請求できるだけの権利**」に変更されました。

本問は、改正点についてのダイレクトな出題ではないものの、“実力者・大注目”のテーマだったことから、合格者と不合格者の正答率は**ダブルスコア以上の大差**に！ 改正点については、改正部分ピンポイントではなく、周辺知識まで学習しておくべきことがよくわかります。

特に「**遺留分といえば、まずはこの知識！**」といえる❹の正誤判断に迷った方は、ちょっと勉強不足…反省が必要です。

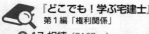

正答率　合格者 **79.1** %　不合格者 **36.7** %

❶ 正しい。**相続開始前の遺留分の放棄 ➡ 家庭裁判所の許可が必要。**
　　相続の開始前における遺留分の放棄は、家庭裁判所の許可を受けたときに
　　限り、その効力を生じます。　　　　　　　　　　　　　　➡ 民法1049条

❷ 正しい。**相続放棄は、相続開始前にはできない。**
　　相続放棄をしようとする者は、その旨を家庭裁判所に申述しなければなり
　　ませんが、家庭裁判所への相続放棄の申述は、被相続人の生前（＝相続開
　　始前）には、行うことはできません。　　　　　　　　➡ 915条、938条

> **+α** 相続人は、原則として、自己のために相続の開始があったことを知った時から
> 　　　 ３ヵ月以内に、相続について、単純・限定の承認または放棄をしなければなり
> 　　　 ません。

❸ 誤り。**遺留分を放棄しても、相続する権利を失わない。**
　　遺留分を放棄しても、相続する権利を失うわけではありません。
　　　　　　　　　　　　　　　　　　　　　　　　　➡ 1049条、938条参照

❹ 正しい。**兄弟姉妹には、遺留分はない。**　　　　　　　　➡ 1042条

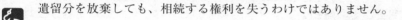

【正解 ❸】

借地関係

問題 **65** 借地借家法に関する次の記述のうち、誤っているものはどれか。
[H23-問11]

❶ 建物の用途を制限する旨の借地条件がある場合において、法令による土地利用の規制の変更その他の事情の変更により、現に借地権を設定するにおいてはその借地条件と異なる建物の所有を目的とすることが相当であるにもかかわらず、借地条件の変更につき当事者間に協議が調わないときは、裁判所は、当事者の申立てにより、その借地条件を変更することができる。

❷ 賃貸借契約の更新の後において、借地権者が残存期間を超えて残存すべき建物を新たに築造することにつきやむを得ない事情があるにもかかわらず、借地権設定者がその建物の築造を承諾しないときは、借地権設定者が土地の賃貸借の解約の申入れをすることができない旨を定めた場合を除き、裁判所は、借地権者の申立てにより、借地権設定者の承諾に代わる許可を与えることができる。

❸ 借地権者が賃借権の目的である土地の上の建物を第三者に譲渡しようとする場合において、その第三者が賃借権を取得しても借地権設定者に不利となるおそれがないにもかかわらず、借地権設定者がその賃借権の譲渡を承諾しないときは、裁判所は、その第三者の申立てにより、借地権設定者の承諾に代わる許可を与えることができる。

❹ 第三者が賃借権の目的である土地の上の建物を競売により取得した場合において、その第三者が賃借権を取得しても借地権設定者に不利となるおそれがないにもかかわらず、借地権設定者がその賃借権の譲渡を承諾しないときは、裁判所は、その第三者の申立てにより、借地権設定者の承諾に代わる許可を与えることができる。

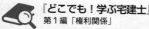

『どこでも！学ぶ宅建士』
第1編「権利関係」
→ 18 借地借家法①借地関係（P170〜）

正答率　合格者 **59.2** %　不合格者 **31.2** %

❶ 正しい。当事者の申立てにより、借地条件の変更ができる。

一定の借地条件がある場合、法令による土地利用の規制が変更された等の事情の変更により、現在の借地条件を変更することが相当であるにもかかわらず、借地条件の変更につき当事者間に協議が調わないときは、裁判所は、当事者の申立てにより、その借地条件を変更できます。→ 借地借家法17条

❷ 正しい。借地権者は、更新後の再築の許可の申立てができる。

借地契約の更新後、借地権者が残存期間を超えて存続する建物を新たに築造することにつき、やむを得ない事情があるのにもかかわらず、借地権設定者がその建物の築造を承諾しないときは、裁判所は、借地権者の申立てにより、借地権設定者の承諾に代わる許可を与えることができます。　→ 18条

> **+α** 借地権設定者が「土地の賃貸借の解約の申入れをすることができない」旨を定めた場合を除きます。

❸ 誤り。「借地権者」は、代諾許可の請求ができる。

借地権者が借地上の建物を第三者に譲渡する場合に、借地権設定者に不利となるおそれがないにもかかわらず、借地権設定者が承諾しないときは、裁判所は、「借地権者」の申立てにより、借地権設定者の承諾に代わる許可を与えることができます。したがって、第三者が申し立てることはできません。　→ 19条

❹ 正しい。競売の場合、「第三者」が代諾許可の請求ができる。

第三者が借地上の建物を競売により取得した場合、借地権設定者に不利となるおそれがないにもかかわらず、借地権設定者が承諾しないときは、裁判所は、その「第三者」の申立てにより、借地権設定者の承諾に代わる許可を与えることができます。　→ 20条

【正解 ❸】

借地関係

問題 **66** 賃貸借契約に関する次の記述のうち、民法及び借地借家法の規定並びに判例によれば、誤っているものはどれか。

[H24-問11]

❶ 建物の所有を目的とする土地の賃貸借契約において、借地権の登記がなくても、その土地上の建物に借地人が自己を所有者と記載した表示の登記をしていれば、借地権を第三者に対抗することができる。

❷ 建物の所有を目的とする土地の賃貸借契約において、建物が全焼した場合でも、借地権者は、その土地上に滅失建物を特定するために必要な事項等を掲示すれば、借地権を第三者に対抗することができる場合がある。

❸ 建物の所有を目的とする土地の適法な転借人は、自ら対抗力を備えていなくても、賃借人が対抗力のある建物を所有しているときは、転貸人たる賃借人の賃借権を援用して転借権を第三者に対抗することができる。

❹ 仮設建物を建築するために土地を一時使用として1年間賃借し、借地権の存続期間が満了した場合には、借地権者は、借地権設定者に対し、建物を時価で買い取るように請求することができる。

👉 **日建学院・講師陣の必勝コメント**

❹は、**一時使用**に対しては、借地借家法の多くの規定の適用はないことがポイントです。

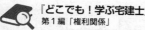

❶ **正しい。借地上の建物の登記 ➡ 表示に関する登記でよい。**

借地権を第三者に対抗するためには、①賃借権の登記を備えるか、②借地権者が借地上に登記されている建物を所有していることの、どちらかが必要です。そして、②の場合、その登記は、表示に関する登記でも差し支えありません。　　　　　　　　　　　　　➡ 民法605条、借地借家法10条

❷ **正しい。登記された建物が滅失 ➡ 掲示により対抗力が持続。**

❶解説②の場合で、登記されていた建物が滅失しても、借地権者がその建物を特定する事項や滅失があった日などを土地の上の見やすい場所に掲示したときは、建物が滅失した日から2年間は、借地権を第三者に対抗できます。　　　　　　　　　　　　　　　　　　　　　　　　　➡ 10条

❸ **正しい。転貸人が対抗力を備えている ➡ 転借人も同様に、対抗可。**

借地権者である賃借人が、借地上に対抗力のある登記ある建物を所有しており、借地に関する対抗力を備えている場合、適法な転借人は、自らは対抗力を備えていなくても、転貸人たる賃借人の賃借権を援用して、転借権を第三者に対抗できます。　　　　　　　　　　　　　　　➡ 10条、判例

❹ **誤り。一時使用目的の借地権で、建物買取請求権は不可。**

借地権の存続期間が満了した場合において、契約の更新がないときは、借地権者は、借地権設定者に対し、建物を時価で買い取るべきことを請求できるのが原則です。もっとも、一時使用のために借地権を設定したことが明らかな場合には、この**建物買取請求権は認められません**。　➡ 13条、25条

【正解 ❹】

借地関係

 問題 **67**　Ａが居住用の甲建物を所有する目的で、期間30年と定めてＢから乙土地を賃借した場合に関する次の記述のうち、借地借家法の規定及び判例によれば、正しいものはどれか。なお、Ａは借地権登記を備えていないものとする。[H28-問11]

❶　Ａが甲建物を所有していても、建物保存登記をＡの子Ｃ名義で備えている場合には、Ｂから乙土地を購入して所有権移転登記を備えたＤに対して、Ａは借地権を対抗することができない。

❷　Ａが甲建物を所有していても、登記上の建物の所在地番、床面積等が少しでも実際のものと相違している場合には、建物の同一性が否定されるようなものでなくても、Ｂから乙土地を購入して所有権移転登記を備えたＥに対して、Ａは借地権を対抗することができない。

❸　ＡＢ間の賃貸借契約を公正証書で行えば、当該契約の更新がなく期間満了により終了し、終了時にはＡが甲建物を収去すべき旨を有効に規定することができる。

❹　Ａが地代を支払わなかったことを理由としてＢが乙土地の賃貸借契約を解除した場合、契約に特段の定めがないときは、Ｂは甲建物を時価で買い取らなければならない。

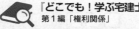
解説

『どこでも！学ぶ宅建士』
第1編「権利関係」

➔ 18 借地借家法①借地関係（P170～）

正答率	合格者	87.8 %
	不合格者	53.9 %

借地関係

❶ 正しい。借地上の建物の登記 ➡ 自己名義に限る。

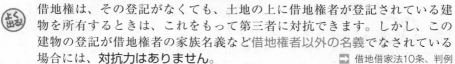

よく出る！ 借地権は、その登記がなくても、土地の上に借地権者が登記されている建物を所有するときは、これをもって第三者に対抗できます。しかし、この建物の登記が借地権者の家族名義など借地権者以外の名義でなされている場合には、対抗力はありません。 ➡ 借地借家法10条、判例

❷ 誤り。建物の同一性を認識できれば、対抗力がある。

登記された建物の地番が、錯誤または遺漏により、実際と多少相違していても、建物の種類・構造・床面積等の記載と相まって、建物の同一性を認識できれば、対抗力を有します。 ➡ 10条、判例

❸ 誤り。居住用建物では、事業用定期借地権の設定はできない。

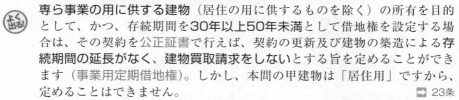

よく出る！ 専ら事業の用に供する建物（居住の用に供するものを除く）の所有を目的として、かつ、存続期間を30年以上50年未満として借地権を設定する場合は、その契約を公正証書で行えば、契約の更新及び建物の築造による存続期間の延長がなく、建物買取請求をしないとする旨を定めることができます（事業用定期借地権）。しかし、本問の甲建物は「居住用」ですから、定めることはできません。 ➡ 23条

❹ 誤り。債務不履行解除の場合は、建物買取請求権の行使は不可。

借地権の存続期間が満了した場合で、契約の更新がないときは、借地権者は、借地権設定者に対し、建物その他借地権者が権原により土地に附属させた物を時価で買い取るべきことを請求できます。しかし、借地権者の債務不履行を理由として契約が解除された場合は、建物買取請求権の行使はできません。 ➡ 13条、判例

【正解 ❶ 】

借地関係

問題 **68**

甲土地につき、期間を60年と定めて賃貸借契約を締結しようとする場合（以下「ケース①」という。）と、期間を15年と定めて賃貸借契約を締結しようとする場合（以下「ケース②」という。）に関する次の記述のうち、民法及び借地借家法の規定によれば、正しいものはどれか。 [R元-問11改]

❶ 賃貸借契約が建物を所有する目的ではなく、資材置場とする目的である場合、ケース①は期間の定めのない契約になり、ケース②では期間は15年となる。

❷ 賃貸借契約が建物の所有を目的とする場合、公正証書で契約を締結しなければ、ケース①の期間は30年となり、ケース②の期間は15年となる。

❸ 賃貸借契約が居住の用に供する建物の所有を目的とする場合、ケース①では契約の更新がないことを書面で定めればその特約は有効であるが、ケース②では契約の更新がないことを書面で定めても無効であり、期間は30年となる。

❹ 賃貸借契約が専ら工場の用に供する建物の所有を目的とする場合、ケース①では契約の更新がないことを公正証書で定めた場合に限りその特約は有効であるが、ケース②では契約の更新がないことを公正証書で定めても無効である。

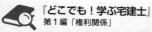

解 説 『どこでも！学ぶ宅建士』
第1編「権利関係」

→ 18 借地借家法①借地関係（P170〜）

正答率 | 合格者 72.1 %
| 不合格者 48.2 %

借地関係

❶ 誤り。民法上の賃貸借 ➡ 最長50年。

建物の所有を目的としない土地の賃借権には、借地借家法の借地の規定は適用されず、民法上の賃貸借の規定のみが適用されます。民法上の賃貸借の存続期間は、50年を超えることができず、契約でこれより長い期間を定めたときであっても、その期間は、50年となります。これに対し、最短期間に特に制限はありませんので、ケース①の期間は「50年」となり、ケース②の期間は15年となります。ですから、ケース①は、期間の定めのない契約となるわけではありません。 → 民法604条

❷ 誤り。当初の借地権 ➡ 最短30年。

建物の所有を目的とした土地の賃借権には、借地借家法の借地の規定が適用されます。借地権の存続期間は、30年です。ただし、契約でこれより長い期間を定めたときは、その期間となります。この規定に反する特約で借地権者に不利なものは無効となり、期間は30年となります。したがって、ケース①の期間は「60年」となり、ケース②の期間は「30年」となります。 → 借地借家法3条、9条

❸ 正しい。定期借地権 ➡ 「存続期間50年以上＋書面」によって行う。

（よく出る）存続期間を「50年以上」として借地権を設定する場合は、契約の更新及び建物の築造による存続期間の延長がなく、建物の買取りの請求をしないとする旨の特約を定めることができます（定期借地権）。この特約は、公正証書等何らかの書面による必要があります。本肢では、居住の用に供する建物を目的としていますから、事業用定期借地権とすることはできません。したがって、ケース①は、期間が60年ですから、契約の更新をしないという特約は、書面で行えば有効です。これに対して、ケース②では、期間が15年（50年未満）ですから一般の借地契約となり、契約の更新がないとする特約は無効であり、期間は30年となります。 → 22条、3条、9条

❹ 誤り。事業用定期借地権 ➡ 必ず公正証書によって行う。

ケース①は期間が60年ですから、定期借地権（❸解説）とすることができますので、その旨を公正証書で定めなくても、書面によれば有効です。これに対して、専ら事業の用に供する建物（つまり、「居住用」を除く）の所有を目的とし、かつ、存続期間を10年以上30年未満として借地権を設定する場合には、契約の更新などの規定は、そもそも適用されません（事業用定期借地権）。この事業用定期借地権の設定を目的とする契約は、公正証書による必要があります。したがって、ケース②では、公正証書で定めれば、有効です。 → 23条

【正解 ❸】

借地関係

問題 69

A所有の甲土地につき、令和7年7月1日にBとの間で居住の用に供する建物の所有を目的として存続期間30年の約定で賃貸借契約（以下この問において「本件契約」という。）が締結された場合に関する次の記述のうち、民法及び借地借家法の規定並びに判例によれば、正しいものはどれか。

[R2(10)-問11改]

❶ Bは、借地権の登記をしていなくても、甲土地の引渡しを受けていれば、甲土地を令和7年7月2日に購入したCに対して借地権を主張することができる。

❷ 本件契約で「一定期間は借賃の額の増減を行わない」旨を定めた場合には、甲土地の借賃が近傍類似の土地の借賃と比較して不相当となったときであっても、当該期間中は、AもBも借賃の増減を請求することができない。

❸ 本件契約で「Bの債務不履行により賃貸借契約が解除された場合には、BはAに対して建物買取請求権を行使することができない」旨を定めても、この合意は無効となる。

❹ AとBとが期間満了に当たり本件契約を最初に更新する場合、更新後の存続期間を15年と定めても、20年となる。

🖐日建学院・講師陣の必勝コメント

「正答率データ」によると、合格者と不合格者の差が大きい問題です。

❶では、「建物賃借権（借家権）の対抗要件と区別できているかどうか」が問われていますが、このひっかけで判断ミスをすると、「あれ？　正解肢が2つある…」なんてことになってしまいます。慎重に読解しましょう。

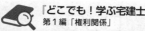

❶ **誤り。借地権の対抗要件 ➡ 借地権の登記または借地上の登記建物の所有。**

借地権は、その登記がなくても、土地の上に借地権者が登記されている建物を所有するときは、これをもって第三者に対抗できます。しかし、対象となる土地の引渡しを受けても、借地権を対抗できません。

➡ 借地借家法10条

❷ **誤り。減額しない特約があっても、減額請求可。**

土地の借賃が、近傍類似の土地の地代等に比較して不相当となったなどのときは、契約の条件にかかわらず、当事者は、将来に向かって地代等の額の増減を請求できます。ただし、一定の期間、借賃を「増額」しない旨の特約がある場合には、その期間内は増額の請求はできません。その一方で、一定の期間地代等を「減額」しない旨の特約がある場合でも、減額の請求をすることは可能です。

➡ 11条

❸ **誤り。借地権者の債務不履行による解除 ➡ 建物買取請求権の行使は不可。**

借地権の存続期間が満了した場合で、契約の更新がないときは、借地権者は、借地権設定者に対し、建物を時価で買い取るべきことを請求できます。しかし、**借地権者の債務不履行により土地の賃貸借契約が解除された場合は、借地権者は、建物買取請求権を行使できません。**

➡ 13条、判例

❹ **正しい。最初の更新後は最短20年、2度目以降は最短10年。**

当事者が借地契約を更新する場合、その期間は、借地権の設定後の最初の更新では**更新の日から20年**、2度目以降の更新では更新の日から**10年**となり、当事者がこれより長い期間を定めたときは、その期間となります。この規定に**反する特約**で借地権者に不利なものは、無効です。本肢では、最初の更新後の存続期間を15年と定めていますが、これは借地権者に不利な特約として無効となり、存続期間は20年となります。

➡ 4条、9条

【正解 ❹】

借地関係

問題 **70**　Aは、所有している甲土地につき、Bとの間で建物所有を目的とする賃貸借契約（以下この問において「借地契約」という。）を締結する予定であるが、期間が満了した時点で、確実に借地契約が終了するようにしたい。この場合に関する次の記述のうち、借地借家法の規定によれば、誤っているものはどれか。なお、同法第22条の特約が、その内容を記録した電磁的記録によってされた場合については、考慮しないものとする。

[R3⑽-問11改]

❶　事業の用に供する建物を所有する目的とし、期間を60年と定める場合には、契約の更新や建物の築造による存続期間の延長がない旨を書面で合意すれば、公正証書で合意しなくても、その旨を借地契約に定めることができる。

❷　居住の用に供する建物を所有することを目的とする場合には、公正証書によって借地契約を締結するときであっても、期間を20年とし契約の更新や建物の築造による存続期間の延長がない旨を借地契約に定めることはできない。

❸　居住の用に供する建物を所有することを目的とする場合には、借地契約を書面で行えば、借地権を消滅させるため、借地権の設定から20年が経過した日に甲土地上の建物の所有権を相当の対価でBからAに移転する旨の特約を有効に定めることができる。

❹　借地契約がBの臨時設備の設置その他一時使用のためになされることが明らかである場合には、期間を5年と定め、契約の更新や建物の築造による存続期間の延長がない旨を借地契約に定めることができる。

日建学院・講師陣の必勝コメント

「正答率データ」によると、合格者の正答率は不合格者の2倍以上と、大差がついた問題です。❶で**一般の定期借地権**に関する正確な理解が、❷で**事業用定期借地権**に関する正確な理解が、それぞれ試されています。「雰囲気や感覚で解いていては合格できない」という一例です。

解説

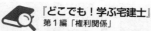
『どこでも！学ぶ宅建士』
第1編「権利関係」
➡ 18 借地借家法① 借地関係（P170〜）

正答率	合格者	54.4%
	不合格者	23.9%

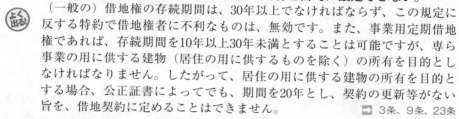

❶ **正しい。定期借地権 ➡ 更新がない旨等の特約は「書面」で足りる。**

存続期間を50年以上として借地権を設定する場合においては、契約の更新及び建物の築造による存続期間の延長がなく、建物の買取りの請求をしないとする旨を定めることができます（定期借地権）。この特約は、「書面」によってしなければなりませんが、公正証書による必要はありません。

➡ 借地借家法22条

❷ **正しい。事業用定期借地権 ➡ 居住用建物の所有を目的に設定できない。**

（一般の）借地権の存続期間は、30年以上でなければならず、この規定に反する特約で借地権者に不利なものは、無効です。また、事業用定期借地権であれば、存続期間を10年以上30年未満とすることは可能ですが、専ら事業の用に供する建物（居住の用に供するものを除く）の所有を目的としなければなりません。したがって、居住の用に供する建物の所有を目的とする場合、公正証書によってでも、期間を20年とし、契約の更新等がない旨を、借地契約に定めることはできません。

➡ 3条、9条、23条

❸ **誤り。建物譲渡特約付借地権 ➡ 必ず30年以上存続する。**

借地権を設定する場合においては、借地権を消滅させるため、その設定後「30年以上」を経過した日に借地権の目的である土地の上の建物を借地権設定者に相当の対価で譲渡する旨を定めることができます（建物譲渡特約付借地権）。したがって、書面で行ったとしても、存続期間を「20年」として設定することはできません。

➡ 24条

❹ **正しい。一時使用が明らかな場合 ➡ 借地借家法の一定の規定は適用除外。**

借地権の存続期間・借地契約の更新請求等、建物の再築による借地権の期間の延長などの規定は、臨時設備の設置その他一時使用のために借地権を設定したことが明らかな場合には、適用されません。また、この場合は、民法の賃貸借の規定が適用されることになり、借地借家法の規定に反する特約で借地権者に不利なものであっても、無効とはなりません。したがって、本肢のように、「存続期間を5年」と定めたり、契約の更新や建物の築造による存続期間の延長がない旨を定めたりすることも可能です。

➡ 3条、5条、7条、25条

【正解 ❸】

問題 **71**

AがBとの間で、A所有の甲土地につき建物所有目的で期間を50年とする賃貸借契約（以下この問において「本件契約」という。）を締結する場合に関する次の記述のうち、借地借家法の規定及び判例によれば、正しいものはどれか。　[R5-問11]

❶　本件契約に、当初の10年間は地代を減額しない旨の特約を定めた場合、その期間内は、BはAに対して地代の減額請求をすることはできない。

❷　本件契約が甲土地上で専ら賃貸アパート事業用の建物を所有する目的である場合、契約の更新や建物の築造による存続期間の延長がない旨を定めるためには、公正証書で合意しなければならない。

❸　本件契約に建物買取請求権を排除する旨の特約が定められていない場合、本件契約が終了したときは、その終了事由のいかんにかかわらず、BはAに対してBが甲土地上に所有している建物を時価で買い取るべきことを請求することができる。

❹　本件契約がBの居住のための建物を所有する目的であり契約の更新がない旨を定めていない契約であって、期間満了する場合において甲土地上に建物があり、Bが契約の更新を請求したとしても、Aが遅滞なく異議を述べ、その異議に更新を拒絶する正当な事由があると認められる場合は、本件契約は更新されない。

日建学院・講師陣の必勝コメント

❷では、「事業用の建物を所有する目的」「公正証書で合意」といった甘い誘い文句にご用心！　"甘い言葉には裏がある"のは、世の常かもしれません。

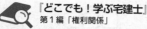

解説

『どこでも！学ぶ宅建士』
第1編「権利関係」

→ 18 借地借家法①借地関係 （P170〜）

❶ 誤り。地代等を減額しない特約 ➡ 無効であり、減額請求可。

借地契約で、地代または土地の借賃（地代等）が不相当となった場合、当事者は、原則として、将来に向かって地代等の額の増減を請求できます（地代等増減請求権）。たとえ、一定期間は地代等を減額しない旨の特約があったとしても、無効です。したがって、Bは、本肢の特約があっても、地代等が不相当となった場合には、Aに対して、地代の減額請求ができます。　　　➡ 借地借家法11条

+α 逆に、「一定期間は地代等を増額しない」旨の特約は、有効です。その期間中は、地代等の増額請求はできません。

❷ 誤り。一般定期借地権 ➡ 特約は「書面」ですればOK。

存続期間を「50年」以上として借地権を設定する場合は、①契約の更新がない、②建物の築造による存続期間の延長がない、③建物買取請求をしないとする旨を定めることができます（一般定期借地権）。その特約は、書面または電磁的記録によってしなければなりませんが、公正証書でなくても構いません。なお、一般定期借地権は、借地上の建物の用途を問わないため、本肢の「賃貸アパート」が居住用建物であるかどうかに関係なく、設定することができます。

➡ 22条、23条参照

+α 土地賃貸借契約の存続期間が「50年」である本問では、存続期間を10年以上50年未満として設定する事業用定期借地権とすることはできません。

❸ 誤り。契約終了事由次第で、建物買取請求権は「行使不可」となる。

借地権の存続期間が満了し、契約の更新がないことにより借地契約が終了した場合には、借地権者は、借地権設定者に対し、建物買取請求権を行使できます。これに対して、借地権者の債務不履行に起因する土地の賃貸借契約の解除により借地契約が終了した場合は、借地権者は、建物買取請求権を行使できません。したがって、借地権者Bは、本件契約の「終了事由のいかんにかかわらず」建物買取請求権を行使できるわけではありません。　　　➡ 13条、判例

❹ 正しい。「更新請求」に対して「遅滞なく正当事由のある異議」➡ 更新されない。

借地権の存続期間が満了する場合で、借地権者が契約の更新を請求したときは、建物がある場合に限り、契約を更新したとみなされます（請求による更新）。ただし、借地権設定者が、遅滞なく正当事由がある異議を述べたときは、更新されません。　　　➡ 5条、6条

【正解 ❹】

借地権・民法の賃貸借

問題 72

甲土地の所有者が甲土地につき、建物の所有を目的として賃貸する場合（以下「ケース①」という。）と、建物の所有を目的とせずに資材置場として賃貸する場合（以下「ケース②」という。）に関する次の記述のうち、民法及び借地借家法の規定によれば、正しいものはどれか。 [H26-問11改]

❶ 賃貸借の存続期間を60年と定めた場合には、ケース①では書面で契約を締結しなければ期間が30年となってしまうのに対し、ケース②では口頭による合意であっても期間は60年となる。

❷ ケース①では、賃借人は、甲土地の上に登記されている建物を所有している場合には、甲土地が第三者に売却されても賃借人であることを当該第三者に対抗できるが、ケース②では、甲土地が第三者に売却された場合に賃借人であることを当該第三者に対抗する方法はない。

❸ 期間を定めない契約を締結した後に賃貸人が甲土地を使用する事情が生じた場合において、ケース①では賃貸人が解約の申入れをしても合意がなければ契約は終了しないのに対し、ケース②では賃貸人が解約の申入れをすれば契約は申入れの日から１年を経過することによって終了する。

❹ 賃貸借の期間を定めた場合であって当事者が期間内に解約する権利を留保していないとき、ケース①では賃借人側は期間内であっても１年前に予告することによって中途解約することができるのに対し、ケース②では賃貸人も賃借人もいつでも一方的に中途解約することができる。

👆💡日建学院・講師陣の必勝コメント

「正答率データ」によると、正答率自体が低いだけでなく、合格者と不合格者の差も小さい問題です。とはいえ、**借地借家法と民法の賃貸借**の比較問題は定番の１つ、特に❶❷❹は自信を持って判断してほしい内容です。「実質的に選択肢８つぶん」と考えて、１つずつ落ち着いて解き進めましょう。

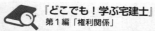

解説

『どこでも！学ぶ宅建士』
第1編「権利関係」

14 賃貸借（P130～）、**18 借地借家法①借地関係**（P170～）

正答率　合格者 **34.7 %**　不合格者 **24.8 %**

本問のケース①では、建物の所有を目的として土地の賃貸借をしているので、「借地借家法の**借地権**」の規定の適用があります。これに対して、ケース②では、建物の所有を目的としていませんので、「**民法の賃貸借**」の規定によることになります。

❶ 誤り。借地権の存続期間 ➡ 最短30年。民法上の賃貸借 ➡ 最長50年。

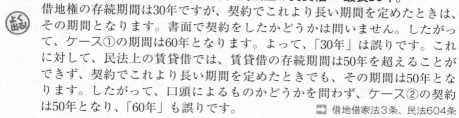

借地権の存続期間は30年ですが、契約でこれより長い期間を定めたときは、その期間となります。書面で契約をしたかどうかは問いません。したがって、ケース①の期間は60年となります。よって、「30年」は誤りです。これに対して、民法上の賃貸借では、賃貸借の存続期間は50年を超えることができず、契約でこれより長い期間を定めたときでも、その期間は50年となります。したがって、口頭によるものかどうかを問わず、ケース②の契約は50年となり、「60年」も誤りです。　　➡ 借地借家法3条、民法604条

❷ 誤り。借地権 ➡ 借地上の登記済建物の所有、賃貸借 ➡ 土地の登記で、それぞれ対抗可。

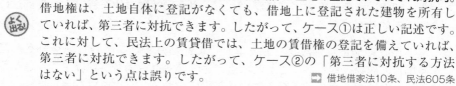

借地権は、土地自体に登記がなくても、借地上に登記された建物を所有していれば、第三者に対抗できます。したがって、ケース①は正しい記述です。これに対して、民法上の賃貸借では、土地の賃借権の登記を備えていれば、第三者に対抗できます。したがって、ケース②の「第三者に対抗する方法はない」という点は誤りです。　　➡ 借地借家法10条、民法605条

❸ 正しい。解約申入れは、借地権の場合は不可。土地の賃貸借は1年で終了。

借地権の存続期間は30年以上で、この規定に反する特約で借地権者に不利なものは、無効です。また、借地権では、期間を定めない契約を締結すると、存続期間は30年となります。よって、借地契約では、そもそも「解約申入れ」はできませんし、両当事者の合意がなければ、契約が終了することもありません。したがって、ケース①は正しい記述です。これに対して、民法上の賃貸借では、当事者が賃貸借の期間を定めなかったときは、各当事者は、いつでも解約の申入れをすることができ、土地の賃貸借は、解約申入れの日から1年を経過することで終了します。したがって、ケース②も正しい記述です。　　➡ 借地借家法3条、9条、民法617条

❹ 誤り。期間の定めがあれば、原則として中途解約不可。

借地権でも、民法上の賃貸借でも、存続期間の定めがある以上、期間内に解約する権利を留保していない限り、賃貸人も賃借人も、ともに中途解約することはできません。　　➡ 618条参照

【正解 ❸】

定期借地権等（事業用定期借地権）

問題 73

借地借家法第23条の借地権（以下この問において「事業用定期借地権」という。）に関する次の記述のうち、借地借家法の規定によれば、正しいものはどれか。なお、同法第39条の規定による建物の賃貸借の契約が、その内容及び建物を取り壊すべき事由を記録した電磁的記録によってされた場合については、考慮しないものとする。　　　[H22-問11改]

❶ 事業の用に供する建物の所有を目的とする場合であれば、従業員の社宅として従業員の居住の用に供するときであっても、事業用定期借地権を設定することができる。

❷ 存続期間を10年以上20年未満とする短期の事業用定期借地権の設定を目的とする契約は、公正証書によらなくとも、書面又は電磁的記録によって適法に締結することができる。

❸ 事業用定期借地権が設定された借地上にある建物につき賃貸借契約を締結する場合、建物を取り壊すこととなるときに建物賃貸借契約が終了する旨を定めることができるが、その特約は公正証書によってしなければならない。

❹ 事業用定期借地権の存続期間の満了によって、その借地上の建物の賃借人が土地を明け渡さなければならないときでも、建物の賃借人がその満了をその1年前までに知らなかったときは、建物の賃借人は土地の明渡しにつき相当の期限を裁判所から許与される場合がある。

日建学院・講師陣の必勝コメント

　本問は一見、事業用定期借地権の問題のように見えますが、正解肢は、**借地上の建物の賃借人を保護**する規定であり、**一般の借地権でも適用**されることに注意が必要です。

解 説 『どこでも！学ぶ宅建士』
第1編「権利関係」
➡ 18 借地借家法①借地関係（P180～）

正
答 合格者 **53.3** %
率 不合格者 **28.6** %

定期借地権等（事業用定期借地権）

❶ 誤り。**事業用定期借地権 ➡ 社宅目的には設定できない。**

事業用定期借地権は、専ら事業の用に供する建物の所有を目的として設定できます。しかし、本肢のように、従業員の社宅である居住用建物を所有する目的では、設定できません。

➡ 借地借家法23条

❷ 誤り。**事業用定期借地権 ➡ 公正証書による必要あり。**

事業用定期借地権は、10年以上50年未満で存続期間を定めて設定できますが、存続期間の長短にかかわらず、公正証書によって契約を締結しなければなりません。

➡ 23条

❸ 誤り。**取壊し予定の建物賃貸借 ➡ 何らかの書面で可。**

事業用定期借地権に基づく建物のように、一定の期間を経過した後に建物を取り壊すことが明らかな場合、その時に賃貸借が終了する旨を定めることができます。このような「取壊し予定の建物賃貸借」は、取り壊すべき事由を記載した書面でしなければなりませんが、公正証書による必要はありません。

➡ 39条

❹ 正しい。**期間満了を知らない賃借人には、明渡し猶予あり。**

借地上の建物の賃借人が、借地権の存続期間の満了によって土地を明け渡すべき場合であっても、存続期間の満了を1年前までに知らなかったときは、裁判所は、建物の賃借人の請求により、賃借人がこれを知った日から1年を超えない範囲内で、土地の明渡しにつき相当の期限を許与できます。

➡ 35条

【正解 ❹ 】

借家関係

問題 74 Aが所有する甲建物をBに対して賃貸する場合の賃貸借契約の条項に関する次の記述のうち、民法及び借地借家法の規定によれば、誤っているものはどれか。なお、借地借家法第38条の規定による建物の賃貸借の契約が、その内容を記録した電磁的記録によってされた場合、同条の規定による書面の交付に代えて当該書面に記載すべき事項を電磁的方法により提供する場合並びに同法第39条の規定による建物の賃貸借の契約がその内容及び建物を取り壊すべき事由を記録した電磁的記録によってされた場合については、考慮しないものとする。

[H23-問12改]

❶ ＡＢ間の賃貸借契約が借地借家法第38条に規定する定期建物賃貸借契約であるか否かにかかわらず、Bの造作買取請求権をあらかじめ放棄する旨の特約は有効に定めることができる。

❷ ＡＢ間で公正証書等の書面によって借地借家法第38条に規定する定期建物賃貸借契約を契約期間を２年として締結する場合、契約の更新がなく期間満了により終了することを書面を交付してあらかじめBに説明すれば、期間満了前にAがBに改めて通知しなくても契約が終了する旨の特約を有効に定めることができる。

❸ 法令によって甲建物を２年後には取り壊すことが明らかである場合、取り壊し事由を記載した書面によって契約を締結するのであれば、建物を取り壊すこととなる２年後には更新なく賃貸借契約が終了する旨の特約を有効に定めることができる。

❹ ＡＢ間の賃貸借契約が一時使用目的の賃貸借契約であって、賃貸借契約の期間を定めた場合には、Bが賃貸借契約を期間内に解約することができる旨の特約を定めていなければ、Bは賃貸借契約を中途解約することはできない。

解説

『どこでも！学ぶ宅建士』
第1編「権利関係」

▶ 14 賃貸借（P130～）、19 借地借家法②（P182～）

❶ 正しい。造作買取請求権をあらかじめ放棄する特約は、有効。

借地借家法の規定に反する特約で、建物の賃借人に不利なものは無効となるのが原則ですが、造作買取請求権をあらかじめ放棄する旨の特約は有効です。これは、定期建物賃貸借契約であるか否かに関係ありません。

➡ 借地借家法37条、33条、38条

❷ 誤り。賃貸人は、1年前から6ヵ月前までに通知する。

期間が1年以上の定期建物賃貸借をした場合、賃貸人は、期間満了の1年前から6ヵ月前までの間に、期間満了により契約が終了する旨を通知しなければ（通知期間経過後に通知した場合は、その通知から6ヵ月経過しなければ）、その終了を賃借人に対抗できません。この規定よりも建物の賃借人に不利な特約は、無効となります。したがって、通知しなくても契約が終了する旨の特約を定めることはできません。

➡ 38条

❸ 正しい。取壊し予定の建物の賃貸借は、書面で契約する。

法令または契約により将来建物を取り壊すことが明らかな場合、取壊し時に賃貸借が終了する旨の賃貸借契約を締結できます。そして、この契約は書面でする必要があります。

➡ 39条

❹ 正しい。一時使用目的の建物賃貸借 ➡ 民法の規定による。

一時使用目的の建物の賃貸借契約には、借地借家法の規定は適用されず、民法の規定によることとなります。民法の規定によれば、賃貸借契約の期間の定めのある場合、期間内に解約をする権利を留保しない限り、解約の申入れ等はできません。したがって、解約することができる旨の特約を定めていなければ、Bは、賃貸借契約を中途解約できません。

➡ 40条、民法617条、618条

攻略POINT 定期建物賃貸借（更新がない建物賃貸借）の要件

- 存続期間を定めること（1年未満も可）
- 更新しない旨を記載した書面を交付して説明すること
- 契約を書面ですること
  - 期間が1年以上の場合、賃貸人は、期間満了の1年前から6ヵ月前までに終了の通知をしないと、終了を主張できない
  - 床面積200㎡未満の居住用建物で、転勤・療養等のやむを得ない事由により、生活の本拠として利用することが困難になった場合、賃借人は、中途解約の申入れができ、申入れから1ヵ月経過後に、契約は終了する

【正解 ❷】

借家関係

Ａが所有する甲建物をＢに対して３年間賃貸する旨の契約をした場合における次の記述のうち、借地借家法の規定によれば、正しいものはどれか。なお、同法第38条の規定による書面の交付に代えて当該書面に記載すべき事項を電磁的方法により提供する場合については、考慮しないものとする。 [H29-問12改]

❶ ＡがＢに対し、甲建物の賃貸借契約の期間満了の１年前に更新をしない旨の通知をしていれば、ＡＢ間の賃貸借契約は期間満了によって当然に終了し、更新されない。

❷ Ａが甲建物の賃貸借契約の解約の申入れをした場合には申入れ日から３月で賃貸借契約が終了する旨を定めた特約は、Ｂがあらかじめ同意していれば、有効となる。

❸ Ｃが甲建物を適法に転借している場合、ＡＢ間の賃貸借契約が期間満了によって終了するときに、Ｃがその旨をＢから聞かされていれば、ＡはＣに対して、賃貸借契約の期間満了による終了を対抗することができる。

❹ ＡＢ間の賃貸借契約が借地借家法第38条の定期建物賃貸借で、契約の更新がない旨を定めるものである場合、当該契約前にＡがＢに契約の更新がなく期間の満了により終了する旨を記載した書面を交付して説明しなければ、契約の更新がない旨の約定は無効となる。

☝ **日建学院・講師陣の必勝コメント**

❹だけは、毎年のように出題される「定期建物賃貸借」に関する肢。**基本中の基本**が問われているので、少なくとも❹は、迷わずに判断できなければなりません。その結果が、「合格者と不合格者の正答率の差」に表れています。

『どこでも！学ぶ宅建士』
第1編「権利関係」

➔ 19 借地借家法②借家関係（P182〜）

❶ 誤り。賃貸人から更新拒絶 ➡ 正当事由が必要。

本問のように、**期間の定めがある建物の賃貸借契約**の場合で、当事者が互いに、期間満了の1年〜6ヵ月前までの間に相手方に更新をしない旨の通知をしたとき、その契約は終了します。しかし、賃貸人から行う更新拒絶には、正当事由が必要です。したがって、この契約は、「単に通知がされていれば、期間満了によって当然に終了する」わけではありません。

➔ 借地借家法26条、28条

> **+α** 更新拒絶の通知等をした場合でも、賃借人が、賃貸借の期間満了後も引き続き使用を継続し、賃貸人が遅滞なく異議を述べなかったときは、「従前と同一の条件で契約は更新された」とみなされます。

❷ 誤り。期間の定めがある賃貸借の終了 ➡ 終了までに「6ヵ月以上」必要。

賃貸人が、期間の定めがある建物の賃貸借契約を終了させる場合、期間満了の1年〜6ヵ前までの間に、賃借人に対してその旨の申入れをすることが必要です。本肢のように、「6ヵ月以上」必要とされる期間を短縮する賃借人に不利な特約は、賃借人があらかじめ同意していても無効です。

➔ 26条、30条

❸ 誤り。転借人に対する通知 ➡ 「賃貸人」からしなければならない。

建物の転貸借契約において、元々の賃貸借契約が期間満了または解約の申入れによって終了するときは、賃貸人自らが、契約終了の6ヵ月前までに、建物の転借人に対してその旨の通知をしなければ、終了を転借人に対抗できません。つまり、本肢の場合で必要なのは、建物の賃借人（B）からの通知ではなく、賃貸人（A）からの通知です。

➔ 34条

❹ 正しい。定期建物賃貸借 ➡ 賃貸人による書面の交付・説明が必要。

定期建物賃貸借契約の場合、賃貸人はあらかじめ、賃借人に対し、当該契約の更新がなく期間満了により建物の賃貸借が終了することについて、その旨を記載した書面を交付して説明しなければなりません。そして、賃貸人がその説明をしなかった場合、契約の更新がない旨の定めは、無効となります。

➔ 38条

> **+α** この「事前説明」は、書面をあらかじめ交付したうえで、テレビ電話等のITを活用して行うことができます。

【正解 ❹】

借家関係

問題 **76**

AとBとの間で、Aが所有する甲建物をBが5年間賃借する旨の契約を締結した場合における次の記述のうち、民法及び借地借家法の規定によれば、正しいものはどれか（借地借家法第39条に定める取壊し予定の建物の賃貸借及び同法第40条に定める一時使用目的の建物の賃貸借は考慮しないものとする。）。

[H30-問12]

❶ ＡＢ間の賃貸借契約が借地借家法第38条の定期建物賃貸借で、契約の更新がない旨を定めた場合には、5年経過をもって当然に、ＡはＢに対して、期間満了による終了を対抗することができる。

❷ ＡＢ間の賃貸借契約が借地借家法第38条の定期建物賃貸借で、契約の更新がない旨を定めた場合には、当該契約の期間中、Ｂから中途解約を申し入れることはできない。

❸ ＡＢ間の賃貸借契約が借地借家法第38条の定期建物賃貸借でない場合、Ａ及びＢのいずれからも期間内に更新しない旨の通知又は条件変更しなければ更新しない旨の通知がなかったときは、当該賃貸借契約が更新され、その契約は期間の定めがないものとなる。

❹ ＣがＢから甲建物を適法に賃貸された転借人で、期間満了によってＡＢ間及びＢＣ間の賃貸借契約が終了する場合、Ａの同意を得て甲建物に付加した造作について、ＢはＡに対する買取請求権を有するが、ＣはＡに対する買取請求権を有しない。

👆**日建学院・講師陣の必勝コメント**

　定期建物賃貸借を中心とした基本的な問題です。過去に問われた論点ばかりですので、取りこぼしてはなりません！

解 説

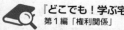

『どこでも！学ぶ宅建士』
第1編「権利関係」

19 借地借家法②借家関係（P182〜）

正答率	合格者	89.6 %
	不合格者	59.6 %

借家関係

❶ 誤り。定期建物賃貸借➡終了の通知がなければ対抗不可。

定期建物賃貸借で、期間が1年以上である場合には、建物の賃貸人は、原則として、期間の満了の1年前から6ヵ月前までの間（通知期間）に、建物の賃借人に対し、期間の満了により建物の賃貸借が終了する旨の通知をしなければ、その終了を建物の賃借人に対抗できません。したがって、賃貸人Aは、賃借人Bに対して、期間の経過をもって当然に、期間満了による終了を対抗できるわけではありません。　　　　　　　　　　　➡ 借地借家法38条

❷ 誤り。定期建物賃貸借は、一定の場合、賃借人は解約の申入れ可。

居住の用に供する建物の賃貸借（床面積200㎡未満に限る）で、転勤、療養、親族の介護その他のやむを得ない事情により、建物の賃借人が建物を自己の生活の本拠として使用することが困難となったときは、建物の「賃借人」は、建物の賃貸借の解約の申入れをすることができます。　　　➡ 38条

❸ 正しい。一般の期間の定めのある借家➡通知がなければ法定更新。

建物の賃貸借について期間の定めがある場合で、当事者が期間の満了の1年前から6ヵ月前までの間に相手方に対して更新をしない旨の通知または条件を変更しなければ更新をしない旨の通知をしなかったときは、従前の契約と同一の条件で契約を更新したものとみなされます。そして、その期間は、定めがないものとなります。　　　　　　　　　　　　　　➡ 26条

❹ 誤り。期間満了等の場合、転借人も、造作買取請求は可能。

建物の賃貸人の同意を得て建物に付加した畳・建具・その他の造作がある場合には、建物の賃借人は、建物の賃貸借が期間の満了または解約の申入れによって終了するときに、建物の賃貸人に対し、その造作を時価で買い取るべきことを請求できます。この規定は、建物の賃貸借が期間の満了または解約の申入れによって終了する場合の「転借人」と賃貸人との間についても準用されます。　　　　　　　　　　　　　　　　　　　➡ 33条

【正解 ❸】

153

借家関係

問題 77
AがBに対し、A所有の甲建物を3年間賃貸する旨の契約をした場合における次の記述のうち、民法及び借地借家法の規定によれば、正しいものはどれか。なお、契約の内容を記録した電磁的記録によってされた場合における借地借家法第38条に定める期間の定めがある建物の賃貸借、同法第39条に定める取壊し予定の建物の賃貸借及び同法第40条に定める一時使用目的の建物の賃貸借については、考慮しないものとする。

[R元-問12改]

❶　AB間の賃貸借契約について、契約の更新がない旨を定めるには、公正証書による等書面によって契約すれば足りる。

❷　甲建物が居住の用に供する建物である場合には、契約の更新がない旨を定めることはできない。

❸　AがBに対して、期間満了の3月前までに更新しない旨の通知をしなければ、従前の契約と同一の条件で契約を更新したものとみなされるが、その期間は定めがないものとなる。

❹　Bが適法に甲建物をCに転貸していた場合、Aは、Bとの賃貸借契約が解約の申入れによって終了するときは、特段の事情がない限り、Cにその旨の通知をしなければ、賃貸借契約の終了をCに対抗することができない。

日建学院・講師陣の 必勝コメント

全肢が、ごく基本的な問題です。特に正解肢の転貸のポイントは頻出なので、確実に正解できるよう、しっかり準備をしておきましょう。

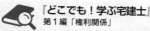

解 説 『どこでも！学ぶ宅建士』
第1編「権利関係」
➡ 19 借地借家法②借家関係（P182～）

正答率 合格者 83.9 %
不合格者 64.0 %

❶ **誤り。定期建物賃貸借 ➡ 賃貸人からの書面による事前説明も必要。**

定期建物賃貸借をしようとするときは、公正証書による等書面によって契約をするだけでなく、建物の賃貸人は、あらかじめ、建物の賃借人に対し、契約の更新がなく、期間の満了により当該建物の賃貸借は終了することについて、その旨を記載した書面を交付して説明しなければなりません。

➡ 借地借家法38条

❷ **誤り。居住用建物についても、定期建物賃貸借とすることは可能。**

期間の定めがある建物の賃貸借をする場合においては、公正証書による等書面によって契約をするときに限り、契約の更新がないこととする旨を定めることができます（定期建物賃貸借）。したがって、「居住の用に供する建物」についても、定期建物賃貸借とすることは可能です。 ➡ 38条

❸ **誤り。1年前から6ヵ月前までに通知なし ➡ 同一条件で更新とみなす。**

建物の賃貸借について期間の定めがある場合で、当事者が期間の満了の1年前から「6ヵ月前」までの間に、相手方に対して更新をしない旨の通知または条件を変更しなければ更新をしない旨の通知をしなかったときは、従前の契約と同一の条件で契約を更新したものとみなされます。ただし、その期間は、定めがないものとなります。 ➡ 26条

❹ **正しい。解約申入れで終了 ➡ 転借人に通知しないと終了を対抗不可。**

建物の転貸借がされている場合で、建物の賃貸借が期間の満了または解約の申入れによって終了するときは、建物の賃貸人は、建物の転借人にその旨の通知をしなければ、その終了を建物の転借人に対抗できません。

➡ 34条

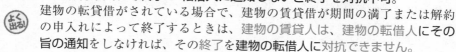

+α この場合、建物の転貸借は、通知がされた日から6ヵ月を経過することによって終了します。

【正解 ❹】

155

借家関係

借地借家法 Check! 重要ランク A

問題 78　令和7年7月1日に締結された建物の賃貸借契約（定期建物賃貸借契約及び一時使用目的の建物の賃貸借契約を除く。）に関する次の記述のうち、民法及び借地借家法の規定並びに判例によれば、正しいものはどれか。　[R5-問12改]

① 期間を1年未満とする建物の賃貸借契約は、期間を1年とするものとみなされる。

② 当事者間において、一定の期間は建物の賃料を減額しない旨の特約がある場合、現行賃料が不相当になったなどの事情が生じたとしても、この特約は有効である。

③ 賃借人が建物の引渡しを受けている場合において、当該建物の賃貸人が当該建物を譲渡するに当たり、当該建物の譲渡人及び譲受人が、賃貸人たる地位を譲渡人に留保する旨及び当該建物の譲受人が譲渡人に賃貸する旨の合意をしたときは、賃貸人たる地位は譲受人に移転しない。

④ 現行賃料が定められた時から一定の期間が経過していなければ、賃料増額請求は、認められない。

日建学院・講師陣の必勝コメント

正解肢で迷ったとしても、少なくとも消去法で解答できる問題です。
特に、②で問われている「借賃を減額しない旨の特約と借賃増減請求権の関係」については、迷わずに正誤判断できなければなりません。

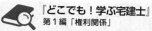

正答率　合格者 **74.1**%　不合格者 **47.7**%

❶ 誤り。**期間1年未満の普通借家➡「期間の定めがない」建物賃貸借となる。**
　期間を1年未満とする建物の賃貸借は、「期間の定めがない」建物の賃貸借とみなされます。　　　　　　　　　　　　　　　　→ 借地借家法29条

❷ 誤り。**借賃を減額しない特約➡無効であり、減額請求OK。**
　建物の借賃が不相当となったときは、当事者は、原則として、将来に向かって建物の借賃の額の増減を請求できます（借賃増減請求権）。一定期間は建物の借賃を減額しない旨の特約がある場合でも、この特約は無効です。
　　　　　　　　　　　　　　　　　　　　　　　　　　　　　　→ 32条

> **+α** 逆に「一定期間は借賃を増額しない」旨の特約がある場合には、この特約は有効となり、その期間中は借賃の増額請求はできません。

❸ 正しい。**「地位を譲渡人に留保」＋「賃貸の合意」➡賃貸人の地位は移転しない。**
　賃貸借の対抗要件を備えた場合で、その不動産（本問の「建物」）が譲渡されたときは、建物の賃貸人たる地位は、譲受人に移転するのが原則です。しかし、建物の譲渡人・譲受人が、賃貸人たる地位を譲渡人に留保する旨、及び、その不動産を譲受人が譲渡人に賃貸する旨の合意をしたときは、賃貸人たる地位は、譲受人に移転しません。　　　　　　　　→ 民法605条の2

❹ 誤り。**賃料増額請求権➡賃料設定時からいつでも行使可。**
　借賃増減請求権は、いつでも行使できます。本肢の「現行賃料設定時から一定期間を経過」していることは、例えば、「賃料が不相当となったか否か」を判断する事情の1つにすぎません。　　　　　　→ 借地借家法32条、判例

【正解 ❸】

定期建物賃貸借等

問題 79

Aは、B所有の甲建物（床面積100㎡）につき、居住を目的として、期間2年、賃料月額10万円と定めた賃貸借契約（以下この問において「本件契約」という。）をBと締結してその日に引渡しを受けた。この場合における次の記述のうち、民法及び借地借家法の規定並びに判例によれば、誤っているものはどれか。　[R4-問12]

❶　BはAに対して、本件契約締結前に、契約の更新がなく、期間の満了により賃貸借が終了する旨を記載した賃貸借契約書を交付して説明すれば、本件契約を借地借家法第38条に規定する定期建物賃貸借契約として締結することができる。

❷　本件契約が借地借家法第38条に規定する定期建物賃貸借契約であるか否かにかかわらず、Aは、甲建物の引渡しを受けてから1年後に甲建物をBから購入したCに対して、賃借人であることを主張できる。

❸　本件契約が借地借家法第38条に規定する定期建物賃貸借契約である場合、Aの中途解約を禁止する特約があっても、やむを得ない事情によって甲建物を自己の生活の本拠として使用することが困難になったときは、Aは本件契約の解約の申入れをすることができる。

❹　AがBに対して敷金を差し入れている場合、本件契約が期間満了で終了するに当たり、Bは甲建物の返還を受けるまでは、Aに対して敷金を返還する必要はない。

👆 日建学院・講師陣の必勝コメント

❷については、「定期建物賃貸借」も借家権（建物の賃借権）であることに気づきましょう。逆にいえば、**定期建物賃貸借に特有の規定がある点（❶❸参照）**についてのみ、定期建物賃貸借として特別な扱いをされるわけです。

ここでの理解は"当たり前"のようでいて、正答率データが示すとおり、実は「力の差」がハッキリつくところです。

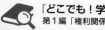

解 説

『どこでも！学ぶ宅建士』
第1編「権利関係」

19 借地借家法②借家関係（P191〜）

正答率	合格者	74.6 %
	不合格者	47.8 %

定期建物賃貸借等

❶ 誤り。契約書とは別個独立の書面を交付して説明する必要あり。

（よく出る！）定期建物賃貸借をするときは、建物の賃貸人は、あらかじめ、建物の賃借人に対し、契約の更新がなく、期間の満了により当該建物の賃貸借は終了することについて、その旨を記載した「書面」を交付して説明しなければなりません。そして、この「書面」は、契約書とは別個独立の書面（いわゆる事前説明のための書面）であることが必要です。　➡ 借地借家法38条、判例

❷ 正しい。借家の対抗要件は建物の引渡し ➡ 定期建物賃貸借でも同様。

（よく出る！）建物の賃貸借は、その登記がなくても、「建物の引渡し」があったときは、その後その建物について所有権などの物権を取得した者に対し、その効力を生じます。これは、定期建物賃貸借契約の場合でも同様です。　➡ 31条

❸ 正しい。本肢の中途解約禁止特約は無効 ➡ 解約申入れ可。

居住の用に供する床面積200㎡未満の建物の定期建物賃貸借において、転勤・療養・親族の介護その他のやむを得ない事情により、建物の賃借人が建物を自己の生活の本拠として使用することが困難となったときは、建物の賃借人は、建物賃貸借の解約申入れができます（この場合は、解約申入れの日から1ヵ月経過で契約終了）。この規定に反する特約で建物賃借人に不利なものは、無効です。　➡ 38条

❹ 正しい。賃貸人は、建物の返還を受けるまで敷金を返還する必要なし。

賃貸人は、敷金を受け取っている場合において、賃貸借が終了し、かつ、賃貸物の返還を「受けた」ときは、賃借人に対し、その受け取った敷金の額から賃貸借に基づいて生じた賃借人の賃貸人に対する金銭の給付を目的とする債務の額を控除した残額を返還しなければなりません。すなわち、建物賃貸借であれば、建物の返還が先で、敷金の返還が後です。したがって、賃貸人は、特別の約定のないかぎり、賃借人から建物の返還を受けた後に敷金の残額を返還すれば足ります。　➡ 民法622条の2、533条、判例

【正解 ❶】

159

普通借家・定期借家

問題 80　A所有の居住用建物（床面積50㎡）につき、Bが賃料月額10万円、期間を2年として、賃貸借契約（借地借家法第38条に規定する定期建物賃貸借、同法第39条に規定する取壊し予定の建物の賃貸借及び同法第40条に規定する一時使用目的の建物の賃貸借を除く。以下この問において「本件普通建物賃貸借契約」という。）を締結する場合と、同法第38条の定期建物賃貸借契約（以下この問において「本件定期建物賃貸借契約」という。）を締結する場合とにおける次の記述のうち、民法及び借地借家法の規定によれば、誤っているものはどれか。なお、借地借家法第38条の規定による建物の賃貸借の契約が、その内容を記録した電磁的記録によってされた場合及び同条の規定による書面の交付に代えて当該書面に記載すべき事項を電磁的方法により提供する場合については、考慮しないものとする。　[H24-問12改]

❶　本件普通建物賃貸借契約でも、本件定期建物賃貸借契約でも、賃借人が造作買取請求権を行使できない旨の特約は、有効である。

❷　本件普通建物賃貸借契約でも、本件定期建物賃貸借契約でも、賃料の改定についての特約が定められていない場合であって経済事情の変動により賃料が不相当になったときには、当事者は将来に向かって賃料の増減を請求することができる。

❸　本件普通建物賃貸借契約では、更新がない旨の特約を記載した書面を契約に先立って賃借人に交付しても当該特約は無効であるのに対し、本件定期建物賃貸借契約では、更新がない旨の特約を記載した書面を契約に先立って賃借人に交付さえしておけば当該特約は有効となる。

❹　本件普通建物賃貸借契約では、中途解約できる旨の留保がなければ賃借人は2年間は当該建物を借りる義務があるのに対し、本件定期建物賃貸借契約では、一定の要件を満たすのであれば、中途解約できる旨の留保がなくても賃借人は期間の途中で解約を申し入れることができる。

> 👆 **日建学院・講師陣の必勝コメント**
>
> 　普通の建物賃貸借と定期建物賃貸借の違いを問う良問です。ここで両者の比較学習をしっかりしておきましょう。

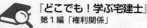

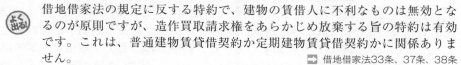

❶ **正しい。造作買取請求権をあらかじめ放棄する特約 ➡ 有効。**

借地借家法の規定に反する特約で、建物の賃借人に不利なものは無効となるのが原則ですが、造作買取請求権をあらかじめ放棄する旨の特約は有効です。これは、普通建物賃貸借契約か定期建物賃貸借契約かに関係ありません。

➡ 借地借家法33条、37条、38条

❷ **正しい。賃料改定の特約がない ➡ 借賃増減請求ができる。**

普通建物賃貸借契約においては、経済事情の変動により賃料が不相当となったとき、当事者が借賃の額の増減を請求することが認められています（借賃増減請求権）。また、定期建物賃貸借契約であっても、賃料改定について特約がない場合は、借賃増減請求権に関する規定が適用されます。したがって、契約期間中に賃料が不相当になった場合、当事者は借賃の増減を請求できます。

➡ 32条、38条

❸ **誤り。定期建物賃貸借 ➡「書面の交付＋説明」の両方が必要。**

普通建物賃貸借契約では、契約の更新に関する規定が、借地借家法に定められています。この規定に反する特約で、建物の賃借人に不利なものは無効となりますから、普通建物賃貸借契約において、「更新がない」旨の特約は無効になります。他方、定期建物賃貸借の契約を締結しようとする場合、賃貸人は、あらかじめ賃借人に対し、契約の更新がなく、期間の満了により賃貸借が終了することについて、書面を交付して説明しなければなりません。したがって、単に書面を賃借人に交付するだけでは、更新がない旨の特約は有効となりません。

➡ 26条、30条、38条

+α この事前説明は、書面を交付したうえで、テレビ電話等のITを活用して行うことができます。

❹ **正しい。定期建物賃貸借 ➡ 一定の要件を満たせば中途解約可。**

普通建物賃貸借契約の場合、中途解約できる旨の特約がない限り、契約期間中は賃借人から中途解約を申し入れることはできません。これに対して、定期建物賃貸借契約において、居住部分が200㎡未満の居住用建物を目的とする場合、転勤、療養、親族の介護その他やむを得ない事情により、建物の賃借人が自己の生活の本拠として使用することが困難となったときは、契約期間中でも、賃借人から中途解約を申し入れることができます。

➡ 民法618条、借地借家法38条

【正解 ❸】

普通借家・定期借家

問題 81

賃貸人と賃借人との間で、建物につき、期間5年として借地借家法第38条に定める定期借家契約（以下「定期借家契約」という。）を締結する場合と、期間5年として定期借家契約ではない借家契約（以下「普通借家契約」という。）を締結する場合に関する次の記述のうち、民法及び借地借家法の規定によれば、正しいものはどれか。なお、借地借家法第40条に定める一時使用目的の賃貸借契約は考慮しないものとする。 [H27-問12]

❶ 賃借権の登記をしない限り賃借人は賃借権を第三者に対抗することができない旨の特約を定めた場合、定期借家契約においても、普通借家契約においても、当該特約は無効である。

❷ 賃貸借契約開始から3年間は賃料を増額しない旨の特約を定めた場合、定期借家契約においても、普通借家契約においても、当該特約は無効である。

❸ 期間満了により賃貸借契約が終了する際に賃借人は造作買取請求をすることができない旨の規定は、定期借家契約では有効であるが、普通借家契約では無効である。

❹ 賃貸人も賃借人も契約期間中の中途解約をすることができない旨の規定は、定期借家契約では有効であるが、普通借家契約では無効である。

👆 **日建学院・講師陣の 必勝コメント**

「正答率データ」によると、合格者の正答率は不合格者の2倍以上と、大差がついた問題です。❶の「賃借人に不利な特約は原則無効」という知識は、借地借家法で真っ先に学習する基本中の基本！「それだけ理解できていれば合格、それがあやふやなら不合格」という、とてもシンプルな運命の分かれ道です。

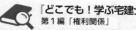 

普通借家・定期借家

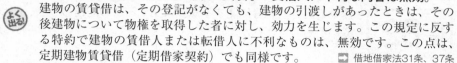

『どこでも！学ぶ宅建士』
第1編「権利関係」
→ 19 借地借家法②借家関係（P182〜）

正答率	合格者	70.8%
	不合格者	35.2%

❶ 正しい。建物賃貸借の対抗力に関する特約 ➡ 賃借人に不利な内容は無効。

建物の賃貸借は、その登記がなくても、建物の引渡しがあったときは、その後建物について物権を取得した者に対し、効力を生じます。この規定に反する特約で建物の賃借人または転借人に不利なものは、無効です。この点は、定期建物賃貸借（定期借家契約）でも同様です。　　　➡ 借地借家法31条、37条

❷ 誤り。借賃を増額しない旨の特約 ➡ 有効。

普通借家契約では、建物の借賃が、近傍同種の建物の借賃に比較して不相当となったなどのときは、契約の条件にかかわらず、当事者は、将来に向かって建物の借賃の額の増減を請求できます。ただし、一定の期間建物の借賃を増額しない旨の特約がある場合には、その定めに従います。これに対して、定期建物賃貸借では、借賃の改定に係る特約がある場合には、借賃増減請求権の規定は適用しません。したがって、賃料を増額しない旨の特約は有効です。　　　➡ 32条、38条

❸ 誤り。造作買取請求権を認めない特約 ➡ 有効。

建物の賃貸人の同意を得て建物に付加した畳・建具・その他の造作がある場合には、建物の賃借人は、建物の賃貸借が期間の満了または解約の申入れによって終了するときに、建物の賃貸人に対し、その造作を時価で買い取るべきことを請求できます。この造作買取請求権を読めない特約は、有効です。この点は、普通建物賃貸借でも定期建物賃貸借でも、同様です。　　　➡ 33条、37条参照

❹ 誤り。定期建物賃貸借 ➡ 中途解約できる例外あり。

定期建物賃貸借の場合、原則として中途解約はできません。しかし、居住の用に供する定期建物賃貸借（床面積200㎡未満に限る）において、転勤、療養、親族の介護その他のやむを得ない事情により、建物の賃借人が建物を自己の生活の本拠として使用することが困難となったときは、建物の賃貸借の解約の申入れができます。したがって、この限りでは、中途解約ができない旨の規定は無効となります。これに対して、普通建物賃貸借では、原則として中途解約はできませんので、有効です。　　　➡ 38条

攻略POINT 定期建物賃貸借の中途解約

次の❶〜❸をすべて満たした場合、中途解約の申入れ後1ヵ月の経過で、定期建物賃貸借は終了します。

❶ 居住用の建物であること

❷ 床面積が200㎡未満

❸ 賃借人にやむを得ない事情がある（例えば、転勤・療養・親族の介護等）

【正解❶】

共用部分

問題 **82** 建物の区分所有等に関する法律に関する次の記述のうち、誤っているものはどれか。 [H24-問13]

❶ 共用部分の保存行為は、規約に別段の定めがない限り、集会の決議を経ずに各区分所有者が単独ですることができる。

❷ 共用部分の変更（その形状又は効用の著しい変更を伴わないものを除く。）は、区分所有者及び議決権の各４分の３以上の多数による集会の決議で決するが、規約でこの区分所有者の定数及び議決権を各過半数まで減ずることができる。

❸ 管理者は、その職務に関して区分所有者を代理するため、その行為の効果は、規約に別段の定めがない限り、本人である各区分所有者に共用部分の持分の割合に応じて帰属する。

❹ 共用部分の管理に要した各区分所有者の費用の負担については、規約に別段の定めがない限り、共用部分の持分に応じて決まる。

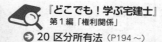

解 説 『どこでも！学ぶ宅建士』
第1編「権利関係」
→ 20 区分所有法（P194〜）

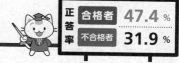

正答率	合格者	**47.4** %
	不合格者	**31.9** %

❶ 正しい。共用部分の保存行為 ➡ 各区分所有者が単独でできる。

共用部分の保存行為は、規約に別段の定めがない限り、各共有者が行うことができます。集会の決議で決する必要はありません。　➡ 区分所有法18条

❷ 誤り。重大変更決議 ➡ 区分所有者の定数を過半数まで減少可。

共用部分の重大変更は、区分所有者及び議決権の各４分の３以上の多数による集会の決議で決します。ただし、この「区分所有者の定数」は、規約でその過半数まで減ずることができますが、議決権を減ずることはできません。　➡ 17条

❸ 正しい。管理者の行為の効果 ➡ 共用部分の持分割合に応じて帰属。

管理者は、その職務に関し、区分所有者を代理します。そして、管理者がその職務の範囲内において第三者との間にした行為については、規約に別段の定めがない限り、本人である各区分所有者に、共用部分の持分の割合に応じて帰属します。　➡ 26条、29条

❹ 正しい。共用部分の管理費用 ➡ 共用部分の持分割合に応じて負担。

共用部分の管理に要した各区分所有者の費用の負担については、規約に別段の定めがない限り、共用部分の持分に応じて決まります。　➡ 19条

攻略POINT 共用部分の管理・保存・変更 ━━━━━

管理行為（利用または改良行為） （例：火災保険契約の締結等）		普通決議 （区分所有者及び議決権の各過半数）
保 存 行 為 （例：修理・修繕等）		●集会の決議不要 ●各共有者が単独でできる
変更行為	重大変更	特別決議 （区分所有者及び議決権の各３／４以上）＊
	軽微変更	普通決議 （区分所有者及び議決権の各過半数）

＊：区分所有者の定数のみ規約で過半数まで減ずることができる

【正解 ❷】

区分所有法総合

問題 83　建物の区分所有等に関する法律に関する次の記述のうち、正しいものはどれか。　[H28-問13]

❶　管理者は、集会において、毎年2回一定の時期に、その事務に関する報告をしなければならない。

❷　管理者は、規約に特別の定めがあるときは、共用部分を所有することができる。

❸　管理者は、自然人であるか法人であるかを問わないが、区分所有者でなければならない。

❹　各共有者の共用部分の持分は、規約で別段の定めをしない限り、共有者数で等分することとされている。

> 🖐️ **日建学院・講師陣の 必勝コメント**
>
> 　「正答率データ」によると、合格者と不合格者の差が大きい問題です。最低でも、本問の数年前にも出題された❹だけは、自信を持って切れなければなりません。
> 　「典型的な肢を消去できないと、もっと難しい内容の正解肢にはたどり着けない」ことを証明している好例です。

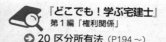

❶ **誤り。管理者による集会での事務報告 ➡ 毎年1回。**

管理者は、集会において、毎年「1回」一定の時期に、その事務に関する報告をしなければなりません。　　　　　　　　　　➡ 区分所有法43条

❷ **正しい。管理者 ➡ 共用部分を所有できる。**

管理者は、規約に特別の定めがあるときは、共用部分を所有することができます（管理所有）。　　　　　　　　　　　　　　　　➡ 27条

❸ **誤り。管理者 ➡ 自然人・法人、区分所有者か否かを問わない。**

区分所有者は、規約に別段の定めがない限り集会の決議によって、管理者を選任し、または解任することができます。ここでは、管理者となるための資格・要件を限定する規定はありません。したがって、自然人だけでなく法人もなることができますし、区分所有者である必要もありません。

➡ 25条

❹ **誤り。共用部分の持分 ➡ 原則として専有部分の床面積の割合。**

共用部分の各共有者の持分は、原則として、その有する専有部分の床面積の割合によります。　　　　　　　　　　　　　　　　➡ 14条

【正解 ❷】

規　約

 建物の区分所有等に関する法律に関する次の記述のうち、誤っているものはどれか。　　　　　　　　　　　　[H30-問13]

❶　規約の設定、変更又は廃止を行う場合は、区分所有者の過半数による集会の決議によってなされなければならない。

❷　規約を保管する者は、利害関係人の請求があったときは、正当な理由がある場合を除いて、規約の閲覧を拒んではならず、閲覧を拒絶した場合は20万円以下の過料に処される。

❸　規約の保管場所は、建物内の見やすい場所に掲示しなければならない。

❹　占有者は、建物又はその敷地若しくは附属施設の使用方法につき、区分所有者が規約又は集会の決議に基づいて負う義務と同一の義務を負う。

解説

『どこでも！学ぶ宅建士』
第1編「権利関係」
➡ 20 区分所有法（P199～）

正答率　合格者 **85.2**%　不合格者 **56.1**%

❶ 誤り。規約の設定・変更・廃止 ➡ 各3／4以上の決議。

　よく出る！ 規約の設定、変更または廃止は、区分所有者及び議決権の「各3／4以上」の多数による集会の決議によって行います。 ➡ 区分所有法31条

❷ 正しい。規約の保管者 ➡ 正当な理由がなければ閲覧拒否は不可。

　難 規約を保管する者は、利害関係人の請求があったときは、正当な理由がある場合を除いて、規約の閲覧を拒んではなりません。この規定に違反すると、規約を保管する者は、20万円以下の過料に処せられます。 ➡ 33条、71条

❸ 正しい。規約の保管場所 ➡ 建物内の見やすい場所に掲示。

　規約の保管場所は、建物内の見やすい場所に掲示しなければなりません。 ➡ 33条

❹ 正しい。建物等の使用方法 ➡ 占有者は区分所有者と同一の義務あり。

　占有者は、建物またはその敷地もしくは附属施設の使用方法につき、区分所有者が規約または集会の決議に基づいて負う義務と同一の義務を負います。 ➡ 46条

攻略POINT 規　約

　規約の設定等には各3／4以上の**特別決議**が必要ですが、その他に注意すべき点としては、次のとおりです。

集会の決議	●規約の設定・変更・廃止により特別の影響を受ける者があるときは、その承諾が必要 ●最初に専有部分の全部を所有する者は公正証書で規約を設定できる
規約の効力	●規約は、区分所有者・その承継人・占有者に対して効力を生じる
規約の保管	●管理者等が規約を保管し、利害関係人の請求により閲覧に供する ●規約の保管場所について、建物内の見やすい場所に掲示しなければならない

【正解 ❶】

集 会

| 問題 85 | 建物の区分所有等に関する法律に関する次の記述のうち、誤っているものはどれか。 [H29-問13] |

❶ 管理者は、少なくとも毎年1回集会を招集しなければならない。

❷ 区分所有者の5分の1以上で議決権の5分の1以上を有するものは、管理者に対し、会議の目的たる事項を示して、集会の招集を請求することができるが、この定数は規約で減ずることはできない。

❸ 集会の招集の通知は、区分所有者が管理者に対して通知を受け取る場所をあらかじめ通知した場合には、管理者はその場所にあててすれば足りる。

❹ 集会は、区分所有者全員の同意があれば、招集の手続を経ないで開くことができる。

日建学院・講師陣の必勝コメント

　区分所有法は、ほぼ毎年1問の出題ですが、真正面から学習するのは非効率です。まず、区分所有法の概略を理解し、それから過去問に出題されている事項に絞って学習することをお勧めします。

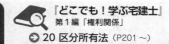 

解 説 『どこでも！学ぶ宅建士』
第1編「権利関係」
◉ 20 区分所有法 (P201～)

正答率 合格者 **80.0**%
不合格者 **55.6**%

❶ 正しい。管理者は、少なくとも毎年1回集会を招集。

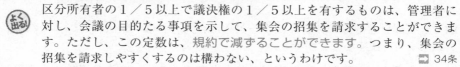 管理者は、少なくとも毎年1回集会を招集しなければなりません。

➡ 区分所有法34条

❷ 誤り。管理者への集会招集請求の定数 ➡ 規約で減ずることができる。

区分所有者の1／5以上で議決権の1／5以上を有するものは、管理者に対し、会議の目的たる事項を示して、集会の招集を請求することができます。ただし、この定数は、規約で減ずることができます。つまり、集会の招集を請求しやすくするのは構わない、というわけです。 ➡ 34条

❸ 正しい。集会招集通知 ➡ 区分所有者の通知した場所にあててする。

集会の招集通知は、区分所有者が管理者に対して通知を受け取る場所をあらかじめ通知した場合には、管理者は、その指定された通知を受け取る場所にあてて通知すれば足ります。 ➡ 35条

❹ 正しい。区分所有者全員の同意で、招集手続を省略できる。

集会は、区分所有者全員の同意があるときは、招集の手続を経ないで開くことができます。 ➡ 36条

攻略POINT 集会の招集のポイント ───────────

- 管理者は、少なくとも**毎年1回**、集会の招集が必要
- 区分所有者の1／5以上で議決権の1／5以上を有する者は、管理者に対して集会の招集を請求できる
- 集会の招集通知は、会日より少なくとも1週間前に発しなければならない。ただし、期間は規約で伸縮できる
- 区分所有者全員の同意により、招集手続を省略できる

─────────────────────────────────── 【正解 ❷ 】

集 会

 建物の区分所有等に関する法律（以下この問において「法」という。）に関する次の記述のうち、正しいものはどれか。

[R元-問13]

❶ 専有部分が数人の共有に属するときは、共有者は、集会においてそれぞれ議決権を行使することができる。

❷ 区分所有者の承諾を得て専有部分を占有する者は、会議の目的たる事項につき利害関係を有する場合には、集会に出席して議決権を行使することができる。

❸ 集会においては、規約に別段の定めがある場合及び別段の決議をした場合を除いて、管理者又は集会を招集した区分所有者の1人が議長となる。

❹ 集会の議事は、法又は規約に別段の定めがない限り、区分所有者及び議決権の各4分の3以上の多数で決する。

日建学院・講師陣の必勝コメント

「集会」をテーマにした問題で、いずれも過去に問われた論点ばかりです。過去問を繰り返し解いて、しっかり押さえておきましょう。

	正答率	合格者	92.9 %
		不合格者	62.4 %

解説 『どこでも！学ぶ宅建士』第1編「権利関係」
➡ 20 区分所有法（P201～）

集会

❶ 誤り。**専有部分を数人で共有 ➡ 議決権行使者を１人定める。**

　専有部分が数人の共有に属するときは、共有者は、議決権を行使すべき者１人を定めなければなりません。したがって、共有者それぞれが議決権を行使することはできません。　　　　　　　　　　　　　　➡ 区分所有法40条

❷ 誤り。**占有者は、意見を述べることはできるが、議決権の行使不可。**

　区分所有者の承諾を得て専有部分を占有する者は、会議の目的たる事項につき利害関係を有する場合には、集会に出席して意見を述べることができます。しかし、占有者は、議決権を行使することはできません。　　➡ 44条

❸ 正しい。**議長 ➡ 原則、管理者・集会を招集した区分所有者の１人。**

　集会においては、規約に別段の定めがある場合及び別段の決議をした場合を除いて、管理者または集会を招集した区分所有者のうちの１人が議長となります。　　　　　　　　　　　　　　　　　　　　　　　　➡ 41条

❹ 誤り。**議長 ➡ 原則、区分所有者及び議決権の各過半数で決する。**

　集会の議事は、区分所有法または規約に別段の定めがない限り、区分所有者及び議決権の各過半数で決します。　　　　　　　　　　　　➡ 39条

攻略POINT 議決権の行使と決議の効力

　議決権の行使と決議の効力について、次の表にまとめました。いずれも、本試験では頻出の論点です。

行使方法	●原則➡区分所有者本人が集会で行使する 例外➡書面または代理人によって行使できる （規約または集会の決議により、書面に代え、電磁的方法で行使できる） ●専有部分が共有の場合 ➡議決権を行使する者１人を定める
書面決議等	全員の書面または電磁的方法による合意によって集会の決議とみなされる
決議の効力	区分所有者・その承継人・占有者に対して効力を生じる
占有者	●議決権はない ●利害関係を有する事項について、集会に出席し意見を述べることができる

【正解 ❸ 】

区分所有法総合

問題 **87**

建物の区分所有等に関する法律（以下この問において「法」という。）に関する次の記述のうち、誤っているものはどれか。

[R3⑽-問13]

❶ 法又は規約により集会において決議をすべき場合において、区分所有者が1人でも反対するときは、集会を開催せずに書面によって決議をすることはできない。

❷ 形状又は効用の著しい変更を伴う共用部分の変更については、区分所有者及び議決権の各4分の3以上の多数による集会の決議で決するものであるが、規約でこの区分所有者の定数を過半数まで減ずることができる。

❸ 敷地利用権が数人で有する所有権その他の権利である場合には、規約に別段の定めがあるときを除いて、区分所有者は、その有する専有部分とその専有部分に係る敷地利用権とを分離して処分することができない。

❹ 各共有者の共用部分の持分は、規約に別段の定めがある場合を除いて、その有する専有部分の床面積の割合によるが、この床面積は壁その他の区画の中心線で囲まれた部分の水平投影面積である。

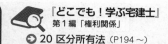

 解説 『どこでも！学ぶ宅建士』
第1編「権利関係」
→ **20 区分所有法**（P194〜）

 正答率 合格者 **65.0**% 不合格者 **25.3**%

❶ **正しい。書面による決議 ➡ 区分所有者「全員」の承諾が必要。**

　区分所有法または規約により集会において決議をする場合で、区分所有者全員の承諾があるときは、書面または電磁的方法による決議ができます。逆にいえば、区分所有者が1人でも反対するときは、集会を開催せずに、書面等によって決議をすることはできません。　　　　　　　 区分所有法45条

❷ **正しい。重大変更 ➡ 区分所有者の定数は、規約で過半数まで減じてもよい。**

　形状または効用の著しい変更を伴う共用部分の変更（重大変更）は、区分所有者及び議決権の3／4以上の多数による集会の決議で決します。ただし、この区分所有者の定数は、規約でその過半数まで減ずることができます。　　　　　　　　　　 17条

❸ **正しい。専有部分と敷地利用権 ➡ 原則、分離処分不可。**

　敷地利用権が数人で有する所有権その他の権利である場合には、区分所有者は、原則として、その有する専有部分とその専有部分に係る敷地利用権とを分離して処分できません。ただし、規約に別段の定めがあるときは、例外として、分離処分できます。　　　　　　　　　　 22条

❹ **誤り。共用部分の持分 ➡ 専有部分の「内側線」による床面積の割合。**

　共用部分の各共有者の持分は、その有する専有部分の床面積の割合によりますが、この床面積は、壁その他の区画の「内側線」で囲まれた部分の水平投影面積となります。　　　　　　　　　　 14条

> **+α** なお、これらの規定は、規約で別段の定めをすることができます。

【正解 ❹】

区分所有法総合

区分所有法総合

問題 **88**

建物の区分所有等に関する法律（以下この問において「法」という。）に関する次の記述のうち、誤っているものはどれか。

[R5-問13]

❶ 集会においては、法で集会の決議につき特別の定数が定められている事項を除き、規約で別段の定めをすれば、あらかじめ通知した事項以外についても決議することができる。

❷ 集会は、区分所有者の４分の３以上の同意があるときは、招集の手続を経ないで開くことができる。

❸ 共用部分の保存行為は、規約に別段の定めがある場合を除いて、各共有者がすることができるため集会の決議を必要としない。

❹ 一部共用部分に関する事項で区分所有者全員の利害に関係しないものについての区分所有者全員の規約は、当該一部共用部分を共用すべき区分所有者が８人である場合、３人が反対したときは変更することができない。

日建学院・講師陣の必勝コメント

　❹の知識はかなり細かいので、❶～❸について正誤判断できれば問題ありません。

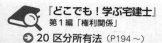

解 説

『どこでも！学ぶ宅建士』
第1編「権利関係」
● 20 区分所有法 (P194〜)

正答率　合格者 **89.6**%　不合格者 **46.6**%

区分所有法総合

❶ **正しい。普通決議事項➡規約で別段の定めをすれば、通知事項以外も決議可。**
集会では、原則として、招集通知であらかじめ通知した事項についてのみ、決議できます。しかし、特別決議事項を除く事項、すなわち普通決議事項については、規約で別段の定めをすれば、あらかじめ通知した事項以外についても決議できます。
➡ 区分所有法37条

+α 普通決議事項とは、区分所有者及び議決権の**各過半数**の賛成により成立する決議事項のことです。これに対して、**特別決議事項**とは、区分所有法の規定によって、集会の決議につき**特別**の定数が定められている事項のことです。

❷ **誤り。集会の招集手続の省略➡区分所有者全員の同意が必要。**
集会は、区分所有者全員の同意があるときは、招集の手続を経ないで開くことができます。したがって、区分所有者の「3／4以上」の同意では、集会の招集の手続を省略できません。
➡ 36条

❸ **正しい。共用部分の保存行為➡原則、各共有者が単独でOK。集会決議は不要。**
共用部分の保存行為は、規約に別段の定めがある場合を除いて、各区分所有者が単独ですることができます。したがって、集会の決議は、原則として不要です。
➡ 18条

❹ **正しい。一部共用部分の規約変更➡1／4超の反対で不可。**
一部共用部分に関する事項で区分所有者全員の利害に関係しないものについての区分所有者全員の規約の設定・変更・廃止は、当該一部共用部分を共用すべき区分所有者の1／4を超える者、またはその議決権の1／4を超える議決権を有する者が反対したときは、することができません。したがって、一部共用部分を共用すべき区分所有者が「8人」である本肢の場合、その1／4（2人）を超える「3人」が反対したときは、変更できません。
➡ 30条、31条

+α 一部共用部分とは、一部の区分所有者のみの共用に供されることが明らかな共用部分のことです。たとえば、「2階以下が店舗、3階以上が住居」のマンションであれば、店舗部分専用の出入口・エレベーターなどが該当します。

【正解 ❷】

177

不動産の登記

重要ランク
B

| 問題 **89** | 不動産の登記に関する次の記述のうち、誤っているものはどれか。 |

[H24-問14]

❶　登記の申請をする者の委任による代理人の権限は、本人の死亡によっては、消滅しない。

❷　承役地についてする地役権の設定の登記は、要役地に所有権の登記がない場合においても、することができる。

❸　区分建物である建物を新築した場合において、その所有者について相続その他の一般承継があったときは、相続人その他の一般承継人も、被承継人を表題部所有者とする当該建物についての表題登記を申請することができる。

❹　不動産の収用による所有権の移転の登記は、起業者が単独で申請することができる。

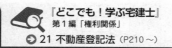

❶ 正しい。

民法上の代理権は本人の死亡によって消滅しますが、不動産登記法上の登記申請の代理権は、本人の死亡によって消滅しません。　➡ 不動産登記法17条

❷ 誤り。要役地に所有権の登記なし ➡ 承役地にする地役権の登記は不可。

承役地についてする地役権の設定の登記は、要役地に所有権の登記がないときは、することができません。　➡ 80条

❸ 正しい。

新築した区分建物について、相続その他の一般承継があったときは、相続人その他の一般承継人も、被承継人を表題部所有者とする表題登記を申請できます。　➡ 47条

❹ 正しい。

権利に関する登記は、登記権利者と登記義務者による共同申請が原則ですが、例外的に、**不動産の収用による所有権の移転の登記は、起業者（収用事業者）が単独申請**できます。　➡ 60条、118条

攻略POINT 登記の申請手続のまとめ

申請主義	登記は、当事者の申請または官公署の嘱託により行われる。 ●例外的に、建物の新築・滅失の表題登記等は、登記官の職権登記も認められている。 ●**表示に関する登記**は、単独申請
共同申請主義	**原則**：共同申請 　権利に関する登記は、登記権利者と登記義務者による共同申請 **例外**：単独申請 　所有権保存・相続・合併・**相続人に対する遺贈**による所有権移転・登記名義人表示変更の登記・信託の登記・確定判決による登記など
1件1申請主義	**原則**：登記の申請は、登記の目的・登記原因ごとに、1つの不動産ごとにしなければならない。 **例外**：同一の登記所の管轄区域内の2つ以上の不動産について、登記の目的・登記原因及びその日付が同一であるときは、一括申請することができる

【**正解 ❷** 】

不動産の登記

 不動産の登記に関する次の記述のうち、誤っているものはどれか。

[H25-問14]

❶ 所有権の登記名義人が表示に関する登記の申請人となることができる場合において、当該登記名義人について相続その他の一般承継があったときは、相続人その他の一般承継人は、当該表示に関する登記を申請することができる。

❷ 共有物分割禁止の定めに係る権利の変更の登記の申請は、当該権利の共有者である全ての登記名義人が共同してしなければならない。

❸ 敷地権付き区分建物の表題部所有者から所有権を取得した者は、当該敷地権の登記名義人の承諾を得ることなく、当該区分建物に係る所有権の保存の登記を申請することができる。

❹ 所有権に関する仮登記に基づく本登記は、登記上の利害関係を有する第三者がある場合には、当該第三者の承諾があるときに限り、申請することができる。

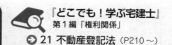

❶ 正しい。

　所有権の登記名義人が、表示に関する登記の申請人となれる場合で、その登記名義人について相続その他の一般承継があったときは、その相続人その他の一般承継人は、表示に関する登記を申請できます。➡ 不動産登記法30条

❷ 正しい。

　共有物分割禁止の定めに関する権利の変更登記は、その権利の共有者であるすべての登記名義人が共同申請しなければなりません。➡ 65条

❸ 誤り。敷地権の登記名義人の承諾を得て、保存登記を申請する。

　区分建物にあっては、表題部所有者から所有権を取得した者も保存登記を申請できます。ただし、当該建物が敷地権付き区分建物であるときは、当該敷地権の登記名義人の承諾を得なければなりません。➡ 74条

❹ 正しい。

　所有権に関する仮登記に基づく本登記は、登記上の利害関係を有する第三者がある場合には、当該第三者の承諾があるときに限り、申請できます。

➡ 109条

攻略POINT 仮登記

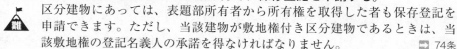

　仮登記は、順位保全の目的でされる登記です。**重要な点**は次の2つに絞られますので、確実に押さえておきましょう。

❶申請手続	原則：共同申請 例外：次の場合は、仮登記権利者が単独で申請できる ●仮登記の登記義務者の承諾があるとき ●仮登記を命ずる処分があるとき
❷本登記	所有権に関する仮登記に基づく本登記は、登記上の利害関係を有する第三者がある場合には、その承諾があるときに限り、申請できる

【正解 ❸】

不動産の登記

問題 **91**

不動産の登記に関する次の記述のうち、不動産登記法の規定によれば、誤っているものはどれか。 [H28-問14]

❶ 新築した建物又は区分建物以外の表題登記がない建物の所有権を取得した者は、その所有権の取得の日から1月以内に、所有権の保存の登記を申請しなければならない。

❷ 登記することができる権利には、抵当権及び賃借権が含まれる。

❸ 建物が滅失したときは、表題部所有者又は所有権の登記名義人は、その滅失の日から1月以内に、当該建物の滅失の登記を申請しなければならない。

❹ 区分建物の所有権の保存の登記は、表題部所有者から所有権を取得した者も、申請することができる。

日建学院・講師陣の 必勝コメント

❶について、表示に関する登記は1ヵ月以内に申請する義務がありますが、権利に関する登記は、相続登記を除き、**そもそも申請義務がありません。**

解 説

『どこでも！学ぶ宅建士』
第1編「権利関係」
→ 21 不動産登記法（P210〜）

正答率　合格者 49.5 %　不合格者 29.9 %

不動産の登記

❶ 誤り。新築した建物の取得 ➡ 1ヵ月以内に表題登記の申請。

新築した建物または区分建物以外の表題登記がない建物の所有権を取得した者は、その所有権の取得の日から1ヵ月以内に、表題登記を申請しなければなりません。これに対して、所有権の保存の登記は、権利に関する登記の原則どおり、申請義務がありません。　➡ 不動産登記法47条、74条参照

❷ 正しい。

登記は、不動産の表示、または権利（①所有権、②地上権、③永小作権、④地役権、⑤先取特権、⑥質権、⑦抵当権、⑧賃借権、⑨配偶者居住権、⑩採石権）の保存・設定・移転・変更・処分の制限または消滅について、行います。したがって、「登記することができる権利」には、抵当権や賃借権も含まれています。　➡ 3条

❸ 正しい。

建物が滅失したときは、表題部所有者または所有権の登記名義人は、その滅失の日から1ヵ月以内に、滅失の登記を申請しなければなりません。　➡ 57条

❹ 正しい。

区分建物の場合は、表題部所有者から所有権を取得した者も、所有権の保存の登記を申請できます。　➡ 74条

【正解 ❶】

不動産の登記

不動産の登記に関する次の記述のうち、誤っているものはどれか。 [H30-問14]

❶ 登記は、法令に別段の定めがある場合を除き、当事者の申請又は官庁若しくは公署の嘱託がなければ、することができない。

❷ 表示に関する登記は、登記官が、職権ですることができる。

❸ 所有権の登記名義人は、建物の床面積に変更があったときは、当該変更のあった日から1月以内に、変更の登記を申請しなければならない。

❹ 所有権の登記名義人は、その住所について変更があったときは、当該変更のあった日から1月以内に、変更の登記を申請しなければならない。

🖐️日建学院・講師陣の必勝コメント

　難問が多い不動産登記法の中では、比較的解きやすい内容ですが、出題当時、申請主義を問う❶で判断ミスをした受験者が多く、正答率は伸び悩みました。こういう問題は、ライバルに差をつけるチャンスです！

解 説

『どこでも！学ぶ宅建士』
第1編「権利関係」
➡ 21 不動産登記法（P210〜）

正答率　合格者 **67.2** %　不合格者 **38.7** %

❶ 正しい。

（よく出る!）　登記は、法令に別段の定めがある場合を除き、当事者の申請または官庁・公署の嘱託がなければ、行えません。　➡ 不動産登記法16条

❷ 正しい。

（よく出る!）　表示に関する登記は、登記官が、職権ですることができます。　➡ 28条

❸ 正しい。

本肢の「建物の床面積」のように、建物の表示に関する登記の登記事項について変更があったときは、原則として、表題部所有者または所有権の登記名義人は、当該変更があった日から1ヵ月以内に、変更の登記を申請しなければなりません。　➡ 51条、44条

❹ 誤り。登記名義人の住所が変更 ➡ 変更の登記の申請は、任意。

登記名義人の氏名・名称・住所の変更・更正の登記は、登記名義人が単独で申請「できる」とされています。つまり、これらに関する登記の申請は、「任意」であり、義務ではありません。　➡ 64条

【正解 ❹】

不動産の登記

 不動産の登記に関する次の記述のうち、不動産登記法の規定によれば、正しいものはどれか。　　　　　　　　　　[R3(10)-問14]

❶ 所有権の登記の抹消は、所有権の移転の登記がある場合においても、所有権の登記名義人が単独で申請することができる。

❷ 登記の申請をする者の委任による代理人の権限は、本人の死亡によって消滅する。

❸ 法人の合併による権利の移転の登記は、登記権利者が単独で申請することができる。

❹ 信託の登記は、受託者が単独で申請することができない。

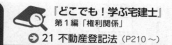 

解説　『どこでも！学ぶ宅建士』
第1編「権利関係」
→ 21 不動産登記法（P210〜）

正答率	合格者	70.4 %
	不合格者	**33.8** %

❶ 誤り。**所有権登記の抹消 ➡ 移転登記がない場合に限り、単独で申請できる。**

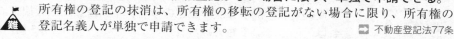
所有権の登記の抹消は、所有権の移転の登記がない場合に限り、所有権の登記名義人が単独で申請できます。　　　　　　　　　➡ 不動産登記法77条

❷ 誤り。**登記申請の委任による代理権 ➡ 本人の死亡では消滅しない。**

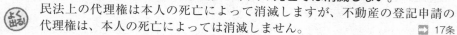
民法上の代理権は本人の死亡によって消滅しますが、不動産の登記申請の代理権は、本人の死亡によっては消滅しません。　　　　　➡ 17条

❸ 正しい。**法人の合併 ➡ 登記権利者が単独で申請できる。**

法人の合併による権利の移転の登記は、**登記権利者**が単独で申請できます。
　　　　　　　　　　　　　　　　　　　　　　　　　　➡ 63条

❹ 誤り。**信託の登記 ➡ 受託者が単独で申請できる。**

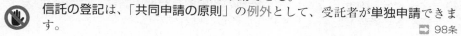
信託の登記は、「共同申請の原則」の例外として、**受託者が単独申請**できます。　　　　　　　　　　　　　　　　　　　　　　➡ 98条

【正解 ❸】

不動産の登記

問題 94

不動産の登記に関する次の記述のうち、不動産登記法の規定によれば、誤っているものはどれか。 [R5-問14]

❶ 建物が滅失したときは、表題部所有者又は所有権の登記名義人は、その滅失の日から1か月以内に、当該建物の滅失の登記を申請しなければならない。

❷ 何人も、理由の有無にかかわらず、登記官に対し、手数料を納付して、登記簿の附属書類である申請書を閲覧することができる。

❸ 共有物分割禁止の定めに係る権利の変更の登記の申請は、当該権利の共有者である全ての登記名義人が共同してしなければならない。

❹ 区分建物の所有権の保存の登記は、表題部所有者から所有権を取得した者も、申請することができる。

日建学院・講師陣の必勝コメント

❶❹の内容は頻出の知識なので、判断に迷ってはなりません。悩んでよいのは、❷❸だけです！

❶ 正しい。建物の滅失の登記 ➡ 1ヵ月以内に申請必要。

　建物が滅失したときは、表題部所有者または所有権の登記名義人は、その滅失の日から1ヵ月以内に、その建物の滅失の登記を申請しなければなりません。　➡ 不動産登記法57条

❷ 誤り。登記簿の附属書類である申請書の閲覧請求 ➡ 正当理由ある場合のみ。

　登記簿の附属書類である申請書の閲覧請求ができるのは、①正当な理由があるとき、かつ、②正当な理由があると認められる部分に限られます。したがって本肢の「理由の有無にかかわらず」という記述は、誤りです。　➡ 121条

❸ 正しい。共有物分割禁止の定めの登記 ➡ 全登記名義人が共同申請で行う。

　「共有物分割禁止」の定めに係る権利の変更の登記の申請は、当該権利の共有者であるすべての登記名義人が、共同してしなければなりません。　➡ 65条

❹ 正しい。区分建物の保存登記 ➡ 表題部所有者からの所有権取得者も申請可。

　区分建物の場合には、表題部所有者から所有権を取得した者も、所有権の保存の登記を申請することができます。　➡ 74条

> **+α** 区分建物「以外」の場合に所有権保存登記を申請できるのは、次の三者に限られます。
> ① 表題部所有者、または「その相続人その他の一般承継人」
> ② 所有権を有することが確定判決によって確認された者
> ③ 収用によって所有権を取得した者

【正解 ❷】

第2編

宅建業法

- 宅建業法
- 住宅瑕疵担保履行法

用語の定義

□□□ Check! 重要ランク A

問題 1

宅地建物取引業の免許（以下この問において「免許」という。）に関する次の記述のうち、宅地建物取引業法の規定によれば、正しいものはいくつあるか。 [H26-問26]

ア Aの所有する商業ビルを賃借しているBが、フロアごとに不特定多数の者に反復継続して転貸する場合、AとBは免許を受ける必要はない。

イ 宅地建物取引業者Cが、Dを代理して、Dの所有するマンション（30戸）を不特定多数の者に反復継続して分譲する場合、Dは免許を受ける必要はない。

ウ Eが転売目的で反復継続して宅地を購入する場合でも、売主が国その他宅地建物取引業法の適用がない者に限られているときは、Eは免許を受ける必要はない。

エ Fが借金の返済に充てるため、自己所有の宅地を10区画に区画割りして、不特定多数の者に反復継続して売却する場合、Fは免許を受ける必要はない。

❶ 一つ

❷ 二つ

❸ 三つ

❹ なし

日建学院・講師陣の必勝コメント

免許の要否に関する「用語の定義」の問題は、①「目的物が**宅地・建物**」である、②「**自ら貸借ではない**」、③「**不特定多数に反復継続**」していること、④「**国等による行為**ではない」の4点をチェックすれば、確実に解けます。

正答率	合格者	76.3 %
	不合格者	57.4 %

ア **正しい。自ら貸借 ➡ 宅建業の取引にあたらず、免許不要。**

 ＡもＢも自ら貸借する場合（転貸も含む）ですから、宅建業の「取引」に
あたらないので、いずれも**免許を受ける必要はありません。** ➡ 宅建業法2条

> **+α** 「自ら貸借」には、そもそも宅建業法が一切適用されません。「宅建業法の適用
> がある」と見せかける "ひっかけ" に注意しましょう。

イ **誤り。代理を依頼した本人 ➡ 「自ら売買」で、免許が必要。**

宅建業者が代理して分譲する場合でも、依頼者は自ら売主として宅建業に
該当する行為を行っているので、Ｄは、免許を受ける必要があります。

➡ 2条

ウ **誤り。不特定者から自ら購入 ➡ 免許が必要。**

転売目的で反復継続して宅地を購入する場合、買主Ｅは、免許を受ける必
要があります。売主が「国その他宅建業法の適用がない者」に限られてい
ても、不特定多数が相手方といえるからです。 ➡ 2条

エ **誤り。不特定多数の者に反復継続して自ら売却 ➡ 免許が必要。**

自己所有の宅地を10区画に区画割りして、不特定多数の者に反復継続して
売却する場合、Ｆは、免許を受ける必要があります。 ➡ 2条

よって、正しいものは**ア**1つのみであり、正解は**❶**となります。

攻略POINT 「取引」「業」とは ———————————————

業とは、「事業として」「**不特定多数を相手に、反復継続して**」行うこと
です。なお、「**自ら貸借**」は「**取引**」にあたらない点が、最大のポイントです。

（○＝取引にあたる、×＝あたらない）

取引	態様	売買	交換	貸借
	自ら	○	○	×
	代理	○	○	○
	媒介	○	○	○

【正解 ❶ 】

用語の定義

問題 **2**

次の記述のうち、宅地建物取引業の免許を要する業務が含まれるものはどれか。 [H30-問41]

❶ A社は、所有する土地を10区画にほぼ均等に区分けしたうえで、それぞれの区画に戸建住宅を建築し、複数の者に貸し付けた。

❷ B社は、所有するビルの一部にコンビニエンスストアや食堂など複数のテナントの出店を募集し、その募集広告を自社のホームページに掲載したほか、多数の事業者に案内を行った結果、出店事業者が決まった。

❸ C社は賃貸マンションの管理業者であるが、複数の貸主から管理を委託されている物件について、入居者の募集、貸主を代理して行う賃貸借契約の締結、入居者からの苦情・要望の受付、入居者が退去した後の清掃などを行っている。

❹ D社は、多数の顧客から、顧客が所有している土地に住宅や商業用ビルなどの建物を建設することを請け負って、その対価を得ている。

👆 **日建学院・講師陣の必勝コメント**

　本問は、これまでの「用語の定義」とは、**出題形式が少々異なる**ことに気づきましたか？　多くは「正誤を問うもの」であるのに対して、本問は「免許を要する業務が含まれるものはどれか」を聞く、**変則的な方式**です。しかしながら、問われていることは基本的な知識です。惑わされないようにしましょう。

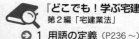

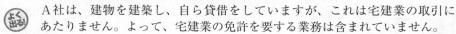

解 説

『どこでも！学ぶ宅建士』
第2編「宅建業法」
→ 1 用語の定義（P236〜）

❶ **含まれない。「自ら貸借」 ➡ 宅建業の取引にあたらない。**

A社は、建物を建築し、自ら貸借をしていますが、これは宅建業の取引にあたりません。よって、宅建業の免許を要する業務は含まれていません。

➡ 宅建業法2条

❷ **含まれない。「自ら貸借」 ➡ 宅建業の取引にあたらない。**

B社は、自ら貸借及びそのための広告をしていますが、これは宅建業の取引にあたりません。よって、宅建業の免許を要する業務は含まれていません。

➡ 2条

❸ **含まれる。貸借の代理 ➡ 宅建業の取引にあたる。**

C社は、貸主を代理して賃貸借契約の締結を行っていますが、これは貸借の代理であり、宅建業の取引にあたります。よって、宅建業の免許を要する業務が含まれています。

➡ 2条

❹ **含まれない。建物の建設の請負 ➡ 宅建業の取引にあたらない。**

D社は、建物の建設を請け負っていますが、これは宅建業の取引にあたりません。よって、宅建業の免許を要する業務は含まれていません。

➡ 2条

【**正解 ❸**】

用語の定義

用語の定義

<table>
<tr><td>問題</td><td>3</td></tr>
</table>

宅地建物取引業法に関する次の記述のうち、正しいものはいくつあるか。 [R2(12)-問44]

ア 宅地には、現に建物の敷地に供されている土地に限らず、将来的に建物の敷地に供する目的で取引の対象とされる土地も含まれる。

イ 農地は、都市計画法に規定する用途地域内に存するものであっても、宅地には該当しない。

ウ 建物の敷地に供せられる土地であれば、都市計画法に規定する用途地域外に存するものであっても、宅地に該当する。

エ 道路、公園、河川等の公共施設の用に供せられている土地は、都市計画法に規定する用途地域内に存するものであれば宅地に該当する。

❶ 一つ

❷ 二つ

❸ 三つ

❹ 四つ

日建学院・講師陣の必勝コメント

「正答率データ」によると、合格者と不合格者の差が大きい問題です。用途地域の内・外での「宅地」の判断が、合格・不合格の分かれ道です。「用途地域内の土地の原則」（**イ**）➡「例外」（**エ**）という流れで、知識を再確認しましょう。

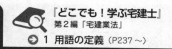

解　説

ア **正しい。将来建物の敷地となる土地➡宅地。**

　　広く建物の敷地に供する目的で取引される土地は、宅地に該当します。したがって、将来的に建物の敷地に供する目的で取引の対象とされる土地も、宅地に含まれます。　　　　　　　　　　➡ 宅建業法2条、宅建業法の解釈・運用の考え方

イ **誤り。用途地域内の土地➡原則、何でも宅地。**

　　用途地域内に所在すれば、農地であっても宅地に該当します。　　➡ 2条

ウ **正しい。建物の敷地に供せられる土地➡宅地。**

　　建物の敷地に供せられる土地は、宅地に該当します。用途地域外の土地でも、同様です。　　　　　　　　　　　　　　　　　　　　　　➡ 2条

エ **誤り。道路・公園・河川等➡宅地に該当しない。**

　　用途地域内の土地でも、道路・公園・河川などの用に供せられているものは、宅地に該当しません。　　　　　　　　　　　　　　　　　　➡ 2条

　　以上より、正しいものは**ア・ウ**の2つであり、❷が正解となります。

【正解 ❷】

 Check !

事務所

問題 4

宅地建物取引業法第３条第１項に規定する事務所（以下この問において「事務所」という。）に関する次の記述のうち、正しいものはどれか。 [R4-問26]

❶ 事務所とは、契約締結権限を有する者を置き、継続的に業務を行うことができる施設を有する場所を指すものであるが、商業登記簿に登載されていない営業所又は支店は事務所には該当しない。

❷ 宅地建物取引業を営まず他の兼業業務のみを営んでいる支店は、事務所には該当しない。

❸ 宅地建物取引業者は、主たる事務所については、免許証、標識及び国土交通大臣が定めた報酬の額を掲げ、従業者名簿及び帳簿を備え付ける義務を負う。

❹ 宅地建物取引業者は、その事務所ごとに一定の数の成年者である専任の宅地建物取引士を置かなければならないが、既存の事務所がこれを満たさなくなった場合は、30日以内に必要な措置を執らなければならない。

👉 **日建学院・講師陣の 必勝コメント**

❷の「宅建業を営まない支店が事務所にあたるか？」という知識は、実にH14年以来の出題でしたが、今や、どのテキストでも強調されている**基本**です。確実に正誤判断できるようにしましょう。

また、❸は、「事務所」ごとに必要な５点セット（「**標識・報酬額の掲示・従業者名簿・帳簿・専任の宅建士**」の５つで、「主たる事務所・従たる事務所」の両方で同じ扱い）を、正確に覚えていなければ簡単にひっかかってしまう、まさに**実力の差**が出る選択肢。あえて「主たる事務所」で出題したのは、勉強不足の受験者をムダに悩ませるためのイジワルです。

解 説
『どこでも！学ぶ宅建士』
第2編「宅建業法」
➡ 1 用語の定義（P241〜）

正答率　合格者 **85.8**%　不合格者 **53.4**%

❶ 誤り。**営業所 ➡ 商業登記簿への登載は要件ではない。**

事務所とは、①本店または支店（主たる事務所または従たる事務所）、②継続的に業務を行うことができる施設を有する場所で、宅建業に係る契約締結権限を有する使用人を置くものをいいます。そして、支店は、**商業登記簿等に登載**されている必要がありますが、営業所はその必要はありません。

➡ 宅建業法施行令1条の2、宅建業法の解釈・運用の考え方

❷ 正しい。**宅建業を営まない支店 ➡ 事務所に該当しない。**

宅建業を営む支店は事務所に該当しますが、**宅建業を営まない支店は事務所に該当しません。** ➡ 施行令1条の2、宅建業法の解釈・運用の考え方

❸ 誤り。**主たる事務所 ➡ 免許証の設置義務はない。**

宅建業者は、事務所ごとに、標識および報酬の額を掲示し、従業者名簿および帳簿を設置する義務を負います。しかし、主たる事務所であっても、「免許証」の掲示義務はありません。 ➡ 宅建業法50条、46条、48条、49条

❹ 誤り。**2週間以内に必要な措置を執る必要がある。**

宅建業者は、その事務所ごとに、当該事務所において宅建業者の業務に従事する者の数の「**5人に1人以上**」の割合で、**成年者である専任の宅建士**を置かなければなりません。これに抵触するに至ったときは、**2週間以内に必要な措置を執る**必要があります。 ➡ 31条の3、施行規則15条の5の3

【正解 ❷】

免許の基準

問題 **5**

宅地建物取引業の免許（以下この問において「免許」という。）に関する次の記述のうち、宅地建物取引業法の規定によれば、正しいものはどれか。 [H25-問26]

❶ 宅地建物取引業者Ａ社の代表取締役が、道路交通法違反により罰金の刑に処せられたとしても、Ａ社の免許は取り消されることはない。

❷ 宅地建物取引業者Ｂ社の使用人であって、Ｂ社の宅地建物取引業を行う支店の代表者が、刑法第222条（脅迫）の罪により罰金の刑に処せられたとしても、Ｂ社の免許は取り消されることはない。

❸ 宅地建物取引業者Ｃ社の非常勤役員が、刑法第208条の２（凶器準備集合及び結集）の罪により罰金の刑に処せられたとしても、Ｃ社の免許は取り消されることはない。

❹ 宅地建物取引業者Ｄ社の代表取締役が、法人税法違反により懲役の刑に処せられたとしても、執行猶予が付されれば、Ｄ社の免許は取り消されることはない。

👉 日建学院・講師陣の必勝コメント

「政令で定める使用人」とは、「事務所の代表者で、契約を締結する権限を有する使用人」のことですが、**いわゆる支店長**をイメージすればよいでしょう。
「組織で重要なポストを占める支店長が欠格要件に該当すると、その法人自体が**免許を受けられない**」というアタリがつくはずです。

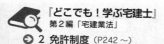

解説

『どこでも！学ぶ宅建士』
第2編「宅建業法」
● 2 免許制度（P242〜）

	合格者	97.1 %
正答率	不合格者	89.3 %

❶ 正しい。道路交通法違反 ➡ 罰金刑であれば免許可。

法人である宅建業者の役員が免許欠格事由に該当した場合、その宅建業者は免許を取り消されます。しかし、罰金刑は、①宅建業法違反、②傷害罪・暴行罪等の暴力的な一定の犯罪、③背任罪の3つによる場合だけが、免許欠格となります。したがって、その役員が道路交通法違反により罰金刑に処せられても、A社が免許を取り消されることはありません。

➡ 業法66条、5条

+α 「何の犯罪か」とは無関係に、**禁錮刑・懲役刑**を受けた場合には必ず**免許欠格**となります。

❷ 誤り。政令で定める使用人が免許欠格 ➡ 法人も欠格。

宅建業者の政令で定める使用人が免許欠格事由に該当した場合、その宅建業者は免許を取り消されます。したがって、その政令で定める使用人が脅迫の罪により罰金刑に処せられて免許欠格となると、B社は免許を取り消されます。

➡ 66条、5条

❸ 誤り。役員が免許欠格 ➡ 法人も欠格。

法人である宅建業者の役員が免許欠格事由に該当した場合、その宅建業者は免許を取り消されます。その役員が凶器準備集合及び結集の罪で罰金刑に処せられて免許欠格となると、C社は免許を取り消されます。役員が非常勤の場合でも、同様です。

➡ 66条、5条

❹ 誤り。執行猶予期間中 ➡ 免許欠格。

法人である宅建業者の役員が免許欠格事由に該当した場合、その宅建業者は免許を取り消されます。禁錮以上の刑に処せられたのであれば、たとえ刑の全部の執行猶予が付されたとしても、その役員は免許欠格となります。したがって、D社の免許は取り消されます。

➡ 66条、5条

攻略POINT 免許の欠格要件（犯罪者）

- すべての犯罪で禁錮・懲役の刑を受けた者
- 宅建業法違反・暴力的犯罪・背任罪で罰金刑を受けた者
  - ➡ 刑の執行を終わってから5年間は欠格
  - ➡ 刑の全部の執行猶予の場合は、執行猶予が満了すれば直ちに免許可
  - ➡ 控訴・上告中は免許可

【正解 **❶**】

免許の基準

免許の基準

宅地建物取引業の免許（以下この問において「免許」という。）に関する次の記述のうち、宅地建物取引業法の規定によれば、誤っているものはどれか。 [H27-問27改]

❶ A社は、不正の手段により免許を取得したことによる免許の取消処分に係る聴聞の期日及び場所が公示された日から当該処分がなされるまでの間に、合併により消滅したが、合併に相当の理由がなかった。この場合においては、当該公示の日の50日前にA社の取締役を退任したBは、当該消滅の日から5年を経過しなければ、免許を受けることができない。

❷ C社の政令で定める使用人Dは、刑法第234条（威力業務妨害）の罪により、懲役1年、刑の全部の執行猶予2年の刑に処せられた後、C社を退任し、新たにE社の政令で定める使用人に就任した。この場合においてE社が免許を申請しても、Dの刑の全部の執行猶予の期間が満了していなければ、E社は免許を受けることができない。

❸ 営業に関し成年者と同一の行為能力を有しない未成年者であるFの法定代理人であるGが、刑法第247条（背任）の罪により罰金の刑に処せられていた場合、その刑の執行が終わった日から5年を経過していなければ、Fは免許を受けることができない。

❹ H社の取締役Iが、暴力団員による不当な行為の防止等に関する法律に規定する暴力団員に該当することが判明し、宅地建物取引業法第66条第1項第3号の規定に該当することにより、H社の免許は取り消された。その後、Iは退任したが、当該取消しの日から5年を経過しなければ、H社は免許を受けることができない。

解説　

『どこでも！学ぶ宅建士』
第２編「宅建業法」
→ 2 免許制度（P242〜）

正答率	合格者	51.9 %
	不合格者	22.2 %

❶ **正しい。相当の理由なく法人が合併消滅 ➡ 役員も５年間免許欠格。**
不正の手段による免許取得等による免許取消処分の聴聞の期日・場所が公示された日から処分をする等の日までの間に、当該法人が相当の理由なく合併により消滅した場合、聴聞の公示の日前60日以内に当該法人の役員であった者は、当該消滅の日から５年を経過しなければ、免許を受けることができません。
➡ 業法5条

❷ **正しい。政令で定める使用人が免許欠格 ➡ 法人も欠格。**
法人でその役員または政令で定める使用人のうちに欠格事由に該当する者のあるものは、免許を受けることができません。禁錮以上の刑に処せられている場合は、刑の全部の執行猶予の期間が満了していなければ、免許の欠格にあたります。
➡ 5条

❸ **正しい。法定代理人が免許欠格 ➡ 行為能力のない未成年者も欠格。**
営業に関し成年者と同一の行為能力を有しない未成年者で、その法定代理人が欠格事由に該当するものは、免許を受けることができません。そして、背任罪により罰金の刑に処せられ、５年を経過していないことは免許の欠格にあたります。
➡ 5条

❹ **誤り。免許欠格の役員が退任 ➡ 法人は即、免許を受けられる。**
法人で、その役員または政令で定める使用人のうちに欠格事由に該当する者がいる場合は、免許を受けることができません。暴力団員または暴力団員でなくなった日から５年を経過しない者は、免許の欠格にあたります。しかし、その**免許欠格の役員**が**退任**すれば、当該法人は、**直ちに免許を受ける**ことができます。
➡ 5条参照

攻略POINT 免許の欠格要件（法人と役員）
❶に関連して、免許取消処分の聴聞の公示日から一定の日までの間に相当の理由なく合併消滅した法人において、聴聞の公示日前60日以内に「役員」だった者は、消滅の日から５年を経過しなければ、免許を受けることができません。

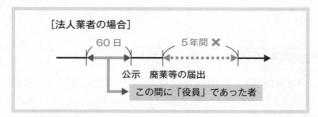

【正解 ❹】

□□□ ✏️ Check!

免許総合

問題 **7**

次の記述のうち、宅地建物取引業法の規定によれば、誤っているものはどれか。

[H16-問32改]

❶ 宅地建物取引業者個人Ａ（甲県知事免許）が死亡した場合、Ａの相続人は、Ａの死亡の日から30日以内に、その旨を甲県知事に届け出なければならない。

❷ 宅地建物取引業者Ｂ社（乙県知事免許）の政令で定める使用人Ｃが本籍地を変更した場合、Ｂ社は、その旨を乙県知事に届け出る必要はない。

❸ 宅地建物取引業の免許の有効期間は５年であり、免許の更新の申請は、有効期間満了の日の90日前から30日前までに行わなければならない。

❹ 宅地建物取引業者Ｄ社（丙県知事免許）の監査役の氏名について変更があった場合、Ｄ社は、30日以内に、当該変更に係る事項を記載した届出書を丙県知事に提出しなければならない。

👆 **日建学院・講師陣の必勝コメント**

　法人の場合の業者名簿には、「役員・政令で定める使用人・専任の宅建士」の氏名が登載されますが、その三者の「住所・本籍・生年月日等は登載されない」点に注意しましょう。

『どこでも！学ぶ宅建士』
第2編「宅建業法」
→ 2 免許制度（P251〜）

❶ 誤り。死亡 ➡ 相続人が「知った日」から30日以内に届出。

宅建業者が死亡した場合、その相続人は、死亡したことを「知った日」から30日以内に免許権者に届け出なければなりません。「死亡の日」からではありません。 ➡ 業法11条

❷ 正しい。政令使用人の氏名の変更 ➡ 届出必要、本籍変更 ➡ 届出不要。

宅建業者は、その政令で定める使用人の氏名が変更した場合は、30日以内に、変更に係る事項を記載した届出書を、免許権者に提出しなければなりません（変更の届出）。しかし、「本籍地」が変更した場合は、届出は不要です。 ➡ 9条、4条

❸ 正しい。更新の申請 ➡ 有効期間の満了日の90日前から30日前。

宅建業の免許の有効期間は、5年です。そして、更新の申請は、有効期間満了の日の90日前から30日前までに行わなければなりません。
➡ 3条、規則3条

❹ 正しい。役員の氏名の変更 ➡ 30日以内に届出必要。

監査役（一定の株式会社で、取締役などの職務の執行を第三者的立場から監査する役員のこと）は、「役員」にあたります。宅建業者は、役員の氏名が変更した場合は、30日以内に、変更に係る事項を記載した届出書を免許権者に提出しなければなりません（変更の届出）。 ➡ 業法9条、4条

【正解 ❶】

免許総合

問題 8

宅地建物取引業の免許（以下この問において「免許」という。）に関する次の記述のうち、正しいものはどれか。

[H23-問26]

❶ 宅地建物取引業を営もうとする者は、同一県内に2以上の事務所を設置してその事業を営もうとする場合にあっては、国土交通大臣の免許を受けなければならない。

❷ Aが、B社が甲県に所有する1棟のマンション（20戸）を、貸主として不特定多数の者に反復継続して転貸する場合、Aは甲県知事の免許を受けなければならない。

❸ C社が乙県にのみ事務所を設置し、Dが丙県に所有する1棟のマンション（10戸）について、不特定多数の者に反復継続して貸借の代理を行う場合、C社は乙県知事の免許を受けなければならない。

❹ 宅地建物取引業を営もうとする者が、国土交通大臣又は都道府県知事から免許を受けた場合、その有効期間は、国土交通大臣から免許を受けたときは5年、都道府県知事から免許を受けたときは3年である。

解 説

『どこでも！学ぶ宅建士』
第2編「宅建業法」

→ 2 免許制度（P242～）

❶ **誤り。同一県内での2以上の事務所設置 ➡ 所在地管轄知事の免許。**

　宅建業を営もうとする者は、2以上の都道府県の区域内に事務所を設置してその事業を営もうとする場合にあっては国土交通大臣の、1の都道府県の区域内にのみ事務所を設置してその事業を営もうとする場合にあっては当該事務所の所在地を管轄する都道府県知事の免許を受けなければなりません。したがって、同一県内であれば、事務所が複数であっても当該都道府県の知事の免許を受けることとなります。　　　　　　　　　➡ 業法3条

❷ **誤り。自ら貸借 ➡ 宅建業にあたらず、免許不要。**

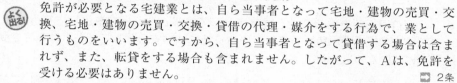

　免許が必要となる宅建業とは、自ら当事者となって宅地・建物の売買・交換、宅地・建物の売買・交換・貸借の代理・媒介をする行為で、業として行うものをいいます。ですから、自ら当事者となって貸借する場合は含まれず、また、転貸をする場合も含まれません。したがって、Aは、免許を受ける必要はありません。　　　　　　　　　➡ 2条

❸ **正しい。免許権者 ➡ 事務所の所在地で決まる。**

　1の都道府県の区域内にのみ事務所を設置してその事業を営もうとする場合は、その事務所の所在地を管轄する都道府県知事の免許を受けることが必要です。本肢では、事務所があるのは乙県のみですから、C社は、乙県知事の免許を受けることとなります。　　　　　　　　　➡ 3条

❹ **誤り。免許の有効期間 ➡ 5年間。**

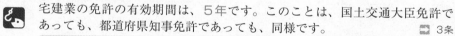

　宅建業の免許の有効期間は、5年です。このことは、国土交通大臣免許であっても、都道府県知事免許であっても、同様です。　　　　　➡ 3条

> **+α**「免許の更新は、免許の有効期間満了の日の90日前から30日前までの間に申請しなければなりません。

【**正解 ❸**】

免許総合

宅地建物取引業の免許（以下この問において「免許」という。）に関する次の記述のうち、正しいものはどれか。　　[H24-問27]

❶　免許を受けていた個人Aが死亡した場合、その相続人Bは、死亡を知った日から30日以内にその旨をAが免許を受けた国土交通大臣又は都道府県知事に届け出なければならない。

❷　Cが自己の所有する宅地を駐車場として整備し、賃貸を業として行う場合、当該賃貸の媒介を、免許を受けているD社に依頼するとしても、Cは免許を受けなければならない。

❸　Eが所有するビルを賃借しているFが、不特定多数の者に反復継続して転貸する場合、Eは免許を受ける必要はないが、Fは免許を受けなければならない。

❹　G社（甲県知事免許）は、H社（国土交通大臣免許）に吸収合併され、消滅した。この場合、H社を代表する役員Iは、当該合併の日から30日以内にG社が消滅したことを国土交通大臣に届け出なければならない。

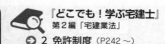

解説

『どこでも！学ぶ宅建士』
第2編「宅建業法」
➡ 2 免許制度（P242～）

正答率	合格者	95.5 %
	不合格者	80.5 %

❶ **正しい。死亡 ➡ 相続人が、死亡の事実を知った日から30日以内に届出。**

宅建業者が死亡した場合、その相続人は、死亡の事実を知った日から30日以内に、その旨を免許権者に届け出なければなりません。　　　　➡ 業法11条

> **+α** 個人である宅建業者が**死亡**した場合、免許は「届出の時」ではなく、「死亡の時」に失効します。

❷ **誤り。自ら貸借 ➡ 宅建業にあたらず、免許不要。**

自己の所有する土地を駐車場として整備し、賃貸を業として行うことは、「自ら貸借」にあたります。宅地・建物を自ら貸借することは、宅建業の「取引」にあたらないため、宅建業となりません。したがって、Cは、免許を受ける必要はありません。賃貸の媒介を、免許を受けているD社に依頼するか否かは関係ありません。　　　　➡ 2条、3条

❸ **誤り。転貸 ➡ 宅建業にあたらず、免許不要。**

他人の所有する建物を借り上げ、転貸する場合も、自ら貸借であることに変わりはありません。したがって、自己の所有するビルを賃貸するEも、Eからビルを賃借して不特定多数の者に反復継続して転貸するFも、宅建業の免許を受ける必要はありません。　　　　➡ 2条、3条

❹ **誤り。合併消滅 ➡ 消滅した法人の代表役員であった者が届出。**

法人である宅建業者が吸収合併により消滅した場合には、消滅した法人の代表役員であった者が、当該合併の日から30日以内に、その旨を免許権者に届け出なければなりません。したがって、G社の代表役員であった者が甲県知事に届け出るのであって、存続会社であるH社を代表する役員Iが国土交通大臣に届け出るのではありません。　　　　➡ 11条

> **+α** 法人である宅建業者が**合併消滅**した場合、免許は「届出の時」ではなく、「合併消滅の時」に失効します。

免許総合

【正解 ❶】

免許総合

問題 **10**

宅地建物取引業の免許（以下この問において「免許」という。）に関する次の記述のうち、宅地建物取引業法の規定によれば、正しいものはどれか。 [H29-問44]

❶ 宅地建物取引業者Ａ社が免許を受けていないＢ社との合併により消滅する場合、存続会社であるＢ社はＡ社の免許を承継することができる。

❷ 個人である宅地建物取引業者Ｃがその事業を法人化するため、新たに株式会社Ｄを設立しその代表取締役に就任する場合、Ｄ社はＣの免許を承継することができる。

❸ 個人である宅地建物取引業者Ｅ（甲県知事免許）が死亡した場合、その相続人は、Ｅの死亡を知った日から30日以内に、その旨を甲県知事に届け出なければならず、免許はその届出があった日に失効する。

❹ 宅地建物取引業者Ｆ社（乙県知事免許）が株主総会の決議により解散することとなった場合、その清算人は、当該解散の日から30日以内に、その旨を乙県知事に届け出なければならない。

👆 日建学院・講師陣の必勝コメント

　合格者と不合格者の差が大きい問題。しかしながら、合格者にとって❶❸の典型的なひっかけは、"種明かしされた手品" のごとし！　この機会に、宅建試験での「お約束」として、頭に入れておきましょう。

❶ 誤り。**業者が合併で消滅 ➡ 存続会社は免許の承継不可。**

宅建業を営もうとする者は、免許を受けなければなりません。会社が異なれば法律上別人格ですから、宅建業者が合併により消滅する場合、存続会社であっても免許を承継することはできません。　➡ 業法3条、11条

❷ 誤り。**業者である個人が法人を設立 ➡ 法人は免許の承継不可。**

宅建業を営もうとする者は、免許を受けなければなりません。個人と法人は法律上別人格ですから、宅建業者である個人が会社を設立してその代表取締役に就任しても、その会社が個人の免許を承継することはできません。　➡ 3条

❸ 誤り。**免許 ➡ 死亡した日に失効。**

個人である宅建業者が死亡した場合、その相続人は、宅建業者の死亡を知った日から30日以内に、その旨を免許権者に届け出なければなりません。この場合、免許は、死亡した日に失効します。　➡ 11条

❹ 正しい。**解散 ➡ 清算人が30日以内に届出。**

法人である宅建業者が総会の決議など合併及び破産手続開始の決定以外の理由により解散することとなった場合、その清算人は、当該解散の日から30日以内に、その旨を免許権者に届け出なければなりません。　➡ 11条

攻略POINT 廃業等の届出（❶❷❸）

事　由	届出義務者	届出期間	免許失効の時点
死　亡	相続人	知った日から30日以内	死亡または合併消滅の時
合併消滅	消滅法人の代表役員であった者	30日以内	
破産手続き開始の決定	破産管財人		届出の時
法人が解散	清算人		
宅建業を廃止	個人・代表役員		

【正解 ❹】

 ■ ■ ■ ✎ Check !

重要ランク
S

| 問題 11 | 宅地建物取引業の免許（以下この問において「免許」という。）に関する次の記述のうち、宅地建物取引業法の規定によれば、正しいものはどれか。 [H30-問36改] |

❶ 宅地建物取引業者Ａが免許の更新の申請を行った場合において、免許の有効期間の満了の日までにその申請について処分がなされないときは、Ａの従前の免許は、有効期間の満了によりその効力を失う。

❷ 甲県に事務所を設置する宅地建物取引業者Ｂ（甲県知事免許）が、乙県所在の宅地の売買の媒介をする場合、Ｂは国土交通大臣に免許換えの申請をしなければならない。

❸ 宅地建物取引業を営もうとする個人Ｃが、懲役の刑に処せられ、その刑の執行を終えた日から５年を経過しない場合、Ｃは免許を受けることができない。

❹ いずれも宅地建物取引士ではないＤとＥが宅地建物取引業者Ｆ社の取締役に就任した。Ｄが常勤、Ｅが非常勤である場合、Ｆ社はＤについてのみ、役員の変更について記載した届出書を免許権者に提出しなければならない。

解 説

『どこでも！学ぶ宅建士』
第2編「宅建業法」
➡ 2 免許制度（P242〜）

❶ **誤り。免許 ➡ 有効期間満了後も処分がされるまでは、効力あり。**

宅建業の免許の更新の申請があった場合において、有効期間の満了の日までにその申請について処分がされないときは、従前の免許は、有効期間の満了後もその処分がなされるまでの間は、効力を有します。有効期間の満了により失効することはありません。　　　　　　　　　　　　　　➡ 業法3条

❷ **誤り。免許権者 ➡ 事務所の設置場所で決まる。**

宅建業の免許権者は、その宅建業者の事務所の設置場所で決まります。2以上の都道府県の区域内に事務所を設置する場合は国土交通大臣の、1の都道府県の区域内にのみ事務所を設置する場合は、その**都道府県知事の免許**を受ける必要があります。本肢の「乙県所在の宅地の売買の媒介をする場合」は、免許権者に変更はありませんので、免許換えの申請は不要です。　　　　　　　　　　　　　　　　　　　　　　　　　➡ 3条

❸ **正しい。禁錮以上の刑 ➡ 5年間は免許不可。**

禁錮以上の刑に処せられ、その刑の執行を終わり、または執行を受けることがなくなった日から**5年**を経過しない者は、宅建業の免許を受けることができません。懲役は、禁錮以上の刑に当たります。　　　　　　　➡ 5条

❹ **誤り。非常勤の役員であっても、氏名が変更したら「変更の届出」が必要。**

法人である宅建業者の役員及び政令で定める使用人の氏名に変更があった場合は、30日以内に、変更に係る事項を記載した届出書を、免許権者に提出しなければなりません（変更の届出）。

ここでいう「役員」には、非常勤の役員も含まれます。したがって、Dだけでなく、Eについても変更の届出をする必要があります。　➡ 9条、4条

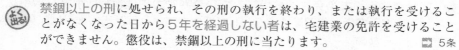

【正解 ❸】

問題 **12** 宅地建物取引業法に関する次の記述のうち、正しいものはどれか。 [R元-問26]

❶ 宅地建物取引業者は、自己の名義をもって、他人に、宅地建物取引業を営む旨の表示をさせてはならないが、宅地建物取引業を営む目的をもってする広告をさせることはできる。

❷ 宅地建物取引業とは、宅地又は建物の売買等をする行為で業として行うものをいうが、建物の一部の売買の代理を業として行う行為は、宅地建物取引業に当たらない。

❸ 宅地建物取引業の免許を受けていない者が営む宅地建物取引業の取引に、宅地建物取引業者が代理又は媒介として関与していれば、当該取引は無免許事業に当たらない。

❹ 宅地建物取引業者の従業者が、当該宅地建物取引業者とは別に自己のために免許なく宅地建物取引業を営むことは、無免許事業に当たる。

日建学院・講師陣の必勝コメント

出題頻度はさほど高くない「**無免許事業**」ですが、内容は基本的な問題です。基本テキスト等で確認しておきましょう。

解 説 『どこでも！学ぶ宅建士』
第2編「宅建業法」
➡ 1 用語の定義（P236〜）、2 免許制度（P242〜）

正答率	合格者	97.3 %
	不合格者	85.2 %

❶ 誤り。**他人に自己の名義で広告させてはならない。**

 宅建業者は、自己の名義をもって、他人に宅建業を営ませてはなりません。また、宅建業者は、**自己の名義をもって、他人に、宅建業を営む旨の表示をさせ、または宅建業を営む目的による広告をさせてはなりません。**

➡ 宅建業法13条

❷ 誤り。**「建物」➡ "建物の一部"を含む。**

宅建業とは、宅地・建物（建物の一部を含む）の売買・交換または宅地・建物の売買・交換・貸借の代理・媒介をする行為で業として行うものをいいますが、この「建物」には、建物の一部も含みます。 ➡ 2条

❸ 誤り。**宅建業者が媒介・代理をしていても免許が必要。**

 宅建業を行う場合には、免許を受ける必要があります。これは、宅建業者が代理または媒介として関与していても、同様です。この宅建業の免許を受けない者は、宅建業を営んではなりません。したがって、**免許を受けていない者が業として行う宅地建物取引に**宅建業者が代理または媒介として関与したとしても、当該取引は無免許事業に該当します。

➡ 2条、3条、12条、宅建業法の解釈・運用の考え方

❹ 正しい。**宅建業者とその従業者は、別の主体。**

宅建業者とその従業者は、**法律上別の主体**となります。したがって、従業者が宅建業を行う場合には、宅建業者とは別に免許を受ける必要があり、免許を受けない場合には、無免許事業となります。 ➡ 宅建業法2条、3条、12条

【正解 ❹ 】

宅建士制度総合

問題 13　宅地建物取引業法（以下この問において「法」という。）に規定する宅地建物取引士及び宅地建物取引士証（以下この問において「取引士証」という。）に関する次の記述のうち、正しいものはどれか。　[H23-問28]

❶　宅地建物取引業者は、20戸以上の一団の分譲建物の売買契約の申込みのみを受ける案内所を設置し、売買契約の締結は事務所で行う場合、当該案内所には専任の宅地建物取引士を置く必要はない。

❷　未成年者は、成年者と同一の行為能力を有していたとしても、成年に達するまでは宅地建物取引士の登録を受けることができない。

❸　宅地建物取引士は、法第35条の規定による重要事項説明を行うにあたり、相手方から請求があった場合にのみ、取引士証を提示すればよい。

❹　宅地建物取引士資格試験に合格した日から1年以内に取引士証の交付を受けようとする者は、登録をしている都道府県知事の指定する講習を受講する必要はない。

👨‍🏫 日建学院・講師陣の必勝コメント

合格者と不合格者の差が大きい問題。❹のように「数字が肢の正誤を決める」場合、実力の差がはっきりと表れます。数字の正確な暗記を心がけましょう。そうすれば、❶❷あたりで悩むことはないはずです。

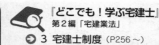

解説

❶ **誤り。契約等をする案内所 ➡ 1人以上の専任の宅建士が必要。**

契約を締結し、または契約の申込みを受ける案内所には、成年者である専任の宅建士の設置が必要です。　　　➡ 業法31条の3、規則15条の5の2、15条の5の3

❷ **誤り。成年者と同一の行為能力を有する未成年者は、登録可。**

宅建業に係る営業に関し、成年者と同一の行為能力を有しない未成年者は、登録を受けることができません。しかし、同一の行為能力を有するのであれば、他の欠格事由に該当しない限り、登録を受けられます。　　➡ 業法18条

❸ **誤り。重説の際は、請求がなくても必ず宅建士証を提示。**

宅建士は、取引の関係者から請求があったときは、宅建士証を提示しなければなりません。ただし、重要事項の説明を行う場合は、請求がなくても、宅建士証を提示しなければなりません。　　　　　　　　　➡ 22条の4、35条

> **＋α** 宅建士証の提示義務違反で罰則（10万円以下の過料）の適用があるのは、重要事項の説明を行う場合だけです。

❹ **正しい。試験合格から1年以内の申請 ➡ 知事の指定講習は不要。**

宅建士証の交付を受けようとする者は、登録をしている都道府県知事が指定する講習で、交付の申請前6ヵ月以内に行われるものを受講しなければなりません。ただし、試験に合格した日から1年以内に宅建士証の交付を受ける場合は、この講習を受ける必要はありません。　　　　➡ 22条の2

攻略POINT 宅建士証の返納等が必要な場合 ――――――

宅建士証の返納・提出・提示については、まとめて把握しておきましょう。

事　由	時　期	態　様	誰　に
① 登録が消除、または宅建士証が失効した	速やかに	返納	交付した知事
② 亡失した宅建士証を発見した			
③ 事務禁止処分を受けた		提出	
④ 取引の関係者から請求があった	請求時	提示	取引の関係者
⑤ 重要事項の説明の際	説明時		取引の相手方等

【正解 ❹】

宅建士制度総合

問題 14　次の記述のうち、宅地建物取引業法（以下この問において「法」という。）の規定によれば、正しいものはどれか。

[H29-問37]

❶　宅地建物取引士は、取引の関係者から請求があったときは、物件の買受けの申込みの前であっても宅地建物取引士証を提示しなければならないが、このときに提示した場合、後日、法第35条に規定する重要事項の説明をする際は、宅地建物取引士証を提示しなくてもよい。

❷　甲県知事の登録を受けている宅地建物取引士Aは、乙県に主たる事務所を置く宅地建物取引業者Bの専任の宅地建物取引士となる場合、乙県知事に登録を移転しなければならない。

❸　宅地建物取引士の登録を受けるには、宅地建物取引士資格試験に合格した者で、2年以上の実務の経験を有するもの又は国土交通大臣がその実務の経験を有するものと同等以上の能力を有すると認めたものであり、法で定める事由に該当しないことが必要である。

❹　宅地建物取引士は、取引の関係者から請求があったときは、従業者証明書を提示しなければならないが、法第35条に規定する重要事項の説明をする際は、宅地建物取引士証の提示が義務付けられているため、宅地建物取引士証の提示をもって、従業者証明書の提示に代えることができる。

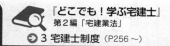

解　説

❶ 誤り。**重説の際は、宅建士証の提示が必要。**

宅建士は、取引の関係者から**請求**があったときは、宅建士証を提示しなければなりません。また、宅建士は、**重要事項の説明をするときは、説明の相手方に対し、宅建士証を提示しなければなりません**。取引の関係者から請求があったときに提示したからといって、重要事項の説明の際に提示をしなくてもよくなるわけではありません。 ➡ 業法22条の4、35条

❷ 誤り。**登録の移転 ➡ 任意。**

登録を受けている者は、当該登録をしている都道府県知事の管轄する都道府県以外の都道府県に所在する宅建業者の事務所の業務に従事し、または従事しようとするときは、当該事務所の所在地を管轄する都道府県知事に対し、登録の移転の申請をすることができます。登録の移転は義務ではありません。 ➡ 19条の2

❸ 正しい。「①合格＋②2年以上の実務経験等＋③欠格要件に非該当」 ➡ **登録可。**

宅建士の登録を受けるには、宅建士資格試験に合格した者で、2年以上の実務の経験を有するものまたは国土交通大臣がその実務の経験を有するものと同等以上の能力を有すると認めたものであり、**宅建業法で定める事由**（欠格事由）**に該当しないことが必要です。** ➡ 18条、規則13条の15

❹ 誤り。**宅建士証の提示で、従業者証明書の提示に代えることはできない。**

従業者は、取引の関係者から請求があったときは、従業者証明書を提示しなければなりません。これは、その宅建業者の業務に従業する者であることを証明するためのものですから、**宅建士証の提示をもって、従業者証明書の提示に代えることはできません。** ➡ 業法48条、35条

【**正解 ❸**】

宅建士制度総合

 Check!

重要ランク **A**

次の記述のうち、宅地建物取引業法（以下この問において「法」という。）の規定によれば、正しいものはどれか。

[H30-問42]

❶ 宅地建物取引士が死亡した場合、その相続人は、死亡した日から30日以内に、その旨を当該宅地建物取引士の登録をしている都道府県知事に届け出なければならない。

❷ 甲県知事の登録を受けている宅地建物取引士は、乙県に所在する宅地建物取引業者の事務所の業務に従事しようとするときは、乙県知事に対し登録の移転の申請をし、乙県知事の登録を受けなければならない。

❸ 宅地建物取引士は、事務禁止の処分を受けたときは宅地建物取引士証をその交付を受けた都道府県知事に提出しなくてよいが、登録消除の処分を受けたときは返納しなければならない。

❹ 宅地建物取引士は、法第37条に規定する書面を交付する際、取引の関係者から請求があったときは、専任の宅地建物取引士であるか否かにかかわらず宅地建物取引士証を提示しなければならない。

日建学院・講師陣の必勝コメント

「正答率データ」によると、合格者と不合格者の差が大きい問題です。❹で、「専任の宅建士であるか否かにかかわらず」というノイズに惑わされずに判断できたかがポイントです。

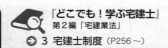

❶ **誤り。死亡 ➡ 死亡の事実を「知った日」から30日以内に届出。**

宅建士の登録を受けている者が死亡した場合、その相続人が、死亡の事実を「知った日」から30日以内に、登録をしている都道府県知事に届け出なければなりません。「死亡した日」から30日以内ではありません。

➡ 業法21条

❷ **誤り。登録の移転の申請 ➡ 任意。**

宅建士の登録を受けている者は、当該登録をしている都道府県知事の管轄する都道府県以外の都道府県に所在する宅建業者の事務所の業務に従事し、または従事しようとするときは、当該事務所の所在地を管轄する都道府県知事に対し、当該登録をしている都道府県知事を経由して、登録の移転の申請をすることができます。登録の移転の申請は「任意」であり、申請をしなければならないわけではありません。

➡ 19条の2

❸ **誤り。事務禁止処分 ➡ 提出、登録消除処分 ➡ 返納。**

宅建士は、事務禁止処分を受けたときは、速やかに、宅建士証をその交付を受けた都道府県知事に提出しなければなりません。また、登録が消除されたときまたは宅建士証が効力を失ったときは、速やかに、宅建士証をその交付を受けた都道府県知事に返納しなければなりません。

➡ 22条の2

❹ **正しい。取引の関係者から請求があれば、宅建士証を提示する。**

宅建士は、取引の関係者から請求があったときは、宅建士証を提示しなければなりません。これは、専任の宅建士であるか否かにかかわりありません。なお、37条書面の交付は、必ずしも宅建士が行う必要はありません。

➡ 22条の4

攻略POINT 死亡等の届出 ────────────────

前出「免許総合」での「廃業等の届出」と対比させながら覚えてください。

事　由	届出義務者	届出期間
死　亡	相続人	知った日から30日以内
心身の故障により宅建士の事務を適正に行うことができない者	本人・法定代理人・同居の親族	30日以内
破産手続開始の決定	本人	
欠格事由に該当した		

【正解 ❹】

宅建士制度総合

問題 16 宅地建物取引士の登録（以下この問において「登録」という。）及び宅地建物取引士証に関する次の記述のうち、宅地建物取引業法の規定によれば、正しいものはどれか。 [R2⑽-問34]

❶ 甲県で宅地建物取引士資格試験に合格した後1年以上登録の申請をしていなかった者が宅地建物取引業者（乙県知事免許）に勤務することとなったときは、乙県知事あてに登録の申請をしなければならない。

❷ 登録を受けている者は、住所に変更があっても、登録を受けている都道府県知事に変更の登録を申請する必要はない。

❸ 宅地建物取引士は、従事先として登録している宅地建物取引業者の事務所の所在地に変更があったときは、登録を受けている都道府県知事に変更の登録を申請しなければならない。

❹ 丙県知事の登録を受けている宅地建物取引士が、丁県知事への登録の移転の申請とともに宅地建物取引士証の交付の申請をした場合は、丁県知事から、移転前の宅地建物取引士証の有効期間が経過するまでの期間を有効期間とする新たな宅地建物取引士証が交付される。

解説　『どこでも！学ぶ宅建士』
第2編「宅建業法」
→ **3 宅建士制度**（P256～）

正答率	合格者	86.3 %
	不合格者	62.8 %

❶ 誤り。宅建士登録の申請 ➡ 任意。

宅建士登録の申請は任意であり、義務ではありません。なお、試験に合格した者が登録を受ける場合、当該試験を行った都道府県知事の登録を受けます。

➡ 業法18条

❷ 誤り。宅建士登録を受けた者の住所変更 ➡ 変更の登録が必要。

登録を受けている者は、その氏名、住所、本籍、勤務先の宅建業者の商号または名称・免許証番号等に変更が生じた場合には、変更の登録を申請しなければなりません。

➡ 20条、18条、規則14条の2の2

❸ 誤り。勤務先の事務所の所在地が変更 ➡ 変更の登録は不要。

勤務先の宅建業者の事務所に変更があった場合でも、変更の登録を申請する必要はありません。

➡ 20条、18条、規則14条の2の2

❹ 正しい。「新宅建士証の有効期間」＝「旧宅建士証の残存期間」。

登録の移転の申請とともに宅建士証の交付の申請があったときは、移転先の都道府県知事は、従前の宅建士証の有効期間が経過するまでの期間を有効期間とする宅建士証を交付しなければなりません。

➡ 22条の2

攻略POINT 登録の移転と宅建士証の交付 ─────────

登録の移転に伴う新たな宅建士証は、従前の宅建士証と引換えに交付され、有効期間は従前の宅建士証の残存期間となります。

A 県知事登録	·········➡	B 県知事登録
	登録の移転	
A 県知事の宅建士証	·········➡	B 県知事の宅建士証
（失効）		（有効期間が引き継がれる）

【正解 ❹】

営業保証金

宅地建物取引業者Ａ（甲県知事免許）は、甲県に本店と支店を設け、営業保証金として1,000万円の金銭と額面金額500万円の国債証券を供託し、営業している。この場合に関する次の記述のうち宅地建物取引業法の規定によれば、正しいものはどれか。

[H28-問40改]

❶ Ａは、本店を移転したため、その最寄りの供託所が変更した場合は、遅滞なく、移転後の本店の最寄りの供託所に新たに営業保証金を供託しなければならない。

❷ Ａは、営業保証金が還付され、営業保証金の不足額を供託したときは、供託書の写しを添附して、30日以内にその旨を甲県知事に届け出なければならない。

❸ 本店でＡと宅地建物取引業に関する取引をした者（宅地建物取引業者に該当する者を除く。）は、その取引により生じた債権に関し、1,000万円を限度としてＡからその債権の弁済を受ける権利を有する。

❹ Ａは、本店を移転したため、その最寄りの供託所が変更した場合において、従前の営業保証金を取りもどすときは、営業保証金の還付を請求する権利を有する者に対し、一定期間内に申し出るべき旨の公告をしなければならない。

🖐 日建学院・講師陣の必勝コメント

「正答率データ」によると、合格者と不合格者の差が大きい問題です。❶❹は、いずれも「**本店の移転でその最寄りの供託所が変更した場合**」に関する手続です。手続に関する出題では、断片的な知識は役に立ちませんので、"芋づる式"に思い出せるように、流れの中で整理・記憶しておきましょう。

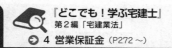

解 説

『どこでも！学ぶ宅建士』
第2編「宅建業法」
➡ 4 営業保証金（P272〜）

❶ 正しい。有価証券を含む供託 ➡ 移転後の新たな供託が必要。

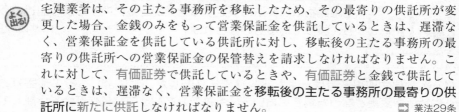

宅建業者は、その主たる事務所を移転したため、その最寄りの供託所が変更した場合、金銭のみをもって営業保証金を供託しているときは、遅滞なく、営業保証金を供託している供託所に対し、移転後の主たる事務所の最寄りの供託所への営業保証金の保管替えを請求しなければなりません。これに対して、有価証券で供託しているときや、有価証券と金銭で供託しているときは、遅滞なく、営業保証金を移転後の主たる事務所の最寄りの供託所に新たに供託しなければなりません。　　　　➡ 業法29条

❷ 誤り。営業保証金の不足額を供託 ➡ 2週間以内に届出が必要。

宅建業者は、営業保証金の不足額を供託したときは、その供託物受入れの記載のある供託書の写しを添付して、2週間以内に、その旨をその免許権者に届け出なければなりません。　　　　➡ 28条

❸ 誤り。取引した者 ➡ 営業保証金全額を限度として、弁済の権利を有する。

宅建業者と宅建業に関し取引をした者（宅建業者に該当する者を除く）は、その取引により生じた債権に関し、宅建業者が供託した営業保証金の全額を限度として、その債権の弁済を受ける権利を有しますので、本肢では1,500万円を限度として、その債権の弁済を受ける権利を有することになります。
➡ 27条

❹ 誤り。本店の移転による従前の営業保証金の取戻し ➡ 公告不要。

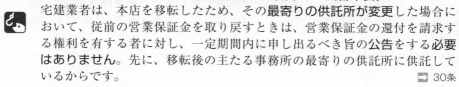

宅建業者は、本店を移転したため、その最寄りの供託所が変更した場合において、従前の営業保証金を取り戻すときは、営業保証金の還付を請求する権利を有する者に対し、一定期間内に申し出るべき旨の公告をする必要はありません。先に、移転後の主たる事務所の最寄りの供託所に供託しているからです。　　　　➡ 30条

【正解 ❶】

営業保証金

問題 **18** 宅地建物取引業法に規定する営業保証金に関する次の記述のうち、誤っているものはどれか。 [H29-問32]

❶ 宅地建物取引業者は、主たる事務所を移転したことにより、その最寄りの供託所が変更となった場合において、金銭のみをもって営業保証金を供託しているときは、従前の供託所から営業保証金を取り戻した後、移転後の最寄りの供託所に供託しなければならない。

❷ 宅地建物取引業者は、事業の開始後新たに事務所を設置するため営業保証金を供託したときは、供託物受入れの記載のある供託書の写しを添附して、その旨を免許を受けた国土交通大臣又は都道府県知事に届け出なければならない。

❸ 宅地建物取引業者は、一部の事務所を廃止し営業保証金を取り戻そうとする場合には、供託した営業保証金につき還付を請求する権利を有する者に対し、6月以上の期間を定めて申し出るべき旨の公告をしなければならない。

❹ 宅地建物取引業者は、営業保証金の還付があったために営業保証金に不足が生じたときは、国土交通大臣又は都道府県知事から不足額を供託すべき旨の通知書の送付を受けた日から2週間以内に、不足額を供託しなければならない。

日建学院・講師陣の**必勝コメント**

「正答率データ」によると、合格者のほとんどが正解しています。「この知識が正解肢なら絶対間違えてはならない」という出題の典型です。もし、誤ったなら、正解肢を中心に猛復習しましょう！

解 説

『どこでも！学ぶ宅建士』
第2編「宅建業法」
→ 4 営業保証金（P272～）

正答率	合格者	97.0 %
	不合格者	64.5 %

営業保証金

❶ 誤り。金銭のみで供託 ➡ 保管替え請求が必要。

宅建業者が、主たる事務所を移転したことにより、その最寄りの供託所が変更した場合、金銭のみをもって営業保証金を供託しているときは、現在営業保証金を供託している供託所に対して、移転後の主たる事務所の最寄りの供託所への保管替えを請求しなければなりません。　　　　➡ 業法29条

❷ 正しい。事務所を新設 ➡ 供託した旨の届出が必要。

宅建業者は、事業の開始後新たに事務所を設置したときは、営業保証金を供託しなければなりません。宅建業者は、この営業保証金を供託したときは、供託物受入れの記載のある供託書の写しを添付して、その旨を免許権者に届け出なければなりません。　　　　➡ 26条、25条

❸ 正しい。一部事務所の廃止による営業保証金の取戻し ➡ 公告が必要。

宅建業者は、一部の事務所を廃止し営業保証金を取り戻そうとする場合には、供託した営業保証金につき還付を請求する権利を有する者に対し、6ヵ月以上の期間を定めて申し出るべき旨の公告をしなければなりません。

➡ 30条

❹ 正しい。還付による不足額の供託 ➡ 通知を受けてから2週間以内。

宅建業者は、営業保証金の還付があったため、営業保証金が不足することとなったときは、免許権者から不足額を供託すべき旨の通知書の送付を受けた日から2週間以内に、不足額を供託しなければなりません。

➡ 28条、営業保証金規則5条

【正解 ❶】

営業保証金

問題 **19**	宅地建物取引業法に規定する営業保証金に関する次の記述のうち、正しいものはどれか。　　　[H30-問43]

❶　宅地建物取引業者は、免許を受けた日から3月以内に営業保証金を供託した旨の届出を行わなかったことにより国土交通大臣又は都道府県知事の催告を受けた場合、当該催告が到達した日から1月以内に届出をしないときは、免許を取り消されることがある。

❷　宅地建物取引業者に委託している家賃収納代行業務により生じた債権を有する者は、宅地建物取引業者が供託した営業保証金について、その債権の弁済を受けることができる。

❸　宅地建物取引業者は、宅地建物取引業の開始後1週間以内に、供託物受入れの記載のある供託書の写しを添附して、営業保証金を供託した旨を免許を受けた国土交通大臣又は都道府県知事に届け出なければならない。

❹　宅地建物取引業者は、新たに事務所を2か所増設するための営業保証金の供託について国債証券と地方債証券を充てる場合、地方債証券の額面金額が800万円であるときは、額面金額が200万円の国債証券が必要となる。

🖐️日建学院・講師陣の必勝コメント

　営業保証金の問題は、過去問の繰り返しが多いことが実感できたでしょうか。本番で失点すると命取りになりかねないところですので、何度も繰り返して解いてください。

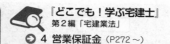

『どこでも！学ぶ宅建士』
第2編「宅建業法」

4 営業保証金 （P272〜）

正答率	合格者	94.0 %
	不合格者	69.5 %

営業保証金

❶ **正しい。届出の催告から1ヵ月以内に届出なし ➡ 免許取消し可。**

免許権者は、免許をした日から3ヵ月以内に宅建業者が営業保証金を供託した旨の届出をしないときは、その届出をすべき旨の**催告**をしなければなりません。そして、催告が到達した日から1ヵ月以内に宅建業者が営業保証金を供託した旨の届出をしないときは、その**免許を取り消す**ことができます。
　　　　　　　　　　　　　　　　　　　　　　　　　　　　　➡ 業法25条

❷ **誤り。宅建業に関する取引のみが、還付の対象。**

宅建業者と宅建業に関し取引をした者（宅建業者を除く）は、その**取引により生じた債権**に関し、宅建業者が供託した営業保証金について、その債権の弁済を受ける権利を有します。しかし、「家賃収納代行業務」は、宅建業に関する取引に該当しないため、還付の対象となりません。　　➡ 27条

❸ **誤り。「供託」＋「届出」 ➡ はじめて宅建業の事業開始。**

宅建業者は、営業保証金を供託した旨の届出した後でなければ、**事業を開始**することができません。宅建業の開始後ではありません。　　➡ 25条

❹ **誤り。地方債証券 ➡ 額面の90%で評価。**

営業保証金の額は、主たる事務所につき1,000万円、その他の事務所につき事務所ごとに500万円の割合による金額の合計額です。本肢では、その他の事務所が2つ増えるため、1,000万円の営業保証金が必要となります。そして、有価証券で供託をする場合、**国債証券**はその**額面**で評価されますが、**地方債証券**は**額面の90%**で評価されます。

したがって、地方債証券の額面が800万円である場合、「800万円×90％＝720万円」と評価されるため、額面金額が「280万円」の国債証券が必要となります。　　　　　　　　　　　➡ 26条、25条、施行令2条の4、規則15条

攻略POINT 営業保証金の供託に関するポイント（❸❹）

供 託 額	本店　1,000万円 支店　500万円 ｝有価証券も可	
供 託	本店の最寄りの供託所へ一括して供託	
手続の流れ	供託 ➡ 供託した旨の届出 ➡ 業務開始	
事務所の増設時	供託し、その旨を届け出ないと、その事務所で業務を開始できない	

　　　　　　　　　　　　　　　　　　　　　　　　　　　　　【正解 ❶】

営業保証金

<table>
<tr><td>問題 20</td><td>宅地建物取引業者A（甲県知事免許）の営業保証金に関する次の記述のうち、宅地建物取引業法の規定によれば、正しいものはどれか。 [R2⑽-問35]</td></tr>
</table>

❶ Aから建設工事を請け負った建設業者は、Aに対する請負代金債権について、営業継続中のAが供託している営業保証金から弁済を受ける権利を有する。

❷ Aが甲県内に新たに支店を設置したときは、本店の最寄りの供託所に政令で定める額の営業保証金を供託すれば、当該支店での事業を開始することができる。

❸ Aは、営業保証金の還付により、営業保証金の額が政令で定める額に不足することとなったときは、甲県知事から不足額を供託すべき旨の通知書の送付を受けた日から2週間以内にその不足額を供託しなければならない。

❹ Aが甲県内に本店及び2つの支店を設置して宅地建物取引業を営もうとする場合、供託すべき営業保証金の合計額は1,200万円である。

解説　『どこでも！学ぶ宅建士』
第2編「宅建業法」
➡ 4 営業保証金（P272〜）

正答率	合格者	95.1 %
	不合格者	73.1 %

❶ 誤り。還付の対象 ➡ 宅建業の取引により生じた債権のみ。

　宅建業者と宅建業に関し取引をした者（宅建業者を除く）は、その取引により生じた債権に関し、宅建業者が供託した営業保証金について、その債権の弁済を受ける権利を有します。建設工事の請負代金債権は、宅建業の取引により生じた債権ではないため、還付の対象ではありません。

➡ 業法27条

❷ 誤り。「供託」＋「届出」➡ 新設事務所で事業開始。

　宅建業者は、事業の開始後新たに事務所を設置したときは、主たる事務所の最寄りの供託所に営業保証金を供託しなければなりません。営業保証金を供託したときは、その旨を免許権者に届け出なければなりません。宅建業者は、この届出をした後でなければ、**新設事務所で事業を開始できません**。

➡ 26条、25条

❸ 正しい。還付によって不足 ➡ 通知を受けてから2週間以内に供託。

　宅建業者は、営業保証金の還付があったため、営業保証金が不足することとなったときは、免許権者から不足額を供託すべき旨の通知書の送付を受けた日から2週間以内に、その不足額を供託しなければなりません。

➡ 28条、営業保証金規則5条

> **+α** 宅建業者は、不足額を供託したときは、「2週間以内」に、その旨を免許権者に届け出なければなりません。

❹ 誤り。供託額 ➡ 「1,000万円」＋「500万円×支店の数」

　宅建業者が供託をしなければならない営業保証金の額は、**主たる事務所につき1,000万円**、その他の事務所につき事務所ごとに**500万円**の割合による金額の合計額です。したがって、本店と2つの支店を設置する場合、「1,000万円＋500万円×2＝2,000万円」を供託する必要があります。

➡ 25条、施行令2条の4

【正解 ❸】

営業保証金

営業保証金

<table>
<tr><td>問題 21</td><td>宅地建物取引業者Ａ（甲県知事免許）の営業保証金に関する次の記述のうち、宅地建物取引業法の規定によれば、正しいものはいくつあるか。なお、Ａは宅地建物取引業保証協会の社員ではないものとする。
[R5-問30]</td></tr>
</table>

ア Ａが免許を受けた日から６か月以内に甲県知事に営業保証金を供託した旨の届出を行わないとき、甲県知事はその届出をすべき旨の催告をしなければならず、当該催告が到達した日から１か月以内にＡが届出を行わないときは、その免許を取り消すことができる。

イ Ａは、営業保証金を供託したときは、その供託物受入れの記載のある供託書の写しを添付して、その旨を甲県知事に届け出なければならず、当該届出をした後でなければ、その事業を開始することができない。

ウ Ａは、営業保証金が還付され、甲県知事から営業保証金が政令で定める額に不足が生じた旨の通知を受け、その不足額を供託したときは、30日以内に甲県知事にその旨を届け出なければならない。

エ Ａが免許失効に伴い営業保証金を取り戻す際、供託した営業保証金につき還付を受ける権利を有する者に対し、３か月を下らない一定期間内に申し出るべき旨を公告し、期間内にその申出がなかった場合でなければ、取り戻すことができない。

❶ 一つ

❷ 二つ

❸ 三つ

❹ 四つ

🐝 日建学院・講師陣の必勝コメント

　ア・ウ・エの「数字」（３・２・６）を覚えているかどうかで、**勝負が決まる問題**です。

　宅建業法は、法令上の制限と並んで "数字・命" の分野です。間違って痛い目に遭い、反省するたびに、知識の精度をどんどん上げていきましょう！

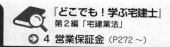

『どこでも！学ぶ宅建士』
第2編「宅建業法」
4 営業保証金（P272～）

解 説

正答率　合格者 **87.3** %　不合格者 **49.0** %

ア 誤り。**3ヵ月以内に営業保証金供託の届出なし ➡ 催告必要。**

　　免許権者（本問では甲県知事）は、免許をした日から3ヵ月以内に宅建業者が営業保証金を供託した旨の届出をしない場合、届出をすべき旨の催告をしなければなりません。「6ヵ月以内」ではありません。

　　なお、後半の「催告が到達した日から1ヵ月以内に宅建業者が営業保証金を供託した旨の届出をしないとき、免許権者は、免許の取消しができる」という内容は、正しい記述です。

➡ 宅建業法25条

イ 正しい。**事業開始 ➡ 「営業保証金を供託した旨」を届け出た後。**

　　宅建業者は、営業保証金を供託したときは、その供託物受入れの記載のある供託書の写しを添付して、その旨を免許権者に届け出なければなりません。宅建業者は、この届出後でなければ、事業開始できません。

➡ 25条

ウ 誤り。**補充供託の届出の期限 ➡ 供託後2週間以内。**

　　宅建業者は、営業保証金の還付により営業保証金が不足することとなった場合に、営業保証金を供託したときは、2週間以内に、その旨を免許権者に届け出なければなりません。「30日以内」ではありません。

➡ 28条

エ 誤り。**営業保証金の取戻しの申出期間 ➡ 6ヵ月以上必要。**

　　宅建業者が営業保証金の取り戻しをする場合、原則として、その営業保証金につき還付を請求する権利を有する者（還付請求権者）に対し、6ヵ月を下らない一定期間内（＝6ヵ月以上）に申し出るべき旨を公告し、その期間内にその申出がなかった場合でなければ、営業保証金を取り戻すことができません。「3ヵ月」ではありません。

➡ 30条

> **+α** 還付請求権者とは、宅建業者と宅建業に関する取引を行い、その取引によって生じた債権に関して営業保証金から弁済を受ける権利を有する、宅建業者でない者をいいます。

　　よって、正しいものは**イ**1つであり、正解は**❶**となります。

【正解 **❶**】

保証協会

問題 **22** 宅地建物取引業保証協会（以下この問において「保証協会」という。）に関する次の記述のうち、正しいものはどれか。

[H26-問39改]

❶ 還付充当金の未納により保証協会の社員の地位を失った宅地建物取引業者は、その地位を失った日から2週間以内に弁済業務保証金を供託すれば、その地位を回復する。

❷ 保証協会は、その社員である宅地建物取引業者から弁済業務保証金分担金の納付を受けたときは、その納付を受けた日から2週間以内に、その納付を受けた額に相当する額の弁済業務保証金を供託しなければならない。

❸ 保証協会は、弁済業務保証金の還付があったときは、当該還付に係る社員又は社員であった者に対して、当該還付額に相当する額の還付充当金を保証協会に納付すべきことを通知しなければならない。

❹ 宅地建物取引業者が保証協会の社員となる前に、当該宅地建物取引業者に建物の貸借の媒介を依頼した者（宅地建物取引業者に該当する者を除く。）は、その取引により生じた債権に関し、当該保証協会が供託した弁済業務保証金について弁済を受ける権利を有しない。

解 説

『どこでも！学ぶ宅建士』
第2編「宅建業法」
➡ 5 保証協会制度（P284〜）

正答率	合格者	**88.1** %
	不合格者	**61.2** %

❶ 誤り。社員の地位を失った ➡ その日から1週間以内に営業保証金を供託。

還付充当金の未納により保証協会の社員の地位を失った宅建業者は、その地位を失った日から1週間以内に営業保証金を供託しなければなりません。2週間以内ではありません。なお、いったん社員の地位を失った宅建業者は、たとえ弁済業務保証金を供託しても、社員の地位を回復することはありません。　　　　　　　　　　　　　　　　　　　　➡ 宅建業法64条の15

❷ 誤り。分担金の納付を受けた日から1週間以内に供託。

保証協会は、その社員である宅建業者から弁済業務保証金分担金の納付を受けたときは、その納付を受けた日から1週間以内に、その納付を受けた額に相当する額の弁済業務保証金を供託しなければなりません。2週間以内ではありません。　　　　　　　　　　　　　　　　　　　　　　　　　　➡ 64条の7

> **＋α** 上記❶❷に関連して、「1週間以内にすべき」なのは、次の2つです。
> - 分担金の納付を受けた保証協会が弁済業務保証金を供託する期間
> - 保証協会の社員の地位を失った場合の営業保証金の供託
>
> そして、「他は、原則として2週間以内」と覚えるといいでしょう。

❸ 正しい。保証協会 ➡ 還付充当金の納付通知をする。

保証協会は、弁済業務保証金の還付があったときは、当該還付に係る社員または社員であった者に対して、当該還付額に相当する額の還付充当金を保証協会に納付すべきことを通知しなければなりません。　　➡ 64条の10

❹ 誤り。社員となる前に取引により生じた債権 ➡ 弁済を受けられる。

保証協会の社員と宅建業に関し取引をした者（宅建業者を除く）は、その取引により生じた債権に関し、営業保証金の額に相当する額の範囲内において、当該保証協会が供託した弁済業務保証金について、弁済を受ける権利を有します。そして、この還付を受ける権利を有する者には、その宅建業者が保証協会の社員となる前に宅建業に関し取引をした者も含みます。　　　　　　　　　　　　　　　　　　　　　　　　　　　　➡ 64条の8

【正解 ❸】

保証協会

問題 **23**

宅地建物取引業保証協会（以下この問において「保証協会」という。）の社員である宅地建物取引業者に関する次の記述のうち、宅地建物取引業法の規定によれば、正しいものはどれか。

[H28-問31改]

❶ 保証協会に加入することは宅地建物取引業者の任意であり、一の保証協会の社員となった後に、宅地建物取引業に関し取引をした者の保護を目的として、重ねて他の保証協会の社員となることができる。

❷ 保証協会に加入している宅地建物取引業者（甲県知事免許）は、甲県の区域内に新たに支店を設置した場合、その設置した日から1月以内に当該保証協会に追加の弁済業務保証金分担金を納付しないときは、社員の地位を失う。

❸ 保証協会から還付充当金の納付の通知を受けた社員は、その通知を受けた日から2週間以内に、その通知された額の還付充当金を主たる事務所の最寄りの供託所に供託しなければならない。

❹ 150万円の弁済業務保証金分担金を保証協会に納付して当該保証協会の社員となった者と宅地建物取引業に関し取引をした者（宅地建物取引業者に該当する者を除く。）は、その取引により生じた債権に関し、2,500万円を限度として、当該保証協会が供託した弁済業務保証金から弁済を受ける権利を有する。

> 🖐️ **日建学院・講師陣の必勝コメント**
>
> 　合格者のほとんどが正解していることからわかるように、実力者は、❹の計算を苦にしていません。「分担金の額から事務所数を逆算する」ことそのものは難しくないので、ここでしっかり解き慣れておきましょう。

解説　『どこでも！学ぶ宅建士』
第2編「宅建業法」
➡ 5 保証協会制度（P284～）

正答率　合格者 **97.1** %　不合格者 **63.1** %

❶ 誤り。同時に2つ以上の保証協会の社員となれない。

保証協会に加入すること自体は、宅建業者の任意です。しかし、一の保証協会の社員となった後は、重ねて他の保証協会の社員となることはできません。　➡ 業法64条の4

❷ 誤り。新たに事務所を設置 ➡ 2週間以内に分担金を納付。

保証協会の社員は、新たに事務所を設置したときは、その日から2週間以内に、所定の額の弁済業務保証金分担金を保証協会に納付しなければなりません。それを怠った場合は、社員の地位を失います。　➡ 64条の9

❸ 誤り。還付充当金 ➡ 保証協会に納付。

保証協会から還付充当金の納付の通知を受けた社員は、その通知を受けた日から2週間以内に、その通知された額の還付充当金を当該保証協会に納付しなければなりません。　➡ 64条の10

❹ 正しい。弁済業務保証金の還付限度額 ➡ 営業保証金と同額。

保証協会の社員と宅建業に関し取引をした者（宅建業者を除く）は、その取引により生じた債権に関し、**当該社員が社員でないとしたならばその者が供託すべき**営業保証金の額に相当する額の範囲内において、当該保証協会が供託した弁済業務保証金について、弁済を受ける権利を有します。すると、弁済業務保証金分担金が150万円の本肢の場合、この宅建業者は、主たる事務所（60万円）と従たる事務所3ヵ所（30万円×3＝90万円）を設置していることがわかります。したがって、「1,000万円＋500万円×3＝2,500万円」を限度として、弁済業務保証金から弁済を受ける権利を有することになります。　➡ 64条の8、施行令7条

攻略POINT 分担金と弁済業務保証金

「分担金」の納付を受けた保証協会は、「弁済業務保証金」を供託所に供託します。

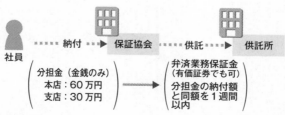

社員　┈┈┈ 納付 ➡ 保証協会 ┈┈┈ 供託 ┈┈ ➡ 供託所

分担金（金銭のみ）
本店：60万円
支店：30万円

弁済業務保証金
（有価証券でも可）
分担金の納付額
と同額を1週間
以内

【正解 ❹】

保証協会

保証協会

 宅地建物取引業保証協会（以下この問において「保証協会」という。）の社員である宅地建物取引業者Aに関する次の記述のうち、宅地建物取引業法の規定によれば、正しいものはどれか。

[H30-問44]

❶ Aは、保証協会の社員の地位を失った場合、Aとの宅地建物取引業に関する取引により生じた債権に関し権利を有する者に対し、6月以内に申し出るべき旨の公告をしなければならない。

❷ 保証協会は、Aの取引の相手方から宅地建物取引業に係る取引に関する苦情を受けた場合は、Aに対し、文書又は口頭による説明を求めることができる。

❸ Aは、保証協会の社員の地位を失った場合において、保証協会に弁済業務保証金分担金として150万円の納付をしていたときは、全ての事務所で営業を継続するためには、1週間以内に主たる事務所の最寄りの供託所に営業保証金として1,500万円を供託しなければならない。

❹ Aは、その一部の事務所を廃止したときは、保証協会が弁済業務保証金の還付請求権者に対し、一定期間内に申し出るべき旨の公告をした後でなければ、弁済業務保証金分担金の返還を受けることができない。

解 説

『どこでも！学ぶ宅建士』
第2編「宅建業法」
→ 5 保証協会制度（P284〜）

正答率 合格者 **83.3** %
不合格者 **58.3** %

❶ 誤り。取戻しの公告 ➡ 保証協会が行う。

保証協会は、社員が社員の地位を失ったときは、当該社員であった者との宅建業に関する取引により生じた債権に関し還付を受ける権利を有する者に対し、6ヵ月を下らない一定期間内に認証を受けるため申し出るべき旨を公告しなければなりません。よって、公告は、宅建業者Aではなく、保証協会が行います。　　　　　　　　　　　　　　　　　　➡ 業法64条の11

❷ 正しい。**文書または口頭による説明を求めることができる。**

保証協会は、社員である宅建業者の相手方等からの申出に係る苦情の解決について必要があると認めるときは、当該社員に対し、文書や口頭による説明、または資料の提出を求めることができます。　　　　➡ 64条の5

❸ 誤り。「1,000万円＋500万円×3」を供託。

宅建業者は、保証協会の社員の地位を失った場合、1週間以内に主たる事務所の最寄りの供託所に営業保証金を供託する必要があります。宅建業者が納付する弁済業務保証金分担金の額は、主たる事務所につき60万円、その他の事務所につき事務所ごとに30万円の割合による金額の合計額です。本肢では150万円を納付していたので、主たる事務所の他に、その他の事務所が3つあったことになります（150万円＝60万円＋30万円×3）。そして、営業保証金の額は、主たる事務所につき1,000万円、その他の事務所につき事務所ごとに500万円の割合による金額の合計額です。したがって、Aは、営業保証金として1,000万円＋500万円×3＝「2,500万円」を供託する必要があります。　　　➡ 25条、64条の9、64条の15、施行令2条の4、7条

❹ 誤り。事務所を一部廃止 ➡ 公告は不要。

保証協会は、社員がその一部の事務所を廃止したため、当該社員につき納付した弁済業務保証金分担金の額が政令で定める額を超えることになったときは、その超過額に相当する額の弁済業務保証金を取り戻すことができます。そして、保証協会は、弁済業務保証金を取り戻したときは、当該社員に対し、その取り戻した額に相当する額の弁済業務保証金分担金を返還します。この場合、弁済業務保証金の還付請求権者に対し、一定期間内に申し出るべき旨の公告をする必要はありません。　　　➡ 業法64条の11

【正解 ❷】

保証協会

保証協会

宅地建物取引業保証協会（以下この問において「保証協会」という。）に関する次の記述のうち、宅地建物取引業法の規定によれば、正しいものはどれか。 [R元-問33]

❶ 宅地建物取引業者で保証協会に加入した者は、その加入の日から２週間以内に、弁済業務保証金分担金を保証協会に納付しなければならない。

❷ 保証協会の社員となった宅地建物取引業者が、保証協会に加入する前に供託していた営業保証金を取り戻すときは、還付請求権者に対する公告をしなければならない。

❸ 保証協会の社員は、新たに事務所を設置したにもかかわらずその日から２週間以内に弁済業務保証金分担金を納付しなかったときは、保証協会の社員の地位を失う。

❹ 還付充当金の未納により保証協会の社員の地位を失った宅地建物取引業者は、その地位を失った日から２週間以内に弁済業務保証金を供託すれば、その地位を回復する。

日建学院・講師陣の必勝コメント

「正答率データ」によると、合格者と不合格者の正答率の差が大きい出題です。不合格者は、「分担金の納付期限」を問う❶などで、出題者の狙いどおりにひっかけられています。また、保証金制度での「○週間以内」の大半は、❸のように「２週間以内」ですので、逆に、❹のような「１週間以内」を優先して覚えましょう。

解 説

『どこでも！学ぶ宅建士』
第2編「宅建業法」

→ 5 保証協会制度 (P284〜)

正答率	合格者	93.5%
	不合格者	55.7%

❶ 誤り。分担金 ➡ 保証協会に加入する日までに納付。

宅建業者で保証協会に加入しようとする者は、その加入する日までに、弁済業務保証金分担金を保証協会に納付しなければなりません。「加入の日から2週間以内」に納付するのではありません。　➡ 業法64条の9

❷ 誤り。社員となった場合の営業保証金の取戻し ➡ 公告不要。

宅建業者が保証協会に加入したため、営業保証金を供託する必要がなくなった場合、公告をしなくても営業保証金を取り戻すことができます。

➡ 64条の13、64条の14、営業保証金規則10条

❸ 正しい。新たに事務所を設置 ➡ 2週間以内に分担金を納付。

保証協会の社員である宅建業者が新たに事務所を設置したときは、その日から2週間以内に、弁済業務保証金分担金を保証協会に納付しなければなりません。納付しなかった場合には、保証協会の社員の地位を失います。

➡ 業法64条の9

❹ 誤り。社員の地位を失った ➡ 1週間以内に営業保証金を供託。

宅建業者は、保証協会の社員の地位を失ったときは、当該地位を失った日から1週間以内に、営業保証金を供託しなければなりません。弁済業務保証金を供託すれば、地位を回復する旨の規定はありません。　➡ 64条の15

攻略POINT 事務所増設時の比較

「事前」と「事後」の違いがポイントです。

営 業 保 証 金	分 担 金
供託し、その旨を届け出ないとその事務所で業務を開始できない（事前供託・届出）	増設の日から2週間以内に納付（事後納付）

【正解 ❸】

保証協会

問題 26　宅地建物取引業保証協会（以下この問において「保証協会」という。）に関する次の記述のうち、宅地建物取引業法の規定によれば、正しいものはどれか。　　　　　　　[R2⑽-問36]

❶　保証協会の社員との宅地建物取引業に関する取引により生じた債権を有する者は、当該社員が納付した弁済業務保証金分担金の額に相当する額の範囲内で弁済を受ける権利を有する。

❷　保証協会の社員と宅地建物取引業に関し取引をした者が、その取引により生じた債権に関し、弁済業務保証金について弁済を受ける権利を実行するときは、当該保証協会の認証を受けるとともに、当該保証協会に対し還付請求をしなければならない。

❸　保証協会は、弁済業務保証金の還付があったときは、当該還付に係る社員又は社員であった者に対し、当該還付額に相当する額の還付充当金をその主たる事務所の最寄りの供託所に供託すべきことを通知しなければならない。

❹　保証協会は、弁済業務保証金の還付があったときは、当該還付額に相当する額の弁済業務保証金を供託しなければならない。

> **日建学院・講師陣の必勝コメント**
>
> 　❷で「認証」と「還付請求」を読み分けられるかどうかが、合否の分かれ目！この点に気付かないと、正解肢の絞り込みに苦労します。正解肢以外での"勘違い撲滅"こそ、得点力向上に直結します。

解説 『どこでも！学ぶ宅建士』
第2編「宅建業法」
➡ 5 保証協会制度（P287〜）

正答率 合格者 **88.3** % 不合格者 **52.8** %

❶ 誤り。還付限度額 ➡ 非社員が供託すべき営業保証金相当額。

保証協会の社員と宅建業に関し取引をした者への弁済業務保証金からの還付限度額は、「当該社員が社員でない」としたならば供託すべき「営業保証金の額に相当する額」です。「弁済業務保証金分担金の額に相当する額」の範囲内ではありません。　　　　　　　　　　　　➡ 業法64条の8

❷ 誤り。保証協会の認証＋「供託所」に還付請求 ➡ 還付。

弁済業務保証金の還付を受けようとする者は、弁済を受けることができる額について保証協会の認証を受けなければなりません。ただし、**還付の請求**は、「**供託所**」に対して行います。　➡ 64条の8、弁済業務保証金規則2条

❸ 誤り。還付充当金 ➡ 「保証協会」に「納付」。

保証協会は、弁済業務保証金の還付があったときは、当該還付に係る宅建業者に対し、当該還付額に相当する額の**還付充当金**を「**保証協会**」に「**納付**」すべきことを通知しなければなりません。「供託所」に「供託」すべきことを通知するのではありません。　　　　　　　　　　➡ 業法64条の10

❹ 正しい。還付 ➡ 保証協会は、「還付額相当額」の弁済業務保証金を供託。

保証協会は、弁済業務保証金の還付があった場合においては、国土交通大臣から不足額を還付すべき旨の通知を受けた日から2週間以内に、その権利の実行により還付された弁済業務保証金の額に相当する額の弁済業務保証金を供託しなければなりません。　➡ 64条の8、弁済業務保証金規則1条

攻略POINT 還付請求と還付充当金の納付（❷❸）

ここでは例外的に「1週間」が出てきます。注意しましょう。

還付請求手続	債権者は、保証協会の認証を受けて、供託所に還付請求をし、還付を受ける
還付充当金の納付	●保証協会の通知から2週間以内に還付充当金を納付する ●納付しないと、社員の地位を失い、1週間以内に営業保証金を供託しなければならない

【正解 ❹】

保証協会

問題 27

宅地建物取引業保証協会（以下この問において「保証協会」という。）に関する次の記述のうち、宅地建物取引業法の規定によれば、誤っているものはどれか。 [R3(10)-問31]

❶ 保証協会は、当該保証協会の社員である宅地建物取引業者が社員となる前に当該宅地建物取引業者と宅地建物取引業に関し取引をした者の有するその取引により生じた債権に関し弁済業務保証金の還付が行われることにより弁済業務の円滑な運営に支障を生ずるおそれがあると認めるときは、当該社員に対し、担保の提供を求めることができる。

❷ 保証協会の社員である宅地建物取引業者は、取引の相手方から宅地建物取引業に係る取引に関する苦情について解決の申出が当該保証協会になされ、その解決のために当該保証協会から資料の提出の求めがあったときは、正当な理由がある場合でなければ、これを拒んではならない。

❸ 保証協会の社員である宅地建物取引業者は、当該宅地建物取引業者と宅地建物取引業に関し取引をした者の有するその取引により生じた債権に関し弁済業務保証金の還付がなされたときは、その日から２週間以内に還付充当金を保証協会に納付しなければならない。

❹ 還付充当金の未納により保証協会の社員がその地位を失ったときは、保証協会は、直ちにその旨を当該社員であった宅地建物取引業者が免許を受けた国土交通大臣又は都道府県知事に報告しなければならない。

日建学院・講師陣の必勝コメント

「正答率データ」によると、合格者の正答率は比較的高く、不合格者の正答率はかなり低いので、実力を判定するリトマス試験紙のような問題。❶❷の内容の細かさにびっくりせずに、冷静に正解肢を探し出せれば、実力は十分です。

勝負すべき肢を見分ける"選球眼"は、過去問の繰り返しで身につきます。

❶ 正しい。保証協会 ➡ 社員に担保の提供を求めることができる。

 保証協会は、社員である宅建業者が、社員となる前に行った取引により生じた債権に関する弁済業務保証金の還付が行われることで、弁済業務の円滑な運営に支障を生ずるおそれがあると認めるときは、当該社員に対し、担保の提供を求めることができます。　　　　　　　　➡ 業法64条の4

❷ 正しい。保証協会からの資料提出の求め ➡ 正当な理由なしに拒めない。

 保証協会の社員である宅建業者は、取引の相手方から取引に関する苦情の申立てが保証協会に行われ、保証協会から解決のための資料の提出を求められたときは、正当な理由なしに拒めません。　　　　➡ 64条の5

❸ 誤り。還付充当金の納付 ➡ 「通知を受けた日」から2週間以内。

 保証協会から還付充当金の納付の通知を受けた社員は、通知を受けた日から2週間以内に、通知された額の還付充当金を、保証協会に納付しなければなりません。還付された「その日」から2週間以内ではありません。

➡ 64条の10

❹ 正しい。社員が保証協会での地位を喪失 ➡ 保証協会は、直ちに、免許権者に報告。

保証協会は、社員に異動が生じた（新たに社員が加入し、または社員がその地位を失った）ときは、直ちに、その旨を、当該社員である宅建業者が免許を受けた国土交通大臣または都道府県知事に報告しなければなりません。　　　　　　　　　　　　　　　　　　　　➡ 64条の4

【正解 **❸**】

保証金制度総合

問題 28

営業保証金を供託している宅地建物取引業者Aと宅地建物取引業保証協会（以下この問において「保証協会」という。）の社員である宅地建物取引業者Bに関する次の記述のうち、宅地建物取引業法の規定によれば、正しいものはどれか。

[H27-問42改]

❶ 新たに事務所を設置する場合、Aは、主たる事務所の最寄りの供託所に供託すべき営業保証金に、Bは、保証協会に納付すべき弁済業務保証金分担金に、それぞれ金銭又は有価証券をもって充てることができる。

❷ 一部の事務所を廃止した場合において、営業保証金又は弁済業務保証金を取り戻すときは、A、Bはそれぞれ還付を請求する権利を有する者に対して6か月以内に申し出るべき旨を官報に公告しなければならない。

❸ AとBが、それぞれ主たる事務所の他に3か所の従たる事務所を有している場合、Aは営業保証金として2,500万円の供託を、Bは弁済業務保証金分担金として150万円の納付をしなければならない。

❹ 宅地建物取引業に関する取引により生じた債権を有する者（宅地建物取引業者に該当する者を除く。）は、Aに関する債権にあってはAが供託した営業保証金についてその額を上限として弁済を受ける権利を有し、Bに関する債権にあってはBが納付した弁済業務保証金分担金についてその額を上限として弁済を受ける権利を有する。

解説

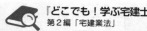
『どこでも！学ぶ宅建士』
第２編「宅建業法」
➡ ４ 営業保証金 (P272〜)、５ 保証協会制度 (P284〜)

正答率　合格者 **96.6** %　不合格者 **58.7** %

❶ 誤り。営業保証金の供託は有価証券も可、分担金の納付は金銭のみ。

営業保証金の供託は、現金のみならず一定の有価証券ですることができます。これに対して、弁済業務保証金分担金の納付は金銭のみであり、有価証券をもって充てることはできません。➡ 業法26条、25条、64条の9、施行令7条

❷ 誤り。一部事務所の廃止 ➡ 弁済業務保証金は公告不要。

一部の事務所を廃止した場合、営業保証金を取り戻すときは、原則として宅建業者が還付を請求する権利を有する者に対し、６ヵ月を下らない一定期間内に申し出るべき旨を公告しなければなりません。これに対して、弁済業務保証金を取り戻すときは、そもそも公告は不要です。

➡ 業法30条、64条の11

❸ 正しい。Aは営業保証金2,500万円を供託、Bは分担金150万円を納付。

供託すべき営業保証金の額は、主たる事務所につき1,000万円、その他の事務所につき事務所ごとに500万円の割合による金額の合計額です。本肢では、「1,000万円＋500万円×３＝2,500万円」となります。これに対して、弁済業務保証金分担金の額は、主たる事務所につき60万円、その他の事務所につき事務所ごとに30万円の割合による金額の合計額です。本肢では、「60万円＋30万円×３＝150万円」となります。したがって、本肢は、いずれも正しい金額です。➡ 25条、64条の9、施行令2条の4、7条

❹ 誤り。弁済業務保証金の還付限度額 ➡ 営業保証金と同額。

宅建業者と宅建業に関し取引をした者（宅建業者に該当する者を除く）は、その取引により生じた債権に関し、宅建業者が供託した営業保証金について、その債権の弁済を受ける権利を有します。これに対して、保証協会の社員と宅建業に関し取引をした者（宅建業者に該当する者を除く）は、その取引により生じた債権に関し、当該社員が社員でないとしたならばその者が供託すべき営業保証金の額に相当する額の範囲内において、当該保証協会が供託した弁済業務保証金について、弁済を受ける権利を有します。分担金の範囲内ではありません。➡ 業法27条、64条の8

攻略POINT 事務所の一部廃止の場合の取戻し・返還

❷のとおり、営業保証金と保証協会とでは、事務所の一部を廃止した場合の公告の要否が異なります。

営　業　保　証　金	公告は	必　要
弁済業務保証金（分担金）		不　要

【正解 ❸】

保証金制度総合

広告等の規制

 次の記述のうち、宅地建物取引業法の規定に違反しないものの組合せとして、正しいものはどれか。なお、この問において「建築確認」とは、建築基準法第6条第1項の確認をいうものとする。

[H25-問32]

ア 宅地建物取引業者A社は、建築確認の済んでいない建築工事完了前の賃貸住宅の貸主Bから当該住宅の貸借の媒介を依頼され、取引態様を媒介と明示して募集広告を行った。

イ 宅地建物取引業者C社は、建築確認の済んでいない建築工事完了前の賃貸住宅の貸主Dから当該住宅の貸借の代理を依頼され、代理人として借主Eとの間で当該住宅の賃貸借契約を締結した。

ウ 宅地建物取引業者F社は、建築確認の済んだ建築工事完了前の建売住宅の売主G社（宅地建物取引業者）との間で当該住宅の売却の専任媒介契約を締結し、媒介業務を行った。

エ 宅地建物取引業者H社は、建築確認の済んでいない建築工事完了前の建売住宅の売主I社（宅地建物取引業者）から当該住宅の売却の媒介を依頼され、取引態様を媒介と明示して当該住宅の販売広告を行った。

❶ ア、イ

❷ イ、ウ

❸ ウ、エ

❹ イ、ウ、エ

解　説　

『どこでも！学ぶ宅建士』
第2編「宅建業法」
6 媒介契約等の規制（P295〜）

正答率	合格者	94.9 %
	不合格者	71.6 %

広告等の規制

ア　違反する。未完成物件の広告➡許可等前は禁止。

　宅建業者は、宅地の造成または建物の建築に関する**工事の完了前**においては、当該工事に関し必要とされる開発許可、建築確認その他法令に基づく許可等があった**後でなければ**、すべての取引態様において、広告をすることができません。したがって、媒介を依頼された賃貸物件の広告をすることはできません。　　　　　　　　　　　　　　　　　　　　➡ 業法33条

イ　違反しない。貸借の媒介・代理➡許可・確認の前でも可。

　宅建業者は、宅地の造成または建物の建築に関する**工事の完了前**においては、当該工事に関し必要とされる開発許可、**建築確認**その他法令に基づく許可等があった**後でなければ**、当該工事に係る宅地または建物につき、自らまたは代理して**売買・交換**の契約を締結することも、媒介して**売買・交換の契約を成立**させることもできません。しかし、代理して賃貸借契約を締結することまたは媒介して賃貸借契約を成立させることは可能です。　➡ 36条

ウ　違反しない。許可・確認の後➡売買・交換契約の締結も可。

　イ解説参照。**ウ**のように建築確認が済んでいる場合は、自らまたは代理して売買・交換の契約を締結することも、媒介して売買・交換の契約を成立させることも可能です。　　　　　　　　　　　　　　　　　　　　　　➡ 36条

エ　違反する。未完成物件の広告➡許可等前は禁止。

　ア解説参照。**エ**の「建築確認の済んでいない建築工事完了前の建売住宅」の広告をすることはできません。　　　　　　　　　　　　　　　➡ 33条

　　よって、宅建業法の規定に違反しないものの組合せは**イ・ウ**であり、正解は**❷**となります。

攻略POINT　未完成物件の規制

　貸借の契約締結のみが、「規制なし」となります。

[広告の開始時期の制限]

取引の態様	自ら	媒介	代理
売買	（エ）規制あり		
交換			
貸借	―	（ア）	

[契約締結時期の制限]

取引の態様	自ら	媒介	代理
売買	（ウ）規制あり		
交換			
貸借	―	規制なし（イ）	

【正解 ❷ 】

広告等の規制

宅地建物取引業者が行う広告に関する次の記述のうち、宅地建物取引業法（以下この問において「法」という。）の規定によれば、正しいものはどれか。　[H30-問26]

❶ 宅地の売買に関する広告をインターネットで行った場合において、当該宅地の売買契約成立後に継続して広告を掲載していたとしても、当該広告の掲載を始めた時点で当該宅地に関する売買契約が成立していなかったときは、法第32条に規定する誇大広告等の禁止に違反しない。

❷ 販売する宅地又は建物の広告に著しく事実に相違する表示をした場合、監督処分の対象となるほか、6月以下の懲役及び100万円以下の罰金を併科されることがある。

❸ 建築基準法第6条第1項の確認を申請中の建物については、当該建物の売買の媒介に関する広告をしてはならないが、貸借の媒介に関する広告はすることができる。

❹ 宅地建物取引業者がその業務に関して広告をするときは、実際のものより著しく優良又は有利であると人を誤認させるような表示をしてはならないが、宅地又は建物に係る現在又は将来の利用の制限の一部を表示しないことによりそのような誤認をさせる場合は、法第32条に規定する誇大広告等の禁止に違反しない。

解説

『どこでも！学ぶ宅建士』
第2編「宅建業法」
→ **6 媒介契約等の規制**（P294〜）

正答率	合格者	**95.7**%
	不合格者	**76.0**%

❶ 誤り。売買契約成立後に広告掲載継続 ➡ 誇大広告等の禁止の対象。

インターネットによる広告も、誇大広告等の禁止の対象となります。また、売買契約成立後に継続して広告を掲載することは、誇大広告等に該当します。　　　　　　　　　　　　➡ 業法32条、宅建業法の解釈・運用の考え方

❷ 正しい。誇大広告等 ➡ 監督処分・罰則の対象。

誇大広告等を行った場合、監督処分の対象となるほか、罰則として6ヵ月以下の懲役及び100万円以下の罰金を併科されることがあります。

➡ 業法65条、66条、81条

❸ 誤り。未完成物件の広告開始時期の制限 ➡ 貸借の媒介も対象。

宅建業者は、宅地の造成または建物の建築に関する**工事の完了前**においては、当該工事に関し必要とされる開発許可、**建築確認**その他法令に基づく許可等の処分で政令で定めるものがあった後でなければ、当該工事に係る宅地または建物の売買その他の業務に関する**広告**をしてはなりません。売買の媒介のみならず、**貸借の媒介も対象**となります。確認「申請中」では、まだ建築確認を受けていません。　　　　　　　　　　➡ 33条

+α 未完成物件の契約締結時期については、「貸借」は規制の対象外です。

❹ 誤り。現在・将来の利用の制限 ➡ 誇大広告等の禁止の対象。

宅建業者は、その業務に関して広告をするときは、当該広告に係る宅地建物の①所在、②規模、③形質、④**現在・将来の利用の制限**、⑤環境、⑥交通その他の利便、⑦代金、借賃等の対価の額・その支払方法、⑧代金・交換差金に関する金銭の貸借のあっせんについて、著しく事実に相違する表示をし、または実際のものよりも著しく優良であり、もしくは有利であると人を誤認させるような表示をしてはなりません。その一部を表示しないことにより誤認させる場合も、誇大広告等の禁止の対象になります。

➡ 32条

【正解 ❷】

広告等の規制

251

広告等の規制

宅地建物取引業者が行う広告に関する次の記述のうち、宅地建物取引業法の規定に違反するものはいくつあるか。

[R元-問30]

ア 建築基準法第6条第1項に基づき必要とされる確認を受ける前において、建築工事着手前の賃貸住宅の貸主から当該住宅の貸借の媒介を依頼され、取引態様を媒介と明示して募集広告を行った。

イ 一団の宅地の売買について、数回に分けて広告する際に、最初に行った広告以外には取引態様の別を明示しなかった。

ウ 建物の貸借の媒介において、依頼者の依頼によらない通常の広告を行い、国土交通大臣の定める報酬限度額の媒介報酬のほか、当該広告の料金に相当する額を受領した。

エ 建築工事着手前の分譲住宅の販売において、建築基準法第6条第1項に基づき必要とされる確認を受ける前に、取引態様を売主と明示して当該住宅の広告を行った。

❶ 一つ

❷ 二つ

❸ 三つ

❹ 四つ

ア 違反する。建築確認前 ➡ 広告不可。

宅建業者は、宅地の造成または建物の建築に関する工事の完了前においては、当該工事に関し必要とされる開発許可・建築確認その他法令に基づく許可等の処分で政令で定めるものがあった後でなければ、当該工事に係る宅地または建物の売買その他の業務に関する広告をしてはなりません。取引態様を明示しても、広告することはできません。　　　　➡ 業法33条

イ 違反する。広告するすべての回で、取引態様の別を明示する。

宅建業者は、宅地・建物の売買・交換・貸借に関する広告をするときは、そのつど、取引態様の別を明示しなければなりません。数回に分けて広告するのであれば、すべての回で取引態様の別を明示する必要があります。

➡ 34条

ウ 違反する。特別の依頼がない ➡ 広告料金の受け取りは不可。

宅建業者は依頼者の特別の依頼がない場合、報酬と別に、広告の料金に相当する額を受け取ることはできません。　　　➡ 46条、報酬告示第9

エ 違反する。建築確認前 ➡ 広告不可。

ア解説のとおり、宅建業者は、宅地の造成または建物の建築に関する工事の完了前においては、当該工事に関し必要とされる開発許可、建築確認その他法令に基づく許可等の処分があった後でなければ、当該工事に係る宅地または建物の売買その他の業務に関する広告をしてはなりません。取引態様を明示しても、広告することはできません。　　　　➡ 業法33条

　よって、宅建業法の規定に違反するものは**ア・イ・ウ・エ**の4つすべてであり、正解は**❹**となります。

【正解 ❹】

広告等の規制

問題 32　宅地建物取引業者がその業務に関して行う広告に関する次の記述のうち、宅地建物取引業法の規定によれば、正しいものはいくつあるか。

[R2⑽-問27]

ア　建物の売却について代理を依頼されて広告を行う場合、取引態様として、代理であることを明示しなければならないが、その後、当該物件の購入の注文を受けたときは、広告を行った時点と取引態様に変更がない場合を除き、遅滞なく、その注文者に対し取引態様を明らかにしなければならない。

イ　広告をするに当たり、実際のものよりも著しく優良又は有利であると人を誤認させるような表示をしてはならないが、誤認させる方法には限定がなく、宅地又は建物に係る現在又は将来の利用の制限の一部を表示しないことにより誤認させることも禁止されている。

ウ　複数の区画がある宅地の売買について、数回に分けて広告をする場合は、広告の都度取引態様の別を明示しなければならない。

エ　宅地の造成又は建物の建築に関する工事の完了前においては、当該工事に必要な都市計画法に基づく開発許可、建築基準法に基づく建築確認その他法令に基づく許可等の申請をした後でなければ、当該工事に係る宅地又は建物の売買その他の業務に関する広告をしてはならない。

❶　一つ

❷　二つ

❸　三つ

❹　四つ

🖐 日建学院・講師陣の必勝コメント

　「個数問題は捨て問」というのは、遠い過去の話です。特に宅建業法において、最近は、本問のように**全記述とも基本知識**であれば、合格者と不合格者とでは圧倒的な差がつきます。

　データが証人です。まずは、**基本知識の正確性アップ**が、「個数問題攻略」の近道です。

解説

『どこでも！学ぶ宅建士』
第2編「宅建業法」

6 媒介契約等の規制（P294〜）

正答率 合格者 **79.8** %
不合格者 **51.2** %

広告等の規制

ア 誤り。取引態様の明示 ➡「広告をするとき」＋「注文を受けたとき」の両方。
宅建業者は、宅地・建物の売買・交換・貸借に関する広告をするときは、取引態様の別を明示しなければなりません。また、宅地建物の売買・交換・貸借に関する注文を受けたときも、遅滞なく、その注文をした者に対し、取引態様の別を明らかにしなければなりません。本記述のように、広告を行った時点と注文を受けた時点で変更がない場合であっても、同様です。

➡ 宅建業法34条

+α 取引態様の別の説明は、書面による必要はなく、**口頭**で明示すれば足ります。

イ 正しい。誇大広告等 ➡ 表示しないことで誤認させることも含む。
宅建業者は、その業務に関して広告をするときは、宅地・建物の現在または将来の利用の制限などについて、著しく事実に相違する表示をし、または実際のものよりも著しく優良・有利であると人を誤認させるような表示をしてはなりません。この「誤認させる方法」には、表示しないことにより誤認させることも含まれます。

➡ 32条

ウ 正しい。数回に分けて広告 ➡ 広告する度に取引態様の明示が必要。
ア解説のとおり、宅建業者は、広告をするときは取引態様の別を明示しなければなりません。数回に分けて広告する場合は、広告のつど、取引態様の別を明示する必要があります。

➡ 34条

エ 誤り。未完成物件 ➡ 許可等の「処分」後でなければ、広告不可。
宅建業者は、宅地の造成・建物の建築に関する工事の完了前においては、当該工事に関し必要とされる開発許可・建築確認その他法令に基づく許可等の「処分」があった後でなければ、当該工事に係る宅地建物の売買その他の業務に関する広告をしてはなりません。単に「申請」をした後であればよいというわけではありません。

➡ 33条

以上より、正しいものは、**イ・ウ**の2つであり、**❷**が正解となります。

【正解 ❷】

255

広告等の規制

問題 **33** 宅地建物取引業者Ａがその業務に関して行う広告に関する次の記述のうち、宅地建物取引業法（以下この問において「法」という。）の規定によれば、正しいものはいくつあるか。

[R4-問37]

ア Ａが未完成の建売住宅を販売する場合、建築基準法第６条第１項に基づく確認を受けた後、同項の変更の確認の申請書を提出している期間においては、変更の確認を受ける予定であることを表示し、かつ、当初の確認内容を合わせて表示すれば、変更の確認の内容を広告することができる。

イ Ａが新築住宅の売買に関する広告をインターネットで行った場合、実際のものより著しく優良又は有利であると人を誤認させるような表示を行ったが、当該広告について問合せや申込みがなかったときは、法第32条に定める誇大広告等の禁止の規定に違反しない。

ウ Ａが一団の宅地の販売について、数回に分けて広告をするときは、そのたびごとに広告へ取引態様の別を明示しなければならず、当該広告を見た者から売買に関する注文を受けたときも、改めて取引態様の別を明示しなければならない。

❶ 一つ

❷ 二つ

❸ 三つ

❹ なし

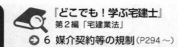

ア 正しい。変更予定＋当初の内容表示で、「変更の確認」の内容の広告可。

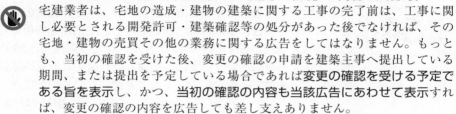

宅建業者は、宅地の造成・建物の建築に関する工事の完了前は、工事に関し必要とされる開発許可・建築確認等の処分があった後でなければ、その宅地・建物の売買その他の業務に関する広告をしてはなりません。もっとも、当初の確認を受けた後、変更の確認の申請を建築主事へ提出している期間、または提出を予定している場合であれば**変更の確認を受ける予定である旨を表示し、かつ、当初の確認の内容も当該広告にあわせて表示**すれば、変更の確認の内容を広告しても差し支えありません。

➡ 宅建業法33条、宅建業法の解釈・運用の考え方

+α いわゆる「セレクトプラン」(「建築確認を受けたプラン」と「建築確認を受けていないプラン」をあわせて示す方式)においても、「受けていないプラン」については変更の確認が必要である旨を表示すれば、広告するのは差し支えありません。

イ 誤り。誇大広告等を行ったこと自体が、宅建業法違反。

宅建業者は、その業務に関して広告をするときは、当該広告に係る宅地建物の①所在、②規模、③形質、④現在・将来の利用の制限、⑤環境、⑥交通その他の利便、⑦代金・借賃等の対価の額・支払方法、⑧代金・交換差金に関する金銭の貸借のあっせんについて、著しく事実に相違する表示をし、または実際のものよりも著しく優良・有利であると人を誤認させるような表示をしてはなりません。仮に問合せや申込みがなかったとしても、誇大広告等を行ったこと自体が宅建業法違反です。　　➡ 32条

ウ 正しい。広告をするごとに、取引態様の別の明示が必要。

宅建業者は、宅地建物の売買・交換・貸借に関する広告をするときは、取引態様の別を明示しなければなりません。数回に分けて広告する場合は、そのたびごとに取引態様の別を明示する必要があります。また、宅建業者は、宅地建物の売買・交換・貸借に関する注文を受けたときは、遅滞なく、その注文をした者に対し、取引態様の別を明らかにしなければなりません。

➡ 34条

　以上より、正しいものは**ア・ウ**の2つであり、**❷**が正解となります。

【正解 ❷】

広告等の規制

媒介契約の規制

問題 34

宅地建物取引業者A社が、Bから自己所有の宅地の売買の媒介を依頼された場合における次の記述のうち、宅地建物取引業法の規定によれば、正しいものはどれか。なお、同法第50条の6に規定する登録を証する書面の引渡しに代えてこれを電磁的方法により提供する場合については、考慮しないものとする。

[H23-問31改]

❶ A社は、Bとの間で締結した媒介契約が専任媒介契約であるか否かにかかわらず、所定の事項を指定流通機構に登録しなければならない。

❷ A社は、Bとの間で専任媒介契約を締結したときは、Bからの申出があれば、所定の事項を指定流通機構に登録しない旨の特約を定めることができる。

❸ A社は、Bとの間で専任媒介契約を締結し、所定の事項を指定流通機構に登録したときは、その登録を証する書面を遅滞なくBに引き渡さなければならない。

❹ A社は、Bとの間で専任媒介契約を締結した場合、当該宅地の売買契約が成立したとしても、その旨を指定流通機構に通知する必要はない。

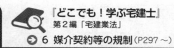 

解 説

『どこでも！学ぶ宅建士』
第2編「宅建業法」
→ 6 媒介契約等の規制（P297～）

❶ **誤り。一般媒介➡指定流通機構への登録義務はない。**

宅建業者は、専任媒介契約を締結したときは、契約の相手方を探索するため、専任媒介契約の目的物である宅地・建物につき、所在・規模・形質・売買すべき価額その他国土交通省令で定める事項を、指定流通機構に登録しなければなりません。しかし、一般媒介の場合は、不要です。

➡ 業法34条の2

❷ **誤り。指定流通機構の登録を免除する特約➡無効。**

❶のとおり、宅建業者は、専任媒介契約を締結したときは、**指定流通機構に登録**しなければなりません。たとえ依頼者からの申出があったとしても、これに反する特約は無効です。 ➡ 34条の2

❸ **正しい。指定流通機構に登録➡登録証を依頼者に渡す。**

指定流通機構に登録をした宅建業者は、登録を証する書面を遅滞なく依頼者に引き渡さなければなりません。 ➡ 34条の2

❹ **誤り。契約成立➡遅滞なく成約の通知。**

宅建業者は、指定流通機構に登録した宅地・建物の売買、交換の契約が成立したときは、遅滞なく、その旨を指定流通機構に通知しなければなりません。 ➡ 34条の2

攻略POINT 媒介契約の種類

媒介契約の種類は、基本中の基本です。次の表で違いを押さえましょう。

一般媒介**契約**	●依頼者が、同一物件につき、複数の宅建業者に重ねて依頼できるもの ●依頼した他の宅建業者を明示すべきもの（明示型）と明示する必要がないもの（非明示型）がある
専任媒介**契約**	●依頼者が、同一物件につき、**依頼した宅建業者以外の宅建業者に重ねて依頼することができないもの** ●依頼者自ら探索した相手方との契約（自己発見取引）は許される
専属専任媒介**契約**	●依頼した宅建業者が探索した相手方以外の者と契約を締結することができない旨の特約を付した専任媒介契約のこと ●自己発見取引は、禁止される

【正解 ❸】

媒介契約の規制

 **Check!**

媒介契約の規制

問題 35

宅地建物取引業者Ａ社が、Ｂから自己所有の甲宅地の売却の媒介を依頼され、Ｂと媒介契約を締結した場合における次の記述のうち、宅地建物取引業法の規定によれば、正しいものはいくつあるか。

[H25-問28]

ア Ａ社が、Ｂとの間に専任媒介契約を締結し、甲宅地の売買契約を成立させたときは、Ａ社は、遅滞なく、登録番号、取引価格、売買契約の成立した年月日、売主及び買主の氏名を指定流通機構に通知しなければならない。

イ Ａ社は、Ｂとの間に媒介契約を締結し、Ｂに対して甲宅地を売買すべき価額又はその評価額について意見を述べるときは、その根拠を明らかにしなければならない。

ウ Ａ社がＢとの間に締結した専任媒介契約の有効期間は、Ｂからの申出により更新することができるが、更新の時から３月を超えることができない。

❶ 一つ

❷ 二つ

❸ 三つ

❹ なし

ア 誤り。**指定流通機構への成約通知➡売主・買主の氏名は不要。**

宅建業者は、登録に係る売買・交換契約を成立させたときは、遅滞なく、①登録番号、②宅地・建物の取引価格、③契約の成立した年月日を指定流通機構に通知しなければなりません。しかし、売主及び買主の氏名については、通知は不要です。　　　　　➡ 業法34条の2、規則15条の13

イ 正しい。**価額について意見を述べるときは、根拠を明示する。**

宅建業者が、媒介の対象となる宅地建物の売買すべき価額または評価額について意見を述べるときは、その根拠を明らかにしなければなりません。
　　　　　➡ 業法34条の2

ウ 正しい。**専任媒介契約の有効期間は3ヵ月。更新後も同様。**

専任媒介契約の有効期間は、3ヵ月を超えることができません。この有効期間は、**依頼者の申出**により更新することができますが、更新後の有効期間も、更新の時から3ヵ月を超えることはできません。　　➡ 34条の2

+α　「一般媒介契約」には、有効期間の規制はありません。

　　　　よって、正しいものは**イ・ウ**の2つであり、正解は**❷**となります。

攻略POINT 媒介契約の規制（3タイプの比較）

	一般媒介	専任媒介	専属専任媒介
有効期間	規制なし	3ヵ月を超えることができない	
更新手続		依頼者の申出が必要	
報告義務		2週間に1回以上 （休業日を含む）	1週間に1回以上 （休業日を含む）
		申込みがあったときは、遅滞なく報告	
指定流通機構への登録	規制なし	契約締結の日から 7日以内（休業日を除く）	契約締結の日から 5日以内（休業日を除く）

【正解 ❷】

媒介契約の規制

□□□ ✏ Check!

問題 36

宅地建物取引業者Aは、Bが所有する宅地の売却を依頼され、専任媒介契約を締結した。この場合における次の記述のうち、宅地建物取引業法（以下この問において「法」という。）の規定に違反するものはいくつあるか。なお、法第34条の2第1項の規定に基づき交付すべき書面の交付に代えてこれを電磁的方法により提供する場合については、考慮しないものとする。　　　　　　　　[H27-問30改]

ア　Aは、Bが宅地建物取引業者であったので、法第34条の2第1項に規定する書面を作成しなかった。

イ　Aは、Bの要望により、指定流通機構に当該宅地を登録しない旨の特約をし、指定流通機構に登録しなかった。

ウ　Aは、短期間で売買契約を成立させることができると判断したので指定流通機構に登録せず、専任媒介契約締結の日の9日後に当該売買契約を成立させた。

エ　Aは、当該契約に係る業務の処理状況の報告日を毎週金曜日とする旨の特約をした。

❶　一つ

❷　二つ

❸　三つ

❹　四つ

日建学院・講師陣の必勝コメント

すべての選択肢で、基本知識が問われている問題です。個数問題でも、このようなタイプは取りこぼしのないようにしてください。

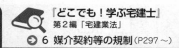 

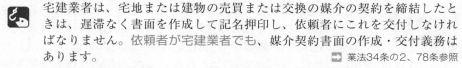

ア 違反する。業者間取引 ➡ 媒介契約書面の作成・交付義務はある。

宅建業者は、宅地または建物の売買または交換の媒介の契約を締結したときは、遅滞なく書面を作成して記名押印し、依頼者にこれを交付しなければなりません。依頼者が宅建業者でも、媒介契約書面の作成・交付義務はあります。　　　　　　　　　　　　　　　➡ 業法34条の2、78条参照

イ 違反する。専任媒介契約 ➡ 指定流通機構に登録する必要あり。

宅建業者は、専任媒介契約を締結したときは、契約の相手方を探索するため、当該目的物につき、所在・規模・形質・売買すべき価額等を、指定流通機構に登録しなければなりません。この規定に反する特約は無効となります。依頼者の要望があっても、この義務は免れません。　　➡ 34条の2

ウ 違反する。専任媒介契約 ➡ 7日以内に指定流通機構に登録。

専任媒介契約を締結したときは、契約の相手方を探索するため、当該目的物につき、専任媒介契約の締結の日から7日以内に指定流通機構に登録しなければなりません。たとえ短期間で売買契約を成立させることができると判断できる場合でも、この義務を免れることはできません。

➡ 34条の2、規則15条の10

エ 違反しない。専任媒介契約 ➡ 2週間に1回以上の割合で報告。

専任媒介契約を締結した宅建業者は、依頼者に対し、当該専任媒介契約に係る業務の処理状況を2週間に1回以上報告しなければなりません。毎週金曜日（＝1週間に1回）に報告するのであれば、この条件を満たしますので、特約は有効です。　　　　　　　　　　　　　➡ 業法34条の2

　よって、違反するものは**ア・イ・ウ**の3つであり、正解は**❸**となります。

媒介契約の規制

【正解 ❸】

媒介契約の規制

問題 **37**

宅地建物取引業者Aは、Bから、Bが所有し居住している甲住宅の売却について媒介の依頼を受けた。この場合における次の記述のうち、宅地建物取引業法（以下この問において「法」という。）の規定によれば、正しいものはどれか。なお、法第34条の2第1項の規定に基づき交付すべき書面の交付に代えてこれを電磁的方法により提供する場合については、考慮しないものとする。　[H30-問33改]

❶ Aが甲住宅について、法第34条の2第1項第4号に規定する建物状況調査の制度概要を紹介し、Bが同調査を実施する者のあっせんを希望しなかった場合、Aは、同項の規定に基づき交付すべき書面に同調査を実施する者のあっせんに関する事項を記載する必要はない。

❷ Aは、Bとの間で専属専任媒介契約を締結した場合、当該媒介契約締結日から7日以内（休業日を含まない。）に、指定流通機構に甲住宅の所在等を登録しなければならない。

❸ Aは、甲住宅の評価額についての根拠を明らかにするため周辺の取引事例の調査をした場合、当該調査の実施についてBの承諾を得ていなくても、同調査に要した費用をBに請求することができる。

❹ AとBの間で専任媒介契約を締結した場合、Aは、法第34条の2第1項の規定に基づき交付すべき書面に、BがA以外の宅地建物取引業者の媒介又は代理によって売買又は交換の契約を成立させたときの措置について記載しなければならない。

日建学院・講師陣の必勝コメント

❶は、既存の建物の場合に「媒介契約書に記載する事項」として必ず追加されるものです。たとえ依頼者があっせんを希望しない場合でも、省略することはできません。

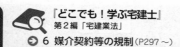 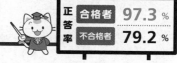

正答率　合格者 **97.3** %　不合格者 **79.2** %

❶ **誤り。「建物状況調査を実施する者のあっせんの有無」は、要記載。**

　　媒介契約書面には、対象となる建物が既存の建物であるときは、依頼者に対する建物状況調査を実施する者のあっせんに関する事項（「建物状況調査を実施する者のあっせんの有無」）を記載する必要があります。

　　したがって、依頼者があっせんを希望しなかった場合でも、「あっせんをしない旨」を記載する必要があります。

➡ 宅建業法34条の2、宅建業法の解釈・運用の考え方

❷ **誤り。専属専任媒介契約➡指定流通機構への登録は、5日以内。**

　　宅建業者は、専任媒介契約を締結したときは、契約の相手方を探索するため、当該専任媒介契約の目的物である宅地または建物につき、所在、規模、形質、売買すべき価額などを、指定流通機構に登録しなければなりません。

　　そして、専任媒介契約の場合は契約締結の日から7日以内、専属専任媒介契約の場合は契約締結の日から5日以内に、登録をしなければなりません。

　　なお、この期間の計算については、休業日数は算入しません。

➡ 宅建業法34条の2、規則15条の10

❸ **誤り。価額の査定等に要した費用は、依頼者に請求できない。**

　　宅建業者は、媒介の対象となる物件の価額または評価額について意見を述べるときは、その根拠を明らかにしなければなりません。そして、根拠の明示は、法律上の義務であるので、そのために行った価額の査定等に要した費用は、依頼者に請求できません。

➡ 宅建業法34条の2、宅建業法の解釈・運用の考え方

❹ **正しい。専任媒介➡他の業者が媒介・代理した場合の措置を記載。**

　　媒介契約書面には、専任媒介契約にあっては、依頼者が他の宅建業者の媒介または代理によって売買または交換の契約を成立させたときの措置を記載する必要があります。

➡ 宅建業法34条の2、規則15条の9

【正解 ❹】

媒介契約の規制

媒介契約の規制

問題 38

宅地建物取引業者Aが、BからB所有の既存のマンションの売却に係る媒介を依頼され、Bと専任媒介契約（専属専任媒介契約ではないものとする。）を締結した。この場合における次の記述のうち、宅地建物取引業法の規定によれば、正しいものはいくつあるか。 [R元-問31]

ア Aは、専任媒介契約の締結の日から7日以内に所定の事項を指定流通機構に登録しなければならないが、その期間の計算については、休業日数を算入しなければならない。

イ AがBとの間で有効期間を6月とする専任媒介契約を締結した場合、その媒介契約は無効となる。

ウ Bが宅地建物取引業者である場合、Aは、当該専任媒介契約に係る業務の処理状況の報告をする必要はない。

エ AがBに対して建物状況調査を実施する者のあっせんを行う場合、建物状況調査を実施する者は建築士法第2条第1項に規定する建築士であって国土交通大臣が定める講習を修了した者でなければならない。

❶ 一つ

❷ 二つ

❸ 三つ

❹ 四つ

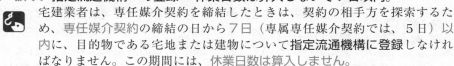

ア 誤り。指定流通機構への登録 ➡ 休業日数は算入しないで7日以内。

 宅建業者は、専任媒介契約を締結したときは、契約の相手方を探索するため、専任媒介契約の締結の日から7日（専属専任媒介契約では、5日）以内に、目的物である宅地または建物について指定流通機構に登録しなければなりません。この期間には、休業日数は算入しません。

➡ 業法34条の2、規則15条の10

イ 誤り。有効期間が3ヵ月を超える専任媒介契約は、3ヵ月となる。

専任媒介契約の有効期間は、3ヵ月を超えることができません。そして、これより長い期間を定めたときは、その期間は、3ヵ月となります。媒介契約が無効になるわけではありません。

➡ 業法34条の2

ウ 誤り。相手方が宅建業者でも業務処理状況を報告する。

専任媒介契約を締結した宅建業者は、依頼者に対し、当該専任媒介契約に係る業務の処理状況を2週間に1回以上（専属専任媒介契約にあっては、1週間に1回以上）報告しなければなりません。相手が宅建業者であっても同様です。

➡ 34条の2、78条参照

エ 正しい。建物状況調査の実施者 ➡ 「建築士＋大臣の講習修了者」。

宅建業者が既存建物について建物状況調査を実施する者のあっせんを行う場合、建物状況調査を実施する者は、①建築士法2条1項に規定する建築士であって、②国土交通大臣が定める講習を修了した者でなければなりません。

➡ 34条の2、規則15条の8

　以上より、正しいものは**エ**1つのみであり、正解は❶となります。

【正解 ❶】

媒介契約の規制

問題 39 宅地建物取引業者Aが、BからB所有の住宅の売却の媒介を依頼された場合における次の記述のうち、宅地建物取引業法（以下この問において「法」という。）の規定によれば、正しいものはいくつあるか。なお、法第34条の2第1項の規定に基づき交付すべき書面の交付又は同法第50条の6に規定する登録を証する書面の引渡しに代えてこれらを電磁的方法により提供する場合については、考慮しないものとする。

[R2⑽-問29改]

ア Aは、Bとの間で専任媒介契約を締結し、所定の事項を指定流通機構に登録したときは、その登録を証する書面を遅滞なくBに引き渡さなければならない。

イ Aは、Bとの間で媒介契約を締結したときは、当該契約が国土交通大臣が定める標準媒介契約約款に基づくものであるか否かの別を、法第34条の2第1項の規定に基づき交付すべき書面に記載しなければならない。

ウ Aは、Bとの間で専任媒介契約を締結するときは、Bの要望に基づく場合を除き、当該契約の有効期間について、有効期間満了時に自動的に更新する旨の特約をすることはできない。

エ Aは、Bとの間で専属専任媒介契約を締結したときは、Bに対し、当該契約に係る業務の処理状況を1週間に1回以上報告しなければならない。

❶ 一つ

❷ 二つ

❸ 三つ

❹ 四つ

日建学院・講師陣の必勝コメント

「正答率データ」によると、合格者と不合格者の差が大きい問題です。記述**エ**の「報告の頻度」のように、"覚えていなければお手上げ"の数字は、コツコツと覚えるしかありません。合否の差がつくのは、まさにこういう知識です。

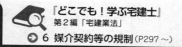

解説 『どこでも！学ぶ宅建士』
第2編「宅建業法」
➡ 6 媒介契約等の規制 (P297〜)

正答率 合格者 **84.6** % / 不合格者 **56.3** %

ア 正しい。専任媒介 ➡ 「指定流通機構に登録」＋「登録証の引渡し」。

宅建業者は、専任媒介契約を締結したときは、契約の相手方を探索するため、一定事項を指定流通機構に登録しなければなりません。この登録をした宅建業者は、登録を証する書面を、遅滞なく依頼者に引き渡さなければなりません。　　　　　　　　　　　　　　　　　　　　　➡ 業法34条の2

イ 正しい。標準媒介契約約款に基づくか否かの別 ➡ 媒介契約書面に記載。

宅建業者は、宅地建物の売買・交換の媒介の契約を締結したときは、遅滞なく、媒介契約書面を作成して記名押印し、依頼者に交付しなければなりません。この媒介契約書面には、当該契約が標準媒介契約約款に基づくものであるか否かの別を記載する必要があります。　　➡ 34条の2、規則15条の9

ウ 誤り。専任媒介 ➡ 「更新には依頼者の申出が必要＝自動更新は不可」。

専任媒介契約の有効期間は、依頼者の申出がなければ、更新できません。したがって、依頼者の要望に基づく場合か否かにかかわらず、自動的に更新する旨の特約をすることはできません。　　　　　　　　➡ 業法34条の2

エ 正しい。専属専任 ➡ 1週間に1回以上、業務処理状況の報告が必要。

専属専任媒介契約を締結した宅建業者は、依頼者に対し、当該専属専任媒介契約に係る業務の処理状況を1週間に1回以上報告しなければなりません。　　　　　　　　　　　　　　　　　　　　　　　　➡ 34条の2

以上より、正しいものは**ア・イ・エ**の3つであり、**❸**が正解となります。

媒介契約の規制

【正解 ❸】

媒介契約の規制

重要ランク S

問題 40　宅地建物取引業者Aが、BからB所有の甲住宅の売却に係る媒介の依頼を受けて締結する一般媒介契約に関する次の記述のうち、宅地建物取引業法（以下この問において「法」という。）の規定によれば、正しいものはどれか。なお、法第34条の2第1項の規定に基づき交付すべき書面の交付に代えてこれを電磁的方法により提供する場合については、考慮しないものとする。

[R2⑽-問38改]

❶　Aは、法第34条の2第1項の規定に基づき交付すべき書面に、宅地建物取引士をして記名押印させなければならない。

❷　Aは、甲住宅の価額について意見を述べる場合、Bに対してその根拠を口頭ではなく書面で明示しなければならない。

❸　Aは、当該媒介契約を締結した場合、指定流通機構に甲住宅の所在等を登録しなければならない。

❹　Aは、媒介契約の有効期間及び解除に関する事項を、法第34条の2第1項の規定に基づき交付すべき書面に記載しなければならない。

解説

『どこでも！学ぶ宅建士』
第2編「宅建業法」
→ 6 媒介契約等の規制（P297～）

正答率	合格者	93.7 %
	不合格者	73.9 %

❶ **誤り。媒介契約書面への記名押印➡宅建士でなく宅建業者がする。**

宅建業者は、宅地・建物の売買・交換の媒介の契約を締結したときは、遅滞なく、**媒介契約書面を作成して記名押印**し、依頼者に交付しなければなりません。この媒介契約書面に必要な記名押印は宅建業者によるものだけであり、宅建士による記名押印は不要です。

➡ 業法34条の2

❷ **誤り。売買価額に関する意見の根拠➡口頭で明示してもよい。**

宅建業者は、媒介契約の目的物となる宅地建物を**売買すべき価額・評価額**について意見を述べるときは、**その根拠を明らかに**しなければなりません。しかし、書面で明示することは要求されておらず、口頭で明示しても問題ありません。

➡ 34条の2

❸ **誤り。一般媒介➡指定流通機構への登録義務はない。**

宅建業者は、専任媒介契約を締結したときは、契約の相手方を探索するため、一定事項を指定流通機構に登録しなければなりません。しかし、一般媒介契約の場合、登録義務はありません。

➡ 34条の2

❹ **正しい。有効期間・解除に関する事項➡媒介契約書面に記載。**

媒介契約書面には、媒介契約の**有効期間及び解除に関する事項**を記載しなければなりません。

➡ 34条の2

攻略POINT 3大書面と宅建士 ―――――――――――――

❶のとおり、3大書面（媒介契約書面・重要事項の説明書・37条書面）のうち、媒介契約書面だけは、宅建士が関わりません。

（○：必要あり　×：必要なし）

	媒介契約書面	重要事項の説明書	37条書面
宅建士による説明	×	○※	×
宅建士の記名等	×	○	○

※：相手方が宅建業者の場合は、書面の交付のみで足り、説明は不要

【正解 ❹】

媒介契約の規制

建物状況調査

問題 41

宅地建物取引業法第34条の2第1項第4号に規定する建物状況調査（以下この問において「建物状況調査」という。）に関する次の記述のうち、誤っているものはどれか。

[R5-問27]

❶ 建物状況調査とは、建物の構造耐力上主要な部分又は雨水の浸入を防止する部分として国土交通省令で定めるものの状況の調査であって、経年変化その他の建物に生じる事象に関する知識及び能力を有する者として国土交通省令で定める者が実施するものをいう。

❷ 宅地建物取引業者が建物状況調査を実施する者のあっせんを行う場合、建物状況調査を実施する者は建築士法第2条第1項に規定する建築士であって国土交通大臣が定める講習を修了した者でなければならない。

❸ 既存住宅の売買の媒介を行う宅地建物取引業者が売主に対して建物状況調査を実施する者のあっせんを行った場合、宅地建物取引業者は売主から報酬とは別にあっせんに係る料金を受領することはできない。

❹ 既存住宅の貸借の媒介を行う宅地建物取引業者は、宅地建物取引業法第37条の規定により交付すべき書面に建物の構造耐力上主要な部分等の状況について当事者の双方が確認した事項を記載しなければならない。

日建学院・講師陣の必勝コメント

❷❸の知識は、R元年以来2回目の出題、❹の知識は超頻出事項です。したがって、抽象的でボンヤリした内容の❶で、もし迷ったとしても、必ず正解できなければなりません。

"過去問を制する者は宅建を制する"ことを象徴するような1問です。

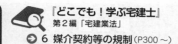 

解説

❶ 正しい。「建物状況調査」＝「一定の者」が実施する構造耐力上主要な部分等の調査。

建物状況調査とは、建物の構造耐力上主要な部分または雨水の浸入を防止する部分として国土交通省令で定めるものの状況の調査であって、次の「❷の者」が実施するものをいいます。　　　　　　　　　　　　→ 宅建業法34条の2

❷ 正しい。建物状況調査の実施者⇒国土交通大臣指定講習を修了した建築士のみ。

建物状況調査を実施する者は、建築士であって、国土交通大臣が定める講習を修了した者でなければなりません。　　　→ 34条の2、施行規則15条の8

❸ 正しい。建物状況調査実施者のあっせん料金⇒報酬とは別に受領は不可。

建物状況調査を実施する者のあっせんは、媒介業務の一環です。そのため、宅建業者は、依頼者に対し建物状況調査を実施する者をあっせんした場合は、報酬とは別に、あっせんに係る料金を受領することはできません。

→ 宅建業法の解釈・運用の考え方

❹ 誤り。既存建物の構造耐力上主要な部分等の状況 ⇒ 「貸借」では記載不要。

既存建物の売買・交換契約を締結した場合、宅建業者は37条書面に建物の構造耐力上主要な部分等の状況について当事者の双方が確認した事項を記載しなければなりません。しかし、貸借契約の場合は、記載は不要です。

→ 宅建業法37条

建物状況調査

【正解 ❹】

□□□✏ **Check!**

重要事項の説明総合

問題 42

宅地建物取引業者が行う宅地建物取引業法第35条に規定する重要事項の説明に関する次の記述のうち、正しいものはどれか。なお、説明の相手方は宅地建物取引業者ではないものとする。

[H24-問30改]

❶ 建物の貸借の媒介を行う場合、当該建物が住宅の品質確保の促進等に関する法律に規定する住宅性能評価を受けた新築住宅であるときは、その旨について説明しなければならないが、当該評価の内容までを説明する必要はない。

❷ 建物の売買の媒介を行う場合、飲用水、電気及びガスの供給並びに排水のための施設が整備されていないときは、その整備の見通し及びその整備についての特別の負担に関する事項を説明しなければならない。

❸ 建物の貸借の媒介を行う場合、当該建物について、石綿の使用の有無の調査の結果が記録されているときは、その旨について説明しなければならないが、当該記録の内容までを説明する必要はない。

❹ 昭和55年に竣工した建物の売買の媒介を行う場合、当該建物について耐震診断を実施した上で、その内容を説明しなければならない。

👆 **日建学院・講師陣の必勝コメント**

❹は頻出の論点です。❸の**石綿使用の有無**についてもよく出題されます。耐震診断も、石綿使用の調査も、記録があれば説明しなければなりませんが、宅建業者自ら調査することまでは義務化されていません。

解説

『どこでも！学ぶ宅建士』
第2編「宅建業法」
➡ 7 重要事項の説明（P306〜）

正答率	合格者	84.3 %
	不合格者	71.5 %

重要事項の説明総合

❶ 誤り。住宅性能評価 ➡ 貸借では説明不要。
　　建物の売買・交換においては、当該建物が住宅の品質確保の促進等に関する法律に規定する住宅性能評価を受けた新築住宅であるときは、その旨を重要事項として説明しなければなりません。しかし、建物の貸借においては、重要事項として説明する必要はありません。　➡ 業法35条、規則16条の4の3

❷ 正しい。整備の見通し・整備についての特別の負担 ➡ 説明必要。
　　宅地・建物の売買・交換・貸借においては、飲用水・電気・ガスの供給・排水のための施設の整備の状況について、重要事項として説明しなければなりません。これらの施設が整備されていない場合においては、その整備の見通し及びその整備についての特別の負担に関する事項についても、説明しなければなりません。　➡ 業法35条

❸ 誤り。石綿使用の有無の調査結果の記録あり ➡ その内容の説明が必要。
　　建物の売買・交換・貸借においては、当該建物について、石綿の使用の有無の調査の結果が記録されているときは、その内容を重要事項として説明しなければなりません。記録されている旨ではなく、記録の内容を説明しなければなりません。　➡ 35条、規則16条の4の3

❹ 誤り。耐震診断がなければ説明不要。耐震診断の実施義務もなし。
　　宅建業者は、昭和56年6月1日より前に新築の工事に着手された建物の売買・交換・貸借において、当該建物が一定の耐震診断を受けたものであるときは、その内容を説明しなければなりません。しかし、当該建物がこの耐震診断を受けたものでないときは、説明する必要はありません。また、宅建業者は、耐震診断の実施自体について義務はありません。
　➡ 業法35条、規則16条の4の3、宅建業法の解釈・運用の考え方

【正解 ❷】

重要事項の説明総合

問題 **43**　宅地建物取引業法（以下この問において「法」という。）に関する次の記述のうち、正しいものはどれか。　[H25-問29改]

❶　宅地建物取引業者でない売主と宅地建物取引業者である買主が、媒介業者を介さず宅地の売買契約を締結する場合、法第35条の規定に基づく重要事項の説明義務を負うのは買主の宅地建物取引業者である。

❷　建物の管理が管理会社に委託されている当該建物の賃貸借契約の媒介をする宅地建物取引業者は、当該建物が区分所有建物であるか否かにかかわらず、その管理会社の商号又は名称及びその主たる事務所の所在地を、借主に説明しなければならない。

❸　区分所有建物の売買において、買主が宅地建物取引業者でない場合、売主は当該買主に対し、当該一棟の建物に係る計画的な維持修繕のための修繕積立金積立総額及び売買の対象となる専有部分に係る修繕積立金額の説明をすれば、滞納があることについては説明をしなくてもよい。

❹　区分所有建物の売買において、売主及び買主が宅地建物取引業者である場合、当該売主は当該買主に対し、法第35条の2に規定する供託所等の説明をする必要がある。

解 説

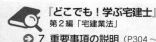

『どこでも！学ぶ宅建士』
第2編「宅建業法」
➡ 7 重要事項の説明（P304～）

正答率	合格者	80.6 %
	不合格者	66.4 %

❶ **誤り。買主である宅建業者に、重要事項の説明義務なし。**
　宅建業者が、宅建士をして、重要事項説明書を交付して説明をさせなければならない相手方とは、買主・借主などをいい、売主・貸主は含まれません。したがって、買主である宅建業者は、売主に対して重要事項を説明する必要はありません。
➡ 業法35条

❷ **正しい。管理委託先の氏名・住所 ➡ 説明必要。**
（よく出る!）
　建物の貸借の契約においては、当該建物が区分所有建物であるか否かにかかわらず、建物の管理が委託されているときは、その委託を受けている者の氏名及び住所（法人の場合、その商号・名称及びその主たる事務所の所在地）を重要事項として説明しなければなりません。
➡ 35条、規則16条の2、16条の4の3

❸ **誤り。修繕積立金の定めと積立額・滞納額 ➡ 説明必要。**
（難）
　区分所有建物の売買の契約においては、当該一棟の建物の計画的な維持修繕のための費用の積立てを行う旨の規約の定めがあるときは、その内容、すでに積み立てられている額及び滞納があるときはその額についても説明が必要です。
➡ 業法35条、規則16条の2、宅建業法の解釈・運用の考え方

❹ **誤り。供託所等の説明 ➡ 業者間取引であれば説明不要。**
　宅建業者は、取引の相手方等に対して、契約が成立するまでの間に、供託所等について説明するようにしなければなりません。しかし、業者間取引であれば、説明をする必要はありません。
➡ 業法35条の2

【正解 ❷】

重要事項の説明総合

 問題 **44**

宅地建物取引業者が行う宅地建物取引業法第35条に規定する重要事項の説明に関する次の記述のうち、誤っているものはどれか。なお、説明の相手方は宅地建物取引業者ではないものとする。　[H29-問41]

❶ 区分所有建物の売買の媒介を行う場合、当該1棟の建物及びその敷地の管理が委託されているときは、その委託を受けている者の氏名（法人にあっては、その商号又は名称）及び住所（法人にあっては、その主たる事務所の所在地）を説明しなければならない。

❷ 土地の売買の媒介を行う場合、移転登記の申請の時期の定めがあるときは、その内容を説明しなければならない。

❸ 住宅の売買の媒介を行う場合、宅地内のガス配管設備等に関して、当該住宅の売買後においても当該ガス配管設備等の所有権が家庭用プロパンガス販売業者にあるものとするときは、その旨を説明する必要がある。

❹ 中古マンションの売買の媒介を行う場合、当該マンションの計画的な維持修繕のための費用の積立てを行う旨の規約の定めがあるときは、その内容及び既に積み立てられている額について説明しなければならない。

👆 **日建学院・講師陣の 必勝コメント**

「正答率データ」の解答分布を見ると、本問では、合格者の選択は正解肢に集中しているのに対して、不合格者の選択は正解肢以外にも散逸しています。

❷の「37条書面の必要的記載事項のうちで、重要事項の説明で不要なもの」をしっかり覚えておきましょう。

重要事項の説明総合

❶ 正しい。管理受託者の氏名・住所 ➡ 説明必要。

　区分所有建物の売買の場合、「当該一棟の建物及びその敷地の管理が委託されているときは、その委託を受けている者の氏名（法人の場合、その商号または名称）及び住所（法人の場合、その主たる事務所の所在地）」を説明しなければなりません。　　　　　　　　　　　　　　➡ 業法35条、規則16条の2

❷ 誤り。移転登記の申請の時期の定め ➡ 説明不要。

　移転登記の申請の時期の定めがあるときのその内容は、説明しなければならない事項ではありません。　　　　　　　　　➡ 業法35条、37条参照

> **＋α** 移転登記の申請の時期は、37条書面の必要的記載事項です。

❸ 正しい。ガスの供給のための施設の整備の状況 ➡ 説明必要。

　「飲用水・電気・ガスの供給・排水のための施設の整備の状況」は、説明しなければなりません。そして、ガス配管設備等に関して、住宅の売買後においても宅地内のガスの配管設備等の所有権が家庭用プロパンガス販売業者にあるものとする場合には、その旨の説明をしなければなりません。　　　　　　　　　　　　　　➡ 35条、宅建業法の解釈・運用の考え方

❹ 正しい。修繕積立金の規約と積み立てられている額 ➡ 説明必要。

　区分所有建物の売買の場合、「当該一棟の建物の計画的な維持修繕のための費用の積立てを行う旨の規約の定めがあるときは、その内容及び既に積み立てられている額」について説明しなければなりません。　　　　　　　　　　　　　　➡ 業法35条、規則16条の2

【正解 ❷ 】

重要事項の説明総合

問題 **45** 宅地建物取引業者が建物の貸借の媒介を行う場合における宅地建物取引業法（以下この問において「法」という。）第35条に規定する重要事項の説明に関する次の記述のうち、誤っているものはどれか。なお、特に断りのない限り、当該建物を借りようとする者は宅地建物取引業者ではないものとし、同条に規定する重要事項を記載した書面の交付に代えて電磁的方法により提供する場合については考慮しないものとする。

[H30-問39改]

❶ 当該建物を借りようとする者が宅地建物取引業者であるときは、貸借の契約が成立するまでの間に重要事項を記載した書面を交付しなければならないが、その内容を宅地建物取引士に説明させる必要はない。

❷ 当該建物が既存の住宅であるときは、法第34条の２第１項第４号に規定する建物状況調査を実施しているかどうか、及びこれを実施している場合におけるその結果の概要を説明しなければならない。

❸ 台所、浴室、便所その他の当該建物の設備の整備の状況について説明しなければならない。

❹ 宅地建物取引士は、テレビ会議等のＩＴを活用して重要事項の説明を行うときは、相手方の承諾があれば宅地建物取引士証の提示を省略することができる。

日建学院・講師陣の必勝コメント

「既存の建物の場合に追加される重要事項」には、次の２つがあります。

① 建物状況調査の実施の有無、実施している場合の結果の概要
② 建物の建築及び維持保全の状況に関する書類の保存の状況
（売買・交換のみ）

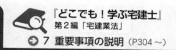 

解説 『どこでも！学ぶ宅建士』第２編「宅建業法」
➡７ 重要事項の説明（P304〜）

正答率　合格者 **96.1** %　不合格者 **85.9** %

❶ **正しい。説明の相手方が宅建業者の場合 ➡ 書面の交付のみでよい。**

　　説明の相手方が宅建業者の場合、宅建業者は、重要事項説明書の交付をする義務はありますが、宅建士をして（口頭で）説明をさせる義務は、免除されます。このことは、貸借の媒介の場合も同様です。　　➡ 業法35条

❷ **正しい。建物状況調査の実施の有無・結果の概要を説明する。**

　　宅建業者は、取引の対象が**既存の建物**であるときは、建物状況調査（実施後１年以内〔鉄筋コンクリート造または鉄骨鉄筋コンクリート造の共同住宅等の場合は、２年以内〕のものに限る）を実施しているかどうか、及びこれを実施している場合におけるその結果の概要を、重要事項として説明する必要があります。このことは、貸借の媒介の場合も同様です。　➡ 35条

❸ **正しい。建物の貸借 ➡ 台所・浴室・便所等の整備の状況を説明。**

　　宅建業者は、建物の貸借の媒介を行う場合、台所・浴室・便所その他の当該建物の設備の整備の状況について重要事項として説明しなければなりません。　　　　　　　　　　　　　　　➡ 35条、規則16条の4の3

❹ **誤り。ＩＴ重説においても、宅建士証の提示は省略不可。**

　　重要事項の説明には、テレビ会議等のＩＴを活用することができます。もっとも、この場合でも、宅建士証の提示は省略できません。

　　　　　　　　　　　　　　　➡ 宅建業法の解釈・運用の考え方

重要事項の説明総合

【正解❹】

重要事項の説明総合

問題 46 建物の貸借の媒介を行う宅地建物取引業者が、その取引の相手方（宅地建物取引業者を除く。）に対して、次のアからエの発言に続けて宅地建物取引業法第35条の規定に基づく重要事項の説明を行った場合のうち、宅地建物取引業法の規定に違反しないものはいくつあるか。なお、重要事項説明書の交付に代えて電磁的方法により提供する場合については考慮しないものとする。　[R4-問40改]

ア 本日は重要事項の説明を行うためにお電話しました。お客様はＩＴ環境をお持ちでなく映像を見ることができないとのことですので、宅地建物取引士である私が記名した重要事項説明書は現在お住まいの住所に郵送いたしました。このお電話にて重要事項の説明をさせていただきますので、お手元でご覧いただきながらお聞き願います。

イ 建物の貸主が宅地建物取引業者で、代表者が宅地建物取引士であり建物の事情に詳しいことから、その代表者が作成し、記名した重要事項説明書がこちらになります。当社の宅地建物取引士は同席しますが、説明は貸主の代表者が担当します。

ウ この物件の担当である弊社の宅地建物取引士が本日急用のため対応できなくなりましたが、せっかくお越しいただきましたので、重要事項説明書にある宅地建物取引士欄を訂正の上、宅地建物取引士である私が記名をし、代わりに説明をいたします。私の宅地建物取引士証をお見せします。

エ 本日はお客様のご希望ですので、テレビ会議を用いて重要事項の説明を行います。当社の側の音声は聞こえていますでしょうか。十分に聞き取れたとのお返事、こちらにも聞こえました。では、説明を担当する私の宅地建物取引士証をお示ししますので、画面上でご確認をいただき、私の名前を読み上げていただけますでしょうか。そうです、読み方も間違いありません。それでは、双方音声・映像ともやりとりできる状況ですので、説明を始めます。事前にお送りした私が記名した重要事項説明書をお手元にご用意ください。

❶ 一つ

❷ 二つ

❸ 三つ

❹ 四つ

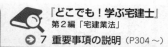 

ア 違反する。IT重説 ➡ 映像を視認できる環境で行う。

宅建士がITを活用した重要事項の説明を行う場合、宅建士および重要事項の説明を受けようとする者が、図面等の書類および説明の内容について十分に理解できる程度に映像を視認でき、かつ、双方が発する音声を十分に聞き取ることができるとともに、双方向でやりとりできる環境において実施しなければなりません。 　　　　　　　　　➡ 宅建業法の解釈・運用の考え方

イ 違反する。貸借の媒介を行う宅建業者が、重要事項の説明義務を負う。

本問では、重要事項の説明を行う義務は貸借の媒介を行う宅建業者にあるため、貸借の媒介を行う宅建業者が重要事項の説明を行う必要があります。貸主が作成して記名した重要事項説明書や貸主が担当した説明では、これを満たしません。 　　　　　　　　　　　　　　　　➡ 宅建業法35条

ウ 違反しない。重要事項説明書面 ➡ 宅建士の記名が必要。

重要事項説明書面には、宅建士が記名する必要があります。また、重要事項の説明を行う宅建士は、宅建士証を提示しなければなりません。本記述では、実際に説明をする宅建士が記名をし、宅建士証を提示しているので、宅建業法に違反しません。 　　　　　　　　　　　　　　➡ 35条

エ 違反しない。IT重説 ➡ 一定の要件を満たす必要がある。

宅建士がITを活用した重要事項の説明を行う場合、以下の要件①〜④のすべてを満たす必要があります。

① 宅建士・重要事項の説明を受ける者が、図面等の書類・説明の内容について十分に理解できる程度に映像を視認でき、かつ、双方が発する音声を十分に聞き取ることができるとともに、双方向でやりとりできる環境において実施していること

② 宅建士により記名された重要事項説明書・添付書類を、重要事項の説明を受ける者にあらかじめ交付（電磁的方法による提供を含む）していること

③ 重要事項の説明を受ける者が、重要事項説明書・添付書類を確認しながら説明を受けることができる状態にあること、および、映像・音声の状況について、宅建士が重要事項の説明を開始する前に確認していること

④ 宅建士が、宅建士証を提示し、重要事項の説明を受ける者が、当該宅建士証を画面上で視認できたことを確認していること

本記述は上記をすべて満たしているので、宅建業法に違反しません。 　　　　　　　　　　　　　　　➡ 宅建業法の解釈・運用の考え方

以上より、違反しないものは**ウ・エ**であり、**❷**が正解となります。

【正解 ❷】

重要事項の説明総合

問題 **47**

宅地建物取引業法第35条に規定する重要事項の説明に関する次の記述のうち、誤っているものはいくつあるか。

[R5-問42]

ア 宅地建物取引士は、重要事項説明をする場合、取引の相手方から請求されなければ、宅地建物取引士証を相手方に提示する必要はない。

イ 売主及び買主が宅地建物取引業者ではない場合、当該取引の媒介業者は、売主及び買主に重要事項説明書を交付し、説明を行わなければならない。

ウ 宅地の売買について売主となる宅地建物取引業者は、買主が宅地建物取引業者である場合、重要事項説明書を交付しなければならないが、説明を省略することはできる。

エ 宅地建物取引業者である売主は、宅地建物取引業者ではない買主に対して、重要事項として代金並びにその支払時期及び方法を説明しなければならない。

❶ 一つ

❷ 二つ

❸ 三つ

❹ 四つ

日建学院・講師陣の必勝コメント

　イ・エの"ひっかけ"は、過去問での常連ポイントです。合格するために避けては通れない関門ですから、必ず克服しましょう！

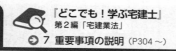

解 説

『どこでも！学ぶ宅建士』
第2編「宅建業法」
➡ 7 重要事項の説明（P304〜）

正答率　合格者 **92.0** %　不合格者 **48.1** %

ア 誤り。**重要事項説明時の宅建士証の提示➡相手方の請求がなくても必要。**
　宅建士は、重要事項の説明をするときは、説明の相手方に対し、宅建士証を提示しなければならず、相手方からの請求がなくても、提示義務は免除されません。
➡ 宅建業法35条

イ 誤り。**重要事項説明➡売主に対しては不要。**
　重要事項の説明は、宅地・建物を「取得する者、または借りる者」に対して行います。つまり、重要事項説明の対象者は、買主・交換の両当事者・借主（貸借の媒介・代理の場合）だけです。したがって、売買の場合は、買主に説明すれば足り、売主に説明する必要はありません。なお、このことは売主が宅建業者ではない場合であっても、同様です。
➡ 35条

ウ 正しい。**買主が宅建業者➡重要事項説明書の交付で足り、説明は不要。**
　売買契約の買主が宅建業者の場合、重要事項説明書を交付すれば足り、宅建士による説明をする必要はありません。
➡ 35条

エ 誤り。**代金の額・支払時期・支払方法➡重要事項説明では不要。**
　売買契約を締結する場合、37条書面には代金の額・支払時期・支払方法を記載する必要があります。しかし、重要事項として説明する必要はありません。
➡ 35条、37条参照

　よって、誤っているものは**ア・イ・エ**の3つであり、正解は**❸**となります。

【正解 ❸】

■ ■ ■ 🖊 Check!

重要事項の説明総合

問題 48 宅地建物取引業法第35条に規定する重要事項の説明に関する次の記述のうち、正しいものはどれか。 [R5-問33]

❶ 甲宅地を所有する宅地建物取引業者Aが、乙宅地を所有する宅地建物取引業者ではない個人Bと、甲宅地と乙宅地の交換契約を締結するに当たって、Bに対して、甲宅地に関する重要事項の説明を行う義務はあるが、乙宅地に関する重要事項の説明を行う義務はない。

❷ 宅地の売買における当該宅地の引渡しの時期について、重要事項説明において説明しなければならない。

❸ 宅地建物取引業者が売主となる宅地の売買に関し、売主が買主から受領しようとする金銭のうち、買主への所有権移転の登記以後に受領するものに対して、宅地建物取引業法施行規則第16条の4に定める保全措置を講ずるかどうかについて、重要事項説明書に記載する必要がある。

❹ 重要事項説明書の電磁的方法による提供については、重要事項説明を受ける者から電磁的方法でよいと口頭で依頼があった場合、改めて電磁的方法で提供することについて承諾を得る必要はない。

> 🖐️ **日建学院・講師陣の必勝コメント**
>
> ❹は、近年の改正点に関する出題です。
> 書面の交付を、電磁的方法による提供で代替できるケースは、媒介契約書面の交付・重要事項説明書の交付・37条書面の交付などいくつかありますが、いずれの場合も、相手方など一定の者からの書面または電磁的方法による承諾が必要です。
> このことは、各ケース共通の知識として、ここでまとめて覚えておきましょう。

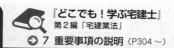

❶ **正しい。説明義務があるのは、相手方等が取得する物件についてのみ。**

交換契約における重要事項の説明は、相手方に対して、その者が取得する物件について行います。したがって、宅建業者Aは、相手方である個人Bに対して、Bが取得する甲宅地については説明義務がありますが、自己が取得する乙宅地については説明義務がありません。　　　　➡ 宅建業法35条

❷ **誤り。物件の引渡し時期 ➡ 重要事項説明では不要。**

宅地・建物の引渡しの時期は、37条書面には必ず記載する必要があります。しかし、重要事項として説明をする必要はありません。　➡ 35条、37条参照

❸ **誤り。買主への移転登記以後に受領する金銭 ➡ 「保全措置」の記載は不要。**

宅建業者は、支払金・預り金等の金銭を受領する場合は、一定の保全措置を講ずるかどうか、および、その措置を講ずる場合は措置の概要を、重要事項説明書に記載する必要があります。

しかし、所有権移転登記以後に受領する金銭は、「支払金・預り金等」に該当しないため、それに対する保全措置を、重要事項説明書に記載する必要はありません。　　　　➡ 35条、施行規則16条の3、16条の4

❹ **誤り。電磁的方法による重要事項説明書の提供 ➡ 書面等での承諾が必要。**

宅建業者は、電磁的方法により重要事項説明書を提供する場合は、相手方に対し、書面または電磁的方法（電子情報処理組織を使用する方法その他の情報通信の技術を利用する方法で国土交通省令で定めるもの）で承諾を得なければなりません。したがって、「口頭での依頼」では、この要件を満たしません。　➡ 宅建業法35条、施行令3条の3、宅建業法の解釈・運用の考え方

+α 「電子情報処理組織を使用する方法その他の情報通信の技術を利用する方法」とは、例えば、書面に出力可能な方法（電子メールによる方法・WEB上で承諾を得る方法・CD-ROMの交付による方法など）をいいます。

重要事項の説明総合

【正解 ❶】

重要事項の説明総合

問題 **49**

宅地建物取引業者が行う宅地建物取引業法第35条に規定する重要事項の説明に関する次の記述のうち、正しいものはどれか。なお、説明の相手方は宅地建物取引業者ではないものとする。 [R元-問39]

❶ 既存住宅の貸借の媒介を行う場合、建物の建築及び維持保全の状況に関する書類の保存状況について説明しなければならない。

❷ 宅地の売買の媒介を行う場合、登記された抵当権について、引渡しまでに抹消される場合は説明しなくてよい。

❸ 宅地の貸借の媒介を行う場合、借地権の存続期間を50年とする賃貸借契約において、契約終了時における当該宅地の上の建物の取壊しに関する事項を定めようとするときは、その内容を説明しなければならない。

❹ 建物の売買又は貸借の媒介を行う場合、当該建物が津波防災地域づくりに関する法律第53条第1項により指定された津波災害警戒区域内にあるときは、その旨を、売買の場合は説明しなければならないが、貸借の場合は説明しなくてよい。

日建学院・講師陣の必勝コメント

❶については、「貸借では説明不要」となることに要注意です。

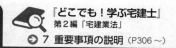

解説

『どこでも！学ぶ宅建士』
第2編「宅建業法」
➡ 7 重要事項の説明（P306～）

❶ 誤り。**維持保全の状況等の書類の保存状況 ➡ 貸借では説明不要。**

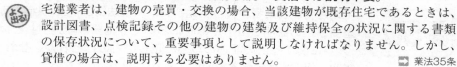

　宅建業者は、建物の売買・交換の場合、当該建物が既存住宅であるときは、設計図書、点検記録その他の建物の建築及び維持保全の状況に関する書類の保存状況について、重要事項として説明しなければなりません。しかし、貸借の場合は、説明する必要はありません。　　　　　　　　　　➡ 業法35条

❷ 誤り。**登記された抵当権 ➡ 重要事項の説明事項。**

　宅地・建物の上に存する登記された権利の種類及び内容や、登記名義人または登記簿の表題部に記録された所有者の氏名（法人の場合、その名称）は、重要事項として説明しなければなりません。引渡しまでに抹消する予定の抵当権であっても同様です。　　　　　　　　　　　　　　　➡ 35条

❸ 正しい。**借地上の建物の取壊し ➡ 説明必要。**

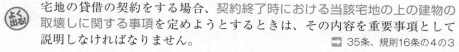

　宅地の貸借の契約をする場合、契約終了時における当該宅地の上の建物の取壊しに関する事項を定めようとするときは、その内容を重要事項として説明しなければなりません。　　　　　　　　➡ 35条、規則16条の4の3

❹ 誤り。**津波災害警戒区域内に所在 ➡ 説明必要。**

　宅地・建物が津波災害警戒区域内にあるときは、その旨を重要事項として説明しなければなりません。売買でも貸借でも同様です。

➡ 業法35条、規則16条の4の3

【正解 ❸】

重要事項の説明総合

問題 **50**

宅地建物取引業者が行う宅地建物取引業法第35条に規定する重要事項の説明（以下この問において「重要事項説明」という。）に関する次の記述のうち、正しいものはどれか。なお、説明の相手方は宅地建物取引業者ではないものとする。

[R元-問41]

❶ 建物管理が管理会社に委託されている建物の貸借の媒介をする宅地建物取引業者は、当該建物が区分所有建物であるか否かにかかわらず、その管理会社の商号及びその主たる事務所の所在地について、借主に説明しなければならない。

❷ 宅地建物取引業者である売主は、他の宅地建物取引業者に媒介を依頼して宅地の売買契約を締結する場合、重要事項説明の義務を負わない。

❸ 建物の貸借の媒介において、建築基準法に規定する建蔽率及び容積率に関する制限があるときは、その概要を説明しなければならない。

❹ 重要事項説明では、代金、交換差金又は借賃の額を説明しなければならないが、それ以外に授受される金銭の額については説明しなくてよい。

日建学院・講師陣の必勝コメント

　全肢、重要です。特に❹について、代金・交換差金・借賃そのものの額などは37条書面の必要的記載事項ですが、重要事項の説明事項ではありません。気をつけましょう。

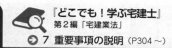

解 説

❶ **正しい。管理受託者の氏名等 ➡ 説明必要。**

区分所有建物の貸借の場合、当該一棟の建物及びその敷地の管理が委託されているときは、その委託を受けている者の氏名（法人の場合、その商号または名称）及び住所（法人の場合、その主たる事務所の所在地）を重要事項として説明する必要があります。その他の建物の貸借の場合も、管理が委託されているときは、その委託を受けている者の氏名（法人の場合、その商号または名称）及び住所（法人の場合、その主たる事務所の所在地）を重要事項として説明する必要があります。

➡ 業法35条、規則16条の2、16条の4の3

❷ **誤り。売主業者 ➡ 他の宅建業者に媒介を依頼しても、自ら説明必要。**

宅建業者である売主は、他の宅建業者に媒介を依頼した場合でも、重要事項の説明義務を負います。　　　　　　　　　　　　　➡ 業法35条

❸ **誤り。建物の貸借 ➡ 容積率・建蔽率の説明は不要。**

宅地・建物の売買・交換の場合や宅地の貸借の場合には、建築基準法に規定される容積率や建蔽率などの概要について、重要事項として説明をしなければなりません。しかし、建物の貸借の場合には、重要事項の説明事項に該当しません。　　　　　　　　　　　➡ 35条、施行令3条

❹ **誤り。代金・交換差金・借賃以外の金銭の額など ➡ 説明必要。**

代金、交換差金及び借賃以外に授受される金銭の額及び当該金銭の授受の目的は、重要事項として説明しなければなりません。しかし、代金、交換差金または借賃の額は、37条書面の必要的記載事項ですが、重要事項の説明事項ではありません。　　　　　　　　　　　　➡ 業法35条、37条

【正解 ❶】

重要ランク A

重要事項の説明総合

問題 **51**

宅地建物取引業者が行う宅地建物取引業法第35条に規定する重要事項の説明に関する次の記述のうち、誤っているものはどれか。なお、特に断りのない限り、説明の相手方は宅地建物取引業者ではないものとし、同条に規定する重要事項を記載した書面（以下この問において「重要事項説明書」という。）の交付に代えてこれを電磁的方法により提供する場合については、考慮しないものとする。 [R2(10)-問44改]

❶ 昭和55年に新築の工事に着手し完成した建物の売買の媒介を行う場合、当該建物が地方公共団体による耐震診断を受けたものであるときは、その内容を説明しなければならない。

❷ 貸借の媒介を行う場合、敷金その他いかなる名義をもって授受されるかを問わず、契約終了時において精算することとされている金銭の精算に関する事項を説明しなければならない。

❸ 自らを委託者とする宅地又は建物に係る信託の受益権の売主となる場合、取引の相手方が宅地建物取引業者であっても、重要事項説明書を交付して説明をしなければならない。

❹ 区分所有建物の売買の媒介を行う場合、一棟の建物の計画的な維持修繕のための費用の積立てを行う旨の規約の定めがあるときは、その内容を説明しなければならないが、既に積み立てられている額について説明する必要はない。

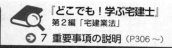

❶ 正しい。耐震診断の内容 ➡ 説明必要。

建物の売買・交換・貸借の契約を行う場合、宅建業者は、当該建物（昭和56年6月1日以降に新築の工事に着手したものを除く。つまり、本肢の建物は対象となります）が地方公共団体等の耐震診断を受けたものであるときは、その内容を、重要事項として説明しなければなりません。

➡ 業法35条、規則16条の4の3

❷ 正しい。契約終了時の金銭の精算に関する事項 ➡ 説明必要。

宅地・建物の貸借を行う場合、宅建業者は、敷金その他いかなる名義をもって授受されるかを問わず、契約終了時において精算することとされている金銭の精算に関する事項を、重要事項として説明しなければなりません。

➡ 業法35条、規則16条の4の3

❸ 正しい。信託受益権に関する重要事項の説明 ➡ 業者間取引でも必要。

宅建業者は、宅地・建物に係る信託（当該宅建業者が委託者となるものに限る）の受益権の売主となる場合は、売買の相手方に対して、その売買の契約が成立するまでの間に、宅建士をして、重要事項を記載した書面を交付して説明をさせなければなりません。これは、宅地・建物の売買と異なり、宅建業者間の取引であっても、説明を省略できません。　➡ 業法35条

❹ 誤り。既に積み立てられた修繕積立金の額など ➡ 説明必要。

区分所有建物の売買・交換を行う場合、当該一棟の建物の計画的な維持修繕のための費用の積立てを行う旨の規約の定めがあるときは、その内容及び既に積み立てられている額を、重要事項として説明しなければなりません。

➡ 35条、規則16条の2

重要事項の説明総合

【正解 ❹】

293

■■■ ✏ Check!

重要事項の説明総合

問題 **52**

宅地建物取引業者Aが、自ら売主として宅地建物取引業者ではない買主Bに対し建物の売却を行う場合における宅地建物取引業法第35条に規定する重要事項の説明に関する次の記述のうち、正しいものはどれか。 [R3⑽-問26]

❶ Aは、Bに対し、専任の宅地建物取引士をして説明をさせなければならない。

❷ Aは、Bに対し、代金以外に授受される金銭の額だけでなく、当該金銭の授受の目的についても説明しなければならない。

❸ Aは、Bに対し、建物の上に存する登記された権利の種類及び内容だけでなく、移転登記の申請の時期についても説明しなければならない。

❹ Aは、Bに対し、売買の対象となる建物の引渡しの時期について説明しなければならない。

👆 日建学院・講師陣の必勝コメント

「正答率データ」によると、合格者と不合格者の差が大きい問題です。❸❹の「37条書面の必要的記載事項のうちで、重要事項の説明で不要なもの」の判断ができるかどうかで、実力の違いがはっきり表れます。

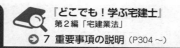

解説

『どこでも！学ぶ宅建士』
第2編「宅建業法」
➡ 7 重要事項の説明（P304～）

正答率		
合格者	**97.6** %
不合格者	**62.0** %

重要事項の説明総合

❶ 誤り。**重要事項の説明をする宅建士は、「専任」でなくてもOK。**
  重要事項の説明は、宅建士にさせなければなりません。ただし、専任の宅建士でなくても構いません。　　　　　　　　　　　　　　　➡ 業法35条

❷ 正しい。**代金以外の金銭の「授受の目的」も、重要事項として説明必要。**
  宅建業者は、「代金・交換差金・借賃」以外に授受される金銭の額だけでなく、当該金銭の授受の目的（例えば、「手付金として」等）も、重要事項として説明しなければなりません。　　　　　　　　　　➡ 35条

❸ 誤り。**移転登記の申請の時期 ➡ 重要事項としては説明不要。**
  宅建業者は、宅地・建物の上に存する登記された権利の種類・内容などを、重要事項として説明しなければなりません。しかし、移転登記の申請の時期は、重要事項の説明の対象外です。　　　　　　➡ 35条参照

  +α 移転登記の申請の時期は、37条書面の必要的記載事項です（売買・交換のみ）。

❹ 誤り。**宅地・建物の引渡しの時期 ➡ 重要事項としては説明不要。**
  宅地・建物の引渡しの時期は、重要事項の説明の対象外です。　➡ 35条参照

  +α 宅地・建物の引渡しの時期は、37条書面の必要的記載事項です。

【正解 ❷ 】

重要事項の説明（貸借）

問題 53

宅地建物取引業者が建物の貸借の媒介を行う場合における宅地建物取引業法第35条に規定する重要事項の説明に関する次の記述のうち、正しいものはどれか。なお、説明の相手方は宅地建物取引業者ではないものとする。

[R元-問28]

❶ 当該建物が住宅の品質確保の促進等に関する法律第5条第1項に規定する住宅性能評価を受けた新築住宅であるときは、その旨を説明しなければならない。

❷ 当該建物が既存の建物であるときは、既存住宅に係る住宅の品質確保の促進等に関する法律第6条第3項に規定する建設住宅性能評価書の保存の状況について説明しなければならない。

❸ 当該建物が既存の建物である場合、石綿使用の有無の調査結果の記録がないときは、石綿使用の有無の調査を自ら実施し、その結果について説明しなければならない。

❹ 当該建物が建物の区分所有等に関する法律第2条第1項に規定する区分所有権の目的であるものであって、同条第3項に規定する専有部分の用途その他の利用の制限に関する規約の定めがあるときは、その内容を説明しなければならない。

日建学院・講師陣の必勝コメント

❷については、貸借では説明不要であることに要注意です。他の肢も頻出のものばかりですので、今一度基本テキスト等を確認しておきましょう。

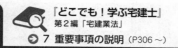

解 説

『どこでも！学ぶ宅建士』
第2編「宅建業法」
➡ 7 重要事項の説明（P306～）

正答率 合格者 **95.5**%　不合格者 **82.8**%

❶ 誤り。**貸借の場合、住宅性能評価を受けた旨の説明は不要。**

　宅建業者は、建物の売買・交換の媒介を行う場合に、当該建物が住宅性能評価を受けた新築住宅であるときは、その旨を重要事項として説明しなければなりません。しかし、貸借の場合は不要です。

　　　　　　　　　　　　　　　　　　➡ 業法35条、規則16条の4の3

❷ 誤り。**貸借では、建設住宅性能評価書の保存状況の説明は不要。**

　宅建業者は、既存建物の売買・交換の媒介を行う場合に、既存住宅に係る建設住宅性能評価書の保存の状況について、重要事項として説明しなければなりません。しかし、貸借の場合は不要です。 ➡ 業法35条、規則16条の2の3

❸ 誤り。**宅建業者に石綿の使用の有無を自ら調査する義務はない。**

　宅建業者は、建物の貸借の媒介を行う場合に、当該建物について、石綿の使用の有無の調査の結果が記録されているときは、その内容を重要事項として説明しなければなりません。しかし、記録がない場合に、宅建業者が自ら調査を実施する必要はありません。

　　　　　　　➡ 業法35条、規則16条の4の3、宅建業法の解釈・運用の考え方

❹ 正しい。**専有部分の用途の制限について説明する。**

　宅建業者は、区分所有建物の貸借の媒介を行う場合に、専有部分の用途その他の利用の制限に関する規約の定めがあるときは、その内容を重要事項として説明しなければなりません。 ➡ 業法35条、規則16条の2

【正解 ❹】

重要事項の説明（貸借）

重要事項の説明（区分所有建物）

問題 **54**

宅地建物取引業法第35条に規定する重要事項の説明に関する次の記述のうち、正しいものはどれか。なお、説明の相手方は宅地建物取引業者ではないものとする。 [H25-問33改]

❶ 宅地建物取引業者は、自ら売主として分譲マンションの売買を行う場合、管理組合の総会の議決権に関する事項について、管理規約を添付して説明しなければならない。

❷ 宅地建物取引業者は、分譲マンションの売買の媒介を行う場合、建物の区分所有等に関する法律第2条第4項に規定する共用部分に関する規約の定めが案の段階であっても、その案の内容を説明しなければならない。

❸ 宅地建物取引業者は、マンションの1戸の貸借の媒介を行う場合、建築基準法に規定する容積率及び建蔽率に関する制限があるときは、その制限内容を説明しなければならない。

❹ 宅地建物取引業者は、マンションの1戸の貸借の媒介を行う場合、借賃以外に授受される金銭の定めがあるときは、その金銭の額、授受の目的及び保管方法を説明しなければならない。

日建学院・講師陣の必勝コメント

　ほとんどの肢が、過去に何度も出題実績のある基本問題です。このような問題を取りこぼして他の受験生と差がつかないように注意してください。

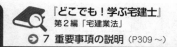

❶ 誤り。**議決権に関する事項は、説明不要。**

管理組合の総会の議決権に関する事項は、重要事項として説明する必要はありません。　　　　　　　　　　　　　　　　➡ 業法35条、規則16条の2参照

❷ 正しい。**共用部分に関する規約の定めは、案の段階でも説明必要。**

共用部分に関する規約の定めがある場合、宅建業者は、その内容を説明しなければなりません。規約が案の段階でも、同様です。

➡ 業法35条、規則16条の2

❸ 誤り。**建物の貸借では、法令上の制限は、原則として説明不要。**

法令上の制限に関し、建築基準法に規定する容積率及び建蔽率に関する制限は、宅地の売買・交換・貸借の契約、建物の売買・交換の契約では重要事項として説明する必要がありますが、建物の貸借の契約では、説明する必要はありません。　　　　　　　　　　　　　　　　➡ 業法35条、施行令3条

❹ 誤り。**借賃以外に授受される金銭の保管方法は説明不要。**

借賃以外に授受される金銭の定めがあるとき、その金銭の額・授受の目的については重要事項として説明しなければなりませんが、その保管方法については説明をする必要はありません。　　　　　　　　　　　➡ 業法35条

重要事項の説明（区分所有建物）

【正解 ❷】

□ □ □ ✎ Check!

37条書面

問題 55

宅地建物取引業法第37条の規定により交付すべき書面（以下この問において「37条書面」という。）に関する次の記述のうち、誤っているものはどれか。なお、重要事項説明書又は37条書面の交付に代えて電磁的方法により提供する場合については考慮しないものとする。 [R4-問32改]

❶ 宅地建物取引業者である売主Aは、宅地建物取引業者であるBの媒介により、宅地建物取引業者ではないCと宅地の売買契約を令和7年4月1日に締結した。AとBが共同で作成した37条書面にBの宅地建物取引士の記名がなされていれば、Aは37条書面にAの宅地建物取引士をして記名をさせる必要はない。

❷ 宅地建物取引士は、37条書面を交付する際、買主から請求があったときは、宅地建物取引士証を提示しなければならない。

❸ 宅地建物取引業者である売主Dと宅地建物取引業者ではないEとの建物の売買契約において、手付金の保全措置を講ずる場合、Dはその保全措置の概要を、重要事項説明書に記載し説明する必要があるが、37条書面には記載する必要はない。

❹ 宅地建物取引業者である売主と宅地建物取引業者ではない個人との建物の売買において、建物の品質に関して契約の内容に適合しない場合におけるその不適合を担保すべき責任について特約を定めたときは、37条書面にその内容を記載しなければならない。

🖐️ 日建学院・講師陣の 必勝コメント

❶のように複数業者が取引に関与する場合、**関与する業者ごとに37条書面の交付義務**が課されることに注意しましょう。そして、❶以外で悩むとすれば❷❸と想定されますが、このうち、超頻出の❷での判断ミスは致命的。勘違いでは済まされません。

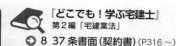

解説
『どこでも！学ぶ宅建士』
第2編「宅建業法」
→ 8 37条書面（契約書）(P316〜)

正答率　合格者 **96.9**%　不合格者 **72.5**%

❶ **誤り。売主業者にも交付義務あり ➡ 売主業者の宅建士の記名も必要。**

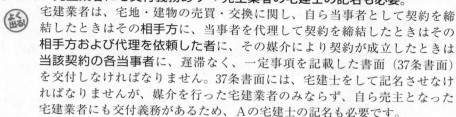

宅建業者は、宅地・建物の売買・交換に関し、自ら当事者として契約を締結したときはその相手方に、当事者を代理して契約を締結したときはその相手方および代理を依頼した者に、その媒介により契約が成立したときは当該契約の各当事者に、遅滞なく、一定事項を記載した書面（37条書面）を交付しなければなりません。37条書面には、宅建士をして記名させなければなりませんが、媒介を行った宅建業者のみならず、自ら売主となった宅建業者にも交付義務があるため、Aの宅建士の記名も必要です。

➡ 宅建業法37条1項・3項

❷ **正しい。取引の関係者から請求 ➡ 宅建士証を提示。**

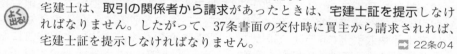

宅建士は、取引の関係者から請求があったときは、宅建士証を提示しなければなりません。したがって、37条書面の交付時に買主から請求されれば、宅建士証を提示しなければなりません。

➡ 22条の4

❸ **正しい。重要事項説明の対象であるが、37条書面の記載事項ではない。**

宅建業者が自ら売主となる場合に手付金等の保全措置を講じるときは、その概要を重要事項説明書に記載して説明しなければなりません。しかし、37条書面に記載をする必要はありません。

➡ 35条

❹ **正しい。契約不適合責任に関する特約 ➡ 37条書面の記載事項。**

宅建業者が自ら売主となる場合に宅地・建物が種類・品質に関して契約の内容に適合しない場合におけるその不適合を担保すべき責任（契約不適合責任）についての定めがあるときは、その内容を37条書面に記載しなければなりません。

➡ 37条

【正解 ❶】

37条書面

問題 **56**

宅地建物取引業法第37条の規定により交付すべき書面に記載すべき事項を電磁的方法により提供すること（以下この問において「37条書面の電磁的方法による提供」という。）に関する次の記述のうち、正しいものはいくつあるか。　　[R5-問26]

ア 宅地建物取引業者が自ら売主として締結する売買契約において、当該契約の相手方から宅地建物取引業法施行令第3条の4第1項に規定する承諾を得なければ、37条書面の電磁的方法による提供をすることができない。

イ 宅地建物取引業者が媒介業者として関与する売買契約について、宅地建物取引業法施行令第3条の4第1項に規定する承諾を取得するための通知の中に宅地建物取引士を明示しておけば、37条書面の電磁的方法による提供において提供に係る宅地建物取引士を明示する必要はない。

ウ 宅地建物取引業者が自ら売主として締結する売買契約において、37条書面の電磁的方法による提供を行う場合、当該提供されたファイルへの記録を取引の相手方が出力することにより書面を作成できるものでなければならない。

エ 宅地建物取引業者が媒介業者として関与する建物賃貸借契約について、37条書面の電磁的方法による提供を行う場合、当該提供するファイルに記録された記載事項について、改変が行われていないかどうかを確認することができる措置を講じなければならない。

① 一つ

② 二つ

③ 三つ

④ 四つ

👆 **日建学院・講師陣の必勝コメント**

　上記**ア**～**エ**のいずれの記述も、近年の改正点に関する出題です。
　37条書面の交付を電磁的方法による提供で代替するのに必要な条件を、きちんと確認しておきましょう。
　「書面の交付を現実に行うよりも相手方に不利にならないかどうか」という視点が大切です。

解 説

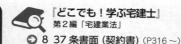

『どこでも！学ぶ宅建士』
第2編「宅建業法」
➡ 8 37条書面（契約書）（P316～）

正答率
| 合格者 | **71.1** % |
| 不合格者 | **48.5** % |

37条書面

ア 正しい。37条書面の電磁的方法による提供 ➡ 相手方の承諾が必要。

37条書面を電磁的方法で提供するには、あらかじめ、相手方から書面または電磁的方法（電子情報処理組織を使用する方法その他の情報通信の技術を利用する方法で国土交通省令で定めるもの）による承諾を得る必要があります。
➡ 宅建業法37条

> **+α** 「電子情報処理組織を使用する方法その他の情報通信の技術を利用する方法」とは、たとえば、書面に出力可能な方法（電子メールによる方法・WEB上で承諾を得る方法・CD-ROMの交付による方法など）をいいます。この点については、前出・問題48❹の「電磁的方法による重要事項説明書の提供」の場合と同様です。

イ 誤り。37条書面の電磁的方法による提供 ➡ 宅建士の明示が必要。

37条書面の提供を電磁的方法で行う場合には、提供に係る宅建士を明示しなければなりません。
➡ 施行規則16条の4の12、宅建業法の解釈・運用の考え方

> **+α** これは、37条書面での交付における宅建士による記名を代替する措置です。

ウ 正しい。37条書面の電磁的方法による提供 ➡ 書面に出力可能な方法で行う。

🏔難 37条書面の提供を電磁的方法で行う場合には、相手方が書面の状態で内容を確認できるようにするために、「書面に出力可能な方法」で提供しなければなりません。
➡ 施行規則16条の4の12、宅建業法の解釈・運用の考え方

エ 正しい。37条書面の電磁的方法による提供 ➡ 改変を確認できる措置が必要。

🏔難 37条書面を電磁的方法で提供する場合は、電子署名等の方法により、相手方が、記載事項が改変されていないことを将来確認できるようにするために、記載事項が交付された時点と、将来のある一時点において、それが同一であることを確認できる措置を講じなければなりません。
➡ 施行規則16条の4の12、宅建業法の解釈・運用の考え方

よって、正しいものは**ア・ウ・エ**の3つであり、正解は**❸**となります。

【正解 **❸**】

303

37条書面

問題 57　宅地建物取引業者Ａが宅地建物取引業法第37条の規定により交付すべき書面（以下この問において「37条書面」という。）に関する次の記述のうち、同法の規定によれば、誤っているものの組合せはどれか。なお、37条書面の交付に代えてこれを電磁的方法により提供する場合については、考慮しないものとする。　　[H26-問42改]

ア　Ａが売主として宅地建物取引業者Ｂの媒介により、土地付建物の売買契約を締結した場合、Ｂが37条書面を作成し、その宅地建物取引士をして当該書面に記名させれば、Ａは、宅地建物取引士による37条書面への記名を省略することができる。

イ　Ａがその媒介により、事業用宅地の定期賃貸借契約を公正証書によって成立させた場合、当該公正証書とは別に37条書面を作成して交付するに当たって、宅地建物取引士をして記名させる必要はない。

ウ　Ａが売主としてＣとの間で売買契約を成立させた場合（Ｃは自宅を売却して購入代金に充てる予定である。）、ＡＣ間の売買契約に「Ｃは、自宅を一定の金額以上で売却できなかった場合、本件売買契約を無条件で解除できる」旨の定めがあるときは、Ａは、37条書面にその内容を記載しなければならない。

❶　ア、イ

❷　ア、ウ

❸　イ、ウ

❹　ア、イ、ウ

🖐 日建学院・講師陣の必勝コメント

　アは、やや見慣れない肢ですが、**イ**と**ウ**は、基本知識を押さえていれば正誤が判断できるでしょう。

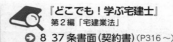

解 説 『どこでも！学ぶ宅建士』
第2編「宅建業法」
➡ 8 37条書面（契約書）（P316～）

正答率 合格者 **82.6**%
不合格者 **63.5**%

ア 誤り。宅建士による37条書面への記名 ➡ 省略不可。

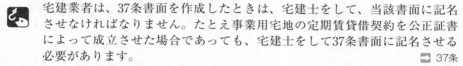

宅建業者は、37条書面の作成・交付義務がありますから、たとえ媒介業者が37条書面を作成し、宅建士をして当該書面に記名させても、売主である宅建業者は、宅建士による37条書面への記名を省略できません。 ➡ 業法37条

イ 誤り。宅建士をして、37条書面に記名させる必要あり。

宅建業者は、37条書面を作成したときは、宅建士をして、当該書面に記名させなければなりません。たとえ事業用宅地の定期賃貸借契約を公正証書によって成立させた場合であっても、宅建士をして37条書面に記名させる必要があります。 ➡ 37条

ウ 正しい。解除に関する定め ➡ 37条書面の記載事項。

宅建業者は、契約の解除に関する定めがあるときは、37条書面にその内容を記載しなければなりません。 ➡ 37条

よって、誤っているものの組合せは**ア・イ**であり、正解は**❶**となります。

【正解 **❶**】

3大書面

☐ ☐ ☐ ✏️ Check !

重要ランク **A**

37条書面

問題 **58**

宅地建物取引業者Aが、宅地建物取引業法（以下この問において「法」という。）第37条の規定により交付すべき書面（以下この問において「37条書面」という。）に関する次の記述のうち、法の規定に違反しないものはどれか。なお、37条書面の交付に代えてこれを電磁的方法により提供する場合については、考慮しないものとする。

[H29-問38改]

❶ Aは、売主を代理して宅地の売買契約を締結した際、買主にのみ37条書面を交付した。

❷ Aは、自ら売主となる宅地の売買契約において、手付金等を受領するにもかかわらず、37条書面に手付金等の保全措置の内容を記載しなかった。

❸ Aは、媒介により宅地の売買契約を成立させた場合において、契約の解除に関する定めがあるにもかかわらず、37条書面にその内容を記載しなかった。

❹ Aは、自ら売主となる宅地の売買契約において契約不適合責任に関する特約を定めたが、買主が宅地建物取引業者であり、契約不適合責任に関する特約を自由に定めることができるため、37条書面にその内容を記載しなかった。

日建学院・講師陣の必勝コメント

「正答率データ」によると、**不合格者正答率**は、合格者正答率の半分以下！ なんと不合格者の多数派は、❹を選んでいます。❹の「買主が宅建業者」という前提は、単なる"ゆさぶり"で、「買主が宅建業者でも非業者でも37条書面の記載事項は同一」ということは、**基本中の基本**です。ゆさぶりに惑わされるのは、基本知識が不正確だからです。

306

解 説

『どこでも！学ぶ宅建士』
第2編「宅建業法」
→ 8 37条書面（契約書）（P316～）

❶ **違反する。売主を代理 ➡ 買主にのみ37条書面を交付するのは違反。**

（よく出る！）宅建業者は、宅地・建物の売買・交換・貸借に関し、当事者を代理して契約を締結したときは「その相手方」及び「代理を依頼した者」に、遅滞なく、37条書面を交付しなければなりません。したがって、宅建業者Aは、契約の相手方である買主だけでなく、代理の依頼者である売主にも37条書面を交付する必要があります。

➡ 業法37条

❷ **違反しない。37条書面 ➡ 手付金等の保全措置の内容の記載は不要。**

手付金などの「代金等以外の金銭の授受に関する定めがあるとき」における「その額並びに当該金銭の授受の時期及び目的」は、37条書面の記載事項です。しかし、「手付金等の保全措置の内容」は、37条書面の記載事項ではありません。

➡ 37条参照

❸ **違反する。契約の解除に関する定め ➡ 37条書面の記載事項。**

「契約の解除に関する定めがあるとき」における「その内容」は、37条書面の記載事項です。

➡ 37条

❹ **違反する。契約不適合責任に関する定め ➡ 37条書面の記載事項。**

（よく出る！）宅地・建物の売買・交換の場合、「種類・品質に関する契約不適合責任についての定めがあるとき」における「その内容」は、37条書面の記載事項です。たとえ買主が宅建業者であっても、その定めをしたときは、その内容を必ず記載しなければなりません。

➡ 37条

【正解 ❷】

37条書面

| 問題 **59** | 宅地建物取引業法（以下この問において「法」という。）第37条の規定により交付すべき書面（以下この問において「37条書面」という。）に関する次の記述のうち、法の規定に違反し |

ないものはどれか。なお、37条書面の交付に代えてこれを電磁的方法により提供する場合については、考慮しないものとする。　　　　　　[H29-問40改]

❶　宅地建物取引業者Aは、中古マンションの売買の媒介において、当該マンションの代金の支払の時期及び引渡しの時期について、重要事項説明書に記載して説明を行ったので、37条書面には記載しなかった。

❷　宅地建物取引業者である売主Bは、宅地建物取引業者Cの媒介により、宅地建物取引業者ではない買主Dと宅地の売買契約を締結した。Bは、Cと共同で作成した37条書面にCの宅地建物取引士の記名がなされていたため、その書面に、Bの宅地建物取引士をして記名をさせなかった。

❸　売主である宅地建物取引業者Eの宅地建物取引士Fは、宅地建物取引業者ではない買主Gに37条書面を交付する際、Gから求められなかったので、宅地建物取引士証をGに提示せずに当該書面を交付した。

❹　宅地建物取引業者Hは、宅地建物取引業者ではない売主Iから中古住宅を購入する契約を締結したが、Iが売主であるためIに37条書面を交付しなかった。

🤚日建学院・講師陣の必勝コメント

　本問で合格者の正答率が高いのは、ピンポイントで迷わず正解肢を打ち抜いているからです。内容的に難しい❷で迷うのは、頻出の基本事項である正解肢の知識があやふやだからであり、ここで悩んだ方は反省しましょう。

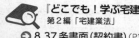 

『どこでも！学ぶ宅建士』
第2編「宅建業法」
➡ 8 37条書面（契約書）(P316〜)

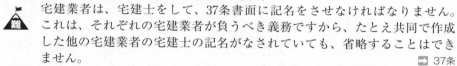

正答率　合格者 **87.6** %　不合格者 **50.7** %

❶ **違反する。支払時期と宅地建物の引渡し時期 ➡ 37条書面の記載事項。**

宅建業者は、宅地建物の売買の場合、①代金の額・その支払の時期・方法、②宅地建物の引渡しの時期、③移転登記の申請の時期については、37条書面に必ず記載しなければなりません。たとえ重要事項説明書に記載して説明を行ったとしても、省略することはできません。　　　　➡ 業法37条

❷ **違反する。37条書面 ➡ 宅建士の記名が必要。**

宅建業者は、宅建士をして、37条書面に記名をさせなければなりません。これは、それぞれの宅建業者が負うべき義務ですから、たとえ共同で作成した他の宅建業者の宅建士の記名がなされていても、省略することはできません。　　　　➡ 37条

❸ **違反しない。37条書面交付時、請求なければ宅建士証の提示不要。**

宅建士が宅建士証を提示する必要があるのは、①重要事項の説明をするときと、②取引の関係者から請求があったときです。37条書面を交付する際は、相手方から求められなければ、宅建士証を提示する必要はありません。　　　　➡ 22条の4、35条、37条参照

❹ **違反する。自ら当事者 ➡ 相手方に37条書面の交付が必要。**

宅建業者は、自ら当事者として契約を締結したときは「その相手方」に、遅滞なく、37条書面を交付しなければなりません。したがって、宅建業者Hは、契約の相手方であるIに37条書面を交付しなければなりません。相手方が売主であっても37条書面の交付は必要です。　　　　➡ 37条

【正解 ❸】

37条書面

問題 **60**

宅地建物取引業法（以下この問において「法」という。）第37条の規定により交付すべき書面（以下この問において「37条書面」という。）に関する次の記述のうち、法の規定によれば、正しいものはどれか。なお、37条書面の交付に代えて電磁的方法により提供する場合については考慮しないものとする。

[R元-問34改]

❶ 宅地建物取引業者が自ら売主として建物の売買を行う場合、当事者の債務の不履行を理由とする契約の解除に伴う損害賠償の額として売買代金の額の10分の2を超えない額を予定するときは、37条書面にその内容を記載しなくてよい。

❷ 宅地建物取引業者が既存住宅の売買の媒介を行う場合、37条書面に当該建物の構造耐力上主要な部分等の状況について当事者の双方が確認した事項を記載しなければならない。

❸ 宅地建物取引業者は、その媒介により売買契約を成立させた場合、当該宅地又は建物に係る租税その他の公課の負担に関する定めについて、37条書面にその内容を記載する必要はない。

❹ 宅地建物取引業者は、その媒介により契約を成立させ、37条書面を作成したときは、法第35条に規定する書面に記名した宅地建物取引士をして、37条書面に記名させなければならない。

解説

『どこでも！学ぶ宅建士』
第2編「宅建業法」

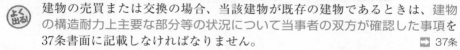

❶ **誤り。損害賠償額の予定等を定めた場合➡37条書面に記載。**
損害賠償額の予定または違約金に関する定めがあるときは、その内容を37条書面に記載しなければなりません。宅建業者が自ら売主として、代金額の2／10以下の損害賠償額の予定を定める場合であっても、同様です。

➡ 業法37条

❷ **正しい。構造耐力上主要な部分等の状況の双方の確認事項を記載。**
建物の売買または交換の場合、当該建物が既存の建物であるときは、建物の構造耐力上主要な部分等の状況について当事者の双方が確認した事項を37条書面に記載しなければなりません。

➡ 37条

❸ **誤り。売買・交換➡租税公課に関する定めがあれば、要記載。**
宅地または建物の売買・交換の場合、当該宅地または建物に係る租税その他の公課の負担に関する定めがあるときは、その内容を37条書面に記載しなければなりません。

➡ 37条

❹ **誤り。35条書面と37条書面に記名する宅建士➡別人でよい。**

宅建業者は、37条書面を作成したときは、宅建士をして記名させなければなりません。しかし、重要事項の説明書面に記名した宅建士と同じ宅建士をして記名させる必要はありません。

➡ 37条参照

【正解 ❷】

□□□ ✎ Check!

重要ランク **A**

37条書面

問題 **61** 宅地建物取引業者Aが宅地建物取引業法（以下この問において「法」という。）第37条の規定により交付すべき書面（以下この問において「37条書面」という。）に関する次の記述のうち、法の規定によれば、正しいものはいくつあるか。なお、37条書面の交付に代えてこれを電磁的方法により提供する場合については、考慮しないものとする。

[R元-問36改]

ア Aは、その媒介により建築工事完了前の建物の売買契約を成立させ、当該建物を特定するために必要な表示について37条書面で交付する際、法第35条の規定に基づく重要事項の説明において使用した図書の交付により行った。

イ Aが自ら貸主として宅地の定期賃貸借契約を締結した場合において、借賃の支払方法についての定めがあるときは、Aは、その内容を37条書面に記載しなければならず、借主が宅地建物取引業者であっても、当該書面を交付しなければならない。

ウ 土地付建物の売主Aは、買主が金融機関から住宅ローンの承認を得られなかったときは契約を無条件で解除できるという取決めをしたが、自ら住宅ローンのあっせんをする予定がなかったので、37条書面にその取決めの内容を記載しなかった。

エ Aがその媒介により契約を成立させた場合において、契約の解除に関する定めがあるときは、当該契約が売買、貸借のいずれに係るものであるかを問わず、37条書面にその内容を記載しなければならない。

❶ 一つ

❷ 二つ

❸ 三つ

❹ 四つ

日建学院・講師陣の必勝コメント

　イの「自ら貸借」を読み取れたかどうかが、正解するポイントです。「自ら貸借は宅建業法の適用を受けない」という大前提を忘れてはなりません！

解説

『どこでも！学ぶ宅建士』
第2編「宅建業法」

➡ 8 37条書面（契約書）(P316〜)

正答率　合格者 **72.0**％　不合格者 **49.1**％

ア 正しい。未完成物件の特定に、重説で使用した図書の利用可。

　宅建業者は、37条書面に、契約の対象となる建物の所在、種類、構造その他当該建物を特定するために必要な表示をしなければなりません。宅地建物を特定するために必要な表示について書面で交付する際、工事完了前の建物については、重要事項の説明の時に使用した図書を交付することにより行うものとされています。　　　➡ 業法37条、宅建業法の解釈・運用の考え方

イ 誤り。自ら貸借 ➡ 宅建業法の適用を受けない。

　自ら当事者となって貸借をすることは宅建業にあたらず、宅建業法の適用を受けません。したがって、Aは37条書面の記載・交付義務を負いません。これは、借主が宅建業者であっても同様です。　　　➡ 2条

ウ 誤り。契約の解除に関する定め ➡ 37条書面に記載。

　宅建業者は、契約の解除に関する定めがあるときは、その内容を37条書面に記載しなければなりません。したがって、住宅ローンの承認を得られなかったときは契約を無条件で解除できるという取決めは、37条書面に記載する必要があります。この際、自ら住宅ローンのあっせんをする予定がなかったことは、関係ありません。　　　➡ 37条

エ 正しい。契約の解除の定め ➡ 売買でも貸借でも記載。

　ウのとおり、宅建業者は、契約の解除に関する定めがあるときは、その内容を37条書面に記載しなければなりません。このことは売買でも貸借でも同様です。　　　➡ 37条

　よって、正しいものは**ア・エ**の2つであり、正解は**❷**となります。

【正解 ❷】

37条書面

313

37条書面

問題 62
宅地建物取引業者Aが、自ら売主として宅地の売買契約を締結した場合に関する次の記述のうち、宅地建物取引業法の規定によれば、正しいものはいくつあるか。なお、この問において「37条書面」とは、同法第37条の規定に基づき交付すべき書面をいうものとし、37条書面の交付に代えてこれを電磁的方法により提供する場合については、考慮しないものとする。

[R2⑽-問37改]

ア Aは、専任の宅地建物取引士をして、37条書面の内容を当該契約の買主に説明させなければならない。

イ Aは、供託所等に関する事項を37条書面に記載しなければならない。

ウ Aは、買主が宅地建物取引業者であっても、37条書面を遅滞なく交付しなければならない。

エ Aは、買主が宅地建物取引業者であるときは、当該宅地の引渡しの時期及び移転登記の申請の時期を37条書面に記載しなくてもよい。

❶ 一つ

❷ 二つ

❸ 三つ

❹ なし

👉 **日建学院・講師陣の必勝コメント**

　「正答率データ」によると、合格者と不合格者の差が大きい問題です。特に、「宅建士による37条書面の内容説明が必要か?」を問う記述**ア**の正誤判断は、重要事項説明書と37条書面の根本的な違いを理解しているかどうかを問うものですから、絶対に間違えてはなりません。

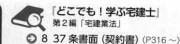

ア 誤り。**37条書面 ➡ 宅建士による説明は不要。**

宅建業者は、37条書面を作成したときは、宅建士をして、当該書面に記名させなければなりません。ただし、37条書面については、専任の宅建士であるか否かに関係なく、その内容を説明させる必要はありません。

➡ 業法37条

イ 誤り。**供託所等に関する事項 ➡ 37条書面の記載事項でない。**

供託所等に関する事項は、37条書面の記載事項ではありません。なお、宅建業者は、供託所等に関する事項については、契約が成立するまでの間に、相手方等（宅建業者を除く）に対して、説明しなければなりません。

➡ 35条の2参照

ウ 正しい。**業者間取引でも、37条書面の交付が必要。**

自ら当事者として契約を締結した宅建業者は、宅地建物の売買・交換の相手方に、37条書面を交付しなければなりません。相手方が宅建業者であっても同様です。

➡ 37条、78条参照

エ 誤り。**引渡し時期・移転登記の申請時期 ➡ 必要的記載事項。**

宅地建物の引渡しの時期、移転登記の申請の時期は、37条書面の必要的記載事項です。相手方が宅建業者であっても同様です。

➡ 37条、78条参照

以上より、正しいものは**ウ**１つのみであり、**❶**が正解となります。

【正解 **❶**】

35条書面・37条書面

問題 63
宅地建物取引業者が媒介により区分所有建物の貸借の契約を成立させた場合に関する次の記述のうち、宅地建物取引業法（以下この問において「法」という。）の規定によれば、正しいものはどれか。なお、この問において「重要事項説明書」とは法第35条の規定により交付すべき書面をいい、「37条書面」とは法第37条の規定により交付すべき書面をいうものとする。また、重要事項の説明の相手方は宅地建物取引業者ではないものとし、重要事項説明書又は37条書面の交付に代えてこれらを電磁的方法により提供する場合については、考慮しないものとする。

[H28-問39改]

❶ 専有部分の用途その他の利用の制限に関する規約において、ペットの飼育が禁止されている場合は、重要事項説明書にその旨記載し内容を説明したときも、37条書面に記載しなければならない。

❷ 契約の解除について定めがある場合は、重要事項説明書にその旨記載し内容を説明したときも、37条書面に記載しなければならない。

❸ 借賃の支払方法が定められていても、貸主及び借主の承諾を得たときは、37条書面に記載しなくてよい。

❹ 天災その他不可抗力による損害の負担に関して定めなかった場合には、その旨を37条書面に記載しなければならない。

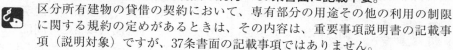

正答率　合格者 **89.2** %　不合格者 **66.3** %

❶ 誤り。専有部分の用途等利用制限の規約 ➡ 37条書面に記載不要。
区分所有建物の貸借の契約において、専有部分の用途その他の利用の制限に関する規約の定めがあるときは、その内容は、重要事項説明書の記載事項（説明対象）ですが、37条書面の記載事項ではありません。

➡ 業法35条、規則16条の2、業法37条

❷ 正しい。契約の解除について定めがある ➡ 37条書面に記載必要。
契約の解除に関する事項は、重要事項説明書の記載事項（説明対象）です。また、契約の解除について定めがある場合は、その内容を37条書面に記載しなければなりません。

➡ 35条、37条

❸ 誤り。借賃の支払方法 ➡ 37条書面の必要的記載事項。
借賃の支払方法は、37条書面の必要的記載事項ですから、貸主及び借主の承諾を得たときであっても、必ず37条書面に記載しなければなりません。

➡ 37条

❹ 誤り。天災等による損害負担の定めなし ➡ 37条書面に記載不要。
37条書面には、天災その他不可抗力による損害の負担に関する定めがあるときは、その内容を記載しなければなりません。したがって、その定めなかった場合には、その旨を37条書面に記載する必要はありません。　➡ 37条

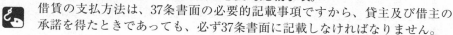

【正解 **❷**】

35条書面・37条書面

問題 **64**

宅地建物取引業法第35条の規定に基づく重要事項の説明及び同法第37条の規定により交付すべき書面（以下この問において「37条書面」という。）に関する次の記述のうち、正しいものはどれか。なお、重要事項説明書又は37条書面の交付に代えてこれを電磁的方法により提供する場合については、考慮しないものとする。

[R3⑽-問37改]

❶ 宅地建物取引業者は、媒介により区分所有建物の賃貸借契約を成立させた場合、専有部分の用途その他の利用の制限に関する規約においてペットの飼育が禁止されているときは、その旨を重要事項説明書に記載して説明し、37条書面にも記載しなければならない。

❷ 宅地建物取引業者は、自ら売主となる土地付建物の売買契約において、宅地建物取引業者ではない買主から保全措置を講ずる必要のない金額の手付金を受領する場合、手付金の保全措置を講じないことを、重要事項説明書に記載して説明し、37条書面にも記載しなければならない。

❸ 宅地建物取引業者は、媒介により建物の敷地に供せられる土地の売買契約を成立させた場合において、当該売買代金以外の金銭の授受に関する定めがあるときは、その額並びに当該金銭の授受の時期及び目的を37条書面に記載しなければならない。

❹ 宅地建物取引業者は、自ら売主となる土地付建物の売買契約及び自ら貸主となる土地付建物の賃貸借契約のいずれにおいても、37条書面を作成し、その取引の相手方に交付しなければならない。

👉 日建学院・講師陣の必勝コメント

「正答率データ」によると、合格者と不合格者の差が大きい問題です。「自ら貸借の場合に37条書面の交付が必要か？」を問う❹の判断が、運命の分かれ目です。迷ってはならない肢で迷うと、正解を見失います。

解説

『どこでも！学ぶ宅建士』
第2編「宅建業法」
➡ 7 重要事項の説明 (P306〜)、8 37条書面 (契約書) (P316〜)

正答率 | 合格者 **87.2** % | 不合格者 **55.8** %

❶ **誤り。専有部分の利用制限規約の定め➡37条書面には記載不要。**
　宅建業者は、区分所有建物の場合、専有部分の用途その他の利用の制限に関する規約の定めがあるときは、その内容を重要事項説明書に記載しなければなりません。しかし、37条書面には、記載不要です。

➡ 業法35条、規則16条の2、業法37条参照

❷ **誤り。手付金の保全措置を講じない旨➡35条書面・37条書面ともに記載不要。**
　宅建業者は、宅地・建物の売買で自ら売主となるものに関して手付金等を受領する場合における保全措置の概要を、重要事項説明書に記載しなければなりませんが、そもそも保全措置を講ずる必要のない場合には、保全措置を講じないことを記載する必要はありません。また、37条書面には、手付金等の保全措置について、そもそも記載する必要はありません。

➡ 業法35条、37条参照

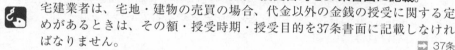

❸ **正しい。代金以外の金銭➡額・授受時期・授受目的を37条書面に記載。**
　宅建業者は、宅地・建物の売買の場合、代金以外の金銭の授受に関する定めがあるときは、その額・授受時期・授受目的を37条書面に記載しなければなりません。

➡ 37条

❹ **誤り。自ら貸借➡37条書面の作成・交付は不要。**

　宅建業者は、自ら売主となる宅地・建物の売買契約をした場合には、37条書面を作成し、相手方に交付しなければなりません。しかし、自ら貸主となる場合（自ら貸借）は、そもそも宅建業にあたらないので宅建業法が適用されず、37条書面の作成・交付は不要です。

➡ 37条、2条参照

【正解 ❸】

35条書面・37条書面

3大書面総合

問題 **65**

宅地建物取引業者Aは、Bが所有し、居住している甲住宅の売却の媒介を、また、宅地建物取引業者Cは、Dから既存住宅の購入の媒介を依頼され、それぞれ媒介契約を締結した。その後、B及びDは、それぞれA及びCの媒介により、甲住宅の売買契約（以下この問において「本件契約」という。）を締結した。この場合における次の記述のうち、宅地建物取引業法（以下この問において「法」という。）の規定によれば、正しいものはどれか。なお、この問において「建物状況調査」とは、法第34条の2第1項第4号に規定する調査をいうものとし、法第37条に基づき交付すべき書面の交付に代えてこれを電磁的方法により提供する場合については、考慮しないものとする。 [H30-問27改]

❶ Aは、甲住宅の売却の依頼を受けた媒介業者として、本件契約が成立するまでの間に、Dに対し、建物状況調査を実施する者のあっせんの有無について確認しなければならない。

❷ A及びCは、本件契約が成立するまでの間に、Dに対し、甲住宅について、設計図書、点検記録その他の建物の建築及び維持保全の状況に関する書類で国土交通省令で定めるものの保存の状況及びそれぞれの書類に記載されている内容について説明しなければならない。

❸ CがDとの間で媒介契約を締結する3年前に、甲住宅は既に建物状況調査を受けていた。この場合において、A及びCは、本件契約が成立するまでの間に、Dに対し、建物状況調査を実施している旨及びその結果の概要について説明しなければならない。

❹ A及びCは、Dが宅地建物取引業者である場合であっても、法第37条に基づき交付すべき書面において、甲住宅の構造耐力上主要な部分等の状況について当事者の双方が確認した事項があるときにその記載を省略することはできない。

> 👉 **日建学院・講師陣の必勝コメント**
>
> 実務的に注目度の高い「建物状況調査」に関する総合的な問題です。「建物状況調査」は、3大書面すべてに影響してきますが、それぞれの書面での扱い等について、キチンと整理して覚えましょう。

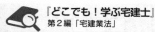

❶ **誤り。買主に対して、あっせんの有無の確認は不要。**

宅建業者は、建物の売買または交換の媒介契約を締結したときは、遅滞なく、当該建物が既存の建物であるときは、依頼者に対する建物状況調査を実施する者のあっせんに関する事項（あっせんの有無）を記載した媒介契約書を作成して記名押印し、依頼者に交付しなければなりません。しかし、売主から売却の媒介の依頼を受けた宅建業者Aは、本件契約が成立するまでの間に、買主に対して、建物状況調査を実施する者のあっせんの有無について確認をする必要はありません。

➡ 業法34条の2参照、宅建業法の解釈・運用の考え方

❷ **誤り。既存建物の売買 ➡ 設計図書、点検記録等の保存状況を説明。**

宅建業者は、建物の売買・交換の場合、当該建物が既存の建物であるときは、設計図書、点検記録その他の建物の建築及び維持保全の状況に関する書類で国土交通省令で定めるものの保存の状況について、重要事項として説明する必要があります。しかし、書類の記載内容に関しては説明義務はありません。

➡ 35条

❸ **誤り。重説で説明する建物状況調査 ➡ 実施後1年以内、または2年以内のもの。**

重要事項として説明しなければならない建物状況調査は、**実施後**1年以内（鉄筋コンクリート造または鉄骨鉄筋コンクリート造の共同住宅等の場合は、2年以内）のものに限られます。したがって、本肢のように「3年前」に受けていた建物状況調査については、説明する必要はありません。

➡ 35条、規則16条の2の2

❹ **正しい。宅建業者間取引であっても、37条書面の記載は省略不可。**

既存の建物の売買・交換契約を締結した場合の37条書面には、建物の構造耐力上主要な部分等の状況について当事者の双方が確認した事項については、記載をする必要があります。37条書面については、宅建業者間取引であっても省略することができる事項はありません。

➡ 業法37条、78条参照

【正解 ❹】

他人物売買等の禁止

問題 **66**

宅地建物取引業者Aが自ら売主となって宅地建物の売買契約を締結した場合に関する次の記述のうち、宅地建物取引業法の規定に違反するものはどれか。

なお、この問において、AとC以外の者は宅地建物取引業者でないものとする。　[H17-問35]

❶　Bの所有する宅地について、BとCが売買契約を締結し、所有権の移転登記がなされる前に、CはAに転売し、Aは更にDに転売した。

❷　Aの所有する土地付建物について、Eが賃借していたが、Aは当該土地付建物を停止条件付でFに売却した。

❸　Gの所有する宅地について、AはGと売買契約の予約をし、Aは当該宅地をHに転売した。

❹　Iの所有する宅地について、AはIと停止条件付で取得する売買契約を締結し、その条件が成就する前に当該物件についてJと売買契約を締結した。

解　説

『どこでも！学ぶ宅建士』
第2編「宅建業法」

➋ ９ 8種制限（P320〜）

❶ **違反しない。他人物売買の制限➡業者間取引には不適用。**
　他人物売買の禁止は、宅建業者間の売買契約には適用されません。また、本肢では、非業者Bの所有する宅地を宅建業者Cが買い受け、これをCが宅建業者Aに売却し、Aが非業者Dに転売しているため、禁止される他人物売買に、そもそも該当しません。　　　　　　　　➡ 業法33条の2、78条

❷ **違反しない。賃貸中の物件の売買は、「他人物売買」ではない。**
　賃貸中の物件の売買契約は他人物売買ではありませんから、Eに賃貸中であっても、宅建業者Aが自己所有の物件について、非業者Fと売買または停止条件付売買をすることは、宅建業法違反となりません。　　　➡ 33条の2

❸ **違反しない。所有者と売買予約をすれば、転売可。**
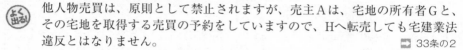
　他人物売買は、原則として禁止されますが、売主Aは、宅地の所有者Gと、その宅地を取得する売買の予約をしていますので、Hへ転売しても宅建業法違反とはなりません。　　　　　　　　　　　　　　　　　➡ 33条の2

❹ **違反する。停止条件付売買をしても、条件成就まで転売不可。**
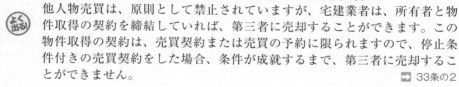
　他人物売買は、原則として禁止されていますが、宅建業者は、所有者と物件取得の契約を締結していれば、第三者に売却することができます。この物件取得の契約は、売買契約または売買の予約に限られますので、停止条件付きの売買契約をした場合、条件が成就するまで、第三者に売却することができません。　　　　　　　　　　　　　　　　　　　➡ 33条の2

他人物売買等の禁止

【正解 ❹】

□ □ □ ✎ Check！

クーリング・オフ

問題 **67**

宅地建物取引業者Ａ社が、自ら売主として宅地建物取引業者でない買主Ｂとの間で締結した建物の売買契約について、Ｂが宅地建物取引業法第37条の２の規定に基づき、いわゆるクーリング・オフによる契約の解除をする場合における次の記述のうち、正しいものはどれか。

[H24-問37]

❶ Ｂは、モデルルームにおいて買受けの申込みをし、後日、Ａ社の事務所において売買契約を締結した。この場合、Ｂは、既に当該建物の引渡しを受け、かつ、その代金の全部を支払ったときであっても、Ａ社からクーリング・オフについて何も告げられていなければ、契約の解除をすることができる。

❷ Ｂは、自らの希望により自宅近くの喫茶店において買受けの申込みをし、売買契約を締結した。その３日後にＡ社から当該契約に係るクーリング・オフについて書面で告げられた。この場合、Ｂは、当該契約締結日から起算して10日目において、契約の解除をすることができる。

❸ Ｂは、ホテルのロビーにおいて買受けの申込みをし、その際にＡ社との間でクーリング・オフによる契約の解除をしない旨の合意をした上で、後日、売買契約を締結した。この場合、仮にＢがクーリング・オフによる当該契約の解除を申し入れたとしても、Ａ社は、当該合意に基づき、Ｂからの契約の解除を拒むことができる。

❹ Ｂは、Ａ社の事務所において買受けの申込みをし、後日、レストランにおいてＡ社からクーリング・オフについて何も告げられずに売買契約を締結した。この場合、Ｂは、当該契約締結日から起算して10日目において、契約の解除をすることができる。

👉 **日建学院・講師陣の必勝コメント**

❷では、「基本知識＋思考力」が問われています。落ち着いて頭の中を整理して解きましょう。

❶ 誤り。**モデルルームで買受けの申込み ➡ クーリング・オフ不可。**

　「事務所等」で買受けの申込みをした場合には、買主は、クーリング・オフをすることはできません。そして、モデルルームは土地に定着した案内所に該当し、「事務所等」にあたります。したがって、モデルルームにおいて買受けの申込みをしたBは、クーリング・オフについて書面で告知を受けたか否かにかかわらず、クーリング・オフはできません。

➡ 業法37条の2、規則16条の5、宅建業法の解釈・運用の考え方

> **+α** 「事務所等」以外の場所で買受けの申込みをした場合であっても、宅地または建物の引渡しを受け、かつ、代金の全部を支払ったときは、買主は、クーリング・オフができません。

❷ 正しい。**クーリング・オフ ➡ 書面の告知から8日以内に行う。**

　「事務所等」以外の場所で買受けの申込みをした場合であっても、クーリング・オフをすることができる旨及びその方法を書面で告げられた日から起算して8日を経過したときは、クーリング・オフができなくなります。契約締結日の3日後にクーリング・オフについて書面で告げられている本肢の場合、契約締結日から起算して10日目は、クーリング・オフについて書面で告げられた日から起算すると8日目にあたり、まだ8日を経過していません。したがって、Bはクーリング・オフができます。

➡ 業法37条の2、規則16条の6

❸ 誤り。**クーリング・オフをしない旨の特約 ➡ 無効。**

　クーリング・オフによる契約の解除をしない旨の特約は、申込者等に不利な特約であり、無効です。したがって、Bがクーリング・オフによる当該契約の解除を申し入れたとき、A社はこれを拒むことはできません。

➡ 業法37条の2

❹ 誤り。**申込みをした場所が事務所等 ➡ クーリング・オフ不可。**

　買受けの申込みをした場所と契約を締結した場所が異なる場合、買受けの申込みをした場所を基準に判断します。「事務所等」で買受けの申込みをした場合、クーリング・オフをすることができないので、その後レストランで売買契約を締結しても、Bは、クーリング・オフができません。

➡ 37条の2

【正解 ❷】

クーリング・オフ

クーリング・オフ

問題 68
宅地建物取引業者Ａ社が、自ら売主として宅地建物取引業者でない買主Ｂとの間で締結した宅地の売買契約について、Ｂが宅地建物取引業法第37条の2の規定に基づき、いわゆるクーリング・オフによる契約の解除をする場合における次の記述のうち、正しいものはどれか。 [H25-問34]

❶ Ｂは、自ら指定した喫茶店において買受けの申込みをし、契約を締結した。Ｂが翌日に売買契約の解除を申し出た場合、Ａ社は、既に支払われている手付金及び中間金の全額の返還を拒むことができる。

❷ Ｂは、月曜日にホテルのロビーにおいて買受けの申込みをし、その際にクーリング・オフについて書面で告げられ、契約を締結した。Ｂは、翌週の火曜日までであれば、契約の解除をすることができる。

❸ Ｂは、宅地の売買契約締結後に速やかに建物請負契約を締結したいと考え、自ら指定した宅地建物取引業者であるハウスメーカー（Ａ社より当該宅地の売却について代理又は媒介の依頼は受けていない。）の事務所において買受けの申込みをし、Ａ社と売買契約を締結した。その際、クーリング・オフについてＢは書面で告げられた。その6日後、Ｂが契約の解除の書面をＡ社に発送した場合、Ｂは売買契約を解除することができる。

❹ Ｂは、10区画の宅地を販売するテント張りの案内所において、買受けの申込みをし、2日後、Ａ社の事務所で契約を締結した上で代金全額を支払った。その5日後、Ｂが、宅地の引渡しを受ける前に契約の解除の書面を送付した場合、Ａ社は代金全額が支払われていることを理由に契約の解除を拒むことができる。

🐱 日建学院・講師陣の必勝コメント

「正答率データ」によると、合格者と不合格者の差が大きい問題です。最後は❷❸のいずれかで迷う問題ですが、2択まで絞り込んだ後の決め手は、知識の正確性です。肝に銘じておきましょう。

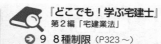

解説

『どこでも！学ぶ宅建士』
第2編「宅建業法」

→ 9 8種制限（P323〜）

❶ 誤り。**「クーリング・オフ」＝「無条件白紙撤回」**

　　クーリング・オフが行われた場合、宅建業者は、申込者等に対し、速やかに、買受けの申込みまたは売買契約の締結に際し受領した手付金その他の金銭を返還しなければなりません。したがって、A社は、既に支払われている手付金及び中間金の返還を拒むことはできません。
　　　　　　　　　　　　　　　　　　　　　　　　→ 業法37条の2

❷ 誤り。**クーリング・オフは、書面の告知から8日以内。**

　　ホテルのロビーは事務所等には該当しませんので、ホテルのロビーで買受けの申込みをした買主はクーリング・オフが可能です。ただし、クーリング・オフについて書面により告げられた日から起算して8日を経過すると、クーリング・オフはできなくなります。月曜日に書面により告げられた場合、その日から起算すると翌週の火曜日が9日目にあたりますので、クーリング・オフはできません。
　　　　　　　　　　　　　　　　　　　　→ 37条の2、規則16条の6

❸ 正しい。**他の宅建業者の事務所は事務所等にあたらない。**

　　宅地または建物の売買の代理または媒介の依頼を受けている宅建業者の事務所は、事務所等に該当し、そこで買受けの申込みをした買主は、クーリング・オフができません。しかし、本肢のハウスメーカーである宅建業者は、A社より当該宅地の売却について代理または媒介の依頼を受けていませんので、当該宅建業者の事務所は事務所等にはあたりません。また、クーリング・オフについて書面で告げられた日から起算して8日が経過するまでは、買主はクーリング・オフができます。よって、買主Bは、クーリング・オフについて書面で告げられた日から6日後に契約解除の書面を発送した場合、売買契約を解除できます。
　　　　　　　　　　　　　　　　　　→ 業法37条の2、規則16条の5参照

❹ 誤り。**「引渡し＋全額支払済み」➡ クーリング・オフ不可。**

　　テント張りの案内所は、事務所等にあたらないため、買主Bはクーリング・オフをすることができます。ただし、引渡しを受け、かつ、その代金を全額支払ったときは、クーリング・オフはできなくなります。本肢のBは、代金全額を支払っていますが、まだ引渡しを受けていませんので、クーリング・オフが可能です。したがって、A社は、契約の解除を拒むことはできません。
　　　　　　　　　　　　　　　　　　　　　　　　→ 業法37条の2

【正解 **❸**】

クーリング・オフ

クーリング・オフ

問題 69

宅地建物取引業者Aが、自ら売主として、宅地建物取引業者B の媒介により、宅地建物取引業者ではないCを買主とするマンションの売買契約を締結した場合における宅地建物取引業法第37条の2の規定に基づくいわゆるクーリング・オフについて告げるときに交付すべき書面（以下この問において「告知書面」という。）に関する次の記述のうち、正しいものはどれか。 [R3(10)-問39]

❶ 告知書面には、クーリング・オフによる買受けの申込みの撤回又は売買契約の解除があったときは、Aは、その買受けの申込みの撤回又は売買契約の解除に伴う損害賠償又は違約金の支払を請求することができないことを記載しなければならない。

❷ 告知書面には、クーリング・オフについて告げられた日から起算して8日を経過するまでの間は、Cが当該マンションの引渡しを受け又は代金の全部を支払った場合を除き、書面によりクーリング・オフによる買受けの申込みの撤回又は売買契約の解除を行うことができることを記載しなければならない。

❸ 告知書面には、Cがクーリング・オフによる売買契約の解除をするときは、その旨を記載した書面がAに到達した時点で、その効力が発生することを記載しなければならない。

❹ 告知書面には、A及びBの商号又は名称及び住所並びに免許証番号を記載しなければならない。

日建学院・講師陣の必勝コメント

「正答率データ」によると、合格者と不合格者の差が大きい問題です。告知書面の問題は、クーリング・オフの基本知識をベースにした"総合格闘技"です。

❷の「引渡しを受け又は代金の全部を支払った」というフレーズをサラッと読み飛ばしてしまった受験生は、クーリング・オフの制限についてしっかり復習することが必要です。

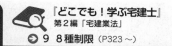

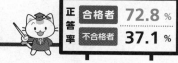

解 説　『どこでも！学ぶ宅建士』
第2編「宅建業法」
→ 9 8種制限（P323〜）

❶ **正しい。「クーリング・オフに伴う損害賠償等の請求はNG」➡ 要記載。**
　　告知書面には、「クーリング・オフがあったとき、宅建業者はクーリング・オフに伴う損害賠償または違約金の支払を請求できない」旨を記載しなければなりません。　　　　　　　　　　　➡ 業法37条の2、規則16条の6

❷ **誤り。「クーリング・オフ不可」➡ 「引渡し＋金額支払済み」に限られる。**
　　告知書面には、クーリング・オフについて告げられた日から起算して8日を経過する日までの間は、宅地・建物の引渡しを受け、「かつ」、その代金の全部を支払った場合を除き、書面によりクーリング・オフを行うことができることを記載しなければなりません。「又は」、つまり、どちらか片方のみではありません。　　　　　　　　　　➡ 業法37条の2、規則16条の6

❸ **誤り。クーリング・オフの効力➡書面を「発した時」に生ずる。**
　　告知書面には、クーリング・オフは、これを行う旨を記載した書面を発した時に、その効力を生ずることを記載しなければなりません。「到達した時点」ではありません。　　　　　　　　　➡ 業法37条の2、規則16条の6

❹ **誤り。商号等の記載➡媒介業者については不要。**
　　告知書面には、売主である宅建業者の商号・名称、住所、免許証番号を記載しなければなりません。しかし、媒介業者については不要です。したがって、Aについては記載必要ですが、Bについては記載不要です。
　　　　　　　　　　　　　　　　　　　　　➡ 業法37条の2、規則16条の6

【正解 ❶】

クーリング・オフ

宅地建物取引業者Aが、自ら売主として、宅地建物取引業者ではない買主Bから宅地の買受けの申込みを受けた場合における宅地建物取引業法第37条の2の規定に基づくいわゆるクーリング・オフに関する次の記述のうち、正しいものはどれか。

[R5-問35]

❶ Aは、仮設テント張りの案内所でBから買受けの申込みを受けた際、以後の取引について、その取引に係る書類に関してBから電磁的方法で提供をすることについての承諾を得た場合、クーリング・オフについて電磁的方法で告げることができる。

❷ Aが、仮設テント張りの案内所でBから買受けの申込みを受けた場合、Bは、クーリング・オフについて告げられた日から8日以内に電磁的方法により当該申込みの撤回を申し出れば、申込みの撤回を行うことができる。

❸ Aが、Aの事務所でBから買受けの申込みを受けた場合、Bは、申込みの日から8日以内に電磁的方法により当該申込みの撤回を申し出れば、申込みの撤回を行うことができる。

❹ Aが、売却の媒介を依頼している宅地建物取引業者Cの事務所でBから買受けの申込みを受けた場合、Bは、申込みの日から8日以内に書面により当該申込みの撤回を申し出ても、申込みの撤回を行うことができない。

🖐 日建学院・講師陣の必勝コメント

　近年の改正で、宅建業法の主要な書面（媒介契約書面・重要事項説明書・37条書面など）の交付を、「電磁的方法による提供」で代替できることになりました。

　しかし、「クーリング・オフの告知書面・意思表示書面」については、そんな改正は行われていません。そこを勘違い（？）した、法改正対策が足りない受験者は、❶❷❸で右往左往した模様…合格したければ、法改正対策を甘く見てはなりません。

❶ **誤り。クーリング・オフの告知書面➡電磁的方法で代替不可。**

宅建業者は、自ら売主となる宅地・建物の売買契約の申込者等に対して、クーリング・オフについて告げるときは、必ず書面を交付して告げなければなりません。つまり、そもそも「書面の交付」による告知を、「電磁的方法」による告知に代替することはできません。

⇒ 宅建業法37条の2、施行規則16条の6

❷ **誤り。クーリング・オフの意思表示書面➡電磁的方法で代替不可。**

買主によるクーリング・オフの意思表示は、必ず書面で行わなければなりません。それを、電磁的方法で代替することはできません。

⇒ 宅建業法37条の2

❸ **誤り。売主業者の事務所でする買受けの申込み➡クーリング・オフ不可。**

クーリング・オフができるのは、「事務所等」以外の場所で買受けの申込みや売買契約の締結をした場合だけです。売主業者Aの事務所は、クーリング・オフ制度が適用されない「事務所等」にあたります。

したがって、Aの事務所で買受けの申込みをしている本肢の場合、クーリング・オフはできません。

また、上記の理由により、そもそもクーリング・オフができない本肢では関係ありませんが、❷で説明したとおり、クーリング・オフの意思表示は、必ず書面で行わなければならず、電磁的方法で代替することはできません。

⇒ 37条の2

❹ **正しい。媒介業者の事務所でする買受けの申込み➡クーリング・オフ不可。**

クーリング・オフができるのは、「事務所等」以外の場所で買受けの申込みや売買契約の締結をした場合だけです。売買の代理・媒介業者Cの事務所は、クーリング・オフ制度が適用されない「事務所等」にあたります。

したがって、Cの事務所で買受けの申込みをしている本肢の場合、クーリング・オフはできません。

⇒ 37条の2、施行規則16条の5

クーリング・オフ

【正解 ❹】

■■■✎ Check!

重要ランク **S**

手付金等の保全措置

問題 71

宅地建物取引業者Aが、自ら売主として買主との間で締結する売買契約に関する次の記述のうち、宅地建物取引業法（以下この問において「法」という。）の規定によれば、正しいものはどれか。なお、この問において「保全措置」とは、法第41条に規定する手付金等の保全措置をいうものとする。　[H25-問40]

❶　Aは、宅地建物取引業者でない買主Bとの間で建築工事完了前の建物を4,000万円で売却する契約を締結し300万円の手付金を受領する場合、銀行等による連帯保証、保険事業者による保証保険又は指定保管機関による保管により保全措置を講じなければならない。

❷　Aは、宅地建物取引業者Cに販売代理の依頼をし、宅地建物取引業者でない買主Dと建築工事完了前のマンションを3,500万円で売却する契約を締結した。この場合、A又はCのいずれかが保全措置を講ずることにより、Aは、代金の額の5％を超える手付金を受領することができる。

❸　Aは、宅地建物取引業者である買主Eとの間で建築工事完了前の建物を5,000万円で売却する契約を締結した場合、保全措置を講じずに、当該建物の引渡前に500万円を手付金として受領することができる。

❹　Aは、宅地建物取引業者でない買主Fと建築工事完了前のマンションを4,000万円で売却する契約を締結する際、100万円の手付金を受領し、さらに200万円の中間金を受領する場合であっても、手付金が代金の5％以内であれば保全措置を講ずる必要はない。

日建学院・講師陣の必勝コメント

　典型的なひっかけである❶では、「建築工事完了前」「指定保管機関による保管」という部分に注目しましょう。手付金等の保全措置については、未完成物件の場合と完成物件の場合の違いに、要注意です。

解説

『どこでも！学ぶ宅建士』
第2編「宅建業法」

● 9 8種制限（P331～）

正答率　合格者 **90.4**%　不合格者 **55.5**%

❶ 誤り。**未完成物件➡指定保管機関による保管は利用不可。**
　「指定保管機関による保管」という保全措置を講じることができるのは、工事完了後の宅地・建物の売買の場合に限られます。したがって、未完成物件の場合には、指定保管機関による保管によって保全措置を講じることはできません。　　　　　　　　　　　　　➡ 業法41条の2、41条参照

❷ 誤り。**代理業者➡保全措置を講ずる必要なし。**
　宅建業者は、自ら売主となる未完成物件の売買契約で、買主が宅建業者でない場合、代金の5％または1,000万円を超える手付金等を受領するときは、保全措置を講じなければなりません。しかし、代理の依頼を受けた宅建業者は、保全措置を講じる必要はありません。したがって、Aは保全措置を講じる必要がありますが、Cは不要です。　　　　➡ 41条、施行令3条の3

❸ 正しい。**手付金等の保全措置➡業者間取引には適用なし。**
　買主が宅建業者の場合には、手付金等の保全措置の規定の適用はありません。したがって、保全措置を講じることなく、代金の5％または1,000万円を超える手付金等を受領できます。　　　　➡ 業法41条、78条、施行令3条の3

❹ 誤り。**保全措置➡「全額」について講ずる必要あり。**
　未完成物件について代金の5％または1,000万円を超える手付金等を受領しようとするときは、その全額について保全措置を講じなければ、当該手付金等を受領できません。したがって、すでに保全措置を講じることなく受領している「手付金100万円」とこれから受領する「中間金200万円」の合計額である300万円については、保全措置を講じなければ、中間金200万円を受領できません。　　　　　　　　　　➡ 業法41条、施行令3条の3

攻略POINT　保全措置の対象となる「手付金等」とは（❹）───

　「手付金『等』」と、『等』が付いているのがポイントです。契約締結から引渡までに代金に充当される金銭は、手付金に限らず、すべて保全措置の対象となることに注意しましょう。

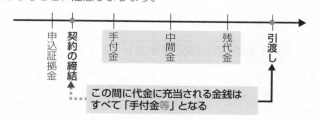

───────────────────────────【正解 **❸**】

手付金等の保全措置

333

手付金等の保全措置

問題 72　宅地建物取引業者である売主は、宅地建物取引業者ではない買主との間で、戸建住宅の売買契約（所有権の登記は当該住宅の引渡し時に行うものとする。）を締結した。この場合における宅地建物取引業法第41条又は第41条の2の規定に基づく手付金等の保全措置（以下この問において「保全措置」という。）に関する次の記述のうち、正しいものはどれか。　　　　　　　　　　　　[H30-問38]

❶　当該住宅が建築工事の完了後で、売買代金が3,000万円であった場合、売主は、買主から手付金200万円を受領した後、当該住宅を引き渡す前に中間金300万円を受領するためには、手付金200万円と合わせて保全措置を講じた後でなければ、その中間金を受領することができない。

❷　当該住宅が建築工事の完了前で、売買代金が2,500万円であった場合、売主は、当該住宅を引き渡す前に買主から保全措置を講じないで手付金150万円を受領することができる。

❸　当該住宅が建築工事の完了前で、売主が買主から保全措置が必要となる額の手付金を受領する場合、売主は、事前に、国土交通大臣が指定する指定保管機関と手付金等寄託契約を締結し、かつ、当該契約を証する書面を買主に交付した後でなければ、買主からその手付金を受領することができない。

❹　当該住宅が建築工事の完了前で、売主が買主から保全措置が必要となる額の手付金等を受領する場合において売主が銀行との間で締結する保証委託契約に基づく保証契約は、建築工事の完了までの間を保証期間とするものでなければならない。

日建学院・講師陣の必勝コメント

　「正答率データ」によると、合格者と不合格者の差が大きい問題です。なかでも❶に要注意です。「10％以下かつ1,000万円以下」に気を取られていると、「既に受領した分も含めて、**手付金等**全額について**保全が必要**」という肝心な知識を忘れがちです。複雑な問題では、全体を俯瞰する視点が必要です。

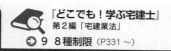

解 説

『どこでも！学ぶ宅建士』
第2編「宅建業法」
→ 9 8種制限（P331〜）

正答率　合格者 **96.0** %　不合格者 **65.8** %

手付金等の保全措置

❶ 正しい。保付金等等の保全措置を講じる。

❶ **正しい。保全する場合には、既に受領した全額について保全する。**

　宅建業者は、自ら売主となる宅地・建物の取引に関しては、原則として、手付金等の保全措置を講じた後でなければ、買主から手付金等を受領することはできません。しかし、宅地・建物が完成物件の場合、手付金等の額が代金の額の10％以下、かつ、1,000万円以下のときは、例外として保全措置を講じることなく、手付金等を受け取ることができます。本肢の場合、手付金200万円を受領しようとする時には、その額は代金3,000万円の10％以下（かつ、1,000万円以下）ですから、保全措置を講じる必要はありません。しかし、中間金300万円を受領しようとする時は、手付金と併せると代金の額の10％を超えますので、手付金等の保全措置を講じる必要があります。そして、手付金等の保全措置を講じる場合には、既に受領した分も含めて手付金等全額について保全する必要があります。

→ 業法41条の2、施行令3条の3

❷ **誤り。未完成物件 ⇒ 代金の5％または1,000万円超で保全措置必要。**

　宅建業者が自ら売主となる宅地・建物（未完成物件）の売買契約において、代金の額の5％または1,000万円を超える手付金等を受領する場合には、原則として保全措置を講じる必要があります。本肢の場合、代金2,500万円の5％は125万円なので、手付金150万円を受領しようとするときは、保全措置を講じる必要があります。

→ 業法41条、施行令3条の3

❸ **誤り。指定保管機関による保管 ⇒ 完成物件の場合だけ。**

　宅建業者が自ら売主となる場合で、未完成物件である宅地・建物の売買契約において用いることができる保全措置は、①銀行等による保証委託契約、②保険事業者による保証保険契約に限られます。未完成物件の場合は、完成物件の場合と異なり、指定保管機関と手付金等寄託契約を締結する方法は認められません。

→ 業法41条、41条の2

❹ **誤り。宅地・建物の引渡しまでを保証期間とする必要がある。**

　宅建業者が自ら売主となる宅地・建物（未完成物件）の売買契約において、銀行等による保証委託契約による手付金等の保全をする場合、宅地建物の「引渡し」までを保証期間とする必要があります。「建築工事の完了まで」では、これを満たしません。

→ 41条

【正解 ❶】

335

手付金等の保全措置

問題 73

宅地建物取引業者Aが、自ら売主として、宅地建物取引業者ではない個人Bとの間で宅地の売買契約を締結する場合における手付金の保全措置に関する次の記述のうち、宅地建物取引業法の規定によれば、正しいものはどれか。なお、当該契約に係る手付金は保全措置が必要なものとする。 [R5-問39]

❶ Aは、Bから手付金を受領した後に、速やかに手付金の保全措置を講じなければならない。

❷ Aは、手付金の保全措置を保証保険契約を締結することにより講ずる場合、保険期間は保証保険契約が成立した時から宅地建物取引業者が受領した手付金に係る宅地の引渡しまでの期間とすればよい。

❸ Aは、手付金の保全措置を保証保険契約を締結することにより講ずる場合、保険事業者との間において保証保険契約を締結すればよく、保険証券をBに交付する必要はない。

❹ Aは、手付金の保全措置を保証委託契約を締結することにより講ずるときは、保証委託契約に基づいて銀行等が手付金の返還債務を連帯して保証することを約する書面のBへの交付に代えて、Bの承諾を得ることなく電磁的方法により講ずることができる。

日建学院・講師陣の必勝コメント

❷～❹は、**手付金等の保全措置**の具体的な方法を問う肢。やや細かい内容ながらも、近年ジワジワと出題が増えつつあるテーマです。

特に❹の出題内容は、「書面の交付を電磁的方法による提供で代替できる」という、近年行われた"デジタル関連"改正ポイントのひとつです。

これを機に、しっかり理解しておきましょう。

解 説

『どこでも！学ぶ宅建士』
第2編「宅建業法」
→ 9 8種制限（P331～）

❶ **誤り。手付金等の保全措置 ➡ 受領前に講じる必要がある。**

　　宅建業者は、自ら売主となる宅地・建物の売買の場合、保全措置を講じた後でなければ、原則として、買主から手付金等を受領してはなりません。

　　したがって、手付金等を「受領した後」ではなく、受領する前に、保全措置を講じる必要があります。　　　　　　　　　　📌 宅建業法41条、41条の2

❷ **正しい。保証保険期間 ➡ 「契約成立時～物件の引渡し」までを要カバー。**

　　宅建業者が、手付金等の保全措置として、保証保険契約を選択する場合には、その保険期間が、少なくとも「保証保険契約が成立した時から宅建業者が受領した手付金等に係る宅地・建物の引渡し」までの期間であることが必要です。

　　したがって、本肢の「受領した手付金に係る宅地の引渡しまでの期間」であれば足ります。　　　　　　　　　　　　　　　　　　　　📌 41条

> **+α** 手付金等の保全措置として保証保険契約を選択する場合には、その**保険金額**が、宅建業者が受領しようとする手付金等の額（既に受領した手付金等があるときは、その額を加えた額）に相当する金額であることも、あわせて必要です。

❸ **誤り。保険証券 ➡ 買主への交付が必要。**

　　宅建業者が、手付金等の保全措置として保証保険契約を選択する場合、①保険事業者との間において保証保険契約を締結し、かつ、②保険証券またはこれに代わる書面を買主に交付することの両方が必要です。　　📌 41条

❹ **誤り。電磁的方法で書面交付を代替 ➡ 買主の書面等による承諾が必要。**

　　宅建業者が、手付金等の保全措置として銀行等による保証を選択する場合、銀行等が手付金等の返還債務を連帯保証することを約する書面を買主に交付しなければなりません。

　　そして、この書面の交付に代えて、電磁的方法により措置を講ずるには、買主から**書面等による承諾**を得る必要があります。　　　📌 41条

【**正解 ❷**】

手付金等の保全措置

担保責任の特約の制限

問題 74

宅地建物取引業者Ａ社が、自ら売主として建物の売買契約を締結する際の特約に関する次の記述のうち、宅地建物取引業法の規定に違反するものはどれか。 [H24-問39改]

❶ 当該建物が新築戸建住宅である場合、宅地建物取引業者でない買主Ｂの売買を代理する宅地建物取引業者Ｃ社との間で当該契約締結を行うに際して、当該住宅の契約不適合責任に関して買主Ｂが不適合である旨を売主Ａ社へ通知する期間についての特約を定めないこと。

❷ 当該建物が中古建物である場合、宅地建物取引業者である買主Ｄとの間で、「中古建物であるため、Ａ社は、契約不適合責任を負わない」旨の特約を定めること。

❸ 当該建物が中古建物である場合、宅地建物取引業者でない買主Ｅとの間で、「契約不適合責任に関して買主Ｅが不適合である旨を売主Ａ社へ通知する期間は、売買契約締結の日にかかわらず引渡しの日から２年間とする」旨の特約を定めること。

❹ 当該建物が新築戸建住宅である場合、宅地建物取引業者でない買主Ｆとの間で、「Ｆは、Ａ社が契約不適合責任を負う期間内であれば、損害賠償の請求をすることはできるが、契約の解除をすることはできない」旨の特約を定めること。

担保責任の特約の制限

❶ 違反しない。特約を定めなければ、民法が適用される。

契約不適合責任に関して買主の不適合である旨の売主への通知期間についての特約を定めない場合には、民法の規定が適用されるだけのことであり、宅建業法に違反するものではありません。　→ 民法566条、業法40条参照

❷ 違反しない。担保責任の特約の制限 ➡ 業者間取引に適用なし。

宅建業者は、自ら売主となる宅地・建物の売買契約において、その目的物の種類・品質に関する契約不適合責任に関し、原則として、民法に規定するよりも買主に不利となる特約をすることはできません。しかし、この規定は、宅建業者相互間の取引については適用されません。したがって、売主及び買主が宅建業者である本肢の場合、担保責任を負わない旨の特約を定めても、宅建業法に違反するものではありません。　→ 78条、40条

❸ 違反しない。通知期間を引渡しから2年以上とする特約 ➡ 有効。

契約不適合責任に関して買主が不適合である旨を売主に通知する期間について、「目的物の引渡しの日から2年以上」とする特約を定めること自体は可能です。したがって、契約不適合責任に関して買主Eが不適合である旨を売主Aへ通知する期間を引渡しの日から2年間とする旨の特約を定めても、宅建業法に違反するものではありません。　→ 40条、民法566

❹ 違反する。「解除できない」とする特約 ➡ 民法より買主に不利で無効。

❷解説参照。民法の規定による契約不適合責任の追及手順としては、履行の追完の請求、代金の減額の請求・損害賠償の請求・契約の解除があります。本肢の特約は、「損害賠償請求はできるが、契約の解除をすることはできない」とするものであり、民法の規定よりも買主に不利な特約といえます。したがって、宅建業法に違反します。　→ 業法40条、民法566条

攻略POINT 担保責任の特約の制限

●契約不適合である旨の通知期間を「引渡しから2年以上」とする特約は、有効。
●引渡しから2年未満の期間を定めた場合、その特約は無効となり、民法の「知った時から1年間」となる。

【正解 ❹ 】

8種制限総合

問題 **75**	宅地建物取引業者A社が、自ら売主として締結する建築工事完了後の新築分譲マンション（代金3,000万円）の売買契約に関する次の記述のうち、宅地建物取引業法の規定によれば、誤っているものはいくつあるか。 [H24-問38]

ア A社は、宅地建物取引業者である買主Bとの当該売買契約の締結に際して、当事者の債務不履行を理由とする契約解除に伴う損害賠償の予定額を1,000万円とする特約を定めることができない。

イ A社は、宅地建物取引業者でない買主Cとの当該売買契約の締結に際して、当事者の債務不履行を理由とする契約解除に伴う損害賠償の予定額300万円に加え、違約金を600万円とする特約を定めたが、違約金についてはすべて無効である。

ウ A社は、宅地建物取引業者でない買主Dとの当該売買契約の締結に際して、宅地建物取引業法第41条の2の規定による手付金等の保全措置を講じた後でなければ、Dから300万円の手付金を受領することができない。

❶ 一つ

❷ 二つ

❸ 三つ

❹ なし

8種制限総合

ア 誤り。損害賠償額の予定等の制限 ➡ 業者間取引には適用なし。

宅建業者が自ら売主となる場合、損害賠償額の予定または違約金を定めるときは、これらを合算した額が代金額の2／10（本問では600万円）を超えてはなりません。しかし、この制限は、宅建業者間の取引には適用されません。したがって、損害賠償の予定額を1,000万円とする特約を定めることができます。

➡ 業法78条、38条

【8種制限の適用関係】　　　（○＝適用あり、×＝適用なし）

売　　主	買　　主	適　　用
宅 建 業 者	宅 建 業 者	
宅建業者でない	宅建業者でない	×
宅建業者でない	宅 建 業 者	
宅 建 業 者	宅建業者でない	○

イ 誤り。損害賠償額の予定・違約金 ➡ 合算して2／10まで。

宅建業者が自ら売主となる場合、損害賠償額の予定または違約金を定めるときは、これらを合算した額が代金額の2／10（本問では600万円）を超えてはなりません。そして、これに反する特約は、代金の額の2／10を超える部分について無効となります。違約金についてすべて無効となるわけではありません。

➡ 38条

ウ 誤り。完成物件 ➡ 10%以下かつ1,000万円以下の場合、保全不要。

宅建業者が自ら売主となる場合、原則として、保全措置を講じた後でなければ、宅建業者でない買主から手付金等を受領してはなりません。ただし、宅建業者が受領しようとする手付金等の額が代金額の10%以下であり、かつ、1,000万円以下であるときは、保全措置を講じなくても、手付金等を受領することができます。本記述の手付金300万円は代金額の10%にあたるため、A社は保全措置を講じなくても、Dから300万円の手付金を受領することができます。

➡ 41条の2、施行令3条の3

よって、誤っているものは**ア・イ・ウ**の3つすべてであり、正解は**❸**となります。

【正解 ❸】

8種制限総合

問題 76

宅地建物取引業者Aが、自ら売主として宅地建物取引業者ではない買主Bとの間で宅地の売買契約を締結する場合における次の記述のうち、宅地建物取引業法の規定によれば、誤っているものはいくつあるか。　　　　　　　　　　　　[H26-問31改]

ア　Aが契約不適合責任に関する買主の不適合である旨の売主に対する通知期間を売買契約に係る宅地の引渡しの日から3年間とする特約は、無効である。

イ　Aは、Bに売却予定の宅地の一部に甲市所有の旧道路敷が含まれていることが判明したため、甲市に払下げを申請中である。この場合、Aは、重要事項説明書に払下申請書の写しを添付し、その旨をBに説明すれば、売買契約を締結することができる。

ウ　「手付放棄による契約の解除は、契約締結後30日以内に限る」旨の特約を定めた場合、契約締結後30日を経過したときは、Aが契約の履行に着手していなかったとしても、Bは、手付を放棄して契約の解除をすることができない。

❶　一つ

❷　二つ

❸　三つ

❹　なし

👍 日建学院・講師陣の必勝コメント

　イは「他人物売買等の制限」にあたることに気づけたかどうかが、この問題を正解するポイントです。

解説

『どこでも！学ぶ宅建士』
第2編「宅建業法」
→ 9 8種制限（P320〜）

正答率 合格者 **68.8**% 不合格者 **48.0**%

ア 誤り。「担保責任の通知期間を引渡日から2年間以上とする特約」➡ 有効。

宅建業者は、自ら売主となる宅地・建物の売買契約において、その目的物の種類・品質に関する契約不適合責任に関し、原則として、民法に規定するものより買主に不利となる特約をしてはならず、これに反する特約は無効となります。しかし、買主が不適合である旨を売主に通知する期間については、例外として、その目的物の引渡しの日から2年以上となる特約をすることができます。したがって、本記述の契約不適合責任に関する買主の不適合である旨の売主に対する通知期間を「宅地の引渡しの日から3年間」とする特約は、有効です。
➡ 業法40条

イ 誤り。物件を取得する契約の締結前 ➡ 他人物売買は不可。

宅建業者は、自己の所有に属しない宅地・建物について、原則として、自ら売主となる売買契約（予約を含む）を締結してはなりません。本記述の宅地は、その一部がいまだ甲市の所有ですから、宅建業者の「自己の所有に属しない宅地」であり、また、「払下げを申請中」ということは、この物件を取得する契約の締結前であるため、Aは、売買契約を締結することはできません。
➡ 33条の2

ウ 誤り。不利な特約は無効 ➡ 買主は手付を放棄すれば契約の解除可。

買主は、相手方が契約の履行に着手するまでは、手付を放棄して契約の解除をすることができます（解約手付）。宅建業者が自ら売主となる宅地・建物の売買契約の締結に際して手付を受領したときは、これに反する特約で買主に不利なものは無効となります。本記述の特約では、手付解除は「契約締結後30日以内に限る」としていますので、買主に不利な内容であり無効です。したがって、買主Bは、宅建業者Aが契約の履行に着手していなければ、手付を放棄して契約の解除をすることができます。
➡ 39条

　よって、誤っているものは**ア・イ・ウ**の3つすべてであり、正解は**❸**となります。

【正解 ❸】

8種制限総合

問題 **77**
宅地建物取引業者Aが、自ら売主として、宅地建物取引業者でないBとの間でマンション（代金4,000万円）の売買契約を締結した場合に関する次の記述のうち、宅地建物取引業法（以下この問において「法」という。）の規定に違反するものの組合せはどれか。

[H28-問28]

ア Aは、建築工事完了前のマンションの売買契約を締結する際に、Bから手付金200万円を受領し、さらに建築工事中に200万円を中間金として受領した後、当該手付金と中間金について法第41条に定める保全措置を講じた。

イ Aは、建築工事完了後のマンションの売買契約を締結する際に、法第41条の2に定める保全措置を講じることなくBから手付金400万円を受領した。

ウ Aは、建築工事完了前のマンションの売買契約を締結する際に、Bから手付金500万円を受領したが、Bに当該手付金500万円を償還して、契約を一方的に解除した。

エ Aは、建築工事完了後のマンションの売買契約を締結する際に、当事者の債務の不履行を理由とする契約の解除に伴う損害賠償の予定額を1,000万円とする特約を定めた。

❶ ア、ウ

❷ イ、ウ

❸ ア、イ、エ

❹ ア、ウ、エ

👆 **日建学院・講師陣の必勝コメント**

「正答率データ」によると、合格者と不合格者の差が大きい問題です。不合格者の数字アレルギーがうかがえます。数字を覚えていないと判断できない記述**ア・イ・エ**を中心に、しっかり復習しておきましょう。

ア 違反する。**未完成物件 ➡ ５％または1,000万円超で保全措置必要。**

> よく出る！　未完成物件の場合、受領する手付金等の額が代金の額の５％以下かつ1,000万円以下の場合は、例外として保全措置が不要となります。本記述では、手付金200万円（代金の５％ちょうど）を受領する際には保全措置は不要です。しかし、中間金を受領する際には、その手付金等の金額の合計が400万円となり、代金の５％を超えるので、この全額について保全措置を講じてからでなければ、中間金を受領できません。　➡ 業法41条、施行令３条の３

イ 違反しない。**完成物件 ➡ 10％または1,000万円超で保全措置必要。**

> よく出る！　完成物件の場合、手付金等の額が代金の額の10％以下かつ1,000万円以下の場合には、例外として保全措置が不要となります。本記述では、手付金の額が400万円（代金の10％ちょうど）でこの例外に該当しますので、保全措置を講じることなく受領できます。　➡ 業法41条の２、施行令３条の３

ウ 違反する。**売主が手付解除をするためには、手付倍返しが必要。**

> 宅建業者が、自ら売主として宅地または建物の売買契約の締結に際して手付を受領したときは、その手付は必ず解約手付となります。そして、手付解除は、相手方が契約の履行に着手するまでに、買主はその手付を放棄して、自ら売主である宅建業者はその倍額を現実に提供して、しなければなりません。したがって、自ら売主である宅建業者Ａは、買主Ｂに当該手付金500万円を償還するだけでは、契約解除はできません。　➡ 業法39条

エ 違反する。**損害賠償額の予定 ➡ 代金の額の2／10まで。**

> 宅建業者が自ら売主となる宅地または建物の売買契約において、当事者の債務の不履行を理由とする契約の解除に伴う損害賠償の額を予定し、または違約金を定めるときは、これらを合算した額が代金の額の2／10を超えることとなる定めをしてはなりません。したがって、本問の場合、代金4,000万円の2／10である800万円を超える定めをすることはできません。　➡ 38条

よって、違反する組合せは**ア・ウ・エ**であり、正解は❹となります。

【正解 ❹】

 Check!

重要ランク **S**

8種制限総合

問題 **78**

宅地建物取引業者Aが、自ら売主として、宅地建物取引業者ではないBとの間で締結する建築工事完了前のマンション（代金3,000万円）の売買契約に関する次の記述のうち、宅地建物取引業法（以下この問において「法」という。）の規定によれば、正しいものはどれか。　[R元-問37改]

❶ Aが手付金として200万円を受領しようとする場合、Aは、Bに対して書面で法第41条に定める手付金等の保全措置を講じないことを告げれば、当該手付金について保全措置を講じる必要はない。

❷ Aが手付金を受領している場合、Bが契約の履行に着手する前であっても、Aは、契約を解除することについて正当な理由がなければ、手付金の倍額を現実に提供して契約を解除することができない。

❸ Aが150万円を手付金として受領し、さらに建築工事完了前に中間金として50万円を受領しようとする場合、Aは、手付金と中間金の合計額200万円について法第41条に定める手付金等の保全措置を講じれば、当該中間金を受領することができる。

❹ Aが150万円を手付金として受領し、さらに建築工事完了前に中間金として500万円を受領しようとする場合、Aは、手付金と中間金の合計額650万円について法第41条に定める手付金等の保全措置を講じたとしても、当該中間金を受領することができない。

解 説

『どこでも！学ぶ宅建士』
第2編「宅建業法」

→ 9 8種制限（P320〜）

正答率　合格者 **94.6** %
　　　不合格者 **73.5** %

8種制限総合

❶ 誤り。**未完成物件 ➡ 1,000万円以下かつ5％以下で保全措置不要。**

宅建業者は、受領しようとする手付金等の額が、1,000万円以下かつ代金額の5％以下の金額であれば、保全措置を講じる必要はありません。本肢では、代金額の5％（3,000万円×5％＝150万円）を超えた額の手付金を受領しようとしていますので、保全措置を講じる必要があります。保全措置を講じない旨を伝えていても、同様です。　　　　　　　　　　🔲 業法41条、施行令3条の3

❷ 誤り。**相手方が履行に着手するまでは、手付解除可能。**

宅建業者が、自ら売主となる宅地または建物の売買契約の締結に際して手付を受領したときは、その手付がいかなる性質のものであっても、相手方が契約の履行に着手するまでは、買主はその手付を放棄して、当該宅建業者はその倍額を現実に提供して、契約の解除できます。本肢では、Bが契約の履行に着手する前であれば、Aは、手付金の倍額を現実に提供して契約を解除できます。　　　　　　　　　　　　　　　　　🔲 業法39条

❸ 正しい。**受領する全ての手付金等について保全措置を講じる。**

手付金等の保全措置が必要な場合は、受領するすべての金額について保全措置を講じる必要があります。すると本肢の場合、手付金の150万円については、1,000万円以下かつ代金の額の5％以下ですから、受領する前に保全措置を講じる必要はありません。しかし、中間金の50万円については、手付金150万円と併せると合計200万円となり、代金の額の5％を超えますので、200万円全額についてあらかじめ保全措置を講じなければ、当該中間金の50万円を受領できません。　　　　　🔲 41条、施行令3条の3

❹ 誤り。**代金の額の2／10までの制限 ➡ 手付金のみ。**

宅建業者は、自ら売主となる宅地または建物の売買契約の締結に際して、代金の額の2／10を超える額の手付金を受領できません。しかし、代金の額の2／10までという制限を受けるのは手付金のみで、中間金については制限を受けません。したがって、本肢の場合、手付金と中間金を併せた650万円全額について、あらかじめ保全措置を講じれば、当該中間金を受領できます。　　　　　　　　　　　　　　　　　　　　　　🔲 業法39条

【正解 ❸】

8種制限総合

宅地建物取引業者Aが、自ら売主として、宅地建物取引業者ではないBとの間で建物の売買契約を締結する場合における次の記述のうち、宅地建物取引業法（以下この問において「法」という。）の規定によれば、正しいものはどれか。　[R2⑽-問32]

❶　ＡＢ間の建物の売買契約において、Bが当該契約の履行に着手した後においては、Aは、契約の締結に際してBから受領した手付金の倍額をBに現実に提供したとしても、契約を解除することはできない。

❷　ＡＢ間の建物の売買契約における「法第37条の2の規定に基づくクーリング・オフによる契約の解除の際に、当該契約の締結に際しAがBから受領した手付金は返還しない」旨の特約は有効である。

❸　ＡＢ間の建物の割賦販売の契約において、Bからの賦払金が当初設定していた支払期日までに支払われなかった場合、Aは直ちに賦払金の支払の遅滞を理由として当該契約を解除することができる。

❹　ＡＢ間で工事の完了前に当該工事に係る建物（代金5,000万円）の売買契約を締結する場合、Aは、法第41条に定める手付金等の保全措置を講じた後でなければ、Bから200万円の手付金を受領してはならない。

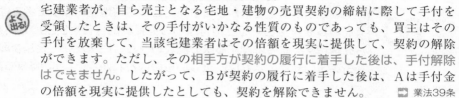
❶ 正しい。相手方が履行に着手 ➡ 手付解除不可。

宅建業者が、自ら売主となる宅地・建物の売買契約の締結に際して手付を受領したときは、その手付がいかなる性質のものであっても、買主はその手付を放棄して、当該宅建業者はその倍額を現実に提供して、契約の解除ができます。ただし、その相手方が契約の履行に着手した後は、手付解除はできません。したがって、Bが契約の履行に着手した後は、Aは手付金の倍額を現実に提供したとしても、契約を解除できません。　　➡ 業法39条

❷ 誤り。クーリング・オフ ➡ 手付金等を返還する。

クーリング・オフがされた場合、自ら売主となる宅建業者は、申込者等に対し、速やかに、買受けの申込みまたは売買契約の締結に際し受領した手付金その他の金銭を返還しなければなりません。これに反する申込者等に不利な特約は無効です。　　➡ 37条の2

❸ 誤り。賦払金支払遅滞による解除 ➡ 30日以上を定めた書面催告が必要。

宅建業者は、自ら売主となる宅地建物の割賦販売の契約について賦払金の支払の義務が履行されない場合は、30日以上の相当の期間を定めて支払を「書面で催告」し、その期間内にその義務が履行されないときでなければ、賦払金の支払の遅滞を理由として、契約を解除し、または支払時期の到来していない賦払金の支払を請求できません。したがって、「直ちに」契約を解除できるわけではありません。　　➡ 42条

❹ 誤り。未完成物件 ➡「代金の5％以下かつ1,000万円以下」なら保全措置不要。

宅建業者は、自ら売主となる宅地建物の売買契約の締結に際して手付金等を受領する場合には、保全措置を講じなければなりません。しかし、未完成物件の売買の場合、その額が代金額の5％以下、かつ1,000万円以下のときは、保全措置を講じる必要がありません。本肢の200万円の手付金は、代金額の5％（5,000万円×5％＝250万円）以下、かつ、1,000万円以下のため、保全措置は不要です。　　➡ 41条、施行令3条の3

【正解 ❶】

重要ランク
A

8種制限総合

宅地建物取引業者Aが、自ら売主として宅地建物取引業者ではないBを買主とする土地付建物の売買契約（代金3,200万円）を締結する場合に関する次の記述のうち、民法及び宅地建物取引業法の規定によれば、正しいものはどれか。　[R3(10)-問42]

❶　割賦販売の契約を締結し、当該土地付建物を引き渡した場合、Aは、Bから800万円の賦払金の支払を受けるまでに、当該土地付建物に係る所有権の移転登記をしなければならない。

❷　当該土地付建物の工事の完了前に契約を締結した場合、Aは、宅地建物取引業法第41条に定める手付金等の保全措置を講じなくても手付金100万円、中間金60万円を受領することができる。

❸　当事者の債務の不履行を理由とする契約の解除に伴う損害賠償の予定額を400万円とし、かつ、違約金の額を240万円とする特約を定めた場合、当該特約は無効となる。

❹　当事者の債務の不履行を理由とする契約の解除に伴う損害賠償の予定額を定めていない場合、債務の不履行による損害賠償の請求額は売買代金の額の10分の2を超えてはならない。

日建学院・講師陣の必勝コメント

「正答率データ」によると、合格者と不合格者の差が大きい問題です。❹の「損害賠償の予定額を定めていない場合」の扱いに関する知識があやふやだと、計算が必要な❷との2択で迷ってしまうという、"良くできた"問題です。重要知識が不正確だと致命傷になる一例です。

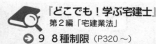

解説 『どこでも！学ぶ宅建士』
第2編「宅建業法」
→ 9 8種制限（P320〜）

① **誤り。移転登記➡代金の3／10超の支払までに行う。**

宅建業者は、自ら売主として宅地・建物の割賦販売を行った場合には、代金の額の３／10を超える額の金銭の支払を受けるまでに、原則として、登記その他引渡し以外の売主の義務を履行しなければなりません。逆にいえば、「代金3,200万円×3／10＝960万円」ですので、960万円を超える額の支払を受けるまでに、所有権の移転登記をすればよいことになります。「800万円」の賦払金の支払を受けるまでではありません。　　➡ 業法43条

② **正しい。「５％以下かつ1,000万円以下」（160万円以下）➡保全措置不要。**

宅建業者は、自ら売主となる宅地建物の売買契約の締結に際して手付金等を受領する場合には、原則として、保全措置を講じなければなりません。しかし、未完成物件の売買の場合、その額が「代金額の５％以下、かつ1,000万円以下」であれば、保全措置は不要です。本問の物件については「3,200万円×５％＝160万円」ですので、保全措置を講じなくても、手付金100万円と中間金60万円の「合計160万円」を受領できます。

➡ 41条、施行令3条の3

③ **誤り。損害賠償額の予定・違約金➡合算して代金の2／10（640万円）まで。**

宅建業者が自ら売主となる場合、損害賠償額の予定または違約金を定めるときは、合算した額が代金額の2／10を超えてはなりません。これに反する特約は、代金の額の2／10を超える部分について無効です。3,200万円×2／10＝640万円ですので、合算額が640万円である本肢の特約は、有効です。

➡ 38条

④ **誤り。損害賠償の予定額を定めていない場合➡代金の2／10までの制限なし。**

損害賠償の予定額を定めていない場合には、損害賠償額の予定等の制限（「代金額の2／10まで」とする制限）の適用はありません。　➡ 38条参照

【正解 ❷】

8種制限総合

問題 **81**

宅地建物取引業者Aが、自ら売主として行う売買契約に関する次の記述のうち、宅地建物取引業法の規定によれば、誤っているものはどれか。なお、買主は宅地建物取引業者ではないものとする。
[R4-問43]

❶ Aが、宅地又は建物の売買契約に際して手付を受領した場合、その手付がいかなる性質のものであっても、Aが契約の履行に着手するまでの間、買主はその手付を放棄して契約の解除をすることができる。

❷ Aが、土地付建物の売買契約を締結する場合において、買主との間で、「売主は、売買物件の引渡しの日から1年間に限り当該物件の種類又は品質に関して契約の内容に適合しない場合におけるその不適合を担保する責任を負う」とする旨の特約を設けることができる。

❸ 販売代金2,500万円の宅地について、Aが売買契約の締結を行い、損害賠償の額の予定及び違約金の定めをする場合、その合計額を500万円と設定することができる。

❹ Aが建物の割賦販売を行った場合、当該建物を買主に引き渡し、かつ、代金の額の10分の3を超える額の支払を受けた後は、担保の目的で当該建物を譲り受けてはならない。

🔥 日建学院・講師陣の必勝コメント

❹は「立ち入り厳禁」の内容なので、❶～❸だけで勝負すれば十分です。そうなると、❶～❸で判断がつかず❹で悩んだ方は、「8種制限」の重要基本知識に大きな穴があることが明らか。本問を起点に、8種制限のポイントを猛復習しましょう！

❶ **正しい。手付➡いかなる性質のものでも「解約手付」と扱われる。**

　宅建業者が、自ら売主となる宅地・建物の売買契約の締結に際して手付を受領したときは、その手付がいかなる性質のものでも、その**相手方**が契約の履行に着手するまでの間は、買主はその**手付**を放棄して、当該宅建業者はその**倍額を現実に提供**して、契約の解除ができます。　　　➡ 宅建業法39条

❷ **誤り。通知期間を「引渡しの日から2年以上」とする特約のみOK。**

　宅建業者は、自ら売主となる宅地・建物の売買契約で、その目的物が種類・品質に関して契約の内容に適合しない場合におけるその不適合を担保すべき責任に関し、民法に規定する通知期間について、**目的物の引渡しの日から2年以上**とする特約をする場合を除き、民法に規定するものより買主に不利となる特約をしてはなりません。したがって、「引渡しの日から1年間に限り責任を負う」旨の特約をすることはできません。　　　➡ 140条

❸ **正しい。損害賠償額の予定・違約金➡合算して代金額の2／10まで。**

　宅建業者が自ら売主となる宅地・建物の売買契約で、当事者の債務不履行を理由とする契約解除に伴う損害賠償の額を予定し、または違約金を定めるときは、これらを合算した額が代金の額の2／10を超えることとなる定めをしてはなりません。

　本肢での販売代金は2,500万円ですから、損害賠償額の予定および違約金の合計額を「500万円」（販売代金の2／10ちょうど）とすることは可能です。　　　➡ 38条

❹ **正しい。代金額の3／10超の支払後➡担保目的での譲受けは不可。**

　宅建業者は、自ら売主として宅地・建物の割賦販売を行なった場合において、当該割賦販売に係る宅地建物を買主に引き渡し、かつ、代金の額の3／10を超える額の金銭の支払を受けた後は、担保の目的でその宅地・建物を譲り受けてはなりません。　　　➡ 43条

【**正解❷**】

報酬額の制限（貸借）

問題 82　宅地建物取引業者Ａ（消費税課税事業者）は、Ｂが所有する建物について、Ｂ及びＣから媒介の依頼を受け、Ｂを貸主、Ｃを借主とし、１か月分の借賃を10万円（消費税等相当額を含まない。）、ＣからＢに支払われる権利金（権利設定の対価として支払われる金銭であって返還されないものであり、消費税等相当額を含まない。）を150万円とする定期建物賃貸借契約を成立させた。この場合における次の記述のうち、宅地建物取引業法の規定によれば、正しいものはどれか。なお、長期の空家等の貸借の媒介における特例については、考慮しないものとする。

[H30-問30改]

❶　建物が店舗用である場合、Ａは、Ｂ及びＣの承諾を得たときは、Ｂ及びＣの双方からそれぞれ11万円の報酬を受けることができる。

❷　建物が居住用である場合、Ａが受け取ることができる報酬の額は、ＣからＢに支払われる権利金の額を売買に係る代金の額とみなして算出される16万5,000円が上限となる。

❸　建物が店舗用である場合、Ａは、Ｂからの依頼に基づくことなく広告をした場合でも、その広告が賃貸借契約の成立に寄与したときは、報酬とは別に、その広告料金に相当する額をＢに請求することができる。

❹　定期建物賃貸借契約の契約期間が終了した直後にＡが依頼を受けてＢＣ間の定期建物賃貸借契約の再契約を成立させた場合、Ａが受け取る報酬については、宅地建物取引業法の規定が適用される。

日建学院・講師陣の必勝コメント

❶～❸は、過去問をしっかり解いていたら、正誤の判断がつく肢です。なお、❹は、あまりみかけない内容ですが、焦ってはなりません。

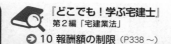

解説 『どこでも！学ぶ宅建士』
第2編「宅建業法」
→ 10 報酬額の制限（P338〜）

❶ 誤り。「借賃の1.1ヵ月分」または「権利金から算出した額」のどちらか高いほう。

よく出る！　居住用建物以外の賃貸借で権利金の授受がある場合、消費税課税事業者が受領できる報酬額の上限は、①借賃の1ヵ月分の1.1倍と、②権利金を売買代金とみなして速算式（200万円以下の場合は「○円×5％×1.1」）により算出した額の、どちらか高いほうです。

本肢の場合、借賃をベースとして計算した「合計11万円」である①よりも、権利金をベースとして計算した「150万円×5％×1.1＝8万2,500円」をB・Cそれぞれから「合計16万5,000円」受領できる②のほうが、「高いほう」となりますので、②が、報酬の限度額となります。　→ 業法46条、報酬告示第6

> **+α**　「借賃」をベースとする場合、たとえ両当事者の承諾を得ても、「それぞれから賃料の1ヵ月分の1.1倍ずつ」（本肢でいえば計22万円）を受領することはできません。

❷ 誤り。**居住用建物の貸借 ➡ 権利金で計算をすることができない。**

宅地・建物の賃貸借で権利金の授受がある場合、権利金の額を売買代金の額とみなして報酬額を計算することができます。しかし、居住用建物の場合には、この規定は適用されません。

したがって、本肢の場合、消費税課税事業者であるAが受け取ることができる報酬の額は、11万円が上限となります。

→ 業法46条、報酬告示第6

❸ 誤り。**依頼者の依頼によって行う広告の料金 ➡ 請求可。**

宅建業者は、報酬の他に経費等を請求することができません。ただし、依頼者の依頼によって行う広告の料金に相当する額については、例外です。しかし、本肢では、依頼者の依頼に基づかないので、これにあたりません。

→ 業法46条、報酬告示第9

❹ 正しい。**定期建物賃貸借の再契約 ➡ 新規契約と同様の報酬規制あり。**

難　定期建物賃貸借の再契約に関して宅建業者が受けることのできる報酬についても、新規の契約と同様の規制が適用されます。

→ 業法46条、宅建業法の解釈・運用の考え方

【正解 ❹ 】

報酬額の制限（貸借）

報酬額の制限総合

問題 83 宅地建物取引業者Ａ（消費税課税事業者）は貸主Ｂから建物の貸借の媒介の依頼を受け、宅地建物取引業者Ｃ（消費税課税事業者）は借主Ｄから建物の貸借の媒介の依頼を受け、ＢとＤの間での賃貸借契約を成立させた。この場合における次の記述のうち、宅地建物取引業法（以下この問において「法」という。）の規定によれば、正しいものはどれか。なお、１か月分の借賃は９万円（消費税等相当額を含まない。）であり、長期の空家等の貸借の媒介における特例については考慮しないものとする。 [H29-問26改]

❶ 建物を店舗として貸借する場合、当該賃貸借契約において200万円の権利金（権利設定の対価として支払われる金銭であって返還されないものをいい、消費税等相当額を含まない。）の授受があるときは、Ａ及びＣが受領できる報酬の限度額の合計は220,000円である。

❷ ＡがＢから49,500円の報酬を受領し、ＣがＤから48,600円の報酬を受領した場合、ＡはＢの依頼によって行った広告の料金に相当する額を別途受領することができない。

❸ Ｃは、Ｄから報酬をその限度額まで受領できるほかに、法第35条の規定に基づく重要事項の説明を行った対価として、報酬を受領することができる。

❹ 建物を居住用として貸借する場合、当該賃貸借契約において100万円の保証金（Ｄの退去時にＤに全額返還されるものとする。）の授受があるときは、Ａ及びＣが受領できる報酬の限度額の合計は110,000円である。

日建学院・講師陣の必勝コメント

　まずは「依頼者の依頼による広告料金の受領の可否」という超頻出知識を問う❷、次に、これと関連する❸を切りましょう。あとは、計算が必要な❶❹の対比に注目です。「計算問題」であるからこそ、逆に計算が不要な肢の的確な正誤判断が、カギを握ります。

❶ 正しい。居住用建物以外の貸借は、権利金を基準として計算可。

居住用建物以外の貸借の場合で、権利金（権利設定の対価として支払われる金銭で返還されないもの）の授受があるときは、権利金を売買代金とみなして、報酬額の計算をすることができます。

A及びCが消費税課税事業者である本肢では、「200万円×5％×1.1×2 ＝22万円」が上限額となります。この「権利金をベースとして計算した額」（22万円）のほうが、1ヵ月の借賃をベースとして計算した額（9万9,000円）より高くなり、これが、A及びCが受領できる報酬の限度額となります。

➡ 業法46条、報酬告示第6

❷ 誤り。依頼者の依頼による広告料金は、受領可。

消費税課税事業者である宅建業者が宅地・建物の貸借の媒介に関して依頼者の双方から受け取ることのできる報酬の合計額は、当該宅地・建物の借賃の1ヵ月分の1.1倍に相当する金額以内です。

しかし、宅建業者は、依頼者の依頼によって行う広告の料金に相当する額であれば、報酬とは別に受領することができます。

➡ 業法46条、報酬告示第9

❸ 誤り。依頼者の依頼による広告料金以外は、受領不可。

宅建業者は、依頼者の依頼によって行う広告料金であれば、報酬とは別に受領することができますが、それ以外の費用を受領することはできません。

したがって、重要事項の説明を行った対価として、別途報酬を受領することはできません。

➡ 業法46条、報酬告示第9

❹ 誤り。居住用建物の貸借は、権利金を基準として計算不可。

居住用建物の貸借では、たとえ権利金の授受があっても、これをベースに報酬額の計算をすることはできません。また、本肢の保証金は退去時に「全額返還されるもの」ですので、報酬の限度額の算定に用いることができる「権利金」にはあたりません。

したがって、消費税課税事業者であるA及びCが受領できる報酬の限度額の合計は、借賃ベースで計算した「9万円×1.1＝9万9,000円」となります。

➡ 業法46条、報酬告示第4、第6参照

【正解 ❶】

□□□🖊 Check!

重要ランク
B

報酬額の制限総合

問題 **84**

宅地建物取引業者Ａ（消費税課税事業者）が受け取ることので
きる報酬額に関する次の記述のうち、宅地建物取引業法の規定
によれば、誤っているものはどれか。なお、この問において報
酬額に含まれる消費税等相当額は税率10％で計算するものと
する。
[R元-問32改]

❶ 宅地（代金400万円。消費税等相当額を含まない。）の売買の代理について、
50万円（消費税等相当額を含まない。）の費用を要する場合、Ａが代理契約の
締結に際しあらかじめ、報酬額について売主Ｂに説明し、Ｂと合意していたと
きは、ＡはＢから66万円を上限として報酬を受領することができる。

❷ 事務所（１か月の借賃110万円。消費税等相当額を含む。）の貸借の媒介に
ついて、Ａは依頼者の双方から合計で110万円を上限として報酬を受領する
ことができる。

❸ 既存住宅の売買の媒介について、Ａが売主Ｃに対して建物状況調査を実施
する者をあっせんした場合、ＡはＣから報酬とは別にあっせんに係る料金を受
領することはできない。

❹ 宅地（代金400万円。消費税等相当額を含まない。）の売買の媒介について、
20万円の費用を要する場合、報酬額について売主Ｄと合意していなくても、
ＡはＤから33万円を報酬として受領することができる。

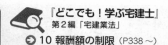 

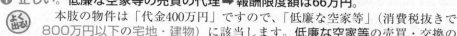

『どこでも！学ぶ宅建士』
第2編「宅建業法」

➡ 10 報酬額の制限（P338〜）

正答率　合格者 **62.2** ％　不合格者 **40.8** ％

❶ **正しい。低廉な空家等の売買の代理➡報酬限度額は66万円。**

　　本肢の物件は「代金400万円」ですので、「低廉な空家等」（消費税抜きで800万円以下の宅地・建物）に該当します。**低廉な空家等の売買・交換の代理**の場合、宅建業者は、当該代理に要する費用を勘案して、速算式により算出した金額を超えて報酬を受領できます。なお、宅建業者は、代理契約の締結に際し、あらかじめ、報酬額について依頼者に対して**説明**し、**合意する必要があります。**

　　本肢で、消費税課税事業者である宅建業者Aが依頼者から受領できる報酬の限度額は、**媒介の場合の2倍にあたる66万円**（33万円×2）以内です。また、Aは、代理契約の締結に際し、あらかじめ、報酬額について依頼者Bに対して説明し、Bと合意しています。したがって、Aは、Bから66万円を上限として報酬を受領できます。

➡ 業法46条、報酬告示第8、宅建業法の解釈・運用の考え方

❷ **正しい。依頼者双方から、「合算して借賃1.1ヵ月分」の報酬を受領可。**

　　消費税課税事業者である宅建業者Aが居住用建物「**以外**」（本肢では、事務所）の貸借の媒介を行う場合に、依頼者の双方から受領できる報酬の合計額の上限は、**借賃の1.1ヵ月分**（消費税込み）です。➡ 業法46条、報酬告示第4

❸ **正しい。建物状況調査の実施者のあっせん料金➡別途受領は不可。**

　　宅建業者は、依頼者に対し、建物状況調査を実施する者をあっせんした場合でも、報酬とは別に、あっせん料金を受領できません。

➡ 宅建業法の解釈・運用の考え方

❹ **誤り。低廉な空家等の特例➡適用を受けるには、報酬額について説明・合意が必要。**

　　❶同様、低廉な空家等の売買・交換の媒介に関して、宅建業者は、当該媒介に要する費用を勘案して、速算式により算出した金額を超えて報酬を受領できます。

　　本肢で、消費税課税事業者である宅建業者Aが依頼者の一方から受領できる報酬の限度額は、33万円以内です。ただし、宅建業者は、媒介契約の締結に際し、あらかじめ、報酬額について依頼者に対して**説明**し、合意する必要があります。しかし、Aは、媒介契約の締結に際し、あらかじめ、報酬額について依頼者Dと合意していません。したがって、AがDから受領できる報酬の上限は、原則どおり、速算式で計算した19万8,000円（「400万円×3％＋6円」に消費税10％分を上乗せした額）です。

　　つまり、Aは、Dから「33万円を報酬として受領」することはできません。

➡ 業法46条、報酬告示第7、宅建業法の解釈・運用の考え方

【正解 ❹】

報酬額の制限総合

報酬額の制限総合

問題 85

宅地建物取引業者Ａ（消費税課税事業者）が受け取ることができる報酬額についての次の記述のうち、宅地建物取引業法の規定によれば、正しいものはどれか。 [R3(10)-問44改]

❶ 居住の用に供する建物（１か月の借賃20万円。消費税等相当額を含まない。）の貸借（長期の空家等の貸借に当たらないものとする。）であって100万円の権利金の授受があるものの媒介をする場合、依頼者双方から受領する報酬の合計額は11万円を超えてはならない。

❷ 宅地（代金1,000万円。消費税等相当額を含まない。）の売買について、売主から代理の依頼を受け、買主から媒介の依頼を受け、売買契約を成立させて買主から303,000円の報酬を受領する場合、売主からは489,000円を上限として報酬を受領することができる。

❸ 宅地（代金600万円。消費税等相当額を含まない。）の売買の媒介について、12万円（消費税等相当額を含まない。）の費用を要する場合、Ａが媒介契約の締結に際しあらかじめ、報酬額について依頼者双方に説明し、両者と合意していたときは、Ａは依頼者双方から合計で792,000円を上限として報酬を受領することができる。

❹ 店舗兼住宅（１か月の借賃20万円。消費税等相当額を含まない。）の貸借（長期の空家等の貸借に当たらないものとする。）の媒介をする場合、依頼者の一方から受領する報酬は11万円を超えてはならない。

解説

『どこでも！学ぶ宅建士』
第2編「宅建業法」
→ 10 報酬額の制限（P340〜）

正答率 合格者 **82.2** %
不合格者 **45.3** %

報酬額の制限総合

❶ 誤り。居住用建物の貸借 ➡ 合計で借賃の1.1ヵ月分。

居住用建物の貸借の場合、「借賃」をベースに報酬計算をします。権利金をベースとして計算することはできません。本肢で、消費税課税事業者である宅建業者Aが、媒介の依頼者**双方**から受領する報酬の合計額の上限は、借賃の１ヵ月分に消費税10％を上乗せした額です。したがって、Aが受領できる報酬の上限額は、「20万円×1.1＝22万円」です。 → 業法46条、報酬告示第4

❷ 正しい。売買 ➡ 代理・媒介の依頼者双方から合計で「速算式による額」の２倍。

消費税課税事業者である宅建業者Aが、売主と買主の双方から媒介・代理の依頼を受けた場合、双方から受領できる報酬の合計額の上限は、「媒介の場合の２倍に消費税10％を上乗せした額」です。したがって、本肢で受領できる報酬の合計額の上限は、「（1,000万円×３％＋６万円）×２×1.1＝79万2,000円」ですので、買主から「30万3,000円」を受領する場合、売主からは「79万2,000円－30万3,000円＝48万9,000円」を上限として受領できます。 → 業法46条、報酬告示第2、3

❸ 誤り。低廉な空家等の売買の媒介 ➡ 依頼者双方からの限度額は、合計66万円。

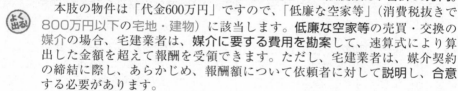

本肢の物件は「代金600万円」ですので、「低廉な空家等」（消費税抜きで800万円以下の宅地・建物）に該当します。**低廉な空家等**の売買・交換の媒介の場合、宅建業者は、媒介に要する費用を勘案して、速算式により算出した金額を超えて報酬を受領できます。ただし、宅建業者は、媒介契約の締結に際し、あらかじめ、報酬額について依頼者に対して説明し、合意する必要があります。

本肢で、宅建業者Aが、依頼者の一方から受領できる報酬の額は33万円以内ですので、売主・買主の双方から媒介の依頼を受けた場合に双方から受領できる報酬の額の合計は、「66万円（33万円×２）」以内となります。また、Aは、媒介契約の締結に際し、あらかじめ、報酬額について依頼者双方に対して説明し、両者と合意しています。したがって、Aは依頼者双方から「66万円」を上限として、報酬を受領できます。 → 業法46条、報酬告示第7、宅建業法の解釈・運用の考え方

❹ 誤り。居住用建物「以外」の貸借の媒介 ➡ 借賃基準では、借賃1.1ヵ月分。

店舗兼住宅など、居住用建物「以外」の物件の貸借の媒介をした消費税課税事業者である宅建業者Aは、借賃ベースで計算する場合は、借賃の1.1ヵ月分を上限に報酬を受領できます。したがって、本肢の場合、依頼者の一方から受領できる報酬の限度額は、借賃ベースで計算した「20万円×1.1＝22万円」です。「11万円」ではありません。 → 業法46条、報酬告示第4

+α 「居住用建物」とは、専ら居住の用に供する建物をいうので、本肢の「店舗兼住宅」は、「居住用建物以外」に該当します。

【正解 ❷】

報酬額の制限総合

問題 **86**

宅地建物取引業者A（消費税課税事業者）が受け取ることができる報酬についての次の記述のうち、宅地建物取引業法の規定によれば、正しいものはどれか。なお、長期の空家等の貸借の媒介における特例については、考慮しないものとする。

[R4-問27改]

❶ Aが、Bから売買の媒介を依頼され、Bからの特別の依頼に基づき、遠隔地への現地調査を実施した。その際、当該調査に要する特別の費用について、Bが負担することを事前に承諾していたので、Aは媒介報酬とは別に、当該調査に要した特別の費用相当額を受領することができる。

❷ Aが、居住用建物について、貸主Bから貸借の媒介を依頼され、この媒介が使用貸借に係るものである場合は、当該建物の通常の借賃をもとに報酬の限度額が定まるが、その算定に当たっては、不動産鑑定業者の鑑定評価を求めなければならない。

❸ Aが居住用建物の貸主B及び借主Cの双方から媒介の依頼を受けるに当たって、依頼者の一方から受けることのできる報酬の額は、借賃の1か月分の0.55倍に相当する金額以内である。ただし、媒介の依頼を受けるに当たって、依頼者から承諾を得ている場合はこの限りではなく、双方から受けることのできる報酬の合計額は借賃の1か月分の1.1倍に相当する金額を超えてもよい。

❹ Aは、土地付建物について、売主Bから媒介を依頼され、代金600万円（消費税等相当額を含み、土地代金は160万円である。）で契約を成立させた。当該媒介について費用10万円（消費税等相当額を含まない。）を要することから、Aは、媒介契約の締結に際しあらかじめ、報酬額についてBに対して説明し、合意の上、媒介契約を締結した。この場合、AがBから受領できる報酬の限度額は36万800円である。

日建学院・講師陣の 必勝コメント

❶❷では「数字」さえ登場しませんし、数字が登場する❸でも、ほぼ計算は不要です。つまり、本問の❶❷❸は、報酬額の制限の問題でありつつ、計算問題ではなく、おおむね単なる知識問題です。

ですから、計算が苦手な方も、最初から「捨て問」と決めつけてはなりません。逃げずに正面から取り組めば、スルスルっと正解が見つかるはずです。

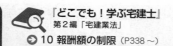

❶ **正しい。**「特別の依頼による特別の費用＋事前の承諾」➡ 別途受領ＯＫ。

宅建業者は、依頼者の特別の依頼により支出を要する特別の費用に相当する額の金銭で、その負担について事前に依頼者の承諾があるものは、別途受領できます。 ➡ 業法46条、報酬告示第11、宅建業法の解釈・運用の考え方

❷ **誤り。**「算定にあたり鑑定評価を求める」➡ 義務ではない。

消費税課税事業者である宅建業者Ａが、宅地・建物の貸借の媒介に関して依頼者の双方から受けることのできる報酬の合計額は、当該宅地・建物の借賃（媒介が**使用貸借**の場合は、**通常の借賃**）の１ヵ月分の1.1倍に相当する金額以内です。この「**通常の借賃**」とは、当該宅地・建物が賃貸借される場合に通常定められる適正かつ客観的な賃料を指すものであり、算定に当たり、「必要に応じて不動産鑑定業者の鑑定評価を求める」とされています。しかし、鑑定評価を求めること自体は、義務ではありません。 ➡ 業法46条、報酬告示第4、宅建業法の解釈・運用の考え方

❸ **誤り。依頼者双方から受ける報酬の合計額➡借賃1.1ヵ月分まで。**

消費税課税事業者である宅建業者Ａが、居住用建物の賃貸借の媒介に関して依頼者の一方から受領できる報酬額は、媒介の依頼を受けるに当たって依頼者の承諾を得ている場合を除き、借賃の１ヵ月分の0.55倍に相当する金額以内です。ただし、依頼者の承諾を得ている場合でも、依頼者双方から受領できる報酬の合計額は、「借賃の１ヵ月分の1.1倍以内」です。 ➡ 業法46条、報酬告示第4、宅建業法の解釈・運用の考え方

❹ **誤り。低廉な空家等の売買の媒介➡依頼者の一方からの受領限度額は33万円。**

本肢の場合、消費税抜きの代金は560万円（建物の税抜き価格は「（600万円－土地代金160万円）÷1.1＝400万円」、したがって、「土地付建物全体」での税抜き価格は「160万円＋400万円＝560万円」となる）ですので、**低廉な空家等**（消費税抜きで**800万円以下**の**宅地・建物**）の売買の媒介にあたります。**低廉な空家等の売買・交換の媒介の場合、宅建業者は、当該媒介に要する費用を勘案して、速算式により算出した金額を超えて報酬を受領**できます。ただし、宅建業者は、媒介契約の締結に際し、あらかじめ、報酬額について依頼者に対して**説明し、合意する**必要があります。

本肢で、宅建業者Ａが**当該依頼者Ｂ**（依頼者の一方）から受領できる報酬の額は、**33万円以内**です。「36万800円」ではありません。 ➡ 業法46条、報酬告示第7、宅建業法の解釈・運用の考え方

【**正解 ❶**】

業務規制総合

問題 **87**

宅地建物取引業者Ａ社が行う業務に関する次の記述のうち、宅地建物取引業法の規定に違反するものはいくつあるか。

[H23-問41]

ア Ａ社は、建物の販売に際して、買主が手付として必要な額を持ち合わせていなかったため、手付を貸し付けることにより、契約の締結を誘引した。

イ Ａ社は、建物の販売に際して、短時間であったが、私生活の平穏を害するような方法により電話勧誘を行い、相手方を困惑させた。

ウ Ａ社は、建物の販売に際して、売買契約の締結後、買主から手付放棄による契約解除の申出を受けたが、正当な理由なく、これを拒んだ。

エ Ａ社は、建物の売買の媒介に際して、売買契約の締結後、買主に対して不当に高額の報酬を要求したが、買主がこれを拒んだため、その要求を取り下げた。

❶ 一つ

❷ 二つ

❸ 三つ

❹ 四つ

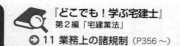 

解 説 『どこでも！学ぶ宅建士』
第2編「宅建業法」
➡ 11 業務上の諸規制（P356～）

正答率 合格者 **94.0**% 不合格者 **74.2**%

ア 違反する。手付の貸与等の「手付についての信用の供与」は、不可。

よく出る！　宅建業者は、手付について貸付けその他信用の供与をすることにより、契約の締結を誘引する行為をすることはできません。　➡ 業法47条

イ 違反する。平穏を害する方法で相手方を困惑させるのは、不可。

　宅建業者は、契約の締結の勧誘をするに際し、相手方に対して、深夜または長時間の勧誘その他の私生活または業務の平穏を害するような方法により、その者を困惑させてはなりません。これは、たとえ短時間であっても許されません。　➡ 47条の2、規則16条の12

ウ 違反する。正当理由なく手付解除を拒否するのは、不可。

　宅建業者は、相手方が手付を放棄して契約の解除を行うに際し、正当な理由なく、契約の解除を拒み、または妨げてはなりません。

➡ 業法47条の2、規則16条の12

エ 違反する。不当に高額の報酬を要求しただけで、違反。

よく出る！　宅建業者は、相手方に対して、不当に高額の報酬を要求する行為をすることはできません。相手方がこれを拒み、要求を取り下げたとしても、そもそも要求する行為自体が宅建業法違反となります。　➡ 業法47条

　よって、宅建業法に違反するのは**ア～エ**の4つすべてであり、正解は**④**となります。

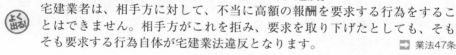

業務規制総合

【正解 ④】

業務規制総合

問題 88 宅地建物取引業法の規定によれば、次の記述のうち、正しいものはどれか。 [H25-問41]

❶ 宅地建物取引業者は、その事務所ごとにその業務に関する帳簿を備えなければならないが、当該帳簿の記載事項を事務所のパソコンのハードディスクに記録し、必要に応じ当該事務所においてパソコンやプリンターを用いて紙面に印刷することが可能な環境を整えていたとしても、当該帳簿への記載に代えることができない。

❷ 宅地建物取引業者は、その主たる事務所に、宅地建物取引業者免許証を掲げなくともよいが、国土交通省令で定める標識を掲げなければならない。

❸ 宅地建物取引業者は、その事務所ごとに、その業務に関する帳簿を備え、宅地建物取引業に関し取引のあった月の翌月1日までに、一定の事項を記載しなければならない。

❹ 宅地建物取引業者は、その業務に従事させる者に、従業者証明書を携帯させなければならないが、その者が宅地建物取引士で宅地建物取引士証を携帯していれば、従業者証明書は携帯させなくてもよい。

👆 日建学院・講師陣の必勝コメント

「正答率データ」によると、合格者と不合格者の差が大きい問題です。❸の判断に確信がないと正解を導きにくい問題なのですが、❸の「取引のあったつど」という知識は、意外と見落としがちです。合格するには、数多くの「見落としがち」を克服しなければなりません。

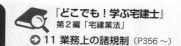

❶ 誤り。帳簿 ➡ 紙面に表示できれば電子ファイルで可。

 　宅建業者は、その事務所ごとに、その業務に関する帳簿を備え、宅建業に関し取引のあったつど、一定事項を記載しなければなりませんが、パソコンのハードディスク等に記録され、必要に応じその事務所においてパソコンやプリンター等を用いて明確に紙面に表示されるときは、その記録をもって帳簿への記載に代えることができます。　　　　➡ 業法49条、規則18条

❷ 正しい。標識の掲示義務はあるが、免許証の掲示義務はない。

　宅建業者は、事務所等及び事務所等以外の業務を行う場所ごとに、公衆の見やすい場所に、一定の標識を掲げなければなりません。しかし、免許証の掲示義務はありません。　　　　　　　　　　　　　　➡ 業法50条

❸ 誤り。帳簿 ➡ 取引があったつど記載する。

 　宅建業者は、その**事務所ごとに**、その業務に関する帳簿を備え、宅建業に関し「**取引のあったつど**」、その年月日、その取引に係る宅地または建物の所在及び面積その他国土交通省令で定める事項を記載しなければなりません。取引のあった月の翌月1日までに記載するのではありません。　➡ 49条

❹ 誤り。宅建士証と従業者証明書は、別の証明書。

　宅建業者は、従業者に、従業者証明書を携帯させなければ、その者を業務に従事させてはなりません。これは、宅建士証で代用することはできません。　　　　　　　　　　　　　　　　　　　　　　　　　➡ 48条

【正解 ❷】

業務規制総合

業務規制総合

問題 89

次の記述のうち、宅地建物取引業法（以下この問において「法」という。）の規定によれば、誤っているものはどれか。

[H29-問34]

❶ 宅地建物取引業者が、自ら売主として、宅地及び建物の売買の契約を締結するに際し、手付金について、当初提示した金額を減額することにより、買主に対し売買契約の締結を誘引し、その契約を締結させることは、法に違反しない。

❷ 宅地建物取引業者が、アンケート調査をすることを装って電話をし、その目的がマンションの売買の勧誘であることを告げずに勧誘をする行為は、法に違反する。

❸ 宅地建物取引業者が、宅地及び建物の売買の媒介を行うに際し、媒介報酬について、買主の要望を受けて分割受領に応じることにより、契約の締結を誘引する行為は、法に違反する。

❹ 宅地建物取引業者が、手付金について信用の供与をすることにより、宅地及び建物の売買契約の締結を誘引する行為を行った場合、監督処分の対象となるほか、罰則の適用を受けることがある。

🖐 日建学院・講師陣の必勝コメント

　この問題は、❶と❸について「信用の供与」にあたるか、あたらないかを判断できるかがカギです。

解 説

❶ 正しい。手付金の減額により契約の締結を誘引 ➡ 違反しない。

宅建業者が、宅地・建物の売買の契約を締結するに際し、手付について貸付けその他信用の供与をすることにより契約の締結を誘引する行為は禁止されています。しかし、手付金を減額することにより契約の締結を誘引する行為は禁止されていません。　　　　　　　　　　　　➡ 業法47条参照

❷ 正しい。目的が勧誘であることを告げずに勧誘をする行為 ➡ 違反。

宅建業者が、宅建業に係る契約の締結の勧誘をするに際し、宅建業者の相手方等に対し、当該勧誘に先立って、①宅建業者の商号または名称、②当該勧誘を行う者の氏名、③当該契約の締結について勧誘をする目的である旨を告げずに、勧誘を行うことをしてはなりません。したがって、本肢の「目的がマンションの売買の勧誘であることを告げずに勧誘をする行為」は、宅建業法に違反します。　　　　　　➡ 47条の2、規則16条の12

❸ 誤り。媒介報酬について分割受領に応じても、違反しない。

宅建業者が、宅地・建物の売買の媒介を行うに際し、媒介報酬について、買主の要望を受けて分割受領に応じることにより、契約の締結を誘引する行為を禁止する規定はありません。なお、手付の分割受領は禁止されています。　　　　　　　　　　　　　　　　　　➡ 業法47条参照

❹ 正しい。手付金について信用の供与により契約締結を誘引 ➡ 禁止。

宅建業者が、手付金について信用の供与をすることにより、宅地・建物の売買契約の締結を誘引する行為を行った場合、監督処分の対象となるほか、罰則の適用を受けることがあります。　　　　➡ 47条、65条、81条

攻略POINT 手付貸与等による契約誘引の禁止 ─────

- ●手付について、貸付け・立替え払・分割払その他信用を供与することにより、契約締結の誘引をしてはならない。
- ●ただし、手付の減額・手付の貸付けのあっせんは禁止されない。
- ●誘引があれば、契約しなくても宅建業法違反となる。
- ●違反した場合の罰則 ➡ 懲役6ヵ月以下罰金100万円以下

【正解 ❸ 】

業務規制総合

問題 90

宅地建物取引業者Ａが行う業務に関する次の記述のうち、宅地建物取引業法の規定に違反するものはいくつあるか。

[H30-問40]

ア Ａは、自ら売主として、建物の売買契約を締結するに際し、買主が手付金を持ち合わせていなかったため手付金の分割払いを提案し、買主はこれに応じた。

イ Ａは、建物の販売に際し、勧誘の相手方から値引きの要求があったため、広告に表示した販売価格から100万円値引きすることを告げて勧誘し、売買契約を締結した。

ウ Ａは、土地の売買の媒介に際し重要事項の説明の前に、宅地建物取引士ではないＡの従業者をして媒介の相手方に対し、当該土地の交通等の利便の状況について説明させた。

エ Ａは、投資用マンションの販売に際し、電話で勧誘を行ったところ、勧誘の相手方から「購入の意思がないので二度と電話をかけないように」と言われたことから、電話での勧誘を諦め、当該相手方の自宅を訪問して勧誘した。

❶ 一つ

❷ 二つ

❸ 三つ

❹ 四つ

解　説　『どこでも！学ぶ宅建士』
第2編「宅建業法」
→ 11 業務上の諸規制（P356〜）

正答率	合格者	**90.8** %
	不合格者	**69.6** %

ア 違反する。手付金の貸与・分割払いを認めることは不可。

宅建業者は、手付について貸付けその他信用の供与をすることにより契約の締結を誘引する行為をしてはなりません。これには、手付金の貸与、手付金の分割払いなどが含まれます。　　　　　　　　　　　　　→ 業法47条

イ 違反しない。物件価格の値引きは、宅建業法に違反しない。

宅建業者が、物件価格を交渉に応じて値引くことは、通常の営業行為であり、宅建業法で規制されることはありません。

ウ 違反しない。重要事項の説明事項以外 → 宅建士以外の者でよい。

宅建業者は、その業務に関して、相手方等に対し、宅地・建物の現在・将来の利用の制限・環境・交通等の利便などであって、相手方等の判断に重要な影響を及ぼすこととなる事実について、故意に告げず、または不実のことを告げてはなりません。もっとも、事実を告げる場合の方法は、重要事項の説明事項に該当しない限り、制限はなく、宅建士以外の者が説明しても問題ありません。　　　　　　　　　　　　　　　　　　　　→ 47条

エ 違反する。契約の締結をしない旨の意思表示 → 勧誘継続は不可。

宅建業者は、契約の締結の勧誘をするに際し、相手方等が当該契約を締結しない旨の意思（当該勧誘を引き続き受けることを希望しない旨の意思を含む）を表示したにもかかわらず、当該勧誘を継続してはなりません。電話勧誘で断られたにもかかわらず、自宅に訪問して勧誘することは当然許されません。　　　　　　　　　　　　　　　　→ 47条の2、規則16条の12

　　よって、違反するものは**ア・エ**の2つであり、正解は**❷**となります。

業務規制総合

【正解 ❷】

業務規制総合

重要ランク A

| 問題 **91** | 宅地建物取引業法に関する次の記述のうち、正しいものはいくつあるか。なお、取引の相手方は宅地建物取引業者ではないものとする。 [R元-問27改] |

ア 宅地建物取引業者は、自己の所有に属しない宅地又は建物についての自ら売主となる売買契約を締結してはならないが、当該売買契約の予約を行うことはできる。

イ 宅地建物取引業者は、自ら売主となる宅地又は建物の売買契約において、その目的物が種類又は品質に関して契約の内容に適合しない場合におけるその不適合を担保すべき責任に係る買主の売主に対する不適合である旨の通知期間に関し、取引の相手方が同意した場合に限り、当該宅地又は建物の引渡しの日から1年とする特約を有効に定めることができる。

ウ 宅地建物取引業者は、いかなる理由があっても、その業務上取り扱ったことについて知り得た秘密を他に漏らしてはならない。

エ 宅地建物取引業者は、宅地建物取引業に係る契約の締結の勧誘をするに際し、その相手方に対し、利益を生ずることが確実であると誤解させるべき断定的判断を提供する行為をしてはならない。

❶ 一つ

❷ 二つ

❸ 三つ

❹ なし

🤚 日建学院・講師陣の必勝コメント

「正答率データ」によると、合格者と不合格者の差が大きい問題です。特に記述**ア**での判断ミスに注意です。「自己の所有に属しない物件を取得する契約（予約を含む）」を締結していれば、自ら売主となる売買契約を締結できますが、そのことが問われているわけではないことに注意が必要です。

図を描いて考える習慣を身につけていれば、勘違いしません。

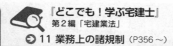

解 説

ア 誤り。売買の「予約」➡ 禁止。

宅建業者は、自己の所有に属しない宅地または建物について、原則として、自ら売主となる売買契約（予約を含む）を締結してはなりません。したがって、売買契約の予約も禁止されます。　　　　➡ 業法33条の2

イ 誤り。引渡しから2年以上とする特約はできる。

宅建業者は、自ら売主となる宅地または建物の売買契約において、その目的物の種類・品質に関する契約不適合責任に関し、契約不適合の通知期間について、その目的物の引渡しの日から2年以上となる特約をする場合を除き、民法の規定よりも買主に不利となる特約をしてはなりません。これに反する特約は、無効です。これは、取引の相手方が同意した場合でも、同様です。したがって、特約を定めるのであれば、通知期間は「引渡しから2年以上」とする必要があります。　　　　➡ 40条

ウ 誤り。正当な理由があれば、秘密を漏らすことができる。

宅建業者は、正当な理由がある場合でなければ、その業務上取り扱ったことについて知り得た秘密を他に漏らしてはなりません。なお、宅建業を営まなくなった後であっても、同様です。したがって、裁判の証人になるなど、正当な理由があれば秘密を漏らすことができます。　　　　➡ 45条

エ 正しい。利益を生じる旨の断定的判断の提供➡ 禁止。

宅建業者またはその代理人、使用人その他の従業者は、宅建業に係る契約の締結の勧誘をするに際し、宅建業者の相手方等に対し、利益を生ずることが確実であると誤解させるべき断定的判断を提供する行為をしてはなりません。　　　　➡ 47条の2

　　よって、正しいものは**エ**1つのみであり、正解は**❶**となります。

業務規制総合

【正解 ❶】

業務規制総合

問題 92

宅地建物取引業法第49条に規定する帳簿に関する次の記述のうち、正しいものはどれか。 [R2(12)-問41]

❶ 宅地建物取引業者は、本店と複数の支店がある場合、支店には帳簿を備え付けず、本店に支店の分もまとめて備え付けておけばよい。

❷ 宅地建物取引業者は、宅地建物取引業に関し取引のあったつど、その年月日、その取引に係る宅地又は建物の所在及び面積その他国土交通省令で定める事項を帳簿に記載しなければならない。

❸ 宅地建物取引業者は、帳簿を各事業年度の末日をもって閉鎖するものとし、閉鎖後5年間当該帳簿を保存しなければならないが、自ら売主となり、又は売買の媒介をする新築住宅に係るものにあっては10年間保存しなければならない。

❹ 宅地建物取引業者は、帳簿の記載事項を、事務所のパソコンのハードディスクに記録し、必要に応じ当該事務所においてパソコンやプリンターを用いて明確に紙面に表示する場合でも、当該記録をもって帳簿への記載に代えることができない。

正答率	合格者	86.5 %
	不合格者	58.9 %

解 説

❶ 誤り。帳簿 ➡ 各「事務所」に備え付けが必須。

宅建業者は、その事務所ごとに、その業務に関する帳簿を備え、宅建業に関し取引のあったつど、その年月日、その取引に係る宅地・建物の所在面積などを記載しなければなりません。つまり、帳簿は「事務所ごと」に備える必要があります。 ➡ 業法49条

❷ 正しい。帳簿には取引のあったつど記載しなければならない。

❶解説のとおり、帳簿には、宅建業に関し取引のあったつど、その年月日、その取引に係る宅地・建物の所在面積・その他国土交通省令で定める事項を記載しなければなりません。 ➡ 49条

❸ 誤り。帳簿の10年間の保存義務 ➡ 「自ら売主となる新築住宅」の場合のみ。

宅建業者は、帳簿を各事業年度の末日で閉鎖し、閉鎖後5年間（当該宅建業者が自ら売主となる新築住宅に関する場合には、10年間）、当該帳簿を保存しなければなりません。新築住宅について自ら売主となる場合は10年間保存義務がありますが、売買の媒介の場合には、原則どおり、5年間の保存で足ります。 ➡ 規則18条

❹ 誤り。帳簿 ➡ 電磁的記録で代替可。

帳簿の記載事項が電子計算機に備えられたファイルまたは磁気ディスクに記録され、必要に応じ当該事務所において電子計算機その他の機器を用いて明確に紙面に表示されるときは、当該記録をもって帳簿への記載に代えることができます。 ➡ 18条

業務規制総合

【正解 ❷】

業務規制総合

問題 **93**　次の記述のうち、宅地建物取引業法の規定によれば、正しいものはどれか。 [R3(10)-問29]

❶　宅地建物取引業者は、その事務所ごとに従業者の氏名、従業者証明書番号その他国土交通省令で定める事項を記載した従業者名簿を備えなければならず、当該名簿を最終の記載をした日から５年間保存しなければならない。

❷　宅地建物取引業者は、一団の宅地の分譲を行う案内所において宅地の売買の契約の締結を行わない場合、その案内所には国土交通省令で定める標識を掲示しなくてもよい。

❸　宅地建物取引業者が、一団の宅地の分譲を行う案内所において宅地の売買の契約の締結を行う場合、その案内所には国土交通大臣が定めた報酬の額を掲示しなければならない。

❹　宅地建物取引業者は、事務所以外の継続的に業務を行うことができる施設を有する場所であっても、契約（予約を含む。）を締結せず、かつ、その申込みを受けない場合、当該場所に専任の宅地建物取引士を置く必要はない。

日建学院・講師陣の必勝コメント

　「正答率データ」によると、合格者と不合格者の差が大きい問題です。❹は「やや見慣れない」と感じたら、基礎知識である❶〜❸で勝負しましょう。
　３肢の判断ができれば、最悪でも消去法で答えが出ます。たとえ１肢がわからなくても、あきらめてはなりません。

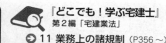

❶ 誤り。従業者名簿 ➡ 最終記載日から「10年間」保存。

宅建業者は、その事務所ごとに従業者の氏名、従業者証明書番号など一定事項を記載した従業者名簿を備えなければなりません。この従業者名簿は、最終の記載をした日から10年間保存しなければなりません。「5年間」ではありません。　　　　　　　　　　　　　　　➡ 業法48条、規則17条の2

❷ 誤り。一団の宅地建物の分譲を行う案内所 ➡ 標識を掲示。

宅建業者は、一団の宅地建物の分譲を行う案内所には、標識を掲示しなければなりません。その案内所で契約の締結を行うかどうかは、関係ありません。　　　　　　　　　　　　　　　　　　　　　➡ 業法50条、規則19条

❸ 誤り。報酬額の掲示 ➡ 案内所には不要。

 宅建業者は、事務所ごとに報酬の額を掲示しなければなりませんが、案内所にはその必要はありません。　　　　　　　　　　　➡ 業法46条

❹ 正しい。契約行為等を行わない場合、専任の宅建士の設置は不要。

宅建業者は、事務所以外の継続的に業務を行うことができる施設を有する場所を設置して売買等の契約を締結し、または、申込みを受ける場合は、場所に1人以上の専任の宅建士を置かなければなりません。逆に、そのような場所で、契約を締結せず、かつ、申込みを受けない場合には、専任の宅建士を置く必要はありません。　　➡ 業法31条の3、規則15条の5の2参照

【正解 ❹】

案内所等の規制

問題 94

宅地建物取引業者A（甲県知事免許）が乙県内に建設したマンション（100戸）の販売について、宅地建物取引業者B（国土交通大臣免許）及び宅地建物取引業者C（甲県知事免許）に媒介を依頼し、Bが当該マンションの所在する場所の隣接地（乙県内）に、Cが甲県内にそれぞれ案内所を設置し、売買契約の申込みを受ける業務を行う場合における次の記述のうち、宅地建物取引業法（以下この問において「法」という。）の規定によれば、**誤っているもの**はどれか。

[H26-問28]

❶ Bは国土交通大臣及び乙県知事に、Cは甲県知事に、業務を開始する日の10日前までに法第50条第2項に定める届出をしなければならない。

❷ Aは、法第50条第2項に定める届出を甲県知事及び乙県知事へ届け出る必要はないが、当該マンションの所在する場所に法第50条第1項で定める標識を掲示しなければならない。

❸ Bは、その設置した案内所の業務に従事する者の数5人に対して1人以上の割合となる数の専任の宅地建物取引士を当該案内所に置かなければならない。

❹ Aは、Cが設置した案内所においてCと共同して契約を締結する業務を行うこととなった。この場合、Aが当該案内所に専任の宅地建物取引士を設置すれば、Cは専任の宅地建物取引士を設置する必要はない。

日建学院・講師陣の必勝コメント

　標識は、基本的には、そこで宅建業の業務を行う宅建業者が掲示義務を負います。しかし、❷のように、現地では売主業者が掲示義務を負うことに注意しましょう。なお、❹は特例的な扱いです。

解説

『どこでも！学ぶ宅建士』
第2編「宅建業法」
→ 11 業務上の諸規制（P364～）

① 正しい。免許権者と管轄知事に、10日前までに案内所等の届出が必要。

宅建業者は、案内所を設置して売買等の契約を締結しまたは申込みを受ける場合は、免許権者（免許をした国土交通大臣または都道府県知事）及び案内所の所在地を管轄する都道府県知事（本肢のCは、両者同一）に対して、業務を開始する日の10日前までに届出をしなければなりません。

→ 業法50条、規則19条

② 正しい。売主業者は、物件の所在する場所に標識の掲示が必要。

Aは、案内所を設置していないので、案内所の届出をする必要はありませんが、当該マンションの所在する場所に標識を掲示しなければなりません。

→ 業法50条、規則19条

③ 誤り。申込みを受ける案内所等 ➡ 「1人」以上の専任の宅建士を設置。

宅建業者は、案内所を設置して売買等の契約を締結しまたは申込みを受ける場合は、1人以上の成年者である専任の宅建士を当該案内所に置かなければなりません。「5人に対して1人以上」ではありません。

→ 業法31条の3、規則15条の5の2、15条の5の3

④ 正しい。案内所等 ➡ 1人以上の専任の宅建士の設置があれば可。

🚩難

宅建業者は、案内所を設置して売買等の契約を締結しまたは申込みを受ける場合は、1人以上の専任の宅建士を当該案内所に置かなければなりません。この場合、同一の物件について、売主である宅建業者及び媒介・代理を行う宅建業者が同一の場所において共同して業務を行う場合には、いずれかの宅建業者が専任の宅建士を1人以上置けば、要件を満たします。したがって、Aが当該案内所に専任の宅建士を設置すれば、Cは専任の宅建士を設置する必要はありません。

→ 業法31条の3、規則15条の5の2、15条の5の3、宅建業法の解釈・運用の考え方

攻略POINT 各種の設置義務の要否

（○＝必要、✕＝不要）

設置義務	事 務 所	案 内 所 等	
		契約・申込みをする	契約・申込みをしない
専任の宅建士の設置	○ （1／5以上）	○ （1人以上）	✕
報酬額の掲示	○	✕	✕
従業者名簿の備付け	○	✕	✕
業務に関する帳簿の備付け	○	✕	✕
標識の掲示	○	○	○

【正解 ③】

案内所等の規制

 宅地建物取引業者Ａ（甲県知事免許）が乙県内に所在するマンション（100戸）を分譲する場合における次の記述のうち、宅地建物取引業法（以下この問において「法」という。）の規定によれば、正しいものはどれか。　　　　　　[H27-問44]

❶　Ａが宅地建物取引業者Ｂに販売の代理を依頼し、Ｂが乙県内に案内所を設置する場合、Ａは、その案内所に、法第50条第１項の規定に基づく標識を掲げなければならない。

❷　Ａが案内所を設置して分譲を行う場合において、契約の締結又は契約の申込みの受付を行うか否かにかかわらず、その案内所に法第50条第１項の規定に基づく標識を掲げなければならない。

❸　Ａが宅地建物取引業者Ｃに販売の代理を依頼し、Ｃが乙県内に案内所を設置して契約の締結業務を行う場合、Ａ又はＣが専任の宅地建物取引士を置けばよいが、法第50条第２項の規定に基づく届出はＣがしなければならない。

❹　Ａが甲県内に案内所を設置して分譲を行う場合において、Ａは甲県知事及び乙県知事に、業務を開始する日の10日前までに法第50条第２項の規定に基づく届出をしなければならない。

👉 日建学院・講師陣の必勝コメント

　この問題で、あらためて確認しましょう。
　①案内所の標識については、その案内所を設置して、そこで宅建業の業務を行う宅建業者（媒介・代理業者）が掲示義務を負うのが基本です。ただし、②現地の標識については、自ら売主業者（依頼者）が掲示義務を負います。

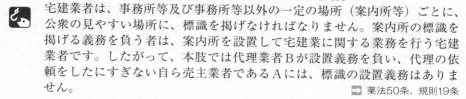

解 説 『どこでも！学ぶ宅建士』 第2編「宅建業法」 → 11 業務上の諸規制（P364～）

正答率 合格者 **85.5**% 不合格者 **58.7**%

❶ **誤り。案内所に標識の設置義務 ➡ 案内所を設置した業者。**

宅建業者は、事務所等及び事務所等以外の一定の場所（案内所等）ごとに、公衆の見やすい場所に、標識を掲げなければなりません。案内所の標識を掲げる義務を負う者は、案内所を設置して宅建業に関する業務を行う宅建業者です。したがって、本肢では代理業者Bが設置義務を負い、代理の依頼をしたにすぎない自ら売主業者であるAには、標識の設置義務はありません。

➡ 業法50条、規則19条

❷ **正しい。標識は、すべての案内所に設置義務がある。**

宅建業者は、宅地・建物の分譲を案内所を設置して行う場合のその案内所にも、標識を掲げなければなりません。これは、契約の締結または契約の申込みの受付を行うか否かは無関係です。 ➡ 業法50条、規則15条の5の2、19条

❸ **誤り。案内所に専任の宅建士の設置義務 ➡ 案内所を設置した業者。**

宅建業者は、契約を締結しまたはこれらの契約の申込みを受ける案内所ごとに、1人以上の成年者である専任の宅建士を置かなければなりません。この設置義務を負う者は、案内所を設置して宅建業に関する業務を行う代理業者Cだけですから、代理の依頼をしたにすぎない自ら売主業者であるAには、専任の宅建士の設置義務はありません。 ➡ 業法31条の3、規則15条の5の2

❹ **誤り。届出先 ➡ 「免許権者＋案内所の所在地を管轄する知事」の両方。**

宅建業者は、契約を締結しまたはこれらの契約の申込みを受ける案内所を設置する場合は、業務を開始する日の10日前までに、免許を受けた国土交通大臣または都道府県知事及びその所在地を管轄する都道府県知事に届け出なければなりません。本肢では、甲県知事がこれに該当し、乙県知事はいずれにも該当しないので、乙県知事への届出は不要です。

➡ 業法50条、規則19条

案内所等の規制

【正解 ❷】

381

重要ランク **S**

監督処分

 問題 **96**
甲県知事の宅地建物取引士資格登録（以下この問において「登録」という。）を受けている宅地建物取引士Ａへの監督処分に関する次の記述のうち、宅地建物取引業法の規定によれば、正しいものはどれか。 [H25-問42]

❶ Ａは、乙県内の業務に関し、他人に自己の名義の使用を許し、当該他人がその名義を使用して宅地建物取引士である旨の表示をした場合、乙県知事から必要な指示を受けることはあるが、宅地建物取引士として行う事務の禁止の処分を受けることはない。

❷ Ａは、乙県内において業務を行う際に提示した宅地建物取引士証が、不正の手段により交付を受けたものであるとしても、乙県知事から登録を消除されることはない。

❸ Ａは、乙県内の業務に関し、乙県知事から宅地建物取引士として行う事務の禁止の処分を受け、当該処分に違反したとしても、甲県知事から登録を消除されることはない。

❹ Ａは、乙県内の業務に関し、甲県知事又は乙県知事から報告を求められることはあるが、乙県知事から必要な指示を受けることはない。

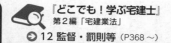

解 説 『どこでも！学ぶ宅建士』
第2編「宅建業法」
➡12 監督・罰則等（P368～）

| 正答率 | 合格者 | 97.7 % |
| 不合格者 | 73.7 % |

❶ **誤り。名義貸し ➡ 指示処分または事務禁止処分の対象となる。**
　宅建士が、他人に自己の名義の使用を許し、その他人がその名義を使用して宅建士である旨の表示をした場合、登録を受けた都道府県知事または業務地を管轄している都道府県知事から、指示処分または事務禁止処分を受けることがあります。　➡ 業法68条

❷ **正しい。登録消除処分 ➡ 登録先の都道府県知事しかできない。**
　宅建士が不正の手段により宅建士証の交付を受けたときは、その登録は消除されます。しかし、登録を消除できるのは、登録を受けた都道府県知事（甲県知事）だけですから、業務地を管轄する都道府県知事（乙県知事）から、登録消除処分を受けることはありません。　➡ 68条の2

❸ **誤り。事務禁止処分に違反 ➡ 登録先の知事が登録消除処分。**
　宅建士が事務禁止処分に違反したときは、その登録が消除されます。そして、その登録消除処分は、登録を受けた都道府県知事（甲県知事）が行います。　➡ 68条の2

❹ **誤り。業務地を管轄する知事から、指示処分を受けることがある。**
　宅建士は、国土交通大臣、登録を受けている都道府県知事、または業務地を管轄する都道府県知事から、宅建士の事務の適正な遂行を確保するため必要があると認められるときは、その事務について必要な報告を求められることがあります。したがって、Aは、甲県知事または乙県知事から報告を求められることがあります。また、都道府県知事は、その都道府県の区域内において、他の都道府県知事の登録を受けている宅建士に対し、必要な指示をすることができます。したがって、Aは、乙県知事から必要な指示を受けることがあります。　➡ 72条、68条

攻略POINT 「宅建士」に対する処分と処分権者のまとめ

（〇＝処分できる、✕＝処分できない）

処分権者　　　対象　　処分の種類	国土交通大臣	甲 県 知 事 甲県知事登録の宅建士	甲県内で事務を行う他の知事の登録を受けた宅建士
指示処分			〇
事務禁止処分	✕	〇	〇
登録消除処分			✕

【正解 ❷】

監督処分

383

監督処分

問題 97

宅地建物取引業法（以下この問において「法」という。）の規定に基づく監督処分に関する次の記述のうち、誤っているものはいくつあるか。 [H26-問44]

ア 宅地建物取引業者Ａ（甲県知事免許）が乙県内において法第32条違反となる広告を行った。この場合、乙県知事から業務停止の処分を受けることがある。

イ 宅地建物取引業者Ｂ（甲県知事免許）は、法第50条第２項の届出をし、乙県内にマンション分譲の案内所を設置して業務を行っていたが、当該案内所について法第31条の３第３項に違反している事実が判明した。この場合、乙県知事から指示処分を受けることがある。

ウ 宅地建物取引業者Ｃ（甲県知事免許）の事務所の所在地を確知できないため、甲県知事は確知できない旨を公告した。この場合、その公告の日から30日以内にＣから申出がなければ、甲県知事は法第67条第１項により免許を取り消すことができる。

エ 宅地建物取引業者Ｄ（国土交通大臣免許）は、甲県知事から業務停止の処分を受けた。この場合、Ｄが当該処分に違反したとしても、国土交通大臣から免許を取り消されることはない。

❶ 一つ

❷ 二つ

❸ 三つ

❹ なし

👉 **日建学院・講師陣の必勝コメント**

個数問題ですが、問われている内容は基本的な内容です。このような問題は合否を分ける可能性があると心得て、確実に正解できるようにしましょう。

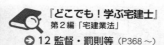

解説

『どこでも！学ぶ宅建士』
第2編「宅建業法」
→ 12 監督・罰則等（P368～）

正答率 合格者 78.5 %　不合格者 52.8 %

ア 正しい。業務地管轄知事は、業務停止処分ができる。

　宅建業者は、誇大広告等の禁止の規定に違反すると、違反行為を行った区域を管轄する都道府県知事である乙県知事から業務停止の処分を受けることがあります。
→ 業法32条、65条

イ 正しい。業務地管轄知事は、指示処分ができる。

　宅建業者は、案内所には、1名以上の成年者である専任の宅建士を設置しなければならず、この規定に抵触するに至ったときは、2週間以内に適合させるための必要な措置を執らなければなりません。この規定に違反すると、違反行為を行った区域を管轄する都道府県知事である乙県知事から指示処分を受けることがあります。
→ 31条の3、65条

ウ 正しい。事務所所在地の不確知を公告後、免許取消し可。

　免許権者は、その免許を受けた宅建業者の事務所の所在地を確知できないとき、またはその免許を受けた宅建業者の所在（法人である場合においては、その役員の所在）を確知できないときは、官報または当該都道府県の公報でその事実を公告し、その公告の日から30日を経過しても当該宅建業者から申出がないときは、当該宅建業者の免許を取り消すことができます。
→ 67条

エ 誤り。業務停止処分に違反 → 免許取消しが必要。

　免許権者は、業務停止の処分を受けた宅建業者が当該処分に違反した場合、免許を取り消さなければなりません。
→ 66条

　よって、誤っているものは**エ**の1つのみであり、正解は**❶**となります。

攻略POINT 「宅建業者」に対する処分と処分権者のまとめ

（○＝処分できる、×＝処分できない）

処分権者 処分 対象	国土交通大臣 国土交通大臣免許業者	甲県知事 甲県知事免許業者	甲県内で業務を営む他の知事または国土交通大臣免許業者
指示処分			○
業務停止処分	○	○	○
免許取消処分			×

【正解 ❶】

385

監督処分

次の記述のうち、宅地建物取引業法（以下この問において「法」という。）の規定によれば、正しいものはどれか。

[H29-問29]

❶ 宅地建物取引業者Ａ（甲県知事免許）は、マンション管理業に関し、不正又は著しく不当な行為をしたとして、マンションの管理の適正化の推進に関する法律に基づき、国土交通大臣から業務の停止を命じられた。この場合、Ａは、甲県知事から法に基づく指示処分を受けることがある。

❷ 国土交通大臣は、宅地建物取引業者Ｂ（乙県知事免許）の事務所の所在地を確知できない場合、その旨を官報及び乙県の公報で公告し、その公告の日から30日を経過してもＢから申出がないときは、Ｂの免許を取り消すことができる。

❸ 国土交通大臣は、宅地建物取引業者Ｃ（国土交通大臣免許）に対し、法第35条の規定に基づく重要事項の説明を行わなかったことを理由に業務停止を命じた場合は、遅滞なく、その旨を内閣総理大臣に通知しなければならない。

❹ 宅地建物取引業者Ｄ（丙県知事免許）は、法第72条第１項に基づく丙県職員による事務所への立入検査を拒んだ。この場合、Ｄは、50万円以下の罰金に処せられることがある。

日建学院・講師陣の必勝コメント

監督処分と罰則の、細かな知識を問う問題です。判断に迷った受験生が多かったことが、合格者・不合格者両方の正答率の低さに表れています。

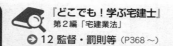

解 説 『どこでも！学ぶ宅建士』
第2編「宅建業法」
➡ 12 監督・罰則等（P368〜）

❶ 誤り。**業法の監督処分の対象 ➡ 宅建業の業務上の不正行為のみ。**

免許権者等は、「業務に関し他の法令に違反し、宅建業者として不適当であると認められるとき」は、当該宅建業者に対して、必要な指示をすることができます。ここでいう「業務」は宅建業の業務を指しますから、マンション管理業務に関する法令違反等があっても、これに該当しません。

➡ 業法65条

❷ 誤り。**免許取消処分ができるのは、免許権者のみ。**

免許権者は、その免許を受けた宅建業者の事務所の所在地を確知できない場合、官報または当該都道府県の公報でその事実を公告し、その公告の日から30日を経過しても当該宅建業者から申出がないときは、その免許を取り消すことができます。したがって、本肢の場合、免許の取消しをすることができるのは、免許権者である乙県知事だけですから、国土交通大臣は、Bの免許を取り消すことはできません。

➡ 67条

❸ 誤り。**あらかじめ、内閣総理大臣に協議が必要、事後通知は不要。**

国土交通大臣は、その免許を受けた宅建業者が、宅建業法35条等の一定の規定に違反した場合において、監督処分をするときは、あらかじめ、内閣総理大臣に協議しなければなりません。しかし、本肢のような「業務停止を命じた場合は、遅滞なく、その旨を内閣総理大臣に通知しなければならない」旨の規定はありません。

➡ 71条の2、65条

❹ 正しい。**事務所の立入検査を拒否 ➡ 50万円以下の罰金。**

都道府県知事は、当該都道府県の区域内で宅建業を営む者に対して、宅建業の適正な運営を確保するため必要があると認めるときは、その業務について必要な報告を求め、またはその職員に事務所その他その業務を行う場所に立ち入り、帳簿、書類その他業務に関係のある物件を検査させることができます。そして、この事務所への立入検査を拒み、妨げ、または忌避した者は、50万円以下の罰金に処せられることがあります。　➡ 72条、83条

監督処分

【正解 ❹】

監督処分

問題 99 次の記述のうち、宅地建物取引業法の規定によれば、正しいものはどれか。 [H30-問32]

❶ 宅地建物取引士が都道府県知事から指示処分を受けた場合において、宅地建物取引業者（国土交通大臣免許）の責めに帰すべき理由があるときは、国土交通大臣は、当該宅地建物取引業者に対して指示処分をすることができる。

❷ 宅地建物取引士が不正の手段により宅地建物取引士の登録を受けた場合、その登録をした都道府県知事は、宅地建物取引士資格試験の合格の決定を取り消さなければならない。

❸ 国土交通大臣は、すべての宅地建物取引士に対して、購入者等の利益の保護を図るため必要な指導、助言及び勧告をすることができる。

❹ 甲県知事の登録を受けている宅地建物取引士が、乙県知事から事務の禁止の処分を受けた場合は、速やかに、宅地建物取引士証を乙県知事に提出しなければならない。

日建学院・講師陣の必勝コメント

やや細かいことを聞いてくる肢もあり、正答率は伸び悩みました。しかし、正解肢は"基本中の基本"です。基本テキスト等で、復習しておきましょう！

『どこでも！学ぶ宅建士』
第2編「宅建業法」
→ 12 監督・罰則等（P368〜）

正答率	合格者	59.8 %
	不合格者	39.4 %

解 説

❶ 正しい。宅建士の監督処分 ➡ 帰責事由あれば宅建業者の指示処分。

宅建士が監督処分を受けた場合に、宅建業者の責めに帰すべき理由がある
ときは、免許権者は、当該宅建業者に指示処分ができます。　➡ 業法65条

❷ 誤り。不正の手段で登録 ➡ 登録の消除。

宅建士が不正の手段で登録を受けた場合、登録をした都道府県知事はその
登録を消除しなければなりません。しかし、宅建試験の合格を取り消すと
の規定はありません。　➡ 68条の2

❸ 誤り。指導・助言・勧告の対象は、宅建業者。

国土交通大臣はすべての宅建業者に対して、都道府県知事は当該都道府県
の区域内で宅建業を営む宅建業者に対して、宅建業の適正な運営を確保し、
または宅建業の健全な発達を図るため必要な指導、助言及び勧告ができま
す。しかし、宅建士にはこのような規定はありません。　➡ 71条

❹ 誤り。宅建士証は、交付を受けた都道府県知事に提出。

宅建士は、事務禁止の処分を受けたときは、速やかに、宅建士証をその交
付を受けた都道府県知事に提出しなければなりません。処分を受けた都道
府県知事ではなく、交付を受けた都道府県知事に提出をします。　➡ 22条の2

【正解 ❶】

監督処分

問題 100　宅地建物取引業の免許（以下この問において「免許」という。）に関する次の記述のうち、宅地建物取引業法の規定によれば、正しいものはどれか。　[R5-問29]

❶　宅地建物取引業者Ａ社の使用人であって、Ａ社の宅地建物取引業を行う支店の代表者であるものが、道路交通法の規定に違反したことにより懲役の刑に処せられたとしても、Ａ社の免許は取り消されることはない。

❷　宅地建物取引業者Ｂ社の取締役が、所得税法の規定に違反したことにより罰金の刑に処せられたとしても、Ｂ社の免許は取り消されることはない。

❸　宅地建物取引業者である個人Ｃが、宅地建物取引業法の規定に違反したことにより罰金の刑に処せられたとしても、Ｃの免許は取り消されることはない。

❹　宅地建物取引業者Ｄ社の非常勤の取締役が、刑法第222条（脅迫）の罪を犯したことにより罰金の刑に処せられたとしても、Ｄ社の免許は取り消されることはない。

✍ 日建学院・講師陣の 必勝コメント

　❶の「宅建業を行う支店の代表者」は、宅建業法では「政令で定める使用人」とされています。

　「法人の役員が免許欠格➡その法人も免許欠格」という知識はメジャーであり、誰でも知っていますが、「法人の政令で定める使用人が免許欠格➡その法人も免許欠格」という知識は、意外と盲点です。

　これを機会に、しっかり覚えておきましょう。

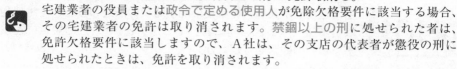

解 説

❶ 誤り。**法人業者の政令使用人が禁錮以上の刑 ➡ 免許取消し。**

宅建業者の役員または政令で定める使用人が免除欠格要件に該当する場合、その宅建業者の免許は取り消されます。禁錮以上の刑に処せられた者は、免許欠格要件に該当しますので、A社は、その支店の代表者が懲役の刑に処せられたときは、免許を取り消されます。

➡ 宅建業法5条、66条、施行令2条の2

❷ 正しい。**法人業者の役員が「所得税法違反」で罰金刑 ➡ 免許取消しにならない。**

所得税法違反により罰金刑に処せられた者は、免許欠格要件に該当しません。したがって、B社は、その取締役が、所得税法の規定に違反したことにより罰金の刑に処せられたとしても、免許を取り消されることはありません。

➡ 宅建業法5条、66条

+α 宅建業法違反・一定の暴力犯罪・背任罪で罰金刑に処せられた者は、免許欠格要件に該当します。

❸ 誤り。**宅建業法違反で罰金刑 ➡ 免許取消し。**

宅建業法違反により罰金刑に処せられた者は、免許欠格要件に該当します。したがって、宅建業法違反で罰金刑に処せられた個人業者Cは、免許を取り消されます。

➡ 5条、66条

❹ 誤り。**法人業者の役員が脅迫罪で罰金刑 ➡ 免許取消し。**

一定の暴力犯罪（暴行罪・傷害罪・脅迫罪など）により罰金刑に処せられた者は、免許欠格要件に該当します。したがって、その取締役が脅迫罪で罰金刑に処せられたD社は、免許を取り消されます。

➡ 5条、66条

+α 「非常勤の取締役」も役員ですので、この結論に影響しません。

【正解 ❷】

□ □ □ ✏ Check!

重要ランク **A**

総合問題

問題101 宅地建物取引業者Aの業務に関する次の記述のうち、宅地建物取引業法（以下この問において「法」という。）の規定に違反するものの組合せはどれか。 [H28-問29]

ア Aは、マンションを分譲するに際して案内所を設置したが、売買契約の締結をせず、かつ、契約の申込みの受付も行わない案内所であったので、当該案内所に法第50条第1項に規定する標識を掲示しなかった。

イ Aは、建物の売買の媒介に際し、買主に対して手付の貸付けを行う旨を告げて契約の締結を勧誘したが、売買は成立しなかった。

ウ Aは、法第49条の規定によりその事務所ごとに備えるべきこととされている業務に関する帳簿について、取引関係者から閲覧の請求を受けたが、閲覧に供さなかった。

エ Aは、自ら売主となるマンションの割賦販売の契約について、宅地建物取引業者でない買主から賦払金が支払期日までに支払われなかったので、直ちに賦払金の支払の遅延を理由として契約を解除した。

❶ ア、イ

❷ ア、ウ

❸ ア、イ、エ

❹ イ、ウ、エ

👉 **日建学院・講師陣の必勝コメント**

ここで正解できるかどうかは、ほぼ、記述**ウ**の判断で勝負が決まります。「帳簿の閲覧義務」については、学習した記憶がないかと思われますが、それは、そのような規定は存在しないからです。「従業者名簿」との勘違いに注意です。

ア 違反する。案内所等 ➡ 標識の掲示が必要。

　　宅建業者は、事務所等及び事務所等以外の業務を行う場所ごとに、公衆の見やすい場所に、標識を掲げなければなりません。そして、一団の宅地建物の分譲を行う案内所についても、契約の締結や申込みの受付を行うか否かにかかわらず、標識を掲示する義務があります。　　➡ 業法50条、規則19条

イ 違反する。手付 ➡ 信用の供与による契約締結の誘引は、禁止。

　　宅建業者は、その業務に関して、宅建業者の相手方等に対し、手付について貸付けその他信用の供与をすることにより契約の締結を誘引する行為をしてはなりません。したがって、たとえ契約が成立しなかったとしても、手付について信用を供与することにより契約の締結を勧誘すれば、宅建業法に違反します。　　➡ 業法47条

ウ 違反しない。帳簿 ➡ 取引関係者に閲覧させる義務はない。

　　宅建業者は、その事務所ごとに、業務に関する帳簿を備え、宅建業に関し取引のあったつど、所定の事項を記載しなければなりません。しかし、この帳簿について、取引関係者から閲覧の請求を受けたときに、閲覧に供しなくてはならないとする規定はありません。この点、従業者名簿とは異なります。　　➡ 49条、48条参照

エ 違反する。割賦販売契約の解除 ➡ 30日以上の書面の催告が必要。

　　宅建業者は、自ら売主となる宅地または建物の割賦販売の契約について賦払金の支払の義務が履行されない場合、30日以上の相当の期間を定めてその支払を書面で催告し、その期間内にその義務が履行されないときでなければ、賦払金の支払の遅滞を理由として、契約を解除し、または支払時期の到来していない賦払金の支払を請求することができません。　　➡ 42条

　　よって、違反する組合せは**ア・イ・エ**であり、正解は**❸**となります。

【正解 ❸】

Check!

重要ランク **A**

総合問題

問題 102

次の記述のうち、宅地建物取引業法（以下この問において「法」という。）の規定によれば、正しいものはいくつあるか。なお、法第37条の規定により交付すべき書面の交付に代えて電磁的方法により提供する場合については考慮しないものとする。

[H30-問28改]

....

ア 宅地建物取引業者が、買主として、造成工事完了前の宅地の売買契約を締結しようとする場合、売主が当該造成工事に関し必要な都市計画法第29条第1項の許可を申請中であっても、当該売買契約を締結することができる。

イ 宅地建物取引業者が、買主として、宅地建物取引業者との間で宅地の売買契約を締結した場合、法第37条の規定により交付すべき書面を交付しなくてよい。

ウ 営業保証金を供託している宅地建物取引業者が、売主として、宅地建物取引業者との間で宅地の売買契約を締結しようとする場合、営業保証金を供託した供託所及びその所在地について、買主に対し説明をしなければならない。

エ 宅地建物取引業者が、宅地の売却の依頼者と媒介契約を締結した場合、当該宅地の購入の申込みがあったときは、売却の依頼者が宅地建物取引業者であっても、遅滞なく、その旨を当該依頼者に報告しなければならない。

❶ 一つ

❷ 二つ

❸ 三つ

❹ なし

....

日建学院・講師陣の必勝コメント

　イは、やや見慣れない記述ですが、これを機に、37条書面の交付の相手方は、しっかり整理して覚えておきましょう。

解説　『どこでも！学ぶ宅建士』
第2編「宅建業法」
➔ 4 〜 8 全般

正答率　合格者 **78.6** %
　　　　不合格者 **51.1** %

総合問題

ア 誤り。開発許可の申請中 ➡ 宅地の売買をすることはできない。

宅建業者は、宅地の造成または建物の建築に関する工事の完了前においては、当該工事に関し必要とされる開発許可、建築確認その他法令に基づく許可等の処分で政令で定めるものがあった後でなければ、当該工事に係る宅地または建物につき、自ら当事者として、もしくは当事者を代理してその売買もしくは交換の契約を締結し、またはその売買もしくは交換の媒介をしてはなりません。開発許可の申請中は開発許可がない状態ですので、売買契約を締結することはできません。

➡ 業法36条

イ 誤り。買主である宅建業者にも、37条書面を交付する義務がある。

宅建業者は、宅地または建物の売買または交換に関し、自ら当事者として契約を締結したときはその相手方に、遅滞なく、37条書面を交付する必要があります。買主として取引をした場合であっても、宅建業者間取引であっても、同様です。

➡ 37条、78条参照

ウ 誤り。相手方等が宅建業者 ➡ 供託所等の説明の対象外。

宅建業者は、宅建業者の相手方等（宅建業者に該当する者を除く）に対して、当該売買、交換または貸借の契約が成立するまでの間に、供託所等を説明するようにしなければなりません。しかし、相手方等が宅建業者の場合、営業保証金・弁済業務保証金の還付を受けることができないので、説明をする必要はありません。

➡ 35条の2、78条参照

エ 正しい。媒介依頼者が宅建業者でも、申込み時に遅滞なく依頼者に報告。

媒介契約を締結した宅建業者は、当該媒介契約の目的物である宅地または建物の売買または交換の申込みがあったときは、遅滞なく、その旨を依頼者に報告しなければなりません。依頼者が宅建業者であっても同様です。

➡ 34条の2、78条参照

よって、正しいものは**エ**1つのみであり、正解は**❶**となります。

【正解 **❶**】

総合問題

問題 103

次の記述のうち、宅地建物取引業法の規定によれば、正しいものはどれか。 [R2⑿-問26]

❶ 宅地建物取引業者は、建物の売買に際し、買主に対して売買代金の貸借のあっせんをすることにより、契約の締結を誘引してはならない。

❷ 宅地建物取引士は、自ら役員を務める宅地建物取引業者が宅地建物取引業に関し不正な行為をし、情状が特に重いことにより免許を取り消された場合、宅地建物取引士の登録を消除されることとなる。

❸ 宅地建物取引業者は、建築工事完了前の賃貸住宅について、借主として貸借の契約を締結してはならない。

❹ 宅地建物取引業者は、10区画以上の一団の宅地の分譲を行う案内所を設置し、当該案内所において売買の契約の締結をし、又は契約の申込みを受ける場合は、当該案内所にその業務に関する帳簿を備え付けなければならない。

🖐️ 日建学院・講師陣の 必勝コメント

「正答率データ」によると、合格者と不合格者の差が大きい問題です。特に❶の行為が「手付貸与等の禁止」にあたるかどうかは、慎重に見極めましょう。
この過去問で定番の"ひっかけ"にかかるようでは、正解は見つかりません。あやふやな知識を増やす前に、**定番の出題事項の克服**が最優先です。

解説

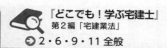

『どこでも！学ぶ宅建士』
第2編「宅建業法」
➔ 2・6・9・11 全般

正答率　合格者 **78.4** %　不合格者 **48.2** %

❶ **誤り。売買代金の貸借のあっせん➡「信用の供与」ではない。**

宅建業者は、その業務に関して、手付について貸付けその他信用の供与をすることにより契約の締結を誘引する行為をしてはなりません。しかし、「売買代金の貸借のあっせん」は、禁止される行為に該当しません。

➡ 業法47条

❷ **正しい。法人業者が一定の事由で免許取消し➡役員は登録消除される。**

法人である宅建業者が、宅建業に関し不正な行為をし、情状が特に重いことを理由に免許を取り消された場合、当該取消しに係る聴聞の期日及び場所の公示の日前60日以内にその法人の役員であった宅建士は、その登録を消除されます。

➡ 68条の2、18条、66条

❸ **誤り。自ら貸借➡契約時期の制限は適用なし。**

宅地の造成または建物の建築に関する工事の完了前（未完成物件）には、契約時期の制限が課されます。しかし、本肢のような「自ら貸借」は、そもそも宅建業にあたらないので宅建業法が適用されず、したがって、契約時期の制限もありません。

➡ 36条、2条参照

❹ **誤り。案内所➡帳簿の設置義務なし。**

宅建業者は、その事務所ごとに、その業務に関する帳簿を備え、宅建業に関し取引のあったつど、その年月日、その取引に係る宅地・建物の所在面積・その他国土交通省令で定める事項を記載しなければなりません。しかし、本肢のような案内所は「事務所」に該当しないため、帳簿の設置義務はありません。

➡ 49条

【正解 ❷】

資力確保措置

特定住宅瑕疵担保責任の履行の確保等に関する法律に基づく住宅販売瑕疵担保保証金の供託又は住宅販売瑕疵担保責任保険契約の締結（以下この問において「資力確保措置」という。）に関する次の記述のうち、正しいものはどれか。なお、同法第15条の規定による供託所の所在地等について記載した書面の交付に代えてこれを電磁的方法により提供する場合については、考慮しないものとする。

[H24-問45改]

❶ 自ら売主として新築住宅を宅地建物取引業者でない買主に引き渡した宅地建物取引業者は、当該住宅を引き渡した日から3週間以内に、その住宅に関する資力確保措置の状況について、その免許を受けた国土交通大臣又は都道府県知事に届け出なければならない。

❷ 自ら売主として新築住宅を宅地建物取引業者でない買主に引き渡した宅地建物取引業者は、基準日に係る資力確保措置の状況の届出をしなければ、当該基準日の翌日から起算して50日を経過した日以後においては、新たに自ら売主となる新築住宅の売買契約を締結してはならない。

❸ 住宅販売瑕疵担保責任保険契約は、新築住宅を自ら売主として販売する宅地建物取引業者が住宅瑕疵担保責任保険法人と締結する保険契約であり、当該住宅の売買契約を締結した日から5年間、当該住宅の瑕疵によって生じた損害について保険金が支払われる。

❹ 新築住宅を自ら売主として販売する宅地建物取引業者が、住宅販売瑕疵担保保証金の供託をした場合、買主に対する当該保証金の供託をしている供託所の所在地等について記載した書面の交付及び説明は、当該住宅の売買契約を締結した日から引渡しまでに行わなければならない。

解説

『どこでも！学ぶ宅建士』
第2編「宅建業法」

→ 13 住宅瑕疵担保履行法（P384〜）

正 答 率

合格者 **92.0** %

不合格者 **72.0** %

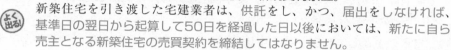

❶ 誤り。資力確保措置の状況の届出 ➡ 基準日から3週間以内。

新築住宅を引き渡した宅建業者は、基準日ごとに、当該基準日に係る住宅販売瑕疵担保保証金の供託及び住宅販売瑕疵担保責任保険契約の締結の状況（資力確保措置）について、免許を受けた国土交通大臣または都道府県知事に届け出なければなりません。この届出は、「基準日」から3週間以内に行う必要があります。「住宅を引き渡した日」から3週間以内ではありません。
➡ 住宅瑕疵担保履行法12条、規則16条

❷ 正しい。基準日の翌日から50日が経過後 ➡ 新規契約禁止。

新築住宅を引き渡した宅建業者は、供託をし、かつ、届出をしなければ、基準日の翌日から起算して50日を経過した日以後においては、新たに自ら売主となる新築住宅の売買契約を締結してはなりません。
➡ 住宅瑕疵担保履行法13条

❸ 誤り。保険金が支払われる期間 ➡ 引渡しから10年以上。

住宅販売瑕疵担保責任保険契約は、新築住宅の引渡しを受けた時から10年以上の期間にわたって当該住宅の瑕疵によって生じた損害について保険金が支払われること等の要件を満たす必要があります。売買契約を締結した日から5年間、保険金が支払われるのではありません。
➡ 2条

❹ 誤り。供託所の所在地等に関する説明 ➡ 契約前に行う。

宅建業者は、自ら売主となる新築住宅の買主に対し、当該新築住宅の売買契約を締結するまでに、その住宅販売瑕疵担保保証金の供託をしている供託所の所在地等について、これらの事項を記載した書面を交付して説明しなければなりません。「契約締結日から引渡しまで」に行うのではありません。
➡ 15条

【正解 ❷ 】

資力確保措置

資力確保措置

問題105 特定住宅瑕疵担保責任の履行の確保等に関する法律に基づく住宅販売瑕疵担保保証金の供託又は住宅販売瑕疵担保責任保険契約の締結に関する次の記述のうち、正しいものはどれか。

[H30-問45]

❶ 宅地建物取引業者は、自ら売主として新築住宅を販売する場合及び新築住宅の売買の媒介をする場合において、住宅販売瑕疵担保保証金の供託又は住宅販売瑕疵担保責任保険契約の締結を行う義務を負う。

❷ 自ら売主として新築住宅を宅地建物取引業者でない買主に引き渡した宅地建物取引業者は、その住宅を引き渡した日から3週間以内に、住宅販売瑕疵担保保証金の供託又は住宅販売瑕疵担保責任保険契約の締結の状況について、宅地建物取引業の免許を受けた国土交通大臣又は都道府県知事に届け出なければならない。

❸ 自ら売主として新築住宅を宅地建物取引業者でない買主に引き渡した宅地建物取引業者は、基準日に係る住宅販売瑕疵担保保証金の供託及び住宅販売瑕疵担保責任保険契約の締結の状況について届出をしなければ、当該基準日の翌日から起算して50日を経過した日以後においては、新たに自ら売主となる新築住宅の売買契約を締結することができない。

❹ 住宅販売瑕疵担保責任保険契約を締結している宅地建物取引業者は、当該住宅を引き渡した時から10年間、住宅の構造耐力上主要な部分の瑕疵によって生じた損害についてのみ保険金を請求することができる。

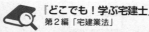

❶ 誤り。**新築住宅の売主のみ、資力確保措置の必要あり。**

宅建業者は、自ら売主となる売買契約に基づき買主に引き渡した新築住宅について、当該買主に対する特定住宅販売瑕疵担保責任の履行を確保するため、**資力確保措置をしなければなりません。**よって、売買の「媒介」を行う場合は、不要です。　　　　　　　　　　　　→ 住宅瑕疵担保履行法11条

❷ 誤り。**基準日から3週間以内に資力確保措置の状況の届出。**

新築住宅を引き渡した宅建業者は、当該基準日に係る資力確保措置の状況について、基準日から3週間以内に、免許権者に届け出なければなりません。つまり、「引渡しから3週間以内」ではありません。　　→ 12条、規則16条

❸ 正しい。**基準日の翌日から50日経過後 ➡ 新築住宅の販売禁止。**

新築住宅を引き渡した宅建業者は、基準日に係る資力確保措置の状況に関する届出をしなければ、当該基準日の翌日から起算して50日を経過した日以後においては、新たに自ら売主となる新築住宅の売買契約を締結してはなりません。　　　　　　　　　　　　　　　→ 住宅瑕疵担保履行法13条

❹ 誤り。**「構造耐力上主要な部分・雨水の浸入を防止する部分」が対象。**

住宅販売瑕疵担保責任保険契約の対象となるのは、住宅のうち構造耐力上主要な部分の瑕疵によって生じた損害だけでなく、雨水の浸入を防止する部分の瑕疵によって生じた損害も含みます。　　→ 2条、品確法95条、94条

【正解 ❸】

資力確保措置

問題 106

宅地建物取引業者Aが、自ら売主として宅地建物取引業者ではない買主Bに新築住宅を販売する場合における次の記述のうち、特定住宅瑕疵担保責任の履行の確保等に関する法律の規定によれば、正しいものはどれか。 [R3(10)-問45]

❶ Bが建設業者である場合、Aは、Bに引き渡した新築住宅について、住宅販売瑕疵担保保証金の供託又は住宅販売瑕疵担保責任保険契約の締結を行う義務を負わない。

❷ Aが住宅販売瑕疵担保責任保険契約を締結する場合、当該契約は、BがAから当該新築住宅の引渡しを受けた時から2年以上の期間にわたって有効なものでなければならない。

❸ Aが住宅販売瑕疵担保責任保険契約を締結した場合、A及びBは、指定住宅紛争処理機関に特別住宅紛争処理の申請をすることにより、当該新築住宅の瑕疵に関するAとBとの間の紛争について、あっせん、調停又は仲裁を受けることができる。

❹ AB間の新築住宅の売買契約において、当該新築住宅の構造耐力上主要な部分に瑕疵があってもAが瑕疵担保責任を負わない旨の特約があった場合、住宅販売瑕疵担保保証金の供託又は住宅販売瑕疵担保責任保険契約の締結を行う義務はない。

日建学院・講師陣の必勝コメント

　「正答率データ」によると、合格者と不合格者の差が大きい問題です。❶❷で確実に正誤判断できないと正解に近づくのが難しいのですが、合格者の正答率は、きわめて高いものでした。

　一部の肢の知識を知らなくても2択くらいまで持っていけるような合格レベルの判断センスと勝負勘を、過去問学習で身につけましょう！

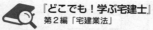

解説 『どこでも！学ぶ宅建士』
第2編「宅建業法」
➡ 13 住宅瑕疵担保履行法（P384〜）

❶ **誤り。買主が建設業者でも、資力確保措置を講じる義務あり。**
宅建業者は、自ら売主となる売買契約に基づき宅建業者でない買主に引き渡した新築住宅について、資力確保措置を講じる義務を負います。したがって、買主Bが宅建業を兼業していない建設業者であれば、Aは資力確保措置を講じる義務を負います。　➡ 住宅瑕疵担保履行法2条、11条

❷ **誤り。責任保険契約の期間 ➡ 引渡しから「10年以上」必要。**
住宅販売瑕疵担保責任保険契約は、買主が売主から新築住宅の引渡しを受けた時から、10年以上の期間にわたって有効なものでなければなりません。「2年以上」ではありません。　➡ 2条

❸ **正しい。指定住宅紛争処理機関 ➡ 紛争のあっせん等ができる。**
指定住宅紛争処理機関は、住宅瑕疵担保責任保険契約に係る新築住宅の売買契約に関する紛争の当事者の双方または一方からの申請により、当該紛争のあっせん、調停及び仲裁の業務を行うことができます。　➡ 33条

❹ **誤り。資力確保措置を講じる義務は、特約でも排除不可。**
本肢のような、「瑕疵担保責任を負わない旨の特約があった場合に、資力確保措置を講じる義務が免除される」旨の規定は存在しません。したがって、このような特約があっても、Aは資力確保措置を講じる義務を負うのは変わりません。　➡ 11条参照

資力確保措置

【正解 ❸】

資力確保措置

| 問題 107 | 特定住宅瑕疵担保責任の履行の確保等に関する法律に基づく住宅販売瑕疵担保保証金の供託又は住宅販売瑕疵担保責任保険契約の締結に関する次の記述のうち、正しいものはどれか。 |

[R4-問45]

❶　宅地建物取引業者は、自ら売主として宅地建物取引業者である買主との間で新築住宅の売買契約を締結し、その住宅を引き渡す場合、住宅販売瑕疵担保保証金の供託又は住宅販売瑕疵担保責任保険契約の締結を行う義務を負う。

❷　住宅販売瑕疵担保責任保険契約は、新築住宅の引渡し時から10年以上有効でなければならないが、当該新築住宅の買主の承諾があれば、当該保険契約に係る保険期間を5年間に短縮することができる。

❸　自ら売主として新築住宅を販売する宅地建物取引業者は、基準日から3週間を経過する日までの間において、当該基準日前10年間に自ら売主となる売買契約に基づき宅地建物取引業者ではない買主に引き渡した新築住宅（住宅販売瑕疵担保責任保険契約に係る新築住宅を除く。）について、住宅販売瑕疵担保保証金の供託をしていなければならない。

❹　宅地建物取引業者が住宅販売瑕疵担保保証金の供託をし、その額が、基準日において、販売新築住宅の合計戸数を基礎として算定する基準額を超えることとなった場合、宅地建物取引業法の免許を受けた国土交通大臣又は都道府県知事の承認がなくても、その超過額を取り戻すことができる。

日建学院・講師陣の必勝コメント

　❶では、資力確保義務が課される「人物関係」が問われています。ということは、❶で迷った方は、住宅瑕疵担保履行法の"入り口"からわかっていないことが明らかで、完全な勉強不足です。

　宅建試験対策としては、過去問とにらめっこして先へ先へと学習を進めることが大切ですが、時には少し立ち止まり、テキストの該当箇所に戻る勇気も必要です。

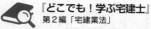

解 説

正答率　合格者 **86.3**%　不合格者 **60.6**%

❶ **誤り。買主が宅建業者 ➡ 資力確保措置は不要。**

よく出る！ 宅建業者は、自ら売主となる売買契約に基づき買主に引き渡した**新築住宅**について、当該買主に対する特定住宅販売瑕疵担保責任の履行を確保するため、資力確保措置を講じなければなりません。しかし、**買主が宅建業者の場合を除きます**。　　　　　　　　　　➡ 住宅瑕疵担保履行法11条、2条

❷ **誤り。有効期間 ➡ 「引渡し時から10年以上」が必要。**

住宅販売瑕疵担保責任保険契約は、新築住宅の買主が当該新築住宅の売主である宅建業者から当該新築住宅の引渡しを受けた時から10年以上の期間にわたって、有効でなければなりません。買主の承諾があっても、短縮できません。　　　　　　　　　　　　　　　　　　　　　　　　　➡ 2条

❸ **正しい。資力確保措置 ➡ 基準日から３週間以内。**

宅建業者は、毎年、基準日から３週間を経過する日までの間において、当該基準日前10年間に自ら売主となる売買契約に基づき買主に引き渡した新築住宅（住宅販売瑕疵担保責任保険契約に係る新築住宅を除く）について、当該買主に対する特定住宅販売瑕疵担保責任の履行を確保するため、住宅販売瑕疵担保保証金の供託をしていなければなりません。　　　➡ 11条

❹ **誤り。超過額の取り戻し ➡ 免許権者の承認が必要。**

住宅販売瑕疵担保保証金の供託をしている宅建業者は、基準日において当該住宅販売瑕疵担保保証金の額が当該基準日に係る基準額を超えることとなったときは、その超過額を取り戻すことができます。この場合、**免許権者である国土交通大臣または都道府県知事の承認**を受けなければなりません。　　　　　　　　　　　　　　　　　　　　　　➡ 16条、9条

資力確保措置

【正解 ❸】

資力確保措置

問題 108

宅地建物取引業者Ａが、自ら売主として、宅地建物取引業者ではない買主Ｂに新築住宅を販売する場合に関する次の記述のうち、特定住宅瑕疵担保責任の履行の確保等に関する法律の規定によれば、正しいものはどれか。 [R5-問45]

❶ Ａが信託会社又は金融機関の信託業務の兼営等に関する法律第１条第１項の認可を受けた金融機関であって、宅地建物取引業を営むものである場合、住宅販売瑕疵担保保証金の供託又は住宅販売瑕疵担保責任保険契約の締結を行う義務を負わない。

❷ Ａは、住宅販売瑕疵担保保証金の供託をする場合、当該住宅の売買契約を締結するまでに、Ｂに対し供託所の所在地等について、必ず書面を交付して説明しなければならず、買主の承諾を得ても書面の交付に代えて電磁的方法により提供することはできない。

❸ Ａは、住宅販売瑕疵担保保証金の供託をする場合、当該住宅の最寄りの供託所へ住宅販売瑕疵担保保証金の供託をしなければならない。

❹ ＡＢ間の売買契約において、当該住宅の構造耐力上主要な部分に瑕疵があってもＡが瑕疵担保責任を負わない旨の特約があった場合においても、Ａは住宅販売瑕疵担保保証金の供託又は住宅販売瑕疵担保責任保険契約の締結を行う義務を負う。

日建学院・講師陣の必勝コメント

❶はやや細かい内容ですので、❷〜❹で決着をつけてほしい問題です。

特に、❷の出題内容は、「書面の交付を電磁的方法による提供で代替できる」という、近年の大きな改正ポイントのひとつ。ここで判断に迷ってはなりません。

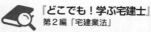

正答率	合格者	92.4 %
	不合格者	74.4 %

❶ 誤り。宅建業を営む信託会社・金融機関 ➡ 資力確保措置義務を負う。

　資力確保措置義務を負う宅建業者とは、宅建業法に規定された宅建業者をいい、宅建業を営む信託会社や金融機関も、これに含まれます。したがって、本肢の宅建業を営む信託会社等は、資力確保措置を講じる義務を負います。

➡ 住宅瑕疵担保履行法11条、2条

❷ 誤り。説明書面の交付 ➡ 買主の承諾を得れば、電磁的方法による提供で代替OK。

　供託所の所在地等の説明は、書面を交付して行わなければなりません。ただし、買主から書面等による承諾を得れば、当該書面に記載する事項を、電磁的方法により提供することができます。

➡ 15条、10条

❸ 誤り。住宅販売瑕疵担保保証金 ➡ 「主たる事務所」の最寄りの供託所に供託。

　住宅販売瑕疵担保保証金の供託をする宅建業者は、その宅建業者の主たる事務所の最寄りの供託所に供託しなければなりません。「当該住宅の最寄りの供託所」ではありません。

➡ 11条

❹ 正しい。瑕疵担保責任を排除する特約 ➡ 無効。

　新築住宅の売買契約においては、売主である宅建業者は、買主に引き渡した時から10年間、住宅の構造耐力上主要な部分等の瑕疵について担保責任を負い、これに反する特約で買主に不利なものは、無効となります。本肢の「瑕疵担保責任を負わない旨の特約」は、これにあたり無効となるため、宅建業者は、資力確保措置を講じる必要があります。

➡ 2条、品確法95条

【正解 ❹】

資力確保措置

第3編

法令上の制限

- 都市計画法
- 建築基準法
- 宅地造成・盛土等規制法
- 土地区画整理法
- 農地法
- 国土利用計画法
- その他の諸法令

都市計画の内容

都市計画法に関する次の記述のうち、誤っているものはどれか。 [H13-問17]

❶ 用途地域に関する都市計画には、建築物の延べ面積の敷地面積に対する割合を定めることとされている。

❷ 第一種低層住居専用地域に関する都市計画には、建築物の高さの限度を定めることとされている。

❸ 第二種中高層住居専用地域に関する都市計画には、建築物の高さの最高限度及び最低限度を定めることとされている。

❹ 特定街区に関する都市計画には、建築物の延べ面積の敷地面積に対する割合並びに建築物の高さの最高限度及び壁面の位置の制限を定めることとされている。

❶ **正しい。用途地域 ➡ 容積率を定める。**
　用途地域に関する都市計画には、建築物の延べ面積の敷地面積に対する割合（容積率）を定めなければなりません。　　　　　　　　　　➡ 都市計画法8条

❷ **正しい。低層住専 ➡ 高さの限度を定める。**
　第一種低層住居専用地域、第二種低層住居専用地域または田園住居地域に関する都市計画には、10mまたは12mのどちらかで、建築物の高さの限度を定めなければなりません。　　　　　　　　　　　　　➡ 8条

❸ **誤り。「中高層住専」 ➡ 高さの最高限度・最低限度は定めない。**
　第一種及び第二種中高層住居専用地域に関する都市計画では、**建築物の高さの最高限度及び最低限度**は定めません。　　　　　　　　➡ 8条

> **+α** 建築物の高さの最高限度または最低限度が定められるのは、**高度地区**です。

❹ **正しい。特定街区 ➡ 容積率・高さ・壁面位置を定める。**
　特定街区において定めなければならないのは、建築物の延べ面積の敷地面積に対する割合（容積率）・高さの最高限度・壁面の位置の制限の3つです。　　　　　　　　　　　　　　　　　　　　　　　➡ 9条

【正解 ❸】

都市計画の内容

411

都市計画の内容

問題 **2**　都市計画法に関する次の記述のうち、正しいものはどれか。

[H22-問16]

❶　市街化区域については、少なくとも用途地域を定めるものとし、市街化調整区域については、原則として用途地域を定めないものとされている。

❷　準都市計画区域は、都市計画区域外の区域のうち、新たに住居都市、工業都市その他の都市として開発し、及び保全する必要がある区域に指定するものとされている。

❸　区域区分は、指定都市及び中核市の区域の全部又は一部を含む都市計画区域には必ず定めるものとされている。

❹　特定用途制限地域は、用途地域内の一定の区域における当該区域の特性にふさわしい土地利用の増進、環境の保護等の特別の目的の実現を図るため当該用途地域の指定を補完して定めるものとされている。

❶ **正しい。市街化調整区域 ➡ 原則として用途地域を定めない。**
　市街化区域については、少なくとも用途地域を定めるとし、市街化調整区域については、原則として用途地域を定めないとされています。

➡ 都市計画法13条

❷ **誤り。準都市計画区域 ➡ 「放置すれば支障が生じ得る区域に指定」。**
　本肢の内容は、都市計画区域の指定要件の1つです。準都市計画区域は、都市計画区域外の区域のうち、一定の要件に該当し、そのまま土地利用を整序し、または環境を保全するための措置を講ずることなく放置すれば、将来における一体の都市としての整備、開発及び保全に支障が生じるおそれがあると認められる一定の区域について指定されます。　　➡ 5条の2

❸ **誤り。区域区分の定めは原則「任意」 ➡ 中核市でも、同様。**

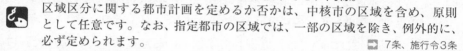

　区域区分に関する都市計画を定めるか否かは、中核市の区域を含め、原則として任意です。なお、指定都市の区域では、一部の区域を除き、例外的に、必ず定められます。　　➡ 7条、施行令3条

❹ **誤り。特定用途制限地域 ➡ 用途地域「外」で定める。**

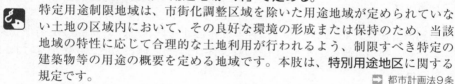

　特定用途制限地域は、市街化調整区域を除いた用途地域が定められていない土地の区域内において、その良好な環境の形成または保持のため、当該地域の特性に応じて合理的な土地利用が行われるよう、制限すべき特定の建築物等の用途の概要を定める地域です。本肢は、**特別用途地区**に関する規定です。　　➡ 都市計画法9条

都市計画の内容

【正解 ❶】

都市計画の内容

問題 3 都市計画法に関する次の記述のうち、正しいものはどれか。
[H23-問16]

❶ 都市計画区域は、市又は人口、就業者数その他の要件に該当する町村の中心の市街地を含み、かつ、自然的及び社会的条件並びに人口、土地利用、交通量その他の現況及び推移を勘案して、一体の都市として総合的に整備し、開発し、及び保全する必要がある区域を当該市町村の区域の区域内に限り指定するものとされている。

❷ 準都市計画区域については、都市計画に、高度地区を定めることはできるが、高度利用地区を定めることはできないものとされている。

❸ 都市計画区域については、区域内のすべての区域において、都市計画に、用途地域を定めるとともに、その他の地域地区で必要なものを定めるものとされている。

❹ 都市計画区域については、無秩序な市街化を防止し、計画的な市街化を図るため、都市計画に必ず市街化区域と市街化調整区域との区分を定めなければならない。

解説 『どこでも！学ぶ宅建士』
第3編「法令上の制限」
➡ 1 都市計画法①（都市計画）（P399～）

正答率	合格者	46.1 %
	不合格者	17.8 %

❶ 誤り。都市計画区域 ➡ 市町村の区域内外にわたり指定可。

都市計画区域は、必要があるときは、当該市町村の区域内外にわたり、指定することができます。　　　　　　　　　　　　　　　➡ 都市計画法5条

❷ 正しい。準都市計画区域の都市計画に「高度利用地区」は指定不可。

準都市計画区域については、都市計画に、地域地区のうち、①用途地域、②特別用途地区、③特定用途制限地域、④高度地区、⑤景観地区、⑥風致地区、⑦緑地保全地域、⑧伝統的建造物群保存地区の8つについて、必要なものを定めることができます。しかし、高度利用地区については、定めることができません。　　　　　　　　　　　　　　　➡ 8条

❸ 誤り。市街化調整区域 ➡ 原則、用途地域を定めない。

都市計画区域については、都市計画に、地域地区で必要なものを定めます。そして、市街化区域については、少なくとも用途地域を定めるものとされていますが、市街化調整区域については、「原則として用途地域を定めないもの」とされています。したがって、都市計画区域内のすべての区域において、用途地域を定めるわけではありません。　　　　　➡ 8条、13条

❹ 誤り。区域区分を定めるか否か ➡ 任意。

都市計画区域について無秩序な市街化を防止し、計画的な市街化を図るため必要があるときは、都市計画に、市街化区域と市街化調整区域との区分（区域区分）を定めることができます。つまり、定めることが「できる」のであって、必ず定めなければならないわけではありません。　　　➡ 7条

> **+α** 三大都市圏の一定の区域及び指定都市の都市計画（指定都市の区域の一部を含む都市計画区域では、その区域内の人口が50万人未満であるものを除く）では、区域区分を必ず定めなければなりません。

【正解 ❷】

都市計画の内容

問題 **4**

都市計画法に関する次の記述のうち、誤っているものはどれか。

[H26-問15]

❶ 都市計画区域については、用途地域が定められていない土地の区域であっても、一定の場合には、都市計画に、地区計画を定めることができる。

❷ 高度利用地区は、市街地における土地の合理的かつ健全な高度利用と都市機能の更新とを図るため定められる地区であり、用途地域内において定めることができる。

❸ 準都市計画区域においても、用途地域が定められている土地の区域については、市街地開発事業を定めることができる。

❹ 高層住居誘導地区は、住居と住居以外の用途とを適正に配分し、利便性の高い高層住宅の建設を誘導するために定められる地区であり、近隣商業地域及び準工業地域においても定めることができる。

解 説 『どこでも！学ぶ宅建士』
第3編「法令上の制限」
→ 1 都市計画法①（都市計画）（P405〜）

正答率	合格者	70.8 %
	不合格者	38.6 %

❶ 正しい。地区計画 → 用途地域無指定の一定の区域にも指定可。

　　地区計画は、都市計画区域のうち用途地域が定められている土地の区域の
ほか、用途地域が定められていない土地の一定の区域にも定めることがで
きます。　　　　　　　　　　　　　　　　　　　　　　　→ 都市計画法12条の5

❷ 正しい。高度利用地区 → 用途地域内において定めることができる。

　　高度利用地区は、「用途地域内」の市街地における土地の合理的かつ健全な
高度利用と都市機能の更新とを図るため、建築物の容積率の最高限度・最
低限度、建築物の建蔽率の最高限度、建築物の建築面積の最低限度、壁面
の位置の制限を定める地区です。したがって、用途地域内において定める
ことができます。　　　　　　　　　　　　　　　　　　　　　　→ 9条

❸ 誤り。準都市計画区域 → 市街地開発事業を定めることはできない。

 　市街地開発事業は、市街化区域または区域区分が定められていない都市計
画区域内において、一体的に開発し、または整備する必要がある土地の区
域について定めることができます。逆に、このような区域「外」には定め
ることができないので、「準都市計画区域」には定めることはできません。
　　　　　　　　　　　　　　　　　　　　　　　　　　　　　　→ 13条

❹ 正しい。高層住居誘導地区 → 近隣商業、準工業地域でも指定可。

 　高層住居誘導地区は、住居と住居以外の用途とを適正に配分し、利便性の
高い高層住宅の建設を誘導するため、第一種住居地域、第二種住居地域、
準住居地域、近隣商業地域または準工業地域でこれらの地域に関する都市
計画において建築物の容積率が40／10（400％）または50／10（500％）と
定められたものの内において、建築物の容積率の最高限度、建築物の建蔽
率の最高限度及び建築物の敷地面積の最低限度を定める地区です。したがっ
て、近隣商業地域、準工業地域においても定めることができます。　→ 9条

都市計画の内容

【正解 ❸】

都市計画の内容

 都市計画法に関する次の記述のうち、誤っているものはどれか。

[R元-問15]

❶ 高度地区は、用途地域内において市街地の環境を維持し、又は土地利用の増進を図るため、建築物の高さの最高限度又は最低限度を定める地区とされている。

❷ 特定街区については、都市計画に、建築物の容積率並びに建築物の高さの最高限度及び壁面の位置の制限を定めるものとされている。

❸ 準住居地域は、道路の沿道としての地域の特性にふさわしい業務の利便の増進を図りつつ、これと調和した住居の環境を保護するため定める地域とされている。

❹ 特別用途地区は、用途地域が定められていない土地の区域（市街化調整区域を除く。）内において、その良好な環境の形成又は保持のため当該地域の特性に応じて合理的な土地利用が行われるよう、制限すべき特定の建築物等の用途の概要を定める地区とされている。

👆 日建学院・講師陣の必勝コメント

　「正答率データ」でみると、「不合格者の正答率が、合格者の約半分」という問題です。たしかに、多くの方が迷う❷の「特定街区」は、やや難しい内容です。しかし、❷で迷う前に、そもそも基本的な内容を問う❶❸❹で決着をつけておくべきです。

解 説 『どこでも！学ぶ宅建士』
第3編「法令上の制限」
➡ 1 都市計画法①（都市計画）（P405〜）

正答率 合格者 **86.9** %
不合格者 **43.4** %

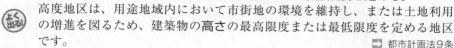

❶ **正しい。高度地区 ➡ 建築物の高さの最高限度または最低限度を定める。**

 高度地区は、用途地域内において市街地の環境を維持し、または土地利用の増進を図るため、建築物の高さの最高限度または最低限度を定める地区です。

➡ 都市計画法9条

❷ **正しい。特定街区 ➡ 容積率・高さ・壁面の位置の制限を定める。**

特定街区は、市街地の整備改善を図るため街区の整備または造成が行われる地区について、その街区内における建築物の容積率、建築物の高さの最高限度、壁面の位置の制限を定める街区です。

➡ 9条

❸ **正しい。準住居地域 ➡ 道路の沿道と調和した住居の環境を保護。**

準住居地域は、道路の沿道としての地域の特性にふさわしい業務の利便の増進を図りつつ、これと調和した住居の環境を保護するため定める地域です。

➡ 9条

❹ **誤り。特別用途地区 ➡ 特別の目的のため用途地域を補完して定める。**

本肢の記載内容は、特定用途制限地域に関するものです。特別用途地区は、用途地域内の一定の地区における当該地区の特性にふさわしい土地利用の増進、環境の保護等の特別の目的の実現を図るため当該用途地域の指定を補完して定める地区です。

➡ 9条

都市計画の内容

【正解 ❹】

都市計画の内容

問題 6　都市計画法に関する次の記述のうち、正しいものはどれか。

[R2⑿-問15]

❶　市街化区域及び区域区分が定められていない都市計画区域については、少なくとも道路、病院及び下水道を定めるものとされている。

❷　市街化調整区域内においては、都市計画に、市街地開発事業を定めることができないこととされている。

❸　都市計画区域は、市町村が、市町村都市計画審議会の意見を聴くとともに、都道府県知事に協議し、その同意を得て指定する。

❹　準都市計画区域については、都市計画に、高度地区を定めることができないこととされている。

『どこでも！学ぶ宅建士』
第3編「法令上の制限」
➡ 1 都市計画法① （都市計画）（P399〜）

| 正答率 | 合格者 | 86.5 % |
| 不合格者 | 53.6 % |

❶ 誤り。**市街化区域・非線引き区域 ➡ 少なくとも道路・「公園」・下水道を定める。**
市街化区域及び区域区分が定められていない都市計画区域については、少なくとも道路、「公園」及び下水道を定めなければなりません。

➡ 都市計画法13条

> **+α** 住居系の用途地域（第一種・第二種低層住居専用地域、第一種・第二種中高層住居専用地域、第一種・第二種住居地域、準住居地域、田園住居地域）については、義務教育施設も、あわせて定めなければなりません。

❷ 正しい。**市街地開発事業 ➡ 市街化調整区域内では不可。**
市街地開発事業は、市街化区域または区域区分が定められていない都市計画区域内において、一体的に開発し、または整備する必要がある土地の区域について定めます。したがって、市街化調整区域内では、都市計画に市街地開発事業を定めることはできません。

➡ 13条

❸ 誤り。**都市計画区域 ➡ 「都道府県」が指定する。**
都市計画区域は、原則として、「都道府県」が、あらかじめ、関係市町村及び「都道府県都市計画審議会」の意見を聴くとともに、「国土交通大臣」に協議し、その同意を得て指定します。

➡ 5条

> **+α** 2以上の都府県の区域にわたる都市計画区域については、国土交通大臣が、あらかじめ、関係都府県の意見を聴いて指定します。

❹ 誤り。**準都市計画区域 ➡ 高度地区を定めることができる。**
準都市計画区域については、都市計画に、①用途地域、②特別用途地区、③特定用途制限地域、④高度地区、⑤景観地区、⑥風致地区、⑦緑地保全地域、⑧伝統的建造物群保存地区を定めることができます。したがって、準都市計画区域については、都市計画に、高度地区を定めることができます。

➡ 8条

> **+α** 準都市計画区域について都市計画に高度地区を定める場合には、「建築物の高さの最高限度」のみ、定めることができます。

【正解 ❷】

都市計画の内容

問題 7 都市計画法に関する次の記述のうち、誤っているものはどれか。
[R3⑽-問15]

❶ 地区計画については、都市計画に、当該地区計画の目標を定めるよう努めるものとされている。

❷ 地区計画については、都市計画に、区域の面積を定めるよう努めるものとされている。

❸ 地区整備計画においては、市街化区域と市街化調整区域との区分の決定の有無を定めることができる。

❹ 地区整備計画においては、建築物の建蔽率の最高限度を定めることができる。

❶ **正しい。地区計画 ➡ 「計画の目標」を定める努力義務がある。**

　地区計画については、都市計画に、「①区域の面積、②当該地区計画の目標、③当該区域の整備・開発・保全に関する方針」などを定めるよう努めるとされています。　　　　　　　　　　　　→ 都市計画法12条の4、12条の5

❷ **正しい。地区計画 ➡ 区域の面積を定める努力義務あり。**

　❶解説のとおり、地区計画については、都市計画に、「区域の面積などを定めるよう努める」とされています。　　　　　　　　　　　　　　　→ 12条の4

❸ **誤り。区域区分の決定の有無 ➡ 「マスタープラン」に定める。**

　市街化区域と市街化調整区域との区域区分の決定の有無は、「都市計画区域の整備・開発・保全の方針」（いわゆる「マスタープラン」）に定めるとされており、地区整備計画に定めることはできません。

　　　　　　　　　　　　　　　　　　　　　　　　→ 6条の2、12条の5

❹ **正しい。地区整備計画 ➡ 建蔽率の最高限度を定めることができる。**

　地区整備計画においては、建築物等の用途の制限、建築物の容積率の最高限度・最低限度、建築物の「建蔽率の最高限度」、建築物の敷地面積または建築面積の最低限度、壁面の位置の制限、建築物等の高さの最高限度・最低限度などを定めることができます。　　　　　　　　　　　→ 12条の5

> **+α** 市街化調整区域内において定められる地区整備計画については、建築物の容積率・建築面積・建築物等の高さの最低限度を定めることはできません。

都市計画の内容

【正解 ❸】

都市計画の内容

都市計画法に関する次の記述のうち、正しいものはどれか。

[R5-問15]

❶ 市街化調整区域は、土地利用を整序し、又は環境を保全するための措置を講ずることなく放置すれば、将来における一体の都市としての整備に支障が生じるおそれがある区域とされている。

❷ 高度利用地区は、土地の合理的かつ健全な高度利用と都市機能の更新とを図るため、都市計画に、建築物の高さの最低限度を定める地区とされている。

❸ 特定用途制限地域は、用途地域が定められている土地の区域内において、都市計画に、制限すべき特定の建築物等の用途の概要を定める地域とされている。

❹ 地区計画は、用途地域が定められている土地の区域のほか、一定の場合には、用途地域が定められていない土地の区域にも定めることができる。

🔥 日建学院・講師陣の 必勝コメント

　「都市計画の内容」については、「定義の丸暗記は、ほぼ絶望的」といえますので、「キーワードの暗記」だけで十分です。

　本問でも、解説中の"色文字部分"だけ覚えておけば、❶〜❸をバッサバッサと斬れるはず！

解説 『どこでも！学ぶ宅建士』
第3編「法令上の制限」
1 都市計画法①（都市計画）（P402〜）

正答率　合格者 91.4 %　不合格者 54.1 %

❶ 誤り。市街化調整区域 ➡ 市街化を抑制すべき区域。
　市街化調整区域は、市街化を抑制すべき区域です。本肢は、準都市計画区域とのひっかけです。　　　　　　　　　　　　　➡ 都市計画法5条の2、7条

❷ 誤り。高度利用地区 ➡ 容積率の最高限度・最低限度などを定める地区。
　高度利用地区は、用途地域内の市街地における土地の合理的かつ健全な高度利用と都市機能の更新を図るため、建築物の容積率の最高限度・最低限度などを定める地区です。本肢は、高度地区などとのひっかけです。
　　　　　　　　　　　　　　　　　　　　　　　　　　　　　➡ 9条

> **+α** 高度地区は、用途地域内において市街地の環境を維持し、または土地利用の増進を図るため、建築物の高さの最高限度または最低限度を定める地区です。

❸ 誤り。特定用途制限地域 ➡ 用途地域外（市街化調整区域を除く）で定める。
　特定用途制限地域は、用途地域が定められて「いない」土地の区域（市街化調整区域を除く）内において、その良好な環境の形成または保持のため当該地域の特性に応じて合理的な土地利用が行われるよう、制限すべき特定の建築物等の用途の概要を定める地域です。　　　　　　➡ 9条

❹ 正しい。地区計画 ➡ 用途地域「外」にも定めることができる。
　地区計画は、①用途地域が定められている土地の区域だけでなく、②用途地域が定められていない土地の区域であっても、一定の場合には、定めることができます。　　　　　　　　　　　　　　　　　　　　　　➡ 12条の5

都市計画の内容

【正解 ❹】

都市計画事業制限

 都市計画法に関する次の記述のうち、正しいものの組合せはどれか。 [H29-問16]

ア 都市計画施設の区域又は市街地開発事業の施行区域内において建築物の建築をしようとする者は、一定の場合を除き、都道府県知事（市の区域内にあっては、当該市の長）の許可を受けなければならない。

イ 地区整備計画が定められている地区計画の区域内において、建築物の建築を行おうとする者は、都道府県知事（市の区域内にあっては、当該市の長）の許可を受けなければならない。

ウ 都市計画事業の認可の告示があった後、当該認可に係る事業地内において、当該都市計画事業の施行の障害となるおそれがある土地の形質の変更を行おうとする者は、都道府県知事（市の区域内にあっては、当該市の長）の許可を受けなければならない。

エ 都市計画事業の認可の告示があった後、当該認可に係る事業地内の土地建物等を有償で譲り渡そうとする者は、当該事業の施行者の許可を受けなければならない。

❶ ア、ウ

❷ ア、エ

❸ イ、ウ

❹ イ、エ

解説

『どこでも！学ぶ宅建士』
第3編「法令上の制限」
→ 1 都市計画法① （都市計画）(P415～)

| 正答率 | 合格者 | 87.1 % |
| | 不合格者 | 57.5 % |

ア 正しい。都市計画施設等の区域内での建築➡知事等の許可。

都市計画施設の区域または市街地開発事業の施行区域内において建築物の建築をする者は、原則として、都道府県知事等の許可を受けなければなりません。

➡ 都市計画法53条

イ 誤り。地区計画の区域内での建築➡「市町村長」への「届出」。

地区計画の区域（地区整備計画などが定められている区域に限る）内で、土地の区画形質の変更・建築物の建築その他政令で定める行為を行う者は、原則として、当該行為に着手する日の30日前までに、行為の種類・場所・設計・施行方法などを「市町村長に届け出」なければなりません。「都道府県知事等の許可」を受けなければならないのではありません。 ➡ 58条の2

ウ 正しい。事業地内で土地の形質の変更➡知事等の許可。

都市計画事業の認可の告示があった後、当該認可に係る事業地内において、都市計画事業の施行の障害となるおそれがある①土地の形質の変更、②建築物の建築その他工作物の建設、③政令で定める移動の容易でない物件の設置・堆積を行う者は、都道府県知事等の許可を受けなければなりません。

➡ 65条

エ 誤り。事業地内で土地建物等を有償で譲渡➡施行者への「届出」。

都市計画事業の認可の公告の日の翌日から起算して10日を経過した後に、事業地内の土地建物等を有償で譲り渡そうとする者は、原則として、当該土地建物等、その予定対価の額及び当該土地建物等を譲り渡そうとする相手方その他国土交通省令で定める事項を書面で施行者に「届出」をしなければなりません。したがって、施行者の「許可」を受けなければならないのではありません。

➡ 67条

よって、正しいものの組合せは**ア・ウ**であり、正解は❶となります。

攻略POINT 地区計画の区域内の制限

地区計画の届出制は頻出事項です。必ず次の点を押さえておきましょう。

| 原 則
（届出） | ●土地の区画形質の変更
●建築物の建築　●工作物の建設　等 | 行為に着手する日の30日前までに、市町村長に届出が必要 |
| 例 外
（届出不要） | 通常の管理行為、軽易な行為、非常災害のための応急措置、国・地方公共団体の行為、都市計画事業の施行としての行為、開発許可を要する行為　等 | |

【正解 ❶】

都市計画法総合

問題 **10**

都市計画法に関する次の記述のうち、正しいものはどれか。

[H24-問16改]

❶ 市街地開発事業等予定区域に関する都市計画において定められた区域内において、非常災害のため必要な応急措置として行う建築物の建築であれば、都道府県知事（市の区域内にあっては、当該市の長）の許可を受ける必要はない。

❷ 都市計画の決定又は変更の提案は、当該提案に係る都市計画の素案の対象となる土地について所有権又は借地権を有している者以外は行うことができない。

❸ 市町村は、都市計画を決定しようとするときは、あらかじめ、都道府県知事に協議し、その同意を得なければならない。

❹ 地区計画の区域のうち地区整備計画が定められている区域内において、建築物の建築等の行為を行った者は、一定の行為を除き、当該行為の完了した日から30日以内に、行為の種類、場所等を市町村長に届け出なければならない。

都市計画法総合

❶ **正しい。非常災害のため必要な応急措置➡許可は不要。**
市街地開発事業等予定区域に関する都市計画において定められた区域内で、土地の形質の変更・建築物の建築その他工作物の建設を行う者は、都道府県知事等の許可を受けなければなりません。しかし、非常災害のため必要な応急措置として行う行為については、許可を受ける必要はありません。
➡ 都市計画法52条の2

❷ **誤り。「土地所有者等」以外の者でも、都市計画の決定・変更を提案できる。**
都市計画の決定または変更の提案は、当該提案に係る都市計画の素案の対象となる土地について所有権または借地権を有する者のほか、まちづくりの推進を図る活動を行うことを目的とするNPO、一般社団法人もしくは一般財団法人その他の営利を目的としない法人、独立行政法人都市再生機構、地方住宅供給公社なども行うことができます。
➡ 21条の2

❸ **誤り。市町村による都市計画の決定➡知事との「協議」は必要、「同意」は不要。**
市町村は、都市計画区域または準都市計画区域について都市計画を決定しようとするときは、あらかじめ、都道府県知事に協議しなければなりません。しかし、都道府県知事の同意を得る必要はありません。
➡ 19条

❹ **誤り。市町村長への届出➡行為に着手する30日「前」まで。**
地区計画の区域のうち地区整備計画が定められている区域内において、土地の区画形質の変更・建築物の建築などを行おうとする者は、原則として、**当該行為に着手する日の30日前**までに、行為の種類・場所・設計・施行方法・着手予定日などを**市町村長に届け出**なければなりません。つまり、届出は、行為に着手する「前」に行います。
➡ 58条の2

【正解 ❶】

重要ランク
A

開発許可の要否

都市計画法に関する次の記述のうち、正しいものはどれか。ただし、許可を要する開発行為の面積について、条例による定めはないものとし、この問において「都道府県知事」とは、地方自治法に基づく指定都市、中核市及び施行時特例市にあってはその長をいうものとする。　　　　　　　　　　　　　　　　　　　　[H29-問17]

❶　準都市計画区域内において、工場の建築の用に供する目的で1,000㎡の土地の区画形質の変更を行おうとする者は、あらかじめ、都道府県知事の許可を受けなければならない。

❷　市街化区域内において、農業を営む者の居住の用に供する建築物の建築の用に供する目的で1,000㎡の土地の区画形質の変更を行おうとする者は、あらかじめ、都道府県知事の許可を受けなければならない。

❸　都市計画区域及び準都市計画区域外の区域内において、変電所の建築の用に供する目的で1,000㎡の土地の区画形質の変更を行おうとする者は、あらかじめ、都道府県知事の許可を受けなければならない。

❹　区域区分の定めのない都市計画区域内において、遊園地の建設の用に供する目的で3,000㎡の土地の区画形質の変更を行おうとする者は、あらかじめ、都道府県知事の許可を受けなければならない。

👆 日建学院・講師陣の 必勝コメント

　「開発許可の要否」の問題では、農林漁業関連の建築物は、頻出、かつ、多くは正解肢で扱われています。

　なお、❹の1ha未満の運動・レジャー施設は、特定工作物に該当せず、そもそも「開発行為」にあたらないので、当然、開発許可が不要とされていることに注意しましょう。

解説 『どこでも！学ぶ宅建士』
第3編「法令上の制限」
➡ 2 都市計画法② （開発許可制度） （P424〜）

正答率 合格者 **81.6**%
不合格者 **53.4**%

❶ 誤り。**準都市計画区域 ➡ 3,000㎡未満は、開発許可不要。**
準都市計画区域内で行われる規模3,000㎡未満の開発行為は、原則として、開発許可を受ける必要はありません。　　　📖 都市計画法29条、施行令19条

❷ 正しい。**市街化区域 ➡ 1,000㎡未満は、開発許可不要。**

 市街化区域「外」の区域で行う開発行為で、農業・林業・漁業の用に供する政令で定める建築物またはこれらの業務を営む者の居住の用に供する建築物の建築の用に供する目的で行うものは、開発許可を受ける必要はありません。また、市街化区域内で行われる規模1,000㎡未満の開発行為は、原則として開発許可を受ける必要はありません。したがって、**市街化区域内で規模1,000㎡ちょうど**の本肢の場合、これらの「例外」には該当しません。したがって、開発許可が必要です。　　　📖 都市計画法29条、施行令19条

❸ 誤り。**区域外 ➡ 「1ヘクタール未満」は、開発許可不要。**
都市計画区域及び準都市計画区域外の区域内において、1ヘクタール（10,000㎡）以上の開発行為をする者は、原則として、あらかじめ、開発許可を受けなければなりません。しかし、本肢の土地の区画形質の変更は1,000㎡ですので、開発許可は不要です。　　　📖 都市計画法29条、施行令22条の2

+α 変電所など「公益上必要な建築物」の建築の用に供する目的で行う開発行為は、開発許可は不要ですが、「面積」で決着がつく本肢では、検討そのものが不要です。

❹ 誤り。**遊園地 ➡ 「1ヘクタール以上」で特定工作物に該当。**

 開発行為とは、主として建築物の建築または特定工作物の建設の用に供する目的で行う土地の区画形質の変更をいいます。遊園地は、1ヘクタール以上の場合に限って（第二種）特定工作物に該当します。よって、3,000㎡の遊園地は、（第二種）特定工作物に該当せず、その建設のための土地の区画形質の変更は開発行為に該当しません。したがって、開発許可を受ける必要はありません。　　　📖 都市計画法4条、施行令1条

攻略POINT **特定工作物**

第一種 特定工作物	周辺地域の環境の悪化をもたらすおそれのある工作物 　コンクリートプラント・アスファルトプラント・ 　クラッシャープラント・危険物貯蔵庫　等
第二種 特定工作物	大規模な工作物 ❶ゴルフコース（面積不問） ❷1ha（10,000㎡）以上の 　野球場・庭球場・陸上競技場・遊園地・動物園・ 　墓園　等

【正解 ❷】

開発許可の要否

開発許可の要否

問題 **12**

都市計画法に関する次の記述のうち、誤っているものはどれか。ただし、許可を要する開発行為の面積については、条例による定めはないものとし、この問において「都道府県知事」とは、地方自治法に基づく指定都市、中核市及び施行時特例市にあってはその長をいうものとする。　　　　　　　　　　　　　　[H30-問17]

❶　非常災害のため必要な応急措置として開発行為をしようとする者は、当該開発行為が市街化調整区域内において行われるものであっても都道府県知事の許可を受けなくてよい。

❷　用途地域等の定めがない土地のうち開発許可を受けた開発区域内においては、開発行為に関する工事完了の公告があった後は、都道府県知事の許可を受けなければ、当該開発許可に係る予定建築物以外の建築物を新築することができない。

❸　都市計画区域及び準都市計画区域外の区域内において、8,000㎡の開発行為をしようとする者は、都道府県知事の許可を受けなくてよい。

❹　準都市計画区域内において、農業を営む者の居住の用に供する建築物の建築を目的とした1,000㎡の土地の区画形質の変更を行おうとする者は、あらかじめ、都道府県知事の許可を受けなければならない。

👆 日建学院・講師陣の必勝コメント

❸に関して、都市計画区域・準都市計画区域の区域外には、本来は都市計画法の適用はありませんが、10,000㎡以上の場合にのみ、開発許可が必要です。

❶ **正しい。非常災害のため必要な応急措置 ➡ 開発許可不要。**

　　非常災害のため必要な応急措置として行う開発行為については、開発許可を受ける必要はありません。このことは、開発行為を行う区域や規模を問いません。　　　　　　　　　　　　　　　　　　　　　　　➡ 都市計画法29条

❷ **正しい。知事の許可、または用途地域等の指定がある場合は可。**

　　開発許可を受けた開発区域内においては、工事完了の公告があった後は、原則として、当該開発許可に係る予定建築物等以外の建築物の新築などはできません。ただし、①都道府県知事が許可したとき、②当該開発区域内の土地について用途地域等が定められているときは、除きます。本肢では、②の「用途地域等の定め」がありませんので、①の「都道府県知事の許可」を受けなければ、予定建築物以外の建築物を新築できません。　➡ 42条

❸ **正しい。都市計画区域・準都市計画区域外 ➡ 1ha未満は許可不要。**

　　都市計画区域及び準都市計画区域外の区域内においては、1ヘクタール（10,000㎡）以上の開発行為についてのみ、開発許可を受ける必要があります。したがって、8,000㎡の開発行為については、開発許可は不要です。

　　　　　　　　　　　　　　　　　　　　　　　➡ 29条、施行令22条の2

❹ **誤り。市街化区域「外」の農林漁業用建築物の開発行為 ➡ 許可不要。**

　　市街化区域外において行う開発行為で、農業・林業・漁業の用に供する政令で定める建築物またはこれらの業務を営む者の居住の用に供する建築物の建築の用に供する目的で行うものは、開発許可を受ける必要はありません。なお、このことは、開発行為の規模を問いません。　　➡ 都市計画法29条

攻略POINT 「開発許可」の要・不要

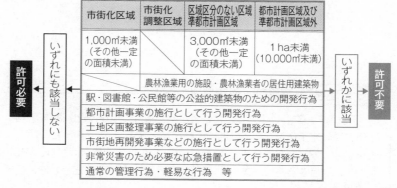

市街化区域	市街化調整区域	区域区分のない区域準都市計画区域	都市計画区域及び準都市計画区域外
1,000㎡未満（その他一定の面積未満）		3,000㎡未満（その他一定の面積未満）	1ha未満（10,000㎡未満）
農林漁業用の施設・農林漁業者の居住用建築物			
駅・図書館・公民館等の公益的建築物のための開発行為			
都市計画事業の施行として行う開発行為			
土地区画整理事業の施行として行う開発行為			
市街地再開発事業などの施行として行う開発行為			
非常災害のため必要な応急措置として行う開発行為			
通常の管理行為・軽易な行為　等			

いずれにも該当しない → 許可必要

いずれかに該当 → 許可不要

【正解 ❹】

開発許可の要否

問題 **13**

都市計画法に関する次の記述のうち、正しいものはどれか。ただし、許可を要する開発行為の面積については、条例による定めはないものとし、この問において「都道府県知事」とは、地方自治法に基づく指定都市、中核市及び施行時特例市にあってはその長をいうものとする。

[R元-問16]

❶ 準都市計画区域において、店舗の建築を目的とした4,000㎡の土地の区画形質の変更を行おうとする者は、あらかじめ、都道府県知事の許可を受けなければならない。

❷ 市街化区域において、農業を営む者の居住の用に供する建築物の建築を目的とした1,500㎡の土地の区画形質の変更を行おうとする者は、都道府県知事の許可を受けなくてよい。

❸ 市街化調整区域において、野球場の建設を目的とした8,000㎡の土地の区画形質の変更を行おうとする者は、あらかじめ、都道府県知事の許可を受けなければならない。

❹ 市街化調整区域において、医療法に規定する病院の建築を目的とした1,000㎡の土地の区画形質の変更を行おうとする者は、都道府県知事の許可を受けなくてよい。

日建学院・講師陣の必勝コメント

「正答率データ」によると、合格者と不合格者の差が大きい問題です。

第二種特定工作物を問う❸は、出題者が大好きな"ド定番のひっかけ"です。とはいえ、解答分布を見ると、ひっかかったのは不合格者ばかり。「市街化調整区域」に注目する前に、まずは「開発行為」に該当するかどうかを、要チェックです！

解説

『どこでも！学ぶ宅建士』
第3編「法令上の制限」
→ 2 都市計画法②（開発許可制度）（P424～）

正答率	合格者	89.4 %
	不合格者	51.3 %

❶ **正しい。準都市計画区域 ➡ 3,000㎡未満で、開発許可不要。**

　準都市計画区域において行う開発行為で、その規模が3,000㎡未満のものは、開発許可を受ける必要はありません。したがって、準都市計画区域で4,000㎡の開発行為を行う本肢の場合には、原則どおり、都道府県知事の許可を受けなければなりません。　　　　　　　　　→ 都市計画法29条、施行令19条

❷ **誤り。「市街化区域」 ➡ 農林漁業用建築物等の例外はない。**

　市街化区域において行う開発行為で、その規模が1,000㎡未満のものは、開発許可は不要です。また、市街化区域以外の区域（市街化調整区域、区域区分が定められていない都市計画区域、準都市計画区域）では、農林漁業の用に供する建築物またはこれらの業務を営む者の居住の用に供する建築物に関する開発許可が不要となる例外があります。したがって、市街化区域において1,500㎡の開発行為を行う本肢の場合には、原則どおり、都道府県知事の許可が必要となります。　　　　　　　→ 都市計画法29条、施行令19条

❸ **誤り。野球場等 ➡ 「1ヘクタール以上」のもののみが第二種特定工作物。**

　「開発行為」とは、主として建築物の建築または特定工作物の建設の用に供する目的で行う土地の区画形質の変更をいいます。野球場は、その規模が「1ヘクタール以上」のもののみ第二種特定工作物にあたりますが、本肢の場合、その規模が8,000㎡ですから、第二種特定工作物に当たりません。よって、その建設を目的とした土地の区画形質の変更は、開発行為に該当しませんので、都道府県知事の許可を受ける必要はありません。
　　　　　　　　　　　　　　　　　　　　　　　　　→ 都市計画法4条、施行令1条

❹ **誤り。病院 ➡ 開発許可不要の公益上必要な建築物に当たらない。**

　市街化調整区域には、いわゆる「小規模開発の例外」はなく、また、病院は、開発許可が不要となる「公益上必要な建築物」にも当たりません。したがって、本肢の場合、原則どおり、都道府県知事の許可を受けなければなりません。　　　　　　　　　　　　　　　　　　　　　　　　→ 都市計画法29条、施行令21条参照

開発許可の要否

【正解 ❶】

開発許可の手続

都市計画法に関する次の記述のうち、正しいものはどれか。なお、この問において「都道府県知事」とは、地方自治法に基づく指定都市、中核市及び施行時特例市にあってはその長をいうものとする。

[H28-問17]

❶ 開発許可を受けた者は、開発行為に関する工事を廃止するときは、都道府県知事の許可を受けなければならない。

❷ 二以上の都府県にまたがる開発行為は、国土交通大臣の許可を受けなければならない。

❸ 開発許可を受けた者から当該開発区域内の土地の所有権を取得した者は、都道府県知事の承認を受けることなく、当該開発許可を受けた者が有していた当該開発許可に基づく地位を承継することができる。

❹ 都道府県知事は、用途地域の定められていない土地の区域における開発行為について開発許可をする場合において必要があると認めるときは、当該開発区域内の土地について、建築物の敷地、構造及び設備に関する制限を定めることができる。

日建学院・講師陣の必勝コメント

❶に関して、開発行為に関して届出が必要なのは、①廃止をしたとき、②完了予定日などの軽微な変更をしたとき、③工事が完了したとき、の3つの場合で、いずれも事後的なものです。

『どこでも！学ぶ宅建士』
第3編「法令上の制限」
➡ 2 都市計画法② （開発許可制度）（P429〜）

❶ **誤り。工事を廃止 ➡ 知事へ「届出」をする。**

　　開発許可を受けた者は、開発行為に関する工事を廃止したときは、遅滞なく、その旨を都道府県知事に届け出なければなりません。この場合は、都道府県知事の「許可」を受ける必要はありません。　　　　　➡ 都市計画法38条

❷ **誤り。開発行為を行う場合 ➡ あらかじめ「知事」の許可を受ける。**

　　都市計画区域または準都市計画区域内において開発行為をする者は、原則として、あらかじめ、都道府県知事の許可を受けなければなりません。この点は、たとえ2以上の都府県にまたがる開発行為であっても同様です。

➡ 29条

❸ **誤り。特定承継をした者 ➡ 「知事の承認」を受ける。**

　　開発許可を受けた者から当該開発区域内の土地の所有権その他当該開発行為に関する工事を施行する権原を取得した者は、都道府県知事の承認を受けて、当該開発許可を受けた者が有していた当該開発許可に基づく地位を承継することができます。したがって、都道府県知事の承認が必要です。

➡ 45条、44条参照

❹ **正しい。用途地域無指定区域 ➡ 知事による建築物の敷地等の制限は可。**

　　都道府県知事は、用途地域の定められていない土地の区域における開発行為について開発許可をする場合において必要があると認めるときは、当該開発区域内の土地について、建築物の建蔽率・建築物の高さ・壁面の位置その他建築物の敷地・構造及び設備に関する制限を定めることができます。

➡ 41条

【正解 ❹】

開発許可の手続

問題 15

都市計画法に関する次の記述のうち、正しいものはどれか。ただし、この問において条例による特別の定めはないものとし、「都道府県知事」とは、地方自治法に基づく指定都市、中核市及び施行時特例市にあってはその長をいうものとする。

[R5-問16]

❶ 開発許可を申請しようとする者は、あらかじめ、開発行為に関係がある公共施設の管理者と協議し、その同意を得なければならない。

❷ 開発許可を受けた者は、当該許可を受ける際に申請書に記載した事項を変更しようとする場合においては、都道府県知事に届け出なければならないが、当該変更が国土交通省令で定める軽微な変更に当たるときは、届け出なくてよい。

❸ 開発許可を受けた者は、当該開発行為に関する工事が完了し、都道府県知事から検査済証を交付されたときは、遅滞なく、当該工事が完了した旨を公告しなければならない。

❹ 市街化調整区域のうち開発許可を受けた開発区域以外の区域内において、自己の居住用の住宅を新築しようとする全ての者は、当該建築が開発行為を伴わない場合であれば、都道府県知事の許可を受けなくてよい。

日建学院・講師陣の必勝コメント

　法令上の制限では、❷のような"ひっかけ"出題がよくあります。「原則➡例外」という構造（何が原則か・何が例外か）を、常に意識して学習しましょう。

正答率　合格者 **86.6** %　不合格者 **50.2** %

❶ 正しい。**開発行為に「関係がある」公共施設の管理者➡協議＋同意。**
開発許可を申請する者は、あらかじめ、開発行為に関係がある公共施設の管理者（既存の公共施設の管理者）と協議し、その同意を得なければなりません。　　➡ 都市計画法32条

+α 開発行為などにより設置される公共施設を管理することとなる者（将来できる公共施設の予定管理者）とは、「協議」しなければならないものの、「同意」までを得る必要はありません。

❷ 誤り。**申請内容の変更は、原則➡許可必要、例外（軽微変更）➡届出が必要。**
開発許可を受けた者は、開発許可の申請書の記載事項の変更する場合には、原則として、都道府県知事の許可を受けなければなりません。ただし、「軽微な変更」（［例］工事の完了予定年・月・日の変更など）をしたときは、許可は不要ですが、遅滞なく、その旨を都道府県知事に届け出なければなりません。　　➡ 35条の2

+α 「開発許可が不要な開発行為」に変更する場合も、許可不要です。さらに、この場合は、届出も不要です。

❸ 誤り。**工事完了の公告➡都道府県知事が行う。**
都道府県知事は、検査済証を交付したときは、遅滞なく、当該工事が完了した旨を公告しなければなりません。したがって、工事完了の公告を行うのは、「開発許可を受けた者」ではありません。　　➡ 36条

❹ 誤り。**市街化調整区域内の開発区域外➡新築には、知事の許可が必要。**
市街化調整区域のうち開発許可を受けた開発区域以外の区域内では、原則として、都道府県知事の許可を受けなければ、建築物の新築・改築などをしてはなりません。　　➡ 43条

+α 本肢の許可は、市街化調整区域内で行う「開発行為を伴わない建築物の新築・改築」などに対する制限であり、開発許可とは別個の許可です。つまり、開発許可とは異なり、土地の造成などに対して行う制限ではありません。

【正解 ❶】

開発許可総合

問題 16 都市計画法に関する次の記述のうち、正しいものはどれか。ただし、この問において条例による特別の定めはないものとし、「都道府県知事」とは、地方自治法に基づく指定都市、中核市及び施行時特例市にあってはその長をいうものとする。　[R4-問16]

❶ 市街化区域内において、市街地再開発事業の施行として行う1haの開発行為を行おうとする者は、あらかじめ、都道府県知事の許可を受けなければならない。

❷ 区域区分が定められていない都市計画区域内において、博物館法に規定する博物館の建築を目的とした8,000㎡の開発行為を行おうとする者は、都道府県知事の許可を受けなくてよい。

❸ 自己の業務の用に供する施設の建築の用に供する目的で行う開発行為にあっては、開発区域内に土砂災害警戒区域等における土砂災害防止対策の推進に関する法律に規定する土砂災害警戒区域内の土地を含んではならない。

❹ 市街化調整区域内における開発行為について、当該開発行為が開発区域の周辺における市街化を促進するおそれがあるかどうかにかかわらず、都道府県知事は、開発審査会の議を経て開発許可をすることができる。

🖐 **日建学院・講師陣の必勝コメント**

　❷は「図書館・公民館」から類推できるとはいえ初出題で、❸は出題が予想された改正点ながらイジワルな"ひっかけ"、❹は、なんと**25年ぶり**(！)の出題でした。

　こうなると、❷〜❹で迷うのは許容範囲ですが、誰もが学習済みのはずの❶での判断ミスは、論外です。「○○事業の施行として行う開発行為は許可不要」という具合に"ざっくり整理"で、しっかり覚えておきましょう！

解 説 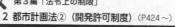『どこでも！学ぶ宅建士』第3編「法令上の制限」
2 都市計画法②（開発許可制度）（P424～）

正答率 合格者 63.8% 不合格者 41.3%

❶ 誤り。**市街地再開発事業の施行 ➡ 開発許可は不要。**
市街地再開発事業の施行として行う開発行為は、都道府県知事の許可（開発許可）を受ける必要はありません。 ➡ 都市計画法29条

❷ 正しい。**博物館 ➡ 開発許可は不要。**
博物館の建築を目的とする開発行為は、開発許可を受ける必要はありません。 ➡ 29条、施行令21条

❸ 誤り。**開発許可を受けられないのは、土砂災害「特別」警戒区域内。**
「主として、自己の居住用住宅の建築目的の開発行為」以外の開発行為（例えば、本肢の「自己の業務用施設の建築目的の開発行為」）については、原則として、開発区域内に、建築基準法上の「災害危険区域」、地すべり等防止法上の「地すべり防止区域」、土砂災害警戒区域等における土砂災害防止対策の推進に関する法律上の「土砂災害特別警戒区域」などの、**開発行為をするのに不適当な区域内の土地**（いわゆる災害レッドゾーン）を含まないこととする**開発許可基準があります。**
これに対して、本肢の「土砂災害警戒区域内の土地」は、この開発許可基準に違反しません。 ➡ 33条

❹ 誤り。**市街化調整区域内 ➡ 市街化を促進するおそれがない場合に限定。**
市街化調整区域に係る開発行為（主として第二種特定工作物の建設の用に供する目的で行う開発行為を除く）については、その開発行為が「都道府県知事が開発審査会の議を経て、開発区域の周辺における市街化を促進するおそれがなく、かつ、市街化区域内において行うことが困難または著しく不適当と認める開発行為」などの一定の場合に該当すると認める場合でなければ、都道府県知事は、開発許可をしてはなりません。
したがって、「開発区域の周辺における市街化を促進するおそれがない」ことも、開発許可の要件です。 ➡ 34条

【正解 ❷】

開発許可総合

問題 **17**

都市計画法に関する次の記述のうち、誤っているものはどれか。なお、この問において「都道府県知事」とは、地方自治法に基づく指定都市、中核市及び施行時特例市にあってはその長をいうものとする。

[R2(10)-問16]

❶ 開発許可を申請しようとする者は、あらかじめ、開発行為又は開発行為に関する工事により設置される公共施設を管理することとなる者と協議しなければならない。

❷ 都市計画事業の施行として行う建築物の新築であっても、市街化調整区域のうち開発許可を受けた開発区域以外の区域内においては、都道府県知事の許可を受けなければ、建築物の新築をすることができない。

❸ 開発許可を受けた開発行為により公共施設が設置されたときは、その公共施設は、工事完了の公告の日の翌日において、原則としてその公共施設の存する市町村の管理に属するものとされている。

❹ 開発許可を受けた者から当該開発区域内の土地の所有権を取得した者は、都道府県知事の承認を受けて、当該開発許可を受けた者が有していた当該開発許可に基づく地位を承継することができる。

解 説

『どこでも！学ぶ宅建士』
第3編「法令上の制限」

→ **2 都市計画法②（開発許可制度）**（P424〜）

正答率	合格者	75.6 %
	不合格者	46.4 %

❶ **正しい。開発行為により将来できる公共施設 ➡ その管理予定者と協議。**
　　開発許可を申請しようとする者は、あらかじめ、開発行為または開発行為に関する工事により設置される公共施設を管理することとなる者（管理予定者）等と協議しなければなりません。　　　　　　　　🔲 都市計画法32条

❷ **誤り。「都市計画事業の施行」として行う新築 ➡ 「例外」として許可不要。**
　　市街化調整区域のうち「開発許可を受けた開発区域」以外の区域内で、建築物の新築・改築・用途変更、第一種特定工作物の新設を行うには、原則として、都道府県知事の許可を受けなければなりません。しかし、それらを都市計画事業の施行として行う場合であれば、例外として、都道府県知事の許可は不要です。　　　　　　　　　　　　　　　　🔲 43条

❸ **正しい。設置された公共施設 ➡ 原則、市町村の管理。**
　　開発許可を受けた開発行為により公共施設が設置されたときは、その公共施設は、工事完了の公告の日の翌日において、①他の法律に基づく管理者が別にあるとき、②協議により管理者について別段の定めをしたときを除き、その公共施設が所在する市町村の管理に属します。　　　　🔲 39条

❹ **正しい。特定承継人 ➡ 知事の承認を受けて地位を承継。**
　　開発許可を受けた者から当該開発区域内の土地の所有権その他当該開発行為に関する工事を施行する権原を取得した者（特定承継人）は、都道府県知事の承認を受けて、当該開発許可を受けた者が有していた当該開発許可に基づく地位を承継することができます。　　　　　　　🔲 45条

開発許可総合

【正解 ❷】

443

問題 **18**

3階建て、延べ面積600㎡、高さ10mの建築物に関する次の記述のうち、建築基準法の規定によれば、正しいものはどれか。
[H22-問18]

❶ 当該建築物が木造であり、都市計画区域外に建築する場合は、確認済証の交付を受けなくとも、その建築工事に着手することができる。

❷ 用途が事務所である当該建築物の用途を変更して共同住宅にする場合は、確認を受ける必要はない。

❸ 当該建築物には、有効に避雷設備を設けなければならない。

❹ 用途が共同住宅である当該建築物の工事を行う場合において、2階の床及びこれを支持するはりに鉄筋を配置する工事を終えたときは、中間検査を受ける必要がある。

👆**日建学院・講師陣の必勝コメント**

　建築確認が必要な「**大規模な建築物**」については、「**大のビール党は、2階に大瓶200本**」（2階以上、延べ面積200㎡超）と、ゴロ合わせで覚えてしまいましょう。

解説　『どこでも！学ぶ宅建士』
第3編「法令上の制限」
3 建築基準法①（総則・単体規定）（P445〜）

① 誤り。「**大規模な建築物**」➡ **工事着手前に確認済証の交付を受ける。**

　　　階数が2以上、または延べ面積が200㎡を超える建築物（**大規模な建築物**）を建築する場合は、建築確認を受け、確認済証の交付を受けなければ、その建築工事に着手できません。

　　このことは、**都市計画区域の内外や建築物の構造**（木造・鉄骨造・鉄筋コンクリート造など）を問いません。

➡ 建築基準法6条

② 誤り。「**200㎡超**」の「**特殊建築物**」への用途変更➡ **建築確認必要。**

共同住宅は、特殊建築物に該当します。その用途に供する床面積が200㎡を超える特殊建築物に用途変更をする場合は、建築確認を受けなければなりません。

➡ 6条、87条、別表第一

③ 誤り。高さ「**20m超**」の建築物➡ **避雷設備が必要。**

高さ20mを超える建築物には、原則として、有効に避雷設備を設けなければなりません。本問の建築物は高さ10mですから、これに該当しません。

➡ 33条

④ 正しい。階数3以上の共同住宅➡ **中間検査が必要。**

階数が3以上である共同住宅の2階の床及びこれを支持するはりに鉄筋を配置する工事の工程を終えたときは、建築主事等の中間検査を受けなければなりません。

➡ 7条の3、施行令11条

建築確認

【**正解 ④**】

建築確認

問題 **19**

建築基準法に関する次の記述のうち、誤っているものはどれか。 [H27-問17]

❶ 防火地域及び準防火地域外において建築物を改築する場合で、その改築に係る部分の床面積の合計が10㎡以内であるときは、建築確認は不要である。

❷ 都市計画区域外において高さ12m、階数が3階の木造建築物を新築する場合、建築確認が必要である。

❸ 事務所の用途に供する建築物をホテル（その用途に供する部分の床面積の合計が500㎡）に用途変更する場合、建築確認は不要である。

❹ 映画館の用途に供する建築物で、その用途に供する部分の床面積の合計が300㎡であるものの改築をしようとする場合、建築確認が必要である。

❶ **正しい。防火・準防火地域外で10㎡以内の改築 ➡ 建築確認は不要。**

防火地域及び準防火地域外において建築物を増築・改築・移転しようとする場合で、その増築・改築・移転に係る部分の床面積の合計が10㎡以内であるときは、建築確認を受ける必要はありません。 　⊃ 建築基準法6条

❷ **正しい。「大規模な建築物」➡ 建築確認が必要。**

階数が2以上、または延べ面積が200㎡を超える建築物（大規模な建築物）を建築する場合には、建築確認を受ける必要があります。このことは、都市計画区域の内外や建築物の構造（木造・鉄骨造・鉄筋コンクリート造など）を問いません。

本肢の建築物は「階数が3」ですので、新築する場合に建築確認が必要となります。 　⊃ 6条

❸ **誤り。床面積「200㎡超」の特殊建築物に用途変更 ➡ 建築確認が必要。**

建築物の用途を変更して、床面積200㎡超の特殊建築物とする場合、建築確認を受ける必要があります。ホテルは特殊建築物であり、床面積500㎡のため、本肢の建築物については、建築確認が必要となります。

　⊃ 87条、6条、別表第一

❹ **正しい。床面積200㎡超の特殊建築物 ➡ 建築確認が必要。**

特殊建築物で、その用途に供する部分の床面積の合計が200㎡を超えるものを建築する場合には、建築確認を受ける必要があります。本肢の建築物については、映画館は特殊建築物であり、床面積が300㎡のため、建築確認が必要となります。 　⊃ 6条、別表第一

【正解 ❸】

高さ規制総合

 問題 **20** 建築基準法（以下この問において「法」という。）に関する次の記述のうち、正しいものはどれか。 [H18-問22]

❶ 第二種中高層住居専用地域内における建築物については、法第56条第１項第３号の規定による北側斜線制限は適用されない。

❷ 第一種低層住居専用地域及び第二種低層住居専用地域内における建築物については、法第56条第１項第２号の規定による隣地斜線制限が適用される。

❸ 隣地境界線上で確保される採光、通風等と同程度以上の採光、通風等が当該位置において確保されるものとして一定の基準に適合する建築物については、法第56条第１項第２号の規定による隣地斜線制限は適用されない。

❹ 法第56条の２第１項の規定による日影規制の対象区域は地方公共団体が条例で指定することとされているが、商業地域、工業地域及び工業専用地域においては、日影規制の対象区域として指定することができない。

解 説 『どこでも！学ぶ宅建士』
第3編「法令上の制限」
→ 4 建築基準法②（集団規定）（P466〜）

正答率　合格者 ── ％
不合格者 ── ％

❶ 誤り。「中高層住居専用地域」➡ 北側斜線制限の適用あり。

第一種・第二種中高層住居専用地域においては、日影規制が適用されるときを除いて、北側斜線制限が適用されます。　　　　➡ 建築基準法56条

❷ 誤り。「低層住居専用地域」➡ 隣地斜線制限の適用なし。

第一種・第二種低層住居専用地域、田園住居地域には、10mまたは12mの高さ制限がありますから、隣地斜線制限は適用されません。　　➡ 56条

❸ 誤り。隣地境界線から「一定距離の線上」と同程度以上確保 ➡ 斜線制限なし。

隣地境界線上ではなく、「隣地境界線からの水平距離が一定の線上の政令で定める位置」で確保される採光、通風等と同程度以上の採光、通風等が当該位置において確保されるものとして一定の基準に適合する建築物については、隣地斜線制限の適用はありません。　　　　➡ 56条

❹ 正しい。商業・工業・工業専用 ➡ 日影規制の適用なし。

日影規制は、商業地域、工業地域、工業専用地域以外の用途地域で、地方公共団体が条例で指定する区域に適用されます。したがって、商業地域、工業地域、工業専用地域は、日影規制の対象区域として指定できません。

➡ 56条の2

高さ規制総合

【正解 ❹】

用途制限

建築物の用途規制に関する次の記述のうち、建築基準法の規定によれば、誤っているものはどれか。ただし、用途地域以外の地域地区等の指定及び特定行政庁の許可は考慮しないものとする。 [H22-問19]

❶ 建築物の敷地が工業地域と工業専用地域にわたる場合において、当該敷地の過半が工業地域内であるときは、共同住宅を建築することができる。

❷ 準住居地域内においては、原動機を使用する自動車修理工場で作業場の床面積の合計が150㎡を超えないものを建築することができる。

❸ 近隣商業地域内において映画館を建築する場合は、客席の部分の床面積の合計が200㎡未満となるようにしなければならない。

❹ 第一種低層住居専用地域内においては、高等学校を建築することはできるが、高等専門学校を建築することはできない。

日建学院・講師陣の必勝コメント

❷は細かすぎるので、気にする必要はありません。用途制限に関しては、基本テキスト等の「○×表」などで、覚えやすいものから覚えれば OK です。

解 説 『どこでも！学ぶ宅建士』
第3編「法令上の制限」
➡ 4 建築基準法②（集団規定）（P471～）

正
答
率

| 合格者 | 47.8 % |
| 不合格者 | 26.0 % |

❶ 正しい。用途制限 ➡ 「過半主義」が適用される。

 建築物の敷地が用途制限の異なる地域にわたる場合、その建築物またはその敷地の全部について敷地の過半の属する地域の用途制限が適用されます（過半主義）。共同住宅は、工業専用地域では建築できませんが、工業地域では建築できます。したがって、敷地の過半が工業地域内にあれば、共同住宅を建築できます。　　　　　　　　　　　➡ 建築基準法91条、48条、別表第二

❷ 正しい。150㎡以内の自動車修理工場 ➡ 準住居地域で建築可。

 準住居地域内においては、原動機を使用する工場で作業場の床面積の合計が50㎡を超えるものを建築できませんが、作業場の床面積の合計が150㎡を超えない「自動車修理工場」は、例外として建築できます。

➡ 48条、別表第二

❸ 誤り。「近隣商業地域」 ➡ 「200㎡以上」の映画館が建築可。

劇場、映画館、演芸場または観覧場のうち客席部分の床面積の合計が200㎡以上のものまたはナイトクラブ等でその床面積の合計が200㎡以上のものは、準住居地域内では建築ができませんが、近隣商業地域内では建築できます。　　　　　　　　　　　　　　　　　　　　　　　➡ 48条、別表第二

❹ 正しい。低層住専 ➡ 高校は建築可、高等専門学校は不可。

第一種・第二種低層住居専用地域または田園住居地域内では、小学校、中学校、高等学校は建築できますが、高等専門学校や大学は建築できません。

➡ 48条、別表第二

用途制限

【正解 ❸】

451

集団規定総合

問題 **22**

建築基準法に関する次の記述のうち、誤っているものはどれか。 [H16-問20]

❶ 建築物の敷地が第一種住居地域と近隣商業地域にわたる場合、当該敷地の過半が近隣商業地域であるときは、その用途について特定行政庁の許可を受けなくとも、カラオケボックスを建築することができる。

❷ 建築物が第二種低層住居専用地域と第一種住居地域にわたる場合、当該建築物の敷地の過半が第一種住居地域であるときは、北側斜線制限が適用されることはない。

❸ 建築物の敷地が、都市計画により定められた建築物の容積率の限度が異なる地域にまたがる場合、建築物が一方の地域内のみに建築される場合であってもその容積率の限度は、それぞれの地域に属する敷地の部分の割合に応じて按分計算により算出された数値となる。

❹ 建築物が防火地域及び準防火地域にわたる場合、建築物が防火地域外で防火壁により区画されているときは、その防火壁外の部分については、準防火地域の規制に適合させればよい。

解　説　　『どこでも！学ぶ宅建士』
第3編「法令上の制限」
➡ 4 建築基準法② （集団規定） （P459〜）

正答率	合格者	―	％
	不合格者	―	％

❶ 正しい。用途制限 ➡ 「過半主義」が適用される。

建築物の敷地が異なる地域にわたる場合の用途制限については、敷地の過半に属する用途地域の制限にその敷地全体が服することになります（過半主義）。したがって、本肢の敷地には、近隣商業地域の用途制限が適用されるため、カラオケボックスを建築できます。　　　　➡ 建築基準法48条、91条

❷ 誤り。斜線制限 ➡ 「過半主義」の適用なし。

第二種低層住居専用地域では、北側斜線制限が適用されますが、第一種住居地域には適用されません。そして、建築物の敷地が異なる地域にわたる場合でも、斜線制限は過半主義をとらないため、第二種低層住居専用地域にかかる建物の部分には、北側斜線制限が適用されます。　　　　➡ 91条、56条

❸ 正しい。容積率 ➡ 面積の割合で計算する。

建築物の敷地が容積率の限度が異なる地域にまたがる場合は、敷地内の建築物の位置にかかわらず、それぞれの地域に属する敷地の部分の割合に応じて、按分計算によって容積率の限度を算出します。　　　　➡ 52条

❹ 正しい。防火壁の外 ➡ その「外側の規制」による。

建築物が防火地域及び準防火地域にわたる場合は、原則として、その建築物全部について、厳しいほうである防火地域の規制が適用されます。しかし、建築物が防火地域外において防火壁で区画されている場合、その防火壁外の部分については、準防火地域内の建築物に関する規定が適用されます。　　　　➡ 67条

集団規定総合

攻略POINT 建築物が防火地域等の内外にわたる場合

Cは、やや細かい知識ですので、AとBを優先して覚えましょう。

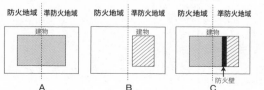

A：全部が防火地域の規制を受ける。
B：全部が準防火地域の規制を受ける。
C：防火壁外は準防火地域の規制、その他は防火地域の規制を受ける。

【正解 ❷】

集団規定総合

<table>
<tr><td>問題 23</td><td>建築基準法（以下この問において「法」という。）に関する次の記述のうち、誤っているものはどれか。 [H25-問18改]</td></tr>
</table>

❶ 地方公共団体は、延べ面積が1,000㎡を超える建築物の敷地が接しなければならない道路の幅員について、条例で、避難又は通行の安全の目的を達するために必要な制限を付加することができる。

❷ 建蔽率の限度が10分の8とされている地域内で、かつ、防火地域内にある耐火建築物等については、建蔽率の制限は適用されない。

❸ 建築物が第二種中高層住居専用地域及び近隣商業地域にわたって存する場合で、当該建築物の過半が近隣商業地域に存する場合には、当該建築物に対して法第56条第1項第3号の規定（北側斜線制限）は適用されない。

❹ 建築物の敷地が第一種低層住居専用地域及び準住居地域にわたる場合で、当該敷地の過半が準住居地域に存する場合には、作業場の床面積の合計が100㎡の自動車修理工場は建築可能である。

❶ **正しい。道路の幅員➡条例で制限を付加できる。**

地方公共団体は、延べ面積が1,000㎡を超えるなどの一定の建築物の敷地が接しなければならない道路の幅員、その敷地が道路に接する部分の長さその他その敷地または建築物と道路との関係については、条例で、避難または通行の安全の目的を十分に達し難いと認める場合において**必要な制限を付加**できます。　　　　　　　　　　　　　　➡ 建築基準法43条

❷ **正しい。「8／10」＋「防火」＋「耐火等」➡建蔽率制限は不適用。**

建蔽率の限度が8／10とされている地域内で、かつ、防火地域内にある耐火建築物等には、建蔽率の制限は適用されません（＝100％となる）。　➡ 53条

❸ **誤り。「建築物の部分ごと」に、斜線制限が適用されるか判断する。**

建築物が斜線制限の異なる複数の地域、区域にわたる場合には、それぞれに属する部分について斜線制限が適用されます。したがって、本肢の建築物の第二種中高層住居専用地域内の部分については、北側斜線制限が適用されます。　　　　　　　　　　　　　　　　　　　　　　➡ 56条

❹ **正しい。用途制限には、過半主義が適用される。**

建築物の敷地が異なる用途地域にまたがる場合、建築物の用途制限については、敷地の過半が属する地域の制限が適用されます。準住居地域においては、作業場の床面積の合計が150㎡を超えない自動車修理工場を建築できます。したがって、敷地の過半が準住居地域に存する場合、作業場の床面積の合計が100㎡の自動車修理工場を建築できます。　➡ 91条、48条、別表第二

攻略POINT **建蔽率の規制**

商業地域の原則である「8／10」だけは、必ず覚えておきましょう。

	原 則	①指定角地	②防火＋耐火等	③準防火＋耐火等・準耐火等	「①」＋「②③」
商業地域	$\frac{8}{10}$	＋$\frac{1}{10}$	規制なし	＋$\frac{1}{10}$	規制なし
商業地域以外の用途地域	それぞれの用途地域による（都市計画で決定）	＋$\frac{1}{10}$	＋$\frac{1}{10}$ ＊注	＋$\frac{1}{10}$	＋$\frac{2}{10}$
用途無指定区域	$\frac{3 \cdot 4 \cdot 5 \cdot 6 \cdot 7}{10}$ から特定行政庁が定める	＋$\frac{1}{10}$	＋$\frac{1}{10}$	＋$\frac{1}{10}$	＋$\frac{2}{10}$

＊注：建蔽率が8／10とされた地域で、かつ防火地域内にある耐火建築物等には、建蔽率の規制は適用されない

【正解 ❸】

集団規定総合

集団規定総合

建築基準法（以下この問において「法」という。）に関する次の記述のうち、正しいものはどれか。　　　　[H29-問19改]

❶　都市計画区域又は準都市計画区域内における用途地域の指定のない区域内の建築物の建蔽率の上限値は、原則として、法で定めた数値のうち、特定行政庁が土地利用の状況等を考慮し当該区域を区分して都道府県都市計画審議会の議を経て定めるものとなる。

❷　第二種中高層住居専用地域内では、原則として、ホテル又は旅館を建築することができる。

❸　幅員4m以上であり、法が施行された時点又は都市計画区域若しくは準都市計画区域に入った時点で現に存在する道は、特定行政庁の指定がない限り、法上の道路とはならない。

❹　建築物の前面道路の幅員により制限される容積率について、前面道路が2つ以上ある場合には、これらの前面道路の幅員の最小の数値（12m未満の場合に限る。）を用いて算定する。

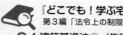

解 説

『どこでも！学ぶ宅建士』
第3編「法令上の制限」
→ 4 建築基準法②（集団規定）（P452〜）

| 正答率 | 合格者 | 62.4 % |
| 不合格者 | 35.4 % |

❶ 正しい。用途地域無指定区域の建蔽率 ➡ 特定行政庁が定める。

用途地域の指定のない区域内の建築物の建蔽率は、3／10、4／10、5／10、6／10または7／10のうち、特定行政庁が土地利用の状況等を考慮し当該区域を区分して都道府県都市計画審議会の議を経て定めるものになります。

➡ 建築基準法53条

❷ 誤り。ホテル・旅館は、第二種中高層住居専用地域では建築不可。

第二種中高層住居専用地域内においては、特定行政庁が許可した場合を除き、ホテルまたは旅館を建築することはできません。 ➡ 48条、別表第二

❸ 誤り。幅員4m以上で集団規定適用時に現に存する道 ➡ 「道路」。

都市計画区域・準都市計画区域の指定・変更などにより集団規定（建築基準法第3章の規定）が適用される際に現に存在する道で、原則、幅員4m以上のものは、建築基準法上の「道路」に該当します。この場合、特定行政庁の指定は必要ありません。 ➡ 42条

❹ 誤り。前面道路が2以上ある場合には、「最大」の幅員を用いる。

前面道路（前面道路が2以上あるときは、その幅員の最大のもの）の幅員が12m未満である建築物の容積率は、当該前面道路の幅員の「メートル」の数値に、一定の数値を乗じたもの以下でなければなりません。したがって、前面道路が2つ以上ある場合には、幅員の「最大」の数値を用いて算定します。 ➡ 52条

集団規定総合

【正解 ❶】

集団規定総合

 建築基準法（以下この問において「法」という。）に関する次の記述のうち、誤っているものはどれか。 [H30-問19]

❶ 田園住居地域内においては、建築物の高さは、一定の場合を除き、10m又は12mのうち当該地域に関する都市計画において定められた建築物の高さの限度を超えてはならない。

❷ 一の敷地で、その敷地面積の40％が第二種低層住居専用地域に、60％が第一種中高層住居専用地域にある場合は、原則として、当該敷地内には大学を建築することができない。

❸ 都市計画区域の変更等によって法第３章の規定が適用されるに至った際現に建築物が立ち並んでいる幅員２ｍの道で、特定行政庁の指定したものは、同章の規定における道路とみなされる。

❹ 容積率規制を適用するに当たっては、前面道路の境界線又はその反対側の境界線からそれぞれ後退して壁面線の指定がある場合において、特定行政庁が一定の基準に適合すると認めて許可した建築物については、当該前面道路の境界線又はその反対側の境界線は、それぞれ当該壁面線にあるものとみなす。

正答率	合格者	84.6 %
	不合格者	59.2 %

❶ 正しい。**田園住居地域 ➡ 建築物の高さは10mまたは12m。**

　第一種低層住居専用地域、第二種低層住居専用地域または田園住居地域内においては、建築物の高さは、原則として10mまたは12mのうち当該地域に関する都市計画において定められた建築物の高さの限度を超えてはなりません。　　　　　　　　　　　　　　　　　　　　　　　➡ 建築基準法55条

❷ 誤り。**敷地が複数の地域にわたる ➡ 「過半」の属する地域の用途規制。**

　建築物の敷地が建築基準法による一定の規制が異なる複数の地域にわたる場合は、その建築物またはその敷地の全部について敷地の過半の属する地域の用途規制を適用します。ですから、本肢の場合は、過半の属する第一種中高層住居専用地域の用途規制を適用します。したがって、大学を建築することは可能です。　　　　　　　　　　　　　➡ 91条、48条、別表第二

❸ 正しい。**幅員４m未満の道でも一定の場合、道路とみなされる。**

　都市計画区域もしくは準都市計画区域の指定・変更または条例の制定・改正によって集団規定が適用されるに至った際現に建築物が立ち並んでいる幅員４m未満の道で、特定行政庁の指定したものは、道路とみなされます。いわゆる「２項道路」と呼ばれるものです。　　　　　　　　　　　➡ 42条

❹ 正しい。**境界線は壁面線にあるとみなして容積率規制を適用。**

　前面道路の境界線またはその反対側の境界線からそれぞれ後退して壁面線の指定がある場合において、特定行政庁が許可した建築物については、当該前面道路の境界線またはその反対側の境界線は、それぞれ当該壁面線にあるものとみなして、容積率の規制を適用します。　　　　　　➡ 52条

攻略POINT 敷地等が異なる地域等にわたる場合

　次の表で、「敷地等が複数の区域等にわたる場合」での違いをチェックしておきましょう。

用途制限	敷地の過半が属する用途地域の規制に服する
建蔽率・容積率	敷地が複数の区域にわたる場合は、按分計算をして混ぜ合わせた数値が適用される
防火地域・準防火地域	建築物が防火地域・準防火地域・無指定区域にわたる場合は、より厳しいほうの規制が適用される
斜線制限・日影規制	敷地が異なる区域にわたる場合は、それぞれの区域に属する建物の部分ごとに適用される

【正解 ❷】

集団規定総合

問題 **26** 次の記述のうち、建築基準法（以下この問において「法」という。）の規定によれば、誤っているものはどれか。　[R2⑿-問18]

❶ 建築物の壁又はこれに代わる柱は、地盤面下の部分又は特定行政庁が建築審査会の同意を得て許可した歩廊の柱その他これに類するものを除き、壁面線を越えて建築してはならない。

❷ 特別用途地区内においては、地方公共団体は、その地区の指定の目的のために必要と認める場合は、国土交通大臣の承認を得て、条例で、法第48条第1項から第13項までの規定による用途制限を緩和することができる。

❸ 都市計画により建蔽率の限度が10分の8と定められている準工業地域においては、防火地域内にある耐火建築物については、法第53条第1項から第5項までの規定に基づく建蔽率に関する制限は適用されない。

❹ 田園住居地域内の建築物に対しては、法第56条第1項第3号の規定（北側斜線制限）は適用されない。

日建学院・講師陣の必勝コメント

　「正答率データ」によると、合格者と不合格者の差が大きい問題です。❹について、「田園住居地域内の斜線制限＝第一種・第二種低層住居専用地域内の斜線制限」と理解できているかどうかが、合否の分岐点です。この知識の軸がしっかりしていれば、❷❸あたりでウロウロ迷うことはありません。

『どこでも！学ぶ宅建士』
第3編「法令上の制限」

➡ 4 建築基準法② （集団規定）（P456～）

❶ **正しい。建築物の壁・柱 ➡ 原則として、壁面線を越えてはならない。**

建築物の壁・これに代わる柱または高さ2mを超える門・塀は、地盤面下の部分または特定行政庁が建築審査会の同意を得て許可した歩廊の柱などを除き、壁面線を越えて建築してはなりません。　➡ 建築基準法47条

❷ **正しい。特別用途地区 ➡ 大臣の承認を得て、条例で用途制限を緩和できる。**

特別用途地区内においては、地方公共団体は、その地区の指定の目的のために必要と認める場合においては、国土交通大臣の承認を得て、条例で、用途制限の規定による制限を緩和することができます。　➡ 49条

❸ **正しい。「建蔽率8／10地域」の防火地域内の耐火建築物等 ➡ 建蔽率は不適用。**

建蔽率の限度が8／10とされている地域内で、防火地域内にある耐火建築物等については、建蔽率の制限は適用されません。　➡ 53条

❹ **誤り。田園住居地域でも、北側斜線制限は適用される。**

北側斜線制限は、「第一種・第二種低層住居専用地域、田園住居地域」内、「第一種・第二種中高層住居専用地域」内の建築物（第一種・第二種中高層住居専用地域については、日影規制の対象区域を除く）に適用されます。したがって、田園住居地域内の建築物に対しても、北側斜線制限は適用されます。　➡ 56条

集団規定総合

【正解 ❹ 】

集団規定総合

問題 27 次の記述のうち、建築基準法（以下この問において「法」という。）の規定によれば、正しいものはどれか。 [R5-問18]

❶ 法第53条第1項及び第2項の建蔽率制限に係る規定の適用については、準防火地域内にある準耐火建築物であり、かつ、街区の角にある敷地又はこれに準ずる敷地で特定行政庁が指定するものの内にある建築物にあっては同条第1項各号に定める数値に10分の2を加えたものをもって当該各号に定める数値とする。

❷ 建築物又は敷地を造成するための擁壁は、道路内に、又は道路に突き出して建築し、又は築造してはならず、地盤面下に設ける建築物においても同様である。

❸ 地方公共団体は、その敷地が袋路状道路にのみ接する建築物であって、延べ面積が150㎡を超えるものについては、一戸建ての住宅であっても、条例で、その敷地が接しなければならない道路の幅員、その敷地が道路に接する部分の長さその他その敷地又は建築物と道路との関係に関して必要な制限を付加することができる。

❹ 冬至日において、法第56条の2第1項の規定による日影規制の対象区域内の土地に日影を生じさせるものであっても、対象区域外にある建築物であれば一律に、同項の規定は適用されない。

日建学院・講師陣の必勝コメント

　❶❷❹の基礎知識が不十分な受験生は、やや細かいひっかけの❸でドボン…という目に遭います。逆にいえば、基礎知識に漏れさえなければ、ニョキッと頭ひとつ抜け出ることができる問題です。

解説

『どこでも！学ぶ宅建士』
第3編「法令上の制限」
→ 4 建築基準法②（集団規定）（P452～）

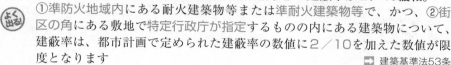

正答率　合格者 **63.0** %　不合格者 **32.5** %

❶ **正しい。準防火地域内の準耐火建築物＋指定角地 ➡ 建蔽率が 2／10緩和。**
①準防火地域内にある耐火建築物等または準耐火建築物等で、かつ、②街区の角にある敷地で特定行政庁が指定するものの内にある建築物について、建蔽率は、都市計画で定められた建蔽率の数値に 2／10 を加えた数値が限度となります
➡ 建築基準法53条

❷ **誤り。地盤面下に設ける建築物 ➡ 道路内・道路に突き出して建築可。**
建築物または敷地を造成するための擁壁は、原則として、道路内に、または道路に突き出して建築・築造してはなりません。ただし、地盤面下に設ける建築物などであれば、例外として道路内に、または道路に突き出して建築できます。
➡ 44条

❸ **誤り。条例による制限付加 ➡ 袋路状道路の場合、一戸建て住宅は除外。**
地方公共団体は、その敷地が袋路状道路（その一端のみが他の道路に接続した道路）にのみ接する建築物で、延べ面積が150㎡を超えるものについて、その用途・規模・位置の特殊性により、接道義務の規定によっては避難・通行の安全の目的を十分に達成することが困難であると認めるときは、条例で、その敷地または建築物と道路との関係に関して必要な制限を付加できるのが原則です。しかし、本肢のような「一戸建ての住宅」については、例外となります。
➡ 43条

❹ **誤り。対象区域外の建築物 ➡ 一定の条件下で日影規制が適用される。**
日影規制の規定が適用されるのは、原則として、地方公共団体の条例で指定する対象区域内の建築物に限られます。しかし、対象区域外にある高さが10mを超える建築物で、冬至日において、対象区域内の土地に日影を生じさせるものは、当該対象区域内にある建築物とみなして、日影規制の規定が適用されます。
➡ 56条の2

集団規定総合

【正解 ❶】

建築基準法総合

問題 28 建築基準法に関する次の記述のうち、正しいものはどれか。

[H24-問18改]

❶ 建築基準法の改正により、現に存する建築物が改正後の建築基準法の規定に適合しなくなった場合、当該建築物は違反建築物となり、速やかに改正後の建築基準法の規定に適合させなければならない。

❷ 事務所の用途に供する建築物を、飲食店（その床面積の合計250㎡）に用途変更する場合、建築確認を受けなければならない。

❸ 住宅の居室には、原則として、換気のための窓その他の開口部を設け、その換気に有効な部分の面積は、その居室の床面積に対して、25分の1以上としなければならない。

❹ 建築主事又は建築副主事は、建築主から建築物の確認（建築副主事の確認にあっては、大規模建築物以外の建築物に係るものに限る。）の申請を受けた場合において、申請に係る建築物の計画が建築基準法令の規定に適合しているかを審査すれば足り、都市計画法等の建築基準法以外の法律の規定に適合しているかは審査の対象外である。

解説

正答率	合格者	88.5 %
	不合格者	72.3 %

❶ 誤り。既存不適格建築物 ➡ 適用が除外される。

建築基準法の改正により、現に存する建築物が規定に適合しなくなった場合、当該建築物に対しては、改正後の規定は適用されません。

➡ 建築基準法3条

❷ 正しい。200㎡超の特殊建築物に変更 ➡ 建築確認が必要。

特殊建築物で、その用途に供する部分の床面積の合計が200㎡を超えるものに用途を変更する場合には、建築確認が必要です。　➡ 87条、6条

❸ 誤り。換気のための開口部 ➡ 床面積の「1／20以上」。

居室には原則として、換気のための窓その他の開口部を設け、その換気に有効な部分の面積は、その居室の床面積に対して、1／20以上としなければなりません。

➡ 28条

❹ 誤り。建築基準法以外の法令等についても、適合しているか審査する。

建築主事等（建築主事または建築副主事）は、建築確認（建築副主事による確認は、大規模建築物以外の建築物に関するものに限る）の申請を受けた場合には、「建築基準関係規定」に適合しているかを審査します。そして、その「建築基準関係規定」には、建築基準法のほか、都市計画法や、宅地造成・盛土等規制法などを含みます。　➡ 6条、施行令9条

> **＋α** 試験対策としてはかなり細かい知識ですが、本肢解説中の「大規模建築物」とは、「建築士法3条1項各号に掲げる建築物」（新築する場合に、その設計・工事監理が一級建築士に限定される一定の建築物）をいいます。

建築基準法総合

【正解 ❷】

建築基準法総合

建築基準法に関する次の記述のうち、正しいものはどれか。

[H24-問19改]

❶ 街区の角にある敷地又はこれに準ずる敷地内にある建築物の建蔽率については、特定行政庁の指定がなくとも都市計画において定められた建蔽率の数値に10分の1を加えた数値が限度となる。

❷ 第一種低層住居専用地域、第二種低層住居専用地域又は田園住居地域内においては、建築物の高さは、12m又は15mのうち、当該地域に関する都市計画において定められた建築物の高さの限度を超えてはならない。

❸ 用途地域に関する都市計画において建築物の敷地面積の最低限度を定める場合においては、その最低限度は200㎡を超えてはならない。

❹ 建築協定区域内の土地の所有者等は、特定行政庁から認可を受けた建築協定を変更又は廃止しようとする場合においては、土地所有者等の過半数の合意をもってその旨を定め、特定行政庁の認可を受けなければならない。

日建学院・講師陣の必勝コメント

　出題当時、❹の建築協定の「変更」は初出題、「廃止」も27年ぶりの出題でしたので、対応できなくてもやむを得なかったものの、それ以外は、今も変わらず基本知識です。❶〜❸だけで勝負を決めることができるようにしましょう。

❶ 誤り。「特定行政庁指定」の角地 ➡ 建蔽率は 1 ／10加算される。

街区の角にある敷地またはこれに準ずる敷地で特定行政庁が指定するものの内にある建築物については、建蔽率の制限が 1 ／10緩和（プラス）されます。したがって、特定行政庁による指定が必要です。 ➡ 建築基準法53条

❷ 誤り。「10m」または12mのうち、都市計画で定められた数値が限度。

第一種低層住居専用地域、第二種低層住居専用地域または田園住居地域内においては、建築物の高さは、原則として、10mまたは12mのうち当該地域に関する都市計画において定められた建築物の高さの限度を超えてはなりません。 ➡ 55条

❸ 正しい。敷地面積の最低限度は200㎡を超えない範囲で定める。

都市計画において建築物の敷地面積の最低限度を定める場合においては、その最低限度は、200㎡を超えることができません。 ➡ 53条の2

❹ 誤り。建築協定を「変更」する場合には「全員」の合意が必要。

建築協定を廃止しようとする場合においては、土地の所有者等の過半数の合意をもってその旨を定める必要があります。一方、変更しようとする場合においては、土地の所有者等の全員の合意をもってその旨を定める必要があります。 ➡ 74条、70条、76条

建築基準法総合

【正解 ❸ 】

建築基準法総合

建築基準法に関する次の記述のうち、正しいものはどれか。

[H26-問17改]

❶ 住宅の地上階における居住のための居室には、採光のための窓その他の開口部を設け、その採光に有効な部分の面積は、原則として、その居室の床面積に対して７分の１以上としなければならないが、床面において50ルックス以上の照度を確保することができるよう照明設備を設置している居室については、その居室の床面積に対して10分の１以上であればよい。

❷ 建築確認の対象となり得る工事は、建築物の建築、大規模の修繕及び大規模の模様替であり、建築物の移転は対象外である。

❸ 高さ15mの建築物には、周囲の状況によって安全上支障がない場合を除き、有効に避雷設備を設けなければならない。

❹ 準防火地域内において建築物の屋上に看板を設ける場合は、その主要な部分を不燃材料で造り、又は覆わなければならない。

解 説

『どこでも！学ぶ宅建士』
第3編「法令上の制限」
➡ 3 建築基準法①（総則・単体規定）（P440〜）

正答率

| 合格者 | 81.8 % |
| 不合格者 | 49.4 % |

❶ **正しい。採光のための開口部 ➡ 原則、床面積の1／7以上。ただし例外あり。**

住宅などの地上階における居室には、原則として、採光のための窓その他
の開口部を設け、その採光に有効な部分の面積は、その居室の床面積に対
して、住宅の場合は1／7以上としなければなりません。ただし、住宅の
居住のための居室のうち、床面において50ルックス以上の照度を確保する
ことができるよう照明設備を設置している居室については、採光に有効な
部分の面積は、居室の床面積に対して1／10以上であれば足ります。

➡ 建築基準法28条、施行令19条、旧建設省告示・国土交通省告示

❷ **誤り。建築物の移転も「建築」に含まれる。**

「建築」とは、建築物を新築し、増築し、改築し、または移転することを
いいます。そして、一定の建築物の建築は建築確認の対象となっています
から、移転も、建築確認の対象です。 ➡ 建築基準法2条、6条

❸ **誤り。高さ「20m超」 ➡ 原則として避雷設備が必要。**

高さ20mを超える建築物には、原則として、有効に避雷設備を設けなけれ
ばなりません。したがって、本肢の高さ15mの建築物には、避雷設備を設
ける必要はありません。 ➡ 33条

❹ **誤り。「準」防火地域 ➡ 看板等を不燃材料で造るなどの規制なし。**

「防火地域内」にある看板、広告塔、装飾塔などで、建築物の屋上に設け
るものまたは高さ3mを超えるものは、その主要な部分を不燃材料で造り、
または覆わなければなりません。しかし、準防火地域内には、このような
規定はありません。 ➡ 64条

建築基準法総合

【正解 ❶】

建築基準法総合

建築基準法に関する次の記述のうち、誤っているものはどれか。 [H27-問18改]

❶ 建築物の容積率の算定の基礎となる延べ面積には、エレベーターの昇降路の部分又は共同住宅若しくは老人ホーム等の共用の廊下若しくは階段の用に供する部分の床面積は、一定の場合を除き、算入しない。

❷ 建築物の敷地が建蔽率に関する制限を受ける地域又は区域の2以上にわたる場合においては、当該建築物の建蔽率は、当該各地域又は区域内の建築物の建蔽率の限度の合計の2分の1以下でなければならない。

❸ 地盤面下に設ける建築物については、道路内に建築することができる。

❹ 建築協定の目的となっている建築物に関する基準が建築物の借主の権限に係る場合においては、その建築協定については、当該建築物の借主は、土地の所有者等とみなす。

解説 『どこでも！学ぶ宅建士』
第3編「法令上の制限」
4 建築基準法①（P440～）、②（P452～）

 正答率　合格者 **88.0** %　不合格者 **54.0** %

❶ **正しい。昇降機の昇降路、共同住宅等の共用の廊下・階段 ➡ 不算入。**

 建築物の容積率の算定の基礎となる延べ面積には、政令で定める昇降機（エレベーター）の昇降路の部分または共同住宅もしくは老人ホーム等の共用の廊下もしくは階段の用に供する部分の床面積は、算入しません。

➡ 建築基準法52条、施行令135条の16

❷ **誤り。建蔽率 ➡ 面積の割合で計算する。**

建築物の敷地が建蔽率の限度が異なる地域・区域にまたがる場合は、それぞれの地域・区域に属する敷地の部分の割合に応じて、**按分計算**によって建蔽率の限度を計算します。したがって、「それぞれの地域の建蔽率の合計の1／2以下」になるわけではありません。　➡ 建築基準法53条

❸ **正しい。地盤面下に設ける建築物 ➡ 道路内に建築可。**

建築物または敷地を造成するための擁壁は、道路内に、または道路に突き出して建築・築造してはなりません。ただし、地盤面下に設ける建築物は建築できます。　➡ 44条

❹ **正しい。建築物の借主の権限に係る ➡ 借主を所有者等とみなす。**

 建築協定の目的となっている建築物に関する基準が建築物の借主の権限に係る場合においては、その建築協定については、当該建築物の借主は、土地の所有者等とみなします。　➡ 77条

【正解 ❷】

建築基準法総合

重要ランク **S**

問題 32

建築基準法に関する次の記述のうち、正しいものはどれか。

[H28-問18改]

① 防火地域にある建築物で、外壁が耐火構造のものについては、その外壁を隣地境界線に接して設けることができる。

② 高さ30mの建築物には、原則として非常用の昇降機を設けなければならない。

③ 準防火地域内においては、延べ面積が2,000㎡の共同住宅は準耐火建築物等としなければならない。

④ 延べ面積が1,000㎡を超える耐火建築物は、防火上有効な構造の防火壁又は防火床によって有効に区画し、かつ、各区画の床面積の合計をそれぞれ1,000㎡以内としなければならない。

日建学院・講師陣の必勝コメント

「正答率データ」によると、合格者と不合格者の差が大きい問題です。なお、解答分布を見ると、不合格者層では、①～④のすべてで、本来の正誤と逆に判断している受験生が相当数いるのが特徴的でした。

要するに、建築基準法では、数字を含む専門知識をしっかり仕込んでおかないとまったく太刀打ちできない、ということです。

解 説 『どこでも！学ぶ宅建士』
第3編「法令上の制限」
→ 3 建築基準法①（P442～、464～）

正答率　合格者 **92.3**％　不合格者 **56.3**％

❶ **正しい。防火・準防火地域で外壁が耐火 ➡ 隣地境界線に接してOK。**
防火地域または準防火地域内にある建築物で、外壁が耐火構造のものについては、その外壁を隣地境界線に接して設けることができます。
📕 建築基準法63条

❷ **誤り。高さ「31mを超える」建築物 ➡ 非常用の昇降機が必要。**
高さ31mを超える建築物には、原則として、非常用の昇降機を設けなければなりません。
📕 34条

❸ **誤り。準防火地域内で階数4以上または1,500㎡超 ➡ 耐火建築物等。**
準防火地域内においては、地階を除く階数が4以上である建築物または延べ面積が1,500㎡を超える建築物は、原則として、耐火建築物等としなければなりません。
📕 61条、施行令136条の2

❹ **誤り。「耐火・準耐火建築物」 ➡ 防火壁または防火床による区画は不要。**
延べ面積が1,000㎡を超える建築物は、防火上有効な構造の防火壁または防火床によって有効に区画し、かつ、各区画の床面積の合計をそれぞれ1,000㎡以内としなければなりません。しかし、耐火建築物または準耐火建築物については、この規定は適用されません。
📕 26条

攻略POINT 「耐火建築物等」の覚え方 ──────

❸の「耐火建築物等にすべき建築物」は、ゴロ合わせで覚えましょう。

「サイコーのヨイコチャン」
- 防火地域 ➡ 3階以上、延べ面積100㎡超
- 準防火地域 ➡ 4階以上、延べ面積1,500㎡超

【正解 ❶ 】

建築基準法総合

建築基準法総合

問題 **33** 建築基準法に関する次の記述のうち、誤っているものはどれか。 [R元-問17]

❶ 特定行政庁は、緊急の必要がある場合においては、建築基準法の規定に違反した建築物の所有者等に対して、仮に、当該建築物の使用禁止又は使用制限の命令をすることができる。

❷ 地方公共団体は、条例で、津波、高潮、出水等による危険の著しい区域を災害危険区域として指定することができ、当該区域内における住居の用に供する建築物の建築の禁止その他建築物の建築に関する制限で災害防止上必要なものは当該条例で定めることとされている。

❸ 防火地域内にある看板で建築物の屋上に設けるものは、その主要な部分を不燃材料で造り、又は覆わなければならない。

❹ 共同住宅の住戸には、非常用の照明装置を設けなければならない。

日建学院・講師陣の必勝コメント

　建築基準法は、本問のような**総合問題**が最もよく出題されます。考えをあちこちめぐらすことができるように、早めに慣れておきましょう。

正答率	合格者	50.7 %
	不合格者	38.1 %

解説

『どこでも！学ぶ宅建士』
第3編「法令上の制限」
➡ 3 建築基準法①（総則・単体規定）(P440〜)

❶ **正しい。緊急の場合、特定行政庁は使用禁止または使用制限の命令可。**

特定行政庁は、緊急の必要がある場合においては、建築基準法令の規定に違反した建築物の所有者等に対して、仮に、使用禁止または使用制限の命令ができます。　　　　　　　　　　　　　　　　　　➡ 建築基準法9条

❷ **正しい。地方公共団体は災害危険区域を指定し、建築制限を定める。**

地方公共団体は、条例で、津波、高潮、出水等による危険の著しい区域を災害危険区域として指定できます。そして、災害危険区域内における住居の用に供する建築物の建築の禁止その他建築物の建築に関する制限で災害防止上必要なものは、その条例で定めます。　　　　　➡ 39条

❸ **正しい。防火地域内にある屋上の看板等は、不燃材料で造るか覆う。**

防火地域内にある看板、広告塔、装飾塔などで、建築物の屋上に設けるものまたは高さ3mを超えるものは、その主要な部分を不燃材料で造り、または覆わなければなりません。　　　　　　　　　➡ 64条

❹ **誤り。共同住宅の住戸には、非常用の照明装置を設ける必要はない。**

一定の用途に供する特殊建築物の居室、一定の大規模な建築物等の居室及びこれらの居室から地上に通ずる廊下、階段その他の通路（採光上有効に直接外気に開放された通路を除く）、これらに類する建築物の部分で照明装置の設置を通常要する部分には、原則として、非常用の照明装置を設けなければなりません。しかし、一戸建ての住宅または長屋・共同住宅の住戸等は、例外として、非常用の照明装置を設ける必要はありません。

➡ 施行令126条の4

【正解 ❹】

 Check!

建築基準法総合

問題 34　建築基準法に関する次の記述のうち、正しいものはどれか。

[R2⑽-問17]

❶　階数が2で延べ面積が200㎡の鉄骨造の共同住宅の大規模の修繕をしようとする場合、建築主は、当該工事に着手する前に、確認済証の交付を受けなければならない。

❷　居室の天井の高さは、一室で天井の高さの異なる部分がある場合、室の床面から天井の最も低い部分までの高さを2.1m以上としなければならない。

❸　延べ面積が1,000㎡を超える準耐火建築物は、防火上有効な構造の防火壁又は防火床によって有効に区画し、かつ、各区画の床面積の合計をそれぞれ1,000㎡以内としなければならない。

❹　高さ30mの建築物には、非常用の昇降機を設けなければならない。

解説

❶ **正しい。「大規模な建築物」➡ 工事着手前に確認済証の交付を受ける。**
　　　階数が2以上、または延べ面積が200㎡を超える建築物（**大規模な建築物**）を建築する場合には、工事着手前に、建築確認を受ける必要があります。このことは、**都市計画区域の内外や建築物の構造**（木造・鉄骨造・鉄筋コンクリート造など）を問いません。
　　　本肢の建築物は「階数が2」ですので、建築確認を受けて確認済証の交付を受ける必要があります。　　　　　　　　　　　　　　📖 建築基準法6条

❷ **誤り。居室の天井に高さの異なる部分あり➡「平均」2.1m以上。**
　　居室の天井の高さは、2.1m以上でなければなりません。この天井の高さは、室の床面から測り、1室で天井の高さの異なる部分がある場合には、その「平均」の高さによります。　　　　　　　　　　　　　📖 36条、施行令21条

❸ **誤り。「耐火・準耐火建築物」➡ 防火壁等による区画義務なし。**
　　延べ面積が1,000㎡を超える建築物は、原則として、防火上有効な構造の防火壁または防火床によって有効に区画し、かつ、各区画の床面積の合計をそれぞれ1,000㎡以内としなければなりません。しかし、**耐火建築物または準耐火建築物**については、この規定は適用外となります。　📖 建築基準法26条

❹ **誤り。高さ「31m超の建築物」➡ 原則、非常用の昇降機が必要。**
　　高さ31mを超える建築物には、原則として、非常用の昇降機を設けなければなりません。したがって、本肢のように、高さ「30m」の建築物であれば、その必要はありません。　　　　　　　　　　　　　　　　　📖 34条

【正解 ❶】

宅地造成等工事規制区域内の規制

問題 35

宅地造成及び特定盛土等規制法に関する次の記述のうち、誤っているものはどれか。なお、この問において「都道府県知事」とは、地方自治法に基づく指定都市及び中核市にあってはその長をいうものとし、地方自治法に基づく施行時特例市に係る経過措置については考慮しないものとする。 [H25-問19改]

❶ 宅地造成等工事規制区域内において宅地造成等に関する工事を行う場合、宅地造成等に伴う災害を防止するために行う高さ4mの擁壁の設置に係る工事については、政令で定める資格を有する者の設計によらなければならない。

❷ 宅地造成等工事規制区域内において、宅地以外の土地を宅地にするために行われる切土であって、当該切土をする土地の面積が600㎡で、かつ、高さ1.5mの崖を生ずることとなるものに関する工事については、都道府県知事の許可が必要である。

❸ 宅地造成等工事規制区域内において、宅地以外の土地を宅地にするために行われる盛土であって、当該盛土をする土地の面積が300㎡で、かつ、高さ1.5mの崖を生ずることとなるものに関する工事については、都道府県知事の許可が必要である。

❹ 都道府県知事は、宅地造成等工事規制区域内の土地（公共施設用地を除く。）について、宅地造成等に伴う災害の防止のため必要があると認める場合においては、その土地の所有者、管理者、占有者、工事主又は工事施行者に対し、擁壁の設置等の措置をとることを勧告することができる。

🖐 日建学院・講師陣の必勝コメント

　盛土規制法の問題では、①許可制、②届出制、③保全義務、④造成宅地防災区域の4項目が注目ポイントです。
　これらを念頭に置いたうえで、後ほどあらためてもう一度、じっくり解いてみましょう！

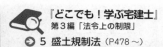

解説

『どこでも！学ぶ宅建士』
第3編「法令上の制限」
⇒ 5 盛土規制法（P478〜）

正答率	合格者	76.7 %
	不合格者	41.5 %

❶ 誤り。高さ5m以下の擁壁の設置工事 ➡ 有資格者による設計は不要。

宅地造成等に伴う災害を防止するため必要な措置のうち、政令で定める資格を有する者の設計によることが必要なのは、①高さが5mを超える擁壁の設置に係る工事、②盛土・切土をする土地の面積が1,500㎡を超える土地における排水施設の設置に係る工事、の2つのみです。

したがって、本肢の「高さ4mの擁壁の設置に係る工事」は、政令で定める有資格者によって設計される必要はありません。

⇨ 盛土規制法13条、施行令21条

❷ 正しい。面積500㎡超の切土 ➡ 許可必要。

 宅地造成等工事規制区域内で、宅地以外の土地を宅地にするために行う盛土その他の土地の形質の変更で政令で定める**一定規模のもの**（盛土・切土をする土地の面積が500㎡超となるもの・切土で高さ2m超の崖を生じるものなど）は、「宅地造成」に該当するとして、原則として、都道府県知事の許可（宅地造成等に関する工事の許可）が必要です。

したがって、切土をする土地の面積が「600㎡」である本肢の場合、切土をした部分に生じる崖の高さに関係なく、都道府県知事の許可が必要です。

⇨ 盛土規制法12条、2条、施行令3条

❸ 正しい。崖の高さ1m超の盛土 ➡ 許可必要。

❷の場合に加え、宅地造成等工事規制区域内で、宅地以外の土地を宅地にするために行う高さ1m超の崖を生じる盛土についても、「宅地造成」に該当するとして、原則として、都道府県知事の許可（宅地造成等に関する工事の許可）が必要です。

したがって、高さ「1.5m」の崖を生ずる盛土をする本肢の場合、盛土をする土地の面積に関係なく、都道府県知事の許可が必要です。

⇨ 盛土規制法12条、2条、施行令3条

❹ 正しい。土地所有者等に対して、災害防止措置を勧告できる。

 都道府県知事は、宅地造成等工事規制区域内の土地（公共施設用地を除く）について、宅地造成等（宅地造成等工事規制区域の指定前に行われたものを含む）に伴う災害の防止のため必要があると認める場合には、その土地の所有者等（所有者・管理者・占有者）・工事主・工事施行者に対し、擁壁等の設置など、宅地造成等に伴う災害の防止のため**必要な措置をとること**を勧告できます。

⇨ 盛土規制法22条

【正解 ❶】

宅地造成等工事規制区域内の規制

宅地造成等工事規制区域内の規制

問題 36

宅地造成及び特定盛土等規制法に関する次の記述のうち、誤っているものはどれか。なお、この問において「都道府県知事」とは、地方自治法に基づく指定都市及び中核市にあってはその長をいうものとし、地方自治法に基づく施行時特例市に係る経過措置については考慮しないものとする。　　　　[H27-問19改]

❶ 都道府県知事は、宅地造成等工事規制区域内の土地（公共施設用地を除く。）について、宅地造成等に伴う災害の防止のため必要があると認める場合においては、その土地の所有者に対して、擁壁等の設置等の措置をとることを勧告することができる。

❷ 宅地造成等工事規制区域の指定の際に、当該宅地造成等工事規制区域内において宅地造成等に関する工事を行っている者は、当該工事について改めて都道府県知事の許可を受けなければならない。

❸ 宅地造成等に関する工事の許可を受けた者が、工事施行者の氏名若しくは名称又は住所を変更する場合には、遅滞なくその旨を都道府県知事に届け出ればよく、改めて許可を受ける必要はない。

❹ 宅地造成等工事規制区域内において、宅地以外の土地を宅地にするために切土をする土地の面積が500㎡であって盛土が生じない場合、切土をした部分に生じる崖の高さが1.5mであれば、都道府県知事の許可は必要ない。

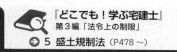

正答率	合格者	76.6 %
	不合格者	37.2 %

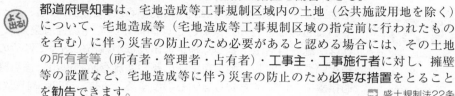

❶ 正しい。土地所有者等に対して、災害防止措置を勧告できる。

都道府県知事は、宅地造成等工事規制区域内の土地（公共施設用地を除く）について、宅地造成等（宅地造成等工事規制区域の指定前に行われたものを含む）に伴う災害の防止のため必要があると認める場合には、その土地の所有者等（所有者・管理者・占有者）・工事主・工事施行者に対し、擁壁等の設置など、宅地造成等に伴う災害の防止のため**必要な措置**をとることを**勧告**できます。

　　　　　　　　　　　　　　　　　　　　　　　　⮕ 盛土規制法22条

❷ 誤り。指定の際に施工中の宅地造成等 ➡ 指定日から21日以内に届出。

宅地造成等工事規制区域の指定の際、当該宅地造成等工事規制区域内において**既に施工中の宅地造成等工事の工事主**は、指定があった日から**21日以内**に、当該工事について都道府県知事に**届け出**なければなりません。

しかし、当該工事について、都道府県知事の「**許可**」を受ける必要はありません。　　　　　　　　　　　　　　　　　　　　　　　⮕ 21条

❸ 正しい。工事計画の軽微な変更 ➡ 届出は必要だが、許可は不要。

宅地造成に関する工事の許可を受けた者が、**軽微な変更**をする場合には、遅滞なくその旨を**都道府県知事に届け出**ればよく、改めて許可を受ける必要はありません。本肢の「工事施行者の氏名・名称または住所」の変更は、その「軽微な変更」にあたります。　　　　　⮕ 16条、施行規則38条

❹ 正しい。「面積500㎡以下」かつ「崖の高さ2m以下の切土」➡ 許可不要。

宅地造成等工事規制区域内で、宅地以外の土地を宅地にするために行う盛土その他の土地の形質の変更で政令で定める一定規模のもの（盛土・切土をする土地の面積が500㎡超となるもの・切土で高さ2m超の崖を生じるもの等）については、「宅地造成」に該当するとして、原則として、都道府県知事の許可（宅地造成等に関する工事の許可）が必要です。

しかし、切土をする土地の面積が「500㎡」ちょうどで、かつ、切土をした部分に生じる崖の高さが「1.5m」である本肢の場合、都道府県知事の許可は不要です。　　　　　　　　⮕ 盛土規制法12条、2条、施行令3条

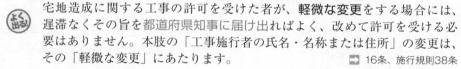

宅地造成等工事規制区域内の規制

【正解 ❷】

宅地造成等工事規制区域内の規制

問題 37　宅地造成及び特定盛土等規制法に関する次の記述のうち、誤っているものはどれか。なお、この問において「都道府県知事」とは、地方自治法に基づく指定都市及び中核市にあってはその長をいうものとし、地方自治法に基づく施行時特例市に係る経過措置については考慮しないものとする。　　[R2⑽-問19改]

❶　都道府県知事又はその命じた者若しくは委任した者が、基礎調査のために他人の占有する土地に立ち入って測量又は調査を行う必要がある場合において、その必要の限度において当該土地に立ち入って測量又は調査を行うときは、当該土地の占有者は、正当な理由がない限り、立入りを拒み、又は妨げてはならない。

❷　宅地を宅地以外の土地にするために行う土地の形質の変更は、宅地造成に該当しない。

❸　宅地造成等工事規制区域内において、公共施設用地を宅地又は農地等に転用した者は、宅地造成等に関する工事を行わない場合でも、都道府県知事の許可を受けなければならない。

❹　宅地造成等に関する工事の許可を受けた者が、工事施行者の氏名若しくは名称又は住所を変更する場合には、遅滞なくその旨を都道府県知事に届け出ればよく、改めて許可を受ける必要はない。

> 🦉 **日建学院・講師陣の必勝コメント**
>
> ❶の「基礎調査」とは、**都道府県**（指定都市等の区域内の土地については、指定都市等）が、おおむね**5年**ごとに、宅地造成等工事規制区域・特定盛土等規制区域・造成宅地防災区域の指定などに必要な**地形・地質の状況**などについて行う**調査**のことです。

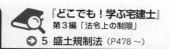

❶ **正しい。基礎調査のための土地の立入り ➡ 正当理由がない限り、拒否は不可。**
都道府県知事等が、基礎調査のために他人の占有する土地に立ち入って測量・調査を行う必要がある場合で、その必要の限度において当該土地に立ち入って測量・調査を行うときは、当該土地の占有者は、正当な理由がない限り、その立入りを拒み、または妨げてはなりません。

➡ 盛土規制法5条

❷ **正しい。宅地を「宅地以外」にする工事 ➡ 「宅地造成」に該当しない。**
「宅地造成」とは、宅地以外の土地を宅地にするために行う盛土その他の土地の形質の変更で政令で定める一定規模のものをいいます。したがって、「宅地を宅地以外の土地にするために行う土地の形質の変更」は、「宅地造成」に該当しません。

➡ 2条、施行令3条

❸ **誤り。公共施設用地を宅地・農地等に転用 ➡ 転用日から14日以内に届出。**
宅地造成等工事規制区域内で、公共施設用地を宅地・農地等に転用した者は、宅地造成等に関する工事の許可を受けた等の場合を除き、**転用した日から14日以内**に、その旨を都道府県知事に届け出なければなりません。「都道府県知事の許可」を受けなければならないのではありません。

➡ 盛土規制法21条

❹ **正しい。工事計画の軽微な変更 ➡ 届出は必要だが、許可は不要。**
宅地造成に関する工事の許可を受けた者が、軽微な変更をする場合には、遅滞なくその旨を都道府県知事に届け出ればよく、改めて許可を受ける必要はありません。本肢の「工事施行者の氏名・名称または住所」の変更は、その「軽微な変更」にあたります。

➡ 16条、施行規則38条

宅地造成等工事規制区域内の規制

【正解 ❸】

宅地造成等工事規制区域内の規制

問題 38

宅地造成及び特定盛土等規制法に関する次の記述のうち、誤っているものはどれか。なお、この問において「都道府県知事」とは、地方自治法に基づく指定都市及び中核市にあってはその長をいうものとし、地方自治法に基づく施行時特例市に係る経過措置については考慮しないものとする。　[H28-問20改]

❶ 宅地造成等工事規制区域外に盛土によって造成された一団の造成宅地の区域において、造成された盛土の高さが5m未満の場合は、都道府県知事は、当該区域を造成宅地防災区域として指定することができない。

❷ 宅地造成等工事規制区域内において、盛土又は切土をする土地の面積が600㎡である場合、その土地における排水施設は、政令で定める資格を有する者によって設計される必要はない。

❸ 宅地造成等工事規制区域内の土地（公共施設用地を除く。）において、高さが2mを超える擁壁を除却する工事を行おうとする者は、一定の場合を除き、その工事に着手する日の14日前までにその旨を都道府県知事に届け出なければならない。

❹ 宅地造成等工事規制区域内において、公共施設用地を宅地又は農地等に転用した者は、一定の場合を除き、その転用した日から14日以内に、その旨を都道府県知事に届け出なければならない。

解　説

正答率　合格者 **69.0**％　不合格者 **34.8**％

❶ 誤り。造成宅地防災区域の指定 ➡ 盛土の高さが5m未満でもOK。

①盛土をした土地の面積が3,000㎡以上、かつ、②盛土により、当該盛土をした土地の地下水位が盛土前の地盤面の高さを超え、盛土の内部に浸入している、などの基準に該当する一団の造成宅地の区域については、都道府県知事は「造成された盛土の高さが5m未満」であっても、造成宅地防災区域として指定ができます。　➡ 盛土規制法45条、施行令35条

❷ 正しい。盛土・切土の面積が1,500㎡以下 ➡ 有資格者による設計は不要。

宅地造成等に伴う災害を防止するため必要な措置のうち、政令で定める資格を有する者の設計によらなければならないのは、①高さが5mを超える擁壁の設置に係る工事、②盛土・切土をする土地の面積が1,500㎡を超える土地における排水施設の設置に係る工事、の2つのみです。

したがって、本肢の「盛土または切土をする土地の面積が600㎡」の土地における「排水施設」は、政令で定める有資格者によって設計される必要はありません。　➡ 盛土規制法13条、施行令21条

❸ 正しい。2m超の擁壁の除却工事 ➡ 工事着手の14日前までに届出。

宅地造成等工事規制区域内の土地（公共施設用地を除く）で、擁壁・崖面崩壊防止施設で高さが2mを超えるもの、地表水等を排除するための排水施設または地滑り抑止ぐい等の全部または一部の除却の工事を行う者は、宅地造成等に関する工事の許可を受けた場合等を除き、工事に着手する日の14日前までに、その旨を都道府県知事に届け出なければなりません。　➡ 盛土規制法21条、施行令26条

❹ 正しい。公共施設用地を宅地・農地等に転用 ➡ 転用日から14日以内に届出。

宅地造成等工事規制区域内で、公共施設用地を宅地・農地等に転用した者は、宅地造成等に関する工事の許可を受けたなどの場合を除き、転用した日から14日以内に、その旨を都道府県知事に届け出なければなりません。　➡ 盛土規制法21条

宅地造成等工事規制区域内の規制

【正解 ❶】

盛土規制法総合

問題 39 宅地造成及び特定盛土等規制法（以下この問において「法」という。）に関する次の記述のうち、誤っているものはどれか。なお、この問において「都道府県知事」とは、地方自治法に基づく指定都市及び中核市にあってはその長をいうものとし、地方自治法に基づく施行時特例市に係る経過措置については考慮しないものとする。 [R3⑽-問19改]

❶ 宅地造成等工事規制区域内において、宅地以外の土地を宅地にするために切土をする土地の面積が500㎡であって盛土を生じない場合、切土をした部分に生じる崖の高さが1.5mであれば、都道府県知事の法第12条第1項本文の工事の許可は不要である。

❷ 都道府県知事は、法第12条第1項本文の工事の許可の申請があった場合においては、遅滞なく、許可又は不許可の処分をしなければならず、当該申請をした者に、許可の処分をしたときは許可証を交付し、不許可の処分をしたときは文書をもってその旨を通知しなければならない。

❸ 都道府県知事は、一定の場合には都道府県（地方自治法に基づく指定都市、中核市又は施行時特例市の区域にあっては、それぞれ指定都市、中核市又は施行時特例市）の規則で、宅地造成等工事規制区域内において行われる宅地造成等に関する工事の技術的基準を強化し、又は付加することができる。

❹ 都道府県知事は、関係市町村長の意見を聴いて、宅地造成等工事規制区域内で、宅地造成又は特定盛土等に伴う災害で相当数の居住者その他の者に危害を生ずるものの発生のおそれが大きい一団の造成宅地の区域であって一定の基準に該当するものを、造成宅地防災区域として指定することができる。

🐸 日建学院・講師陣の必勝コメント

「正答率データ」によると、合格者と不合格者の差が大きい問題です。さらに、「解答分布」で見ると、不合格者の相当数は、❶で判断ミスをしています。

「宅地造成等工事の規模」のような重要数字については、「以上か超か？」「以下か未満か？」というところまで、きっちり正確に覚えなければならないことがわかるでしょう。

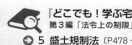

❶ **正しい。「面積500㎡以下」かつ「崖の高さ2m以下の切土」➡ 許可不要。**

 　宅地造成等工事規制区域内で、宅地以外の土地を宅地にするために行う盛土その他の土地の形質の変更で政令で定める一定規模のもの（盛土・切土をする土地の面積が500㎡超となるもの・切土で高さ2m超の崖を生じるもの等）は、「宅地造成」に該当するとして、原則として、都道府県知事の許可（宅地造成等に関する工事の許可）が必要です。

　しかし、切土をする土地の面積が「500㎡」ちょうどで、かつ、切土をした部分に生じる崖の高さが「1.5m」である本肢の場合、宅地造成等に関する工事の許可は不要です。　　　　　　　　　　→ 盛土規制法12条、2条、施行令3条

❷ **正しい。許可処分 ➡ 許可証を交付。不許可処分 ➡ 文書で通知。**

都道府県知事は、宅地造成等に関する工事の許可の申請があったときは、遅滞なく、許可または不許可の処分をしなければならず、当該申請をした者に対しては、**許可の処分をしたときは許可証を交付し、不許可の処分をしたときは、文書でその旨を通知**しなければなりません。

　　　　　　　　　　　　　　　　　　　　　　　→ 盛土規制法14条

❸ **正しい。「都道府県の規則」で、技術的基準を強化・付加できる。**

 都道府県知事は、その地方の気候・風土・地勢の特殊性により、宅地造成・特定盛土等・土石の堆積に伴う崖崩れまたは土砂の流出の防止の目的を達し難いと認める場合には、都道府県の規則で、宅地造成等工事規制区域内で行われる宅地造成等に関する工事の**技術的基準を強化し、または付加**できます。　　　　　　　　　　　　　　　　　　　　→ 13条、施行令20条

❹ **誤り。造成宅地防災区域 ➡ 宅地造成等工事規制区域内には指定不可。**

 　都道府県知事は、宅地造成・盛土等規制法の目的を達成するために必要があると認めるときは、宅地造成または特定盛土等（宅地において行うものに限る）に伴う災害で相当数の居住者等に危害を生じさせるものの発生のおそれが大きい一団の造成宅地の区域であって政令で定める基準に該当するものを、造成宅地防災区域として指定できます。

　ただし、指定の対象から「宅地造成工事規制区域内」の土地は**除かれます。**

　　　　　　　　　　　　　　　　　　　　　　　→ 盛土規制法45条

【正解 ❹】

盛土規制法総合

重要ランク **S**

問題 40

宅地造成及び特定盛土等規制法に関する次の記述のうち、誤っているものはどれか。なお、この問において「都道府県知事」とは、地方自治法に基づく指定都市及び中核市にあってはその長をいうものとし、地方自治法に基づく施行時特例市に係る経過措置については考慮しないものとする。

[R5-問19改]

❶ 都道府県知事は、関係市町村長の意見を聴いて、宅地造成等工事規制区域内で、宅地造成又は特定盛土等に伴う災害で相当数の居住者その他の者に危害を生ずるものの発生のおそれが大きい一団の造成宅地の区域であって、一定の基準に該当するものを、造成宅地防災区域として指定することができる。

❷ 都道府県知事は、その地方の気候、風土又は地勢の特殊性により、宅地造成及び特定盛土等規制法の規定のみによっては宅地造成、特定盛土等又は土石の堆積に伴う崖崩れ又は土砂の流出の防止の目的を達し難いと認める場合は、都道府県（地方自治法に基づく指定都市、中核市又は施行時特例市の区域にあっては、それぞれ指定都市、中核市又は施行時特例市）の規則で、宅地造成等工事規制区域内において行われる宅地造成等に関する工事の技術的基準を強化し、又は付加することができる。

❸ 都道府県知事は、宅地造成等工事規制区域内の土地（公共施設用地を除く。）について、宅地造成等に伴う災害の防止のため必要があると認める場合には、その土地の所有者に対して、擁壁等の設置等の措置をとることを勧告することができる。

❹ 宅地造成等工事規制区域内の土地（公共施設用地を除く。）において、雨水その他の地表水又は地下水を排除するための排水施設の除却工事を行おうとする場合は、一定の場合を除き、都道府県知事への届出が必要となる。

> **日建学院・講師陣の 必勝コメント**
>
> 実際にはほとんど指定されていないのに、出題者が"ひっかけネタ"に好んで使うのが❶の「造成宅地防災区域」。この典型的な「ひっかけ例」を、しっかり頭に叩き込んでおきましょう！

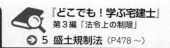

解説　『どこでも！学ぶ宅建士』
第3編「法令上の制限」
→ 5 盛土規制法（P478〜）

正答率　合格者 95.6%　不合格者 53.3%

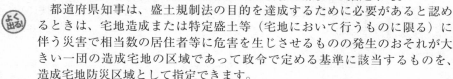

❶ **誤り。造成宅地防災区域 ➡ 宅地造成等工事規制区域内には指定不可。**

　　都道府県知事は、盛土規制法の目的を達成するために必要があると認めるときは、宅地造成または特定盛土等（宅地において行うものに限る）に伴う災害で相当数の居住者等に危害を生じさせるものの発生のおそれが大きい一団の造成宅地の区域であって政令で定める基準に該当するものを、造成宅地防災区域として指定できます。

　　ただし、指定の対象から「宅地造成工事規制区域内」の土地は除かれます。

➡ 盛土規制法45条

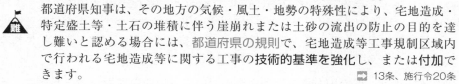

❷ **正しい。「都道府県の規則」で、技術的基準を強化・付加できる。**

　　都道府県知事は、その地方の気候・風土・地勢の特殊性により、宅地造成・特定盛土等・土石の堆積に伴う崖崩れまたは土砂の流出の防止の目的を達し難いと認める場合には、都道府県の規則で、宅地造成等工事規制区域内で行われる宅地造成等に関する工事の技術的基準を強化し、または付加できます。

➡ 13条、施行令20条

❸ **正しい。土地所有者等に対して、災害防止措置を勧告できる。**

　　都道府県知事は、宅地造成等工事規制区域内の土地（公共施設用地を除く）について、宅地造成等（宅地造成等工事規制区域の指定前に行われたものを含む）に伴う災害の防止のため必要があると認める場合には、その土地の所有者等（所有者・管理者・占有者）・工事主・工事施行者に対し、擁壁等の設置など、宅地造成等に伴う災害の防止のため必要な措置をとることを勧告できます。

➡ 盛土規制法22条

❹ **正しい。排水施設の除却工事 ➡ 工事着手の14日前までに届出が必要。**

　　宅地造成等工事規制区域内の土地（公共施設用地を除く）で、擁壁・崖面崩壊防止施設で高さが2mを超えるもの、地表水等を排除するための排水施設または地滑り抑止ぐい等の全部または一部の除却の工事を行う者は、宅地造成等に関する工事の許可を受けた場合等を除き、工事に着手する日の14日前までに、その旨を都道府県知事に届け出なければなりません。

➡ 21条、施行令26条

盛土規制法総合

【正解 ❶】

Check! 重要ランク S

土地区画整理法総合

問題 **41** 土地区画整理法に関する次の記述のうち、誤っているものはどれか。 [H28-問21]

❶ 施行者は、換地処分を行う前において、換地計画に基づき換地処分を行うため必要がある場合においては、施行地区内の宅地について仮換地を指定することができる。

❷ 仮換地が指定された場合においては、従前の宅地について権原に基づき使用し、又は収益することができる者は、仮換地の指定の効力発生の日から換地処分の公告がある日まで、仮換地について、従前の宅地について有する権利の内容である使用又は収益と同じ使用又は収益をすることができる。

❸ 施行者は、仮換地を指定した場合において、特別の事情があるときは、その仮換地について使用又は収益を開始することができる日を仮換地の指定の効力発生日と別に定めることができる。

❹ 土地区画整理組合の設立の認可の公告があった日後、換地処分の公告がある日までは、施行地区内において、土地区画整理事業の施行の障害となるおそれがある土地の形質の変更を行おうとする者は、当該土地区画整理組合の許可を受けなければならない。

❶ **正しい。施行者は必要があれば、仮換地を指定できる。**

施行者は、換地処分を行う前において、土地の区画形質の変更、公共施設の新設・変更に係る工事のため必要がある場合または換地計画に基づき換地処分を行うため必要がある場合には、施行地区内の宅地について仮換地を指定できます。　　　　　　　　　　　　　　　→ 土地区画整理法98条

❷ **正しい。従前の宅地の権利者は、仮換地を使用収益できる。**

仮換地が指定された場合は、従前の宅地について権原に基づき使用・収益ができる者は、仮換地の指定の効力発生の日から換地処分の公告がある日まで、仮換地について、従前の宅地について有する権利の内容である使用・収益と同じ使用・収益ができます。　　　　　　　　　　　　　　→ 99条

❸ **正しい。仮換地指定の効力発生日と別に、使用収益開始日の定め可。**

 施行者は、仮換地を指定した場合において、その仮換地に使用・収益の障害となる物件が存するときその他特別の事情があるときは、その仮換地について使用・収益を開始ができる日を、仮換地の指定の効力発生の日と別に定めることができます。　　　　　　　　　　　　　　　→ 99条

❹ **誤り。施行地区内の建築行為等は、「知事等」の許可を受ける。**

土地区画整理組合の設立の認可の公告があった日後、換地処分の公告がある日までは、施行地区内において、土地区画整理事業の施行の障害となるおそれがある①土地の形質の変更や②建築物その他の工作物の新築などを行おうとする者は、都道府県知事（市の区域内において組合などが施行する土地区画整理事業にあっては、当該市の長）の許可を受けなければなりません。　　　　　　　　　　　　　　　　　　　　　　　　　　→ 76条

土地区画整理法総合

【正解 ❹】

土地区画整理法総合

問題 **42**

土地区画整理法に関する次の記述のうち、誤っているものはどれか。なお、この問において「組合」とは、土地区画整理組合をいう。

[H29-問21]

❶ 組合は、事業の完成により解散しようとする場合においては、都道府県知事の認可を受けなければならない。

❷ 施行地区内の宅地について組合員の有する所有権の全部又は一部を承継した者がある場合においては、その組合員がその所有権の全部又は一部について組合に対して有する権利義務は、その承継した者に移転する。

❸ 組合を設立しようとする者は、事業計画の決定に先立って組合を設立する必要があると認める場合においては、7人以上共同して、定款及び事業基本方針を定め、その組合の設立について都道府県知事の認可を受けることができる。

❹ 組合が施行する土地区画整理事業に係る施行地区内の宅地について借地権のみを有する者は、その組合の組合員とはならない。

解説

❶ 正しい。事業の完成による解散の場合は、知事の認可を受ける。

　　土地区画整理組合は、①総会の議決、②定款で定めた解散事由の発生、③事業の完成またはその完成の不能の各事由により解散しようとする場合は、その解散について都道府県知事の認可を受けなければなりません。

➡ 土地区画整理法45条

❷ 正しい。所有権・借地権の承継者➡組合員の権利義務を承継する。

　　施行地区内の宅地について組合員の有する所有権または借地権の全部または一部を承継した者がある場合は、その組合員がその所有権または借地権の全部または一部について組合に対して有する権利義務は、その承継した者に移転します。

➡ 26条

❸ 正しい。計画前の設立➡7人以上で事業基本方針等を定め、知事認可。

　　土地区画整理組合を設立しようとする者は、7人以上共同して、定款を定め、その組合の設立について都道府県知事の認可を受けなければなりません。ただし、事業計画の決定に先立って組合を設立する必要があると認める場合は、土地区画整理組合を設立しようとする者は、7人以上共同して、定款及び事業基本方針を定め、その組合の設立について都道府県知事の認可を受けることができます。

➡ 14条

❹ 誤り。所有権・「借地権」を有する者は、すべて組合員となる。

　　土地区画整理組合が施行する土地区画整理事業に係る施行地区内の宅地について所有権または借地権を有する者は、すべてその組合の組合員となります。したがって、借地権のみを有する者も組合員となります。

➡ 25条

攻略POINT 土地区画整理組合 ─────────────────

　　土地区画整理事業の施行者のうち、試験対策上、「土地区画整理組合」が特に重要です。次のポイントを押さえておきましょう。

- ●組合は7人以上共同して、定款及び事業計画を策定し、知事の認可を受けて成立し、法人となる。
- ●定款等の作成時には、区域内の土地所有者等の2／3以上の同意が必要。
- ●組合が施行する区域内の土地所有者等は、すべて組合員となる（強制加入）。
- ●組合員から土地所有権等を承継した者は、組合員としての**権利義務も承継する**。

───────────────────────────── **【正解 ❹ 】**

土
地
区
画
整
理
法
総
合

土地区画整理法総合

問題 **43**　土地区画整理法に関する次の記述のうち、正しいものはどれか。

[H30-問21]

❶　土地区画整理事業とは、公共施設の整備改善及び宅地の利用の増進を図るため、土地区画整理法で定めるところに従って行われる、都市計画区域内及び都市計画区域外の土地の区画形質の変更に関する事業をいう。

❷　土地区画整理組合の設立の認可の公告があった日以後、換地処分の公告がある日までは、施行地区内において、土地区画整理事業の施行の障害となるおそれがある建築物その他の工作物の新築を行おうとする者は、都道府県知事及び市町村長の許可を受けなければならない。

❸　土地区画整理事業の施行者は、仮換地を指定した場合において、従前の宅地に存する建築物を移転し、又は除却することが必要となったときは、当該建築物を移転し、又は除却することができる。

❹　土地区画整理事業の施行者は、仮換地を指定した場合において、当該仮換地について使用又は収益を開始することができる日を当該仮換地の効力発生の日と同一の日として定めなければならない。

🤚日建学院・講師陣の必勝コメント

　土地区画整理法としては、**ごく基本**の問題です。まじめにコツコツ学習してきた人と、そうでない人との差がつく問題といえるでしょう。

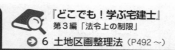

❶ 誤り。土地区画整理事業は、「都市計画区域内」で行う。

土地区画整理事業とは、「都市計画区域内」の土地について、公共施設の整備改善及び宅地の利用の増進を図るため、土地区画整理法で定めるところに従って行われる土地の区画形質の変更及び公共施設の新設または変更に関する事業をいいます。したがって、都市計画区域外の土地の区画形質の変更に関する事業は含まれません。 🡒 土地区画整理法2条

❷ 誤り。知事「または」市長（大臣施行は国土交通大臣）が許可する。

設立の認可等の公告があった日後、換地処分の公告があるまでの間、施行地区内において、土地区画整理事業の施行の障害となるおそれがある①土地の形質の変更や②建築物その他の工作物の新築などを行おうとする者は、国土交通大臣以外の者が施行する土地区画整理事業にあっては都道府県知事（市の区域内において組合などが施行する土地区画整理事業にあっては、当該市の長）の許可を受けなければなりません。したがって、都道府県知事か市長のいずれか一方の許可を受ければ足り、都道府県知事「及び」市町村長の許可を受けなければならないわけではありません。 🡒 76条

❸ 正しい。仮換地の指定 ➡ 従前の宅地上の建築物等を移転・除却可。

施行者は、仮換地を指定した場合において、従前の宅地に存する建築物等を移転し、または除却することが必要となったときは、当該建築物等を移転し、または除却することができます。 🡒 77条

❹ 誤り。仮換地の効力発生日と使用収益開始日は、別に定めてよい。

施行者は、仮換地を指定した場合において、その仮換地に使用・収益の障害となる物件が存するときその他特別の事情があるときは、その仮換地について使用・収益を開始できる日を仮換地の指定の効力発生の日と別に定めることができます。 🡒 99条

土地区画整理法総合

【正解 ❸】

 Check!

重要ランク **A**

土地区画整理法総合

土地区画整理法に関する次の記述のうち、誤っているものはどれか。 [R3(10)-問20]

❶ 換地計画において参加組合員に対して与えるべきものとして定められた宅地は、換地処分の公告があった日の翌日において、当該宅地の所有者となるべきものとして換地計画において定められた参加組合員が取得する。

❷ 換地計画において換地を定める場合においては、換地及び従前の宅地の位置、地積、土質、水利、利用状況、環境等が照応するように定めなければならない。

❸ 土地区画整理組合の設立の認可の公告があった日後、換地処分の公告がある日までは、施行地区内において、土地区画整理事業の施行の障害となるおそれがある土地の形質の変更を行おうとする者は、当該土地区画整理組合の許可を受けなければならない。

❹ 土地区画整理組合の組合員は、組合員の3分の1以上の連署をもって、その代表者から理由を記載した書面を土地区画整理組合に提出して、理事又は監事の解任を請求することができる。

日建学院・講師陣の必勝コメント

　土地区画整理法では、"立ち入り禁止"の知識が多く出題されます。しかし、正解肢は、同法では**最頻出の知識**。こう来たら、「**正解肢・1本釣り**」しなければなりません！

　ちなみに、「正答率データ」によると、合格者と不合格者の差がきわめて大きい問題となっています。

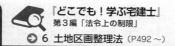

❶ **正しい。換地計画で定めた参加組合員の宅地 ➡ 公告日翌日に当該組合員が取得。**

換地計画において参加組合員に対して定められた宅地は、換地処分の公告があった日の翌日において、当該宅地の所有者となるとして換地計画で定められた参加組合員が取得します。　➡ 土地区画整理法104条、95条の2参照

❷ **正しい。換地 ➡ 従前の宅地の位置・地積等が照応するよう定める。**

換地計画において換地を定める場合は、換地及び従前の宅地の位置・地積・土質・水利・利用状況・環境等が照応するように定めなければなりません（換地照応の原則）。　➡ 89条

❸ **誤り。建築行為等の制限 ➡ 「知事等」の許可。**

土地区画整理組合が施行する土地区画整理事業では、設立の認可の公告があった日後、換地処分の公告がある日までは、施行地区内において、土地区画整理事業の施行の障害となるおそれがある①土地の形質の変更、②建築物その他の工作物の新築、改築・増築を行い、または③政令で定める移動の容易でない物件の設置・堆積を行う者は、「都道府県知事等」の許可を受けなければなりません。　➡ 76条

❹ **正しい。組合員は、1／3以上の連署の書面で、理事・監事の解任請求可。**

土地区画整理組合の組合員は、組合員の1／3以上の連署をもって、その代表者から理由を記載した書面を組合に提出して、理事または監事の解任を請求できます。　➡ 27条

土地区画整理法総合

【正解 ❸】

土地区画整理法総合

問題 45 次の記述のうち、土地区画整理法の規定及び判例によれば、誤っているものはどれか。 [R4-問20]

❶ 土地区画整理組合の設立の認可の公告があった日以後、換地処分の公告がある日までは、施行地区内において、土地区画整理事業の施行の障害となるおそれがある建築物の新築を行おうとする者は、土地区画整理組合の許可を受けなければならない。

❷ 土地区画整理組合は、定款に別段の定めがある場合においては、換地計画に係る区域の全部について工事が完了する以前においても換地処分をすることができる。

❸ 仮換地を指定したことにより、使用し、又は収益することができる者のなくなった従前の宅地については、当該宅地を使用し、又は収益することができる者のなくなった時から換地処分の公告がある日までは、施行者が当該宅地を管理する。

❹ 清算金の徴収又は交付に関する権利義務は、換地処分の公告によって換地についての所有権が確定することと併せて、施行者と換地処分時点の換地所有者との間に確定的に発生するものであり、換地処分後に行われた当該換地の所有権の移転に伴い当然に移転する性質を有するものではない。

日建学院・講師陣の必勝コメント

❶は土地区画整理法では最頻出のポイントであり、かつ "ひっかけ手法" まで毎回同じ、という内容ですから、ここの判断ミスは許されません。また、❷❸も重要です。その一方で、❹は「法令上の制限」ではきわめて珍しい、判例からの出題ですので、正誤判断ができなくても問題なしです。

そうなると、「❶か❹か？？」…ここで迷った方は、まだまだ「過去問修行」が足りません！

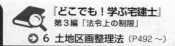

❶ **誤り。施行地区内の建築行為等 ➡ 知事等の許可が必要。**

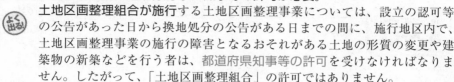

　土地区画整理組合が施行する土地区画整理事業については、設立の認可等の公告があった日から換地処分の公告がある日までの間に、施行地区内で、土地区画整理事業の施行の障害となるおそれがある土地の形質の変更や建築物の新築などを行う者は、都道府県知事等の許可を受けなければなりません。したがって、「土地区画整理組合」の許可ではありません。

　　　　　　　　　　　　　　　　　　　　　　　　➡ 土地区画整理法76条

❷ **正しい。定款等に「別段の定め」➡ 工事完了前でも換地処分OK。**

　換地処分は、原則として、換地計画に係る区域の全部について土地区画整理事業の工事が完了した後に、遅滞なく、行わなければなりません。ただし、土地区画整理組合の定款などに別段の定めがある場合には、換地計画に係る区域の全部の工事が完了する前でも、換地処分をすることが可能です。

　　　　　　　　　　　　　　　　　　　　　　　　　　　　　　➡ 103条

❸ **正しい。使用者がいない従前の宅地 ➡ 仮換地の指定後は施行者が管理。**

　仮換地を指定したことにより使用・収益できる者のなくなった従前の宅地は、当該宅地を使用・収益できる者のなくなった時から換地処分の公告がある日までは、施行者が管理します。

　　　　　　　　　　　　　　　　　　　　　　　　　　　　➡ 100条の2

❹ **正しい。清算金関係 ➡ 換地の所有権移転に伴って当然には移転しない。**

　換地計画において定められた清算金は、換地処分の公告日の翌日に確定します。そして、清算金に関する権利・義務は、換地処分の公告が行われ、換地についての所有権が確定するのとともに、土地区画整理事業の施行者とそのときにおける換地の所有者との間に確定的に発生します。

　したがって、事後の土地の所有権の移転に伴って、「当然に」移転する性質のものではありません。

　　　　　　　　　　　　　　　　　　　　　　　➡ 104条、110条、判例

【正解 ❶】

土地区画整理法総合

問題 46 土地区画整理法に関する次の記述のうち、誤っているものはどれか。 [R5-問20]

❶ 換地計画において定められた清算金は、換地処分の公告があった日の翌日において確定する。

❷ 現に施行されている土地区画整理事業の施行地区となっている区域については、その施行者の同意を得なければ、その施行者以外の者は、土地区画整理事業を施行することができない。

❸ 施行者は、換地処分の公告があった場合において、施行地区内の土地及び建物について土地区画整理事業の施行により変動があったときは、遅滞なく、その変動に係る登記を申請し、又は嘱託しなければならない。

❹ 土地区画整理組合は、仮換地を指定しようとする場合においては、あらかじめ、その指定について、土地区画整理審議会の同意を得なければならない。

日建学院・講師陣の必勝コメント

　知識的に"超"細かい❷で立ち止まってはなりません。もし❶から解いて途中の肢で行き詰まった場合には、"解法テクニック"として、❹からさかのぼって解いてみましょう。意外にもスルッと答えが出るかもしれません！

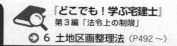

解 説　『どこでも！学ぶ宅建士』
第3編「法令上の制限」
◆ 6 土地区画整理法（P492〜）

正答率　合格者 77.4 %　不合格者 37.5 %

❶ **正しい。清算金➡換地処分の公告日の翌日に確定。**
　換地計画において定められた清算金は、換地処分の公告があった日の翌日
において確定します。　　　　　　　　　　　　　　　　➡ 土地区画整理法104条

❷ **正しい。施行中の施行地区内での施行➡施行者の同意が必要。**
　現に施行されている土地区画整理事業の施行地区となっている区域につい
ては、その施行者の同意を得なければ、その施行者以外の者は、土地区画
整理事業を施行することができません。　　　　　　　　　　　　➡ 128条

❸ **正しい。施行により変動が発生➡施行者は、遅滞なく変動の登記を要申請。**
　施行者は、換地処分の公告が行われた後に、施行地区内の土地・建物につ
いて土地区画整理事業の施行により変動があったときは、遅滞なく、その
変動に係る登記を申請し、または嘱託しなければなりません。　　　➡ 107条

❹ **誤り。土地区画整理組合が仮換地指定➡土地区画整理審議会の同意は不要。**
　土地区画整理組合は、施行地区内の宅地について仮換地を指定する場合、
あらかじめ、総会・その部会・総代会の同意を得なければなりませんが、
土地区画整理審議会の同意を得る必要はありません。　　　　　　➡ 98条

> **+α** そもそも民間施行（個人・組合・区画整理会社施行）の場合には、土地区画整
> 理審議会は置かれません。土地区画整理審議会は、公的施行（都道府県・市町
> 村・国土交通大臣施行など）の場合に、土地所有者等や有識者の意見をスムー
> ズに反映させるために設置される諮問機関だからです。

土地区画整理法総合

【正解 ❹】

農地法総合

問題 47

農地に関する次の記述のうち、農地法（以下この問において「法」という。）の規定によれば、正しいものはどれか。

[H28-問22]

❶ 相続により農地を取得する場合は、法第3条第1項の許可を要しないが、相続人に該当しない者に対する特定遺贈により農地を取得する場合も、同項の許可を受ける必要はない。

❷ 法第2条第3項の農地所有適格法人の要件を満たしていない株式会社は、耕作目的で農地を借り入れることはできない。

❸ 法第3条第1項又は法第5条第1項の許可が必要な農地の売買について、これらの許可を受けずに売買契約を締結しても、その所有権の移転の効力は生じない。

❹ 農業者が、市街化調整区域内の耕作しておらず遊休化している自己の農地を、自己の住宅用地に転用する場合、あらかじめ農業委員会へ届出をすれば、法第4条第1項の許可を受ける必要がない。

日建学院・講師陣の 必勝コメント

　❸に関して、「無許可の場合に権利移動の効力が生じない」ということは、基本中の基本です。

　効力を認めてしまったら、「農地の転用の規制や権利移動の制限などにより耕作者の地位の安定と農業生産の増大を図り、食糧の安定供給の確保に資することを目的とする」という法の目的が果たせないからです。

❶ 誤り。「相続人以外」の者への特定遺贈の場合は、許可が必要。

相続、遺産分割、包括遺贈または相続人に対する特定遺贈により農地の権利を取得する場合には、例外として農地法3条の許可を受ける必要はありません。しかし、相続人以外の者に対する特定遺贈によって農地を取得する場合は、この「例外」に含まれません。

➡ 農地法3条、規則15条

❷ 誤り。使用貸借・賃借権 ➡ 農地所有適格法人以外の法人も可。

農地所有適格法人以外の法人が権利を取得する場合、原則として権利移動の許可を受けることはできません。しかし、農地または採草放牧地について使用貸借による権利または賃借権が設定される（農地を借り入れる）場合で、一定の要件を満たすときには、許可を受けることができます。

➡ 農地法3条

❸ 正しい。無許可の権利移動・転用目的権利移動は無効。

許可を受けないでした権利移動及び転用目的権利移動は、その効力を生じません。

➡ 3条、5条

❹ 誤り。「届出のみで許可不要」 ➡ 「市街化区域内」の農地の転用の場合。

市街化区域内にある農地を農地以外のものにする場合は、あらかじめ農業委員会に届け出れば、農地法4条の許可を受ける必要はありません。しかし、市街化調整区域内の農地には、このような例外はありません。

➡ 4条参照

攻略POINT 3条・4条・5条の「許可」と「届出」

	許可不要	許可不要だが「届出」が必要
3条許可	●国・都道府県が権利を取得する場合 ●調停・収用	●相続・遺産分割等で権利を取得した場合
4条許可	●国・都道府県が道路等の一定の施設に供する場合 ●2アール未満の農地を農業用施設に転用する場合 ●収用	●市街化区域内の農地を転用する場合
5条許可	●国・都道府県が道路等の一定の施設に供する目的で、権利を取得する場合 ●収用	●市街化区域内の農地を転用する目的で、権利を取得する場合

【正解 ❸】

農地法総合

農地法総合

問題 **48**
農地に関する次の記述のうち、農地法（以下この問において「法」という。）の規定によれば、正しいものはどれか。

[H29-問15]

❶ 市街化区域内の農地を耕作のために借り入れる場合、あらかじめ農業委員会に届出をすれば、法第３条第１項の許可を受ける必要はない。

❷ 市街化調整区域内の４ヘクタールを超える農地について、これを転用するために所有権を取得する場合、農林水産大臣の許可を受ける必要がある。

❸ 銀行から500万円を借り入れるために農地に抵当権を設定する場合、法第３条第１項又は第５条第１項の許可を受ける必要がある。

❹ 相続により農地の所有権を取得した者は、遅滞なく、その農地の存する市町村の農業委員会にその旨を届け出なければならない。

日建学院・講師陣の必勝コメント

❶に関して、市街化区域の特則（あらかじめ農業委員会に届出をすれば許可不要）は、頻出です。この特則は、５条許可と４条許可にはありますが、３条許可にはありません。"ひっかけポイント"として注意しておきましょう。

❶ 誤り。「3条の許可」（権利移動）には、市街化区域内の特則はない。

市街化区域内にある農地を転用または転用目的権利移動する場合には、あらかじめ農業委員会に届出をすれば、都道府県知事等の許可を受ける必要はありません。しかし、権利移動にはこのような市街化区域内の特則はなく、原則どおり、農業委員会の許可を受ける必要があります。

➡ 農地法3条、4条参照、5条参照

❷ 誤り。4haを超える場合でも、「都道府県知事等」の許可を受ける。

農地を転用目的権利移動する場合には、原則として都道府県知事等の許可を受ける必要があります。農地の面積が4ヘクタールを超える場合でも同様です。

➡ 5条

❸ 誤り。抵当権の設定は、権利移動に当たらない。

農地法の許可が必要な権利移動とは、農地または採草放牧地について所有権を移転し、または賃借権などの使用・収益を目的とする権利を設定・移転することをいいます。抵当権の設定は、農地等の使用・収益を目的としていませんので、これに当たりません。

➡ 農地法3条、5条

❹ 正しい。相続等による農地の取得は、農業委員会に届出をする。

相続、遺産の分割、包括遺贈または相続人に対する特定遺贈によって権利移動する場合には、農地法の許可を受ける必要はありません。ただし、遅滞なく、農業委員会に届出をする必要があります。

➡ 3条、3条の3、規則15条

農地法総合

攻略POINT 農地法3条許可（権利移動）のまとめ

例えば、農地を「そのまま他人に売るような場合」です。

適用場面	許可権者	市街化区域内の特則	違反行為	罰則
農➡農 採➡採 採➡農	農業委員会	なし	無効	3年以下の懲役または300万円以下の罰金

【正解 ❹ 】

農地法総合

| 問題 **49** | 農地法（以下この問において「法」という。）に関する次の記述のうち、正しいものはどれか。 [H30-問22] |

❶ 市街化区域内の農地を宅地とする目的で権利を取得する場合は、あらかじめ農業委員会に届出をすれば法第5条の許可は不要である。

❷ 遺産分割により農地を取得することとなった場合、法第3条第1項の許可を受ける必要がある。

❸ 法第2条第3項の農地所有適格法人の要件を満たしていない株式会社は、耕作目的で農地を借り入れることはできない。

❹ 雑種地を開墾し耕作している土地でも、登記簿上の地目が雑種地である場合は、法の適用を受ける農地に当たらない。

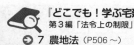

正答率	合格者	93.9 %
	不合格者	64.2 %

❶ 正しい。市街化区域内 ➡ 農業委員会への届出で、5条許可不要。

市街化区域内にある農地または採草放牧地について、あらかじめ農業委員会に届け出て、農地及び採草放牧地以外のものにするため権利移動をする場合、5条の許可を受ける必要はありません。　　　　　　　➡ 農地法5条

❷ 誤り。「遺産分割」の場合、3条の許可は不要。

遺産分割等による権利移動については、3条の許可を受ける必要はありません。　　　　　　　　　　　　　　　　　➡ 3条、3条の3参照

> **+α** この場合、遅滞なく、農業委員会に届出をしなければなりません。

❸ 誤り。使用貸借・賃貸借 ➡ 農地所有適格法人以外の法人もOK。

農地所有適格法人以外の法人による農地の取得等については、3条の許可を受けることができないのが原則です。しかし、使用貸借による権利または賃借権が設定される場合において、一定の要件を満たすときには、例外が認められます。　　　　　　　　　　　　　　　　　　➡ 3条

❹ 誤り。「現況」が農地 ➡ 農地に該当する。

農地とは、耕作の目的に供される土地をいいます。この「耕作の目的に供されている土地」であるかどうかについては、現況で判断します。登記簿上の地目は関係ありません。　　　　　　　　　　　　　➡ 2条

農地法総合

攻略POINT 農地法5条許可（転用目的の権利移動）のまとめ ——

農地をつぶした上で他人に売るような場合の、重要ポイントです。

適用場面	許可権者	市街化区域内の特則	違反行為	罰　則
農➡宅 農➡採 採➡宅	都道府県知事等	農業委員会へ届出	無効 工事停止 原状回復	3年以下の懲役または300万円以下の罰金 ※両罰規定：法人の場合、1億円以下の罰金

【正解 ❶】

農地法

農地法総合

農地に関する次の記述のうち、農地法（以下この問において「法」という。）の規定によれば、正しいものはどれか。

[R元-問21]

❶ 耕作目的で原野を農地に転用しようとする場合、法第４条第１項の許可は不要である。

❷ 金融機関からの資金借入れのために農地に抵当権を設定する場合、法第３条第１項の許可が必要である。

❸ 市街化区域内の農地を自家用駐車場に転用する場合、法第４条第１項の許可が必要である。

❹ 砂利採取法による認可を受けた採取計画に従って砂利採取のために農地を一時的に貸し付ける場合、法第５条第１項の許可は不要である。

日建学院・講師陣の必勝コメント

❶にひっかかっただけで、農地法の理解の浅さがバレてしまう良問です。「どんな場合に４条許可が必要か？」がわからなければ、当然、❸の「市街化区域内の特則」は、もっと理解できないはずです。

その結果が、「正答率データ」の「合格者と不合格者の差」に表れています。

解 説

『どこでも！学ぶ宅建士』
第3編「法令上の制限」
→ 7 農地法（P506〜）

正答率	合格者	90.0 %
	不合格者	50.5 %

❶ 正しい。農地以外を農地に転用しても、4条の許可は不要。

農地法4条の許可が必要となるのは、農地を農地以外のものに転用する場合です。したがって、農地ではない原野を農地に転用する場合は、農地法4条の許可は必要ありません。　　　　　　　　　　　　　　　**→ 農地法4条**

❷ 誤り。抵当権の設定には、3条の許可は不要。

農地法3条の許可が必要となるのは、農地または採草放牧地について所有権を移転し、または賃借権などの使用・収益を目的とする権利を設定・移転する場合です。抵当権は、農地等の使用収益を目的とする権利ではありませんので、農地に抵当権を設定する場合は、農地法3条の許可は必要ありません。　　　　　　　　　　　　　　　　　　　　　　　　　　**→ 3条**

❸ 誤り。市街化区域内➡農業委員会への「届出」をすれば、4条の許可は不要。

市街化区域内にある農地を、あらかじめ農業委員会に届け出て、農地以外のものにする場合は、農地法4条の許可は必要ありません。　　**→ 4条**

❹ 誤り。採取計画に従った一時的な貸付け➡5条の許可は必要。

農地を農地以外のものにするため、所有権、賃借権などの使用・収益を目的とする権利を設定・移転する場合には、農地法5条の許可を受けなければなりません。砂利採取法による認可を受けた採取計画に従って砂利採取のために農地を一時的に貸し付ける場合であっても、同様です。　　**→ 5条**

攻略POINT 農地法4条許可（転用）のまとめ ───────────

「自分の農地をつぶす場合」の手続などのポイントです。

適用場面	許可権者	市街化区域内の特則	違反行為	罰則
農 ↓ 農以外	都道府県知事等	農業委員会へ届出	工事停止原状回復	3年以下の懲役または300万円以下の罰金 ※両罰規定：法人の場合、1億円以下の罰金

【正解 ❶ 】

農地法総合

問題 **51**

農地に関する次の記述のうち、農地法（以下この問において「法」という。）の規定によれば、誤っているものはどれか。

[R3(10)-問21]

❶ 遺産分割によって農地を取得する場合には、法第3条第1項の許可は不要であるが、農業委員会への届出が必要である。

❷ 法第3条第1項の許可を受けなければならない場合の売買については、その許可を受けずに農地の売買契約を締結しても、所有権移転の効力は生じない。

❸ 砂利採取法第16条の認可を受けて市街化調整区域内の農地を砂利採取のために一時的に借り受ける場合には、法第5条第1項の許可は不要である。

❹ 都道府県が市街化調整区域内の農地を取得して病院を建設する場合には、都道府県知事（法第4条第1項に規定する指定市町村の区域内にあってはその長）との協議が成立すれば、法第5条第1項の許可があったものとみなされる。

解 説　『どこでも！学ぶ宅建士』
第3編「法令上の制限」
➡ 7 農地法（P506〜）

正　合格者　**97.6** %
答
率　不合格者　**72.9** %

❶ **正しい。遺産分割で農地取得➡許可不要だが、遅滞なく農業委員会へ届出。**
　遺産分割・包括遺贈・相続人に対する特定遺贈などにより、農地について所有権、その他使用・収益を目的とする権利を取得した者は、農地法3条の許可を受ける必要はありません。しかし、遅滞なく、その農地の存する市町村の農業委員会にその旨を届け出なければなりません。
➡ 農地法3条の3、3条、施行規則15条

❷ **正しい。3条許可を受けないと、効力が生じない。**
　3条の許可を受けないでした行為は、その効力を生じません。したがって、3条の許可が必要な場合、その許可を受けずに農地の売買契約を締結しても、所有権移転の効力は生じません。
➡ 3条

❸ **誤り。認可を受けて砂利採取のために一時的に借り受ける場合も、許可必要。**

　農地を農地以外のものにするため、これらの土地について所有権、その他使用・収益を目的とする権利を設定・移転する場合には、5条の許可を受けなければなりません。本肢の「砂利採取法第16条の認可を受けて市街化調整区域内の農地を砂利採取のために一時的に借り受ける場合」について、許可を不要とする旨の例外はありません。
➡ 5条

❹ **正しい。国・都道府県等と知事等との協議が成立➡「許可あり」とみなされる。**

　国または都道府県等が、農地を農地以外のものにするため、これらの土地について所有権、その他使用・収益を目的とする権利を取得しようとする場合（5条の許可が不要となる場合を除く）においては、国または都道府県等と都道府県知事等との協議が成立することをもって5条の許可があったものとみなされます。
➡ 5条

農地法総合

【正解 ❸】

農地法総合

問題 52

農地に関する次の記述のうち、農地法（以下この問において「法」という。）の規定によれば、**誤っているもの**はどれか。

[R5-問21]

❶ 相続により農地を取得する場合は、法第３条第１項の許可を要しないが、相続人に該当しない者が特定遺贈により農地を取得する場合は、同項の許可を受ける必要がある。

❷ 自己の所有する面積４アールの農地を農作物の育成又は養畜の事業のための農業用施設に転用する場合は、法第４条第１項の許可を受ける必要はない。

❸ 法第３条第１項又は法第５条第１項の許可が必要な農地の売買について、これらの許可を受けずに売買契約を締結しても、その所有権の移転の効力は生じない。

❹ 社会福祉事業を行うことを目的として設立された法人（社会福祉法人）が、農地をその目的に係る業務の運営に必要な施設の用に供すると認められる場合、農地所有適格法人でなくても、農業委員会の許可を得て、農地の所有権を取得することができる。

日建学院・講師陣の 必勝コメント

　宅建試験・初出題の❹は、悩む価値さえありません。当然、復習も不要です。逆に、❶〜❸で悩むのは、明らかな実力不足といえます。

　特に❶❷については、「原則として、許可必要➡例外的に〝〜の場合〟には許可不要」という流れで、知識を再確認しておきましょう。

❶ 正しい。相続人でない者が特定遺贈で農地を取得 ➡ 3条許可が必要。

　　耕作目的で農地を取得する場合は、原則として、農地法3条の許可が必要ですが、相続により農地を取得する場合や、相続人が特定遺贈により農地を取得する場合には、例外的に農地法3条の許可は不要です。

　　しかし、「相続人に該当しない者」が特定遺贈により農地を取得する場合には、原則どおり、農地法3条の許可が必要です。　➡ 農地法3条、施行規則15条

❷ 誤り。農地の農業用施設への転用の例外 ➡ 面積2アール未満に限定。

　　農地を農地以外のものに転用する場合は、原則として、農地法4条の許可が必要です。ただし、耕作の事業を行う者が、自己所有の2アール未満の農地を、農作物の育成・養畜の事業のための農業用施設に転用する場合は、例外的に許可不要となります。

　　本肢の場合、農地の面積は4アールであるため「例外」にあたらず、原則どおり、農地法4条の許可が必要です。　➡ 4条、施行規則29条

❸ 正しい。3条・5条の許可なしの売買 ➡ 所有権移転の効力は生じない。

　　農地法3条または5条の許可を受けないでした行為は、その効力を生じません。したがって、これらの許可が必要な農地の売買について、許可を受けずに売買契約を締結しても、農地の所有権移転の効力は生じません。

➡ 3条、5条

❹ 正しい。社会福祉法人 ➡ 農地所有適格法人でなくても、3条許可で取得OK。

　　農地所有適格法人以外の法人は、原則として、農業委員会による農地法3条の許可を得て、農地の所有権を取得することはできません。

　　ただし、学校法人・医療法人・社会福祉法人などの営利を目的としない一定の法人は、農地をその目的に係る業務の運営に必要な施設の用に供すると認められる場合（［例］社会福祉法人が、リハビリテーション施設として使用する農場にする目的で農地を取得する場合など）には、その法人が農地所有適格法人でなくても、農地法3条の許可を得て、農地の所有権を取得できます。　➡ 3条、施行令2条、施行規則16条

農地法総合

【正解 ❷】

事後届出制

 国土利用計画法第23条に規定する届出（以下この問において「事後届出」という。）に関する次の記述のうち、正しいものはどれか。 [H28-問15]

❶ 市街化区域内の土地（面積2,500㎡）を購入する契約を締結した者は、その契約を締結した日から起算して3週間以内に事後届出を行わなければならない。

❷ Aが所有する監視区域内の土地（面積10,000㎡）をBが購入する契約を締結した場合、A及びBは事後届出を行わなければならない。

❸ 都市計画区域外に所在し、一団の土地である甲土地（面積6,000㎡）と乙土地（面積5,000㎡）を購入する契約を締結した者は、事後届出を行わなければならない。

❹ 市街化区域内の甲土地（面積3,000㎡）を購入する契約を締結した者が、その契約締結の1月後に甲土地と一団の土地である乙土地（面積4,000㎡）を購入することとしている場合においては、甲土地の事後届出は、乙土地の契約締結後に乙土地の事後届出と併せて行うことができる。

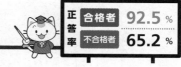
❶ **誤り。事後届出 ➡ 契約締結後「2週間」以内に行う。**

　市街化区域内の2,000㎡以上の土地について、土地売買等の契約を締結した場合には、権利取得者は、その契約を締結した日から起算して2週間以内に、都道府県知事に届け出なければなりません。　　　➡ 国土利用計画法23条

❷ **誤り。監視区域に所在する土地 ➡「事前」届出が必要。**

　注視区域、監視区域に所在する土地について、土地売買等の契約を締結する場合には、事前届出の対象となっています。したがって、本肢の場合に必要なのは事前届出であり、事後届出ではありません。　　➡ 23条、27条の7

❸ **正しい。一団の土地 ➡ 合計面積で届出の要否を判断する。**

　都市計画区域外の10,000㎡以上の土地について、土地売買等の契約を締結した場合には、事後届出が必要です。そして、それぞれが10,000㎡未満の複数の土地を売買した場合であっても、それが一団の土地に該当する場合には、合算した面積で届出の要否を判断します。本肢では、合算して11,000㎡となるため、甲土地と乙土地のそれぞれの購入ごとに事後届出が必要となります。　　　➡ 23条

❹ **誤り。一団の土地に該当しても、「それぞれ」につき事後届出が必要。**

　市街化区域内の2,000㎡以上の土地について、土地売買等の契約を締結した場合には、その契約を締結した日から起算して2週間以内に、事後届出をする必要があります。後日一団の土地の一部を追加して購入する予定がある場合であっても、それぞれの土地売買等の契約について、事後届出をする必要があります。　　　➡ 23条

攻略POINT 事後届出が必要な土地の面積 ─────────

　　次の内容は、非常に重要な知識です。正確に覚えておきましょう。

市街化区域	2,000㎡以上
市街化区域を除く都市計画区域	5,000㎡以上
都市計画区域外（準都市計画区域を含む）	10,000㎡以上

─────────────────────────────────── 【正解 ❸】

事後届出制

事後届出制

問題 **54**　国土利用計画法第23条の届出（以下この問において「事後届出」という。）に関する次の記述のうち、正しいものはどれか。

[R元-問22]

❶　宅地建物取引業者Aが、自己の所有する市街化区域内の2,000㎡の土地を、個人B、個人Cに1,000㎡ずつに分割して売却した場合、B、Cは事後届出を行わなければならない。

❷　個人Dが所有する市街化区域内の3,000㎡の土地を、個人Eが相続により取得した場合、Eは事後届出を行わなければならない。

❸　宅地建物取引業者Fが所有する市街化調整区域内の6,000㎡の一団の土地を、宅地建物取引業者Gが一定の計画に従って、3,000㎡ずつに分割して購入した場合、Gは事後届出を行わなければならない。

❹　甲市が所有する市街化調整区域内の12,000㎡の土地を、宅地建物取引業者Hが購入した場合、Hは事後届出を行わなければならない。

👆 **日建学院・講師陣の必勝コメント**

　落とすことのできない、基本的な問題です。ここで、今一度基本テキスト等を読み返しておきましょう。

解 説 『どこでも！学ぶ宅建士』 第3編「法令上の制限」

➡ 8 国土利用計画法（P514～）

❶ 誤り。**届出対象面積は、「権利取得者」を基準に判断。**

市街化区域内の2,000㎡以上の土地について、土地売買等の契約を締結した場合は、事後届出を行う必要があります。ただし、事後届出は、権利取得者が行わなければなりません。したがって、届出対象面積についても、権利取得者を基準に判断します。そうすると、本肢の場合、権利取得者B及びCは、届出対象面積未満である1,000㎡しか取得していませんので、事後届出を行う必要はありません。　➡ 国土利用計画法23条

❷ 誤り。**「相続」による土地の取得には、事後届出は不要。**

相続によって土地を取得しても、土地売買等の「契約」に該当しないため、事後届出をする必要はありません。　➡ 23条、14条

❸ 正しい。**一団の土地を分割しても、それぞれ事後届出が必要。**

市街化調整区域内の5,000㎡以上の土地について、土地売買等の契約を締結した場合は、事後届出を行う必要があります。そして、届出の対象面積以上となる一団の土地を、一定の計画に従って、分割して購入した場合、個々の取引では届出の対象面積未満となるときであっても、それぞれの土地売買等の契約について、事後届出が必要となります。　➡ 23条

❹ 誤り。**当事者の一方または双方が「国等」➡ 事後届出不要。**

当事者の一方または双方が国等である場合は、事後届出を行う必要はありません。本肢では、甲市が契約当事者の一方である売主となっていますので、買主Hは、事後届出は不要です。　➡ 23条

攻略POINT 事後届出の要否 ━━━━━━━━━━━━━━━━━━━━━

❷の「相続により取得」という点と、❹の「当事者の一方が市」という点を見落としてはなりません。「事後届出が必要・不要な行為」について、次の表で整理しましょう。

届出が必要な行　為　等	●売買・交換・売買の予約 ●権利金の授受がある地上権，賃借権の設定・移転 ●予約完結権の譲渡・信託財産の譲渡・代物弁済
届出が不要な行　為　等	●贈与・抵当権の設定 ●相続・遺贈・遺産分割・合併・調停 ●当事者の一方が国・地方公共団体の場合 ●農地法3条の許可を得た場合 ●予約完結権の行使・信託の引受け・土地収用

【正解 ❸】

事後届出制

[R2⑽-問22]

問題 55　国土利用計画法第23条の届出（以下この問において「事後届出」という。）に関する次の記述のうち、正しいものはどれか。

❶　Aが所有する市街化区域内の1,500㎡の土地をBが購入した場合には、Bは事後届出を行う必要はないが、Cが所有する市街化調整区域内の6,000㎡の土地についてDと売買に係る予約契約を締結した場合には、Dは事後届出を行う必要がある。

❷　Eが所有する市街化区域内の2,000㎡の土地をFが購入した場合、Fは当該土地の所有権移転登記を完了した日から起算して2週間以内に事後届出を行う必要がある。

❸　Gが所有する都市計画区域外の15,000㎡の土地をHに贈与した場合、Hは事後届出を行う必要がある。

❹　Iが所有する都市計画区域外の10,000㎡の土地とJが所有する市街化調整区域内の10,000㎡の土地を交換した場合、I及びJは事後届出を行う必要はない。

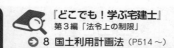
解 説　『どこでも！学ぶ宅建士』
第3編「法令上の制限」
➡ 8 国土利用計画法（P514～）

正答率　合格者 **94.8** %
　　　　不合格者 **62.5** %

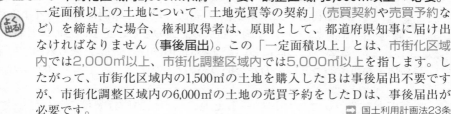

❶ **正しい。市街化区域内2,000㎡未満➡不要、調整区域内5,000㎡以上➡必要。**
一定面積以上の土地について「土地売買等の契約」（売買契約や売買予約など）を締結した場合、権利取得者は、原則として、都道府県知事に届け出なければなりません（**事後届出**）。この「一定面積以上」とは、市街化区域内では2,000㎡以上、市街化調整区域内では5,000㎡以上を指します。したがって、市街化区域内の1,500㎡の土地を購入したBは事後届出不要ですが、市街化調整区域内の6,000㎡の土地の売買予約をしたDは、事後届出が必要です。　　　　　　　　　　　　　　　　　　➡ 国土利用計画法23条

❷ **誤り。事後届出➡「契約締結日」から起算して2週間以内に行う。**
市街化区域内の2,000㎡以上の土地について土地売買等の契約を締結した場合、権利取得者は、「その契約を締結した日」から起算して2週間以内に、事後届出を行わなければなりません。本肢のように「当該土地の所有権移転登記を完了した日」から起算するわけではありません。　　➡ 23条

❸ **誤り。「贈与」契約➡事後届出不要。**
事後届出が必要な「土地売買等の契約」とは、対価を得て行われた契約に限られますので、贈与契約はこれに含まれません。したがって、Hは、事後届出は不要です。　　　　　　　　　　　　　　　➡ 23条、14条参照

❹ **誤り。「交換」契約➡原則、事後届出必要。**
交換契約は、事後届出が必要な「土地売買等の契約」に含まれます。また、事後届出が必要な土地の面積は、市街化調整区域内では5,000㎡以上、都市計画区域外では10,000㎡以上です。本肢では、IおよびJが取得する土地はどちらも届出が必要な面積に達していますので、両方とも事後届出を行う必要があります。　　　　　　　　　　　　　　　　　➡ 23条

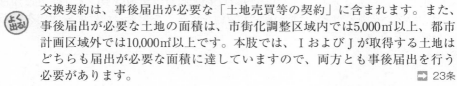

【**正解 ❶**】

事後届出制

問題 **56** 国土利用計画法第23条の届出（以下この問において「事後届出」という。）に関する次の記述のうち、正しいものはどれか。なお、この問において「都道府県知事」とは、地方自治法に基づく指定都市にあってはその長をいうものとする。 [R2⑿-問22]

❶ 都道府県知事は、事後届出に係る土地の利用目的及び対価の額について、届出をした宅地建物取引業者に対し勧告することができ、都道府県知事から勧告を受けた当該業者が勧告に従わなかった場合、その旨及びその勧告の内容を公表することができる。

❷ 事後届出が必要な土地売買等の契約により権利取得者となった者が事後届出を行わなかった場合、都道府県知事から当該届出を行うよう勧告されるが、罰則の適用はない。

❸ 国が所有する市街化区域内の一団の土地である1,500㎡の土地と500㎡の土地を個人Aが購入する契約を締結した場合、Aは事後届出を行う必要がある。

❹ 個人Bが所有する都市計画区域外の11,000㎡の土地について、個人CがBとの間で対価を支払って地上権設定契約を締結した場合、Cは事後届出を行う必要がある。

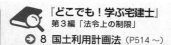

解 説

❶ 誤り。事後届出の勧告の対象 ➡ 「土地の利用目的」のみ。

都道府県知事は、事後届出があった場合、その届出をした者に対し、その届出に係る「土地の利用目的」について必要な変更をすべきことを勧告できます。都道府県知事は、勧告をした場合において、勧告を受けた者が勧告に従わないときは、その旨及び勧告の内容を公表できます。したがって、勧告の対象は、土地の利用目的だけであって、「対価の額」を含みません。

➡ 国土利用計画法24条

❷ 誤り。必要な事後届出をしない ➡ 罰則の適用あり。

規定に違反して、必要な事後届出をしなかった場合に「勧告される」という規定自体はありませんが、6ヵ月以下の懲役または100万円以下の罰金に処せられます。したがって、必要な事後届出を行わなかった場合は、罰則の適用があります。

➡ 47条、23条

❸ 誤り。当事者の一方または双方が国等 ➡ 事後届出不要。

当事者の一方または双方が国・地方公共団体など（国等）である場合は、事後届出をする必要はありません。

➡ 23条

❹ 正しい。都市計画区域外 ➡ 10,000㎡以上の場合に、事後届出が必要。

都市計画区域外の区域にあっては、10,000㎡以上の土地について土地売買等の契約を締結した場合、原則として、事後届出を行う必要があります。本肢の場合、11,000㎡の土地について対価を支払って地上権設定契約（＝土地売買等の契約）を締結していますので、権利取得者Cは、事後届出を行う必要があります。

➡ 23条、14条、施行令5条

> **+α** この「土地売買等の契約」とは、土地に関する所有権・地上権・賃借権またはこれらの権利の取得を目的とする権利（土地に関する権利）の移転・設定（対価を得て行われる移転・設定に限る）をする契約をいいます。

事後届出制

【正解 ❹】

事後届出制

> **問題 57**
>
> 国土利用計画法第23条の届出（以下この問において「事後届出」という。）に関する次の記述のうち、正しいものはどれか。なお、この問において「都道府県知事」とは、地方自治法に基づく指定都市にあってはその長をいうものとする。
>
> [R3⑽-問22]

❶ 土地売買等の契約を締結した場合には、当事者のうち当該契約による権利取得者は、その契約を締結した日の翌日から起算して３週間以内に、事後届出を行わなければならない。

❷ 都道府県知事は、事後届出をした者に対し、その届出に係る土地に関する権利の移転若しくは設定後における土地の利用目的又は土地に関する権利の移転若しくは設定の対価の額について、当該土地を含む周辺の地域の適正かつ合理的な土地利用を図るために必要な助言をすることができる。

❸ 事後届出が必要な土地売買等の契約を締結したにもかかわらず、所定の期間内に当該届出をしなかった者は、都道府県知事からの勧告を受けるが、罰則の適用はない。

❹ 宅地建物取引業者Ａが所有する準都市計画区域内の20,000㎡の土地について、10,000㎡をＢ市に、10,000㎡を宅地建物取引業者Ｃに売却する契約を締結した場合、Ｂ市は事後届出を行う必要はないが、Ｃは一定の場合を除き事後届出を行う必要がある。

日建学院・講師陣の必勝コメント

「正答率データ」によると、合格者と不合格者の差が大きい問題です。このうち❷は、「勧告」でも似たような出題がある"ひっかけ"です。正解肢がややこしいだけに、❷で道草している場合ではありません。

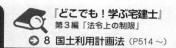

❶ 誤り。事後届出 ➡ 「契約締結日」から起算して「2週間以内」に行う。

土地売買等の契約を締結した場合には、権利取得者は、「契約を締結した日」から起算して「2週間以内」に、当該土地が所在する市町村の長を経由して、都道府県知事に届け出なければなりません。「契約を締結した日の翌日」から起算して「3週間以内」ではありません。　　　　　➡ 国土利用計画法23条

❷ 誤り。助言 ➡ 「土地の利用目的」についてのみ可。

都道府県知事は、事後届出があった場合において、届出をした者に対し、届出に係る土地に関する権利の移転・設定後における「土地の利用目的」について、必要な助言ができます。しかし、「対価の額」については、助言できません。　　　　　　　　　　　　　　　　　　　　　➡ 27条の2

❸ 誤り。事後届出をしない場合 ➡ 勧告はされないが、罰則あり。

都道府県知事の勧告は、事後届出があった場合に限って行われるので、そもそも事後届出を怠った者が、都道府県知事から勧告を受けることはありません。その一方で、事後届出の規定に違反して、必要な事後届出をしなかった者は、6ヵ月以下の懲役または100万円以下の罰金に処せられます。したがって、罰則の適用はあります。　　　　　　　　➡ 24条、47条

❹ 正しい。当事者の一方・双方が国等 ➡ 事後届出は不要。

当事者の一方または双方が国や地方公共団体など（国等）である場合、事後届出をする必要はありません。したがって、B市は事後届出を行う必要はありません。しかし、準都市計画区域内（＝都市計画区域外）の10,000㎡の土地について土地売買等の契約を締結した権利取得者Cは、一定の場合を除き、事後届出を行う必要があります。　　　　　➡ 23条

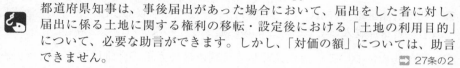

事後届出制

【正解 ❹】

523

事後届出制

国土利用計画法第23条の届出（以下この問において「事後届出」という。）に関する次の記述のうち、正しいものはどれか。なお、この問において「都道府県知事」とは、地方自治法に基づく指定都市にあってはその長をいうものとする。　[R4-問22]

❶ 都市計画区域外において、Ａ市が所有する面積15,000㎡の土地を宅地建物取引業者Ｂが購入した場合、Ｂは事後届出を行わなければならない。

❷ 事後届出において、土地売買等の契約に係る土地の土地に関する権利の移転又は設定の対価の額については届出事項ではない。

❸ 市街化区域を除く都市計画区域内において、一団の土地である甲土地（Ｃ所有、面積3,500㎡）と乙土地（Ｄ所有、面積2,500㎡）を宅地建物取引業者Ｅが購入した場合、Ｅは事後届出を行わなければならない。

❹ 都道府県知事は、土地利用審査会の意見を聴いて、事後届出をした者に対し、当該事後届出に係る土地の利用目的について必要な変更をすべきことを勧告することができ、勧告を受けた者がその勧告に従わない場合、その勧告に反する土地売買等の契約を取り消すことができる。

👉 日建学院・講師陣の 必勝コメント

本問を正解するためのポイントは、次のとおりです。
　① 「届出対象面積」を正確に覚える
　② 「面積は誰を基準に判断するのか」を理解する
　この2点をしっかり押さえていないと、正解以外の選択肢に漂流して、悶え苦しむ運命に…。同様の問題は、繰り返し出題されてきています。肝に銘じておきましょう！

❶ 誤り。**当事者の一方が国等 ➡ 事後届出不要。**

当事者の一方または双方が国・地方公共団体などの場合は、事後届出をする必要はありません。 ➡ 国土利用計画法23条

❷ 誤り。**対価の額も、届出事項。**

土地売買等の契約に係る土地の土地に関する権利の移転・設定の「対価の額」は、事後届出の届出事項です。 ➡ 23条、24条参照

> **+α** 勧告の対象は「土地の利用目的」だけであり、対価の額は含まれません。

❸ 正しい。**権利取得者側の面積を基準に、事後届出の要否を判断。**

事後届出における届出対象面積は、次のとおりです。

① 市街化区域では2,000㎡以上
② 市街化区域以外の都市計画区域（市街化調整区域＝区域区分が定められていない都市計画区域）は5,000㎡以上
③ 都市計画区域以外の区域は10,000㎡以上

この事後届出の対象面積にあたるかどうかは、一団の土地の権利取得者を基準に判断します。本肢の場合、権利取得者Eの合計面積は6,000㎡となり、②の届出対象面積に該当します。したがって、Eは、事後届出を行わなければなりません。 ➡ 23条

❹ 誤り。**勧告に不服従でも、契約は確定的に有効。「知事による取消し」は不可。**

都道府県知事は、一定の場合、土地利用審査会の意見を聴いて、事後届出をした者に対し、当該事後届出に係る土地の利用目的について必要な変更をすべきことを勧告でき、その勧告を受けた者がその勧告に従わないときは、その旨および内容を公表できます。

しかし、勧告に従わない場合であっても、土地売買等の契約は確定的に有効であり、都道府県知事が当該契約を取り消すことはできません。 ➡ 24条、26条

事後届出制

【正解 ❸】

525

事後届出制・その他の法令複合

問題 59 土地を取得する場合における届出に関する次の記述のうち、正しいものはどれか。なお、この問において「事後届出」とは、国土利用計画法第23条の届出をいい、「重要土地等調査法」とは、重要施設周辺及び国境離島等における土地等の利用状況の調査及び利用の規制等に関する法律をいうものとする。 [R5-問22]

❶ 都市計画区域外において、国から一団の土地である6,000㎡と5,000㎡の土地を購入した者は、事後届出を行う必要はない。

❷ 市街化区域を除く都市計画区域内において、Aが所有する7,000㎡の土地をBが相続により取得した場合、Bは事後届出を行う必要がある。

❸ 市街化区域において、Cが所有する3,000㎡の土地をDが購入する契約を締結した場合、C及びDは事後届出を行わなければならない。

❹ 重要土地等調査法の規定による特別注視区域内にある100㎡の規模の土地に関する所有権又はその取得を目的とする権利の移転をする契約を締結する場合には、当事者は、一定の事項を、あらかじめ、内閣総理大臣に届け出なければならない。

日建学院・講師陣の必勝コメント

❹の「重要土地等調査法」でビビってしまうのは、国土利用計画法の学習が不十分な証拠です！　というのも、❶〜❸は、国土利用計画法における頻出知識だけで、十分解けるはずだからです。

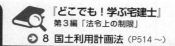

『どこでも！学ぶ宅建士』
第3編「法令上の制限」

⇨ 8 国土利用計画法（P514〜）

❶ **正しい。契約当事者の一方または双方が国等 ➡ 事後届出は不要。**
　土地売買等の契約の当事者の一方または双方が、国等（国・地方公共団体など）である場合は、事後届出は不要です。　　　　　　⇨ 国土利用計画法23条

❷ **誤り。相続による土地の取得 ➡ 事後届出は不要。**
　土地売買等の契約を締結した場合、権利取得者は、原則として、事後届出を行わなければなりません。しかし、相続は、そもそも「契約」に該当しません。したがって、Aの土地を相続したBは、事後届出を行う必要はありません。　　　　　　　　　　　　　　　　　　　　　　　　　　　　⇨ 23条

❸ **誤り。事後届出の義務者 ➡ 権利取得者（買主等）のみ。**
　市街化区域内の2,000㎡以上の土地について土地売買等の契約を締結した場合、原則として事後届出が必要ですが、この場合に届出義務を負うのは権利取得者のみです。したがって、買主Dは事後届出を行う必要がありますが、売主Cは、事後届出を行う必要はありません。　　　　　　　　⇨ 23条

❹ **誤り。特別注視区域内での土地等売買等契約 ➡ 200㎡未満は、届出不要。**
　重要土地等調査法の規定による特別注視区域内に所在する土地等に関する売買等の契約を締結する場合には、当事者は、原則として、あらかじめ内閣総理大臣に届け出なければなりません。ただし、200㎡未満の土地等の場合は、例外的に届出不要です。
　したがって、土地の面積が「100㎡」である本肢の場合は、届出をする必要はありません。　　　　　　　　　　　　⇨ 重要土地等調査法13条、施行令4条

> **+α** 「重要土地等調査法」とは、我が国の領海等の保全と安全保障への寄与などを目的に、近年制定された法律です。重要施設の周辺の区域内及び国境離島等の区域内にある土地等が、重要施設または国境離島等の機能を阻害する行為の用に供されることを防止するため、特別注視区域内に所在する土地等に係る契約の届出等の措置などについて定めています。

【正解 ❶】

事後届出制・その他の法令複合

次の記述のうち、正しいものはどれか。

[H25-問22]

❶ 地すべり等防止法によれば、地すべり防止区域内において、地表水を放流し、又は停滞させる行為をしようとする者は、一定の場合を除き、市町村長の許可を受けなければならない。

❷ 国土利用計画法によれば、甲県が所有する都市計画区域内の7,000㎡の土地を甲県から買い受けた者は、事後届出を行う必要はない。

❸ 土壌汚染対策法によれば、形質変更時要届出区域内において土地の形質の変更をしようとする者は、非常災害のために必要な応急措置として行う行為であっても、都道府県知事に届け出なければならない。

❹ 河川法によれば、河川区域内の土地において工作物を新築し、改築し、又は除却しようとする者は、河川管理者と協議をしなければならない。

解 説 『どこでも！学ぶ宅建士』
第3編「法令上の制限」
→ 8 国土利用計画法 (P514〜)、9 その他の諸法令 (P524〜)

正
答
率 合格者 **93.2** %
不合格者 **63.8** %

❶ 誤り。**地すべり防止区域内 ➡ 「知事」の許可。**
　地すべり防止区域内において、地表水を放流し、または停滞させる行為等をしようとする者は、一定の場合を除き、「都道府県知事の許可」を受けなければなりません。　　　　　　　　　➡ 地すべり等防止法18条

❷ 正しい。**当事者の一方または双方が「国・地方公共団体等」➡ 届出不要。**
　当事者の一方または双方が国等である場合には、事後届出をする必要はありません。　　　　　　　　　　　　　　　　　➡ 国土利用計画法23条

❸ 誤り。**「非常災害の必要な応急措置」の場合 ➡ 届出不要。**
　形質変更時要届出区域内において土地の形質の変更をしようとする者は、当該土地の形質の変更に着手する日の14日前までに、「都道府県知事に届出」をしなければなりません。しかし、非常災害のために必要な応急措置として行う行為等については不要です。　　　➡ 土壌汚染対策法12条

❹ 誤り。**河川区域内 ➡ 「河川管理者」の許可。**
　河川区域内の土地において工作物を新築し、改築し、または除却しようとする者は、「河川管理者の許可」を受けなければなりません。　➡ 河川法26条

攻略POINT 許可権者の例外 ―――――――――

　許可権者は、原則として「都道府県知事」です。その「例外」として、次のものを覚えると効率的です。

法令名	規制内容	許可権者
自然公園法	国立公園の特別地域内の建築行為等	環境大臣
文化財保護法	重要文化財等の現状を変更する行為	文化庁長官
道路法	道路予定地内の建築行為等	道路管理者
河川法	河川区域内の工作物の建設等	河川管理者
海岸法	海岸保全区域内の工作物の建設等	海岸管理者
港湾法	港湾区域内の土砂の採取等	港湾管理者
津波防災地域づくりに関する法律	津波防護施設区域内の工作物の新築，土地の掘削等	津波防護施設管理者
生産緑地法	生産緑地地区内の建築行為等	市町村長

【正解 ❷】

事後届出制・その他の法令複合

事後届出制・その他の法令複合

次の記述のうち、誤っているものはどれか。

[H26-問22]

❶ 国土利用計画法によれば、同法第23条の届出に当たっては、土地売買等の対価の額についても都道府県知事（地方自治法に基づく指定都市にあっては、当該指定都市の長）に届け出なければならない。

❷ 森林法によれば、保安林において立木を伐採しようとする者は、一定の場合を除き、都道府県知事の許可を受けなければならない。

❸ 海岸法によれば、海岸保全区域内において土地の掘削、盛土又は切土を行おうとする者は、一定の場合を除き、海岸管理者の許可を受けなければならない。

❹ 都市緑地法によれば、特別緑地保全地区内において建築物の新築、改築又は増築を行おうとする者は、一定の場合を除き、公園管理者の許可を受けなければならない。

『どこでも！学ぶ宅建士』
第3編「法令上の制限」
➡ 8 国土利用計画法（P514〜）、9 その他の諸法令（P524〜）

正答率	合格者	91.0 %
	不合格者	67.4 %

❶ 正しい。**対価の額 ➡ 届出が必要。**

 国土利用計画法の事後届出が必要な場合、土地の利用目的等だけでなく、土地に関する権利の移転・設定の対価の額も、届け出る必要があります。

➡ 国土利用計画法23条

❷ 正しい。**保安林で立木を伐採 ➡ 「都道府県知事」の許可が必要。**

保安林において、立木を伐採しようとする者は、原則として、都道府県知事の許可を受けなければなりません。　➡ 森林法34条

❸ 正しい。**海岸保全区域で土地の掘削等 ➡ 「海岸管理者」の許可が必要。**

海岸保全区域内において、土地の掘削、盛土、切土などをしようとする者は、原則として、海岸管理者の許可を受けなければなりません。　➡ 海岸法8条

❹ 誤り。**特別緑地保全地区で建築物の新築等 ➡ 「知事等」の許可が必要。**

特別緑地保全地区内において、建築物の新築、改築、増築などをしようとする者は、原則として、「都道府県知事等」の許可を受けなければなりません。公園管理者の許可ではありません。　➡ 都市緑地法14条

事後届出制・その他の法令複合

【正解 ❹ 】

531

第4編

税・価格の評定

- ●地方税
- ●国　税
- ●地価公示法
- ●不動産の鑑定評価

不動産取得税

不動産取得税に関する次の記述のうち、正しいものはどれか。

[R6-問24改]

❶ 不動産取得税の課税標準は、不動産を取得した時における当該不動産の売買価格であるから、固定資産税の課税標準である固定資産の評価額とは異なるものである。

❷ 不動産取得税の課税標準となるべき額が、土地の取得にあっては10万円、家屋の取得のうち建築に係るものにあっては1戸につき23万円、その他のものにあっては1戸につき12万円に満たない場合においては、不動産取得税が課されない。

❸ 不動産取得税は、不動産の取得に対して課される税であるので、法人の合併により不動産を取得した場合においても、不動産取得税が課される。

❹ 令和7年4月に個人が取得した住宅及び住宅用地に係る不動産取得税の税率は3％であるが、住宅以外の家屋及び土地に係る不動産取得税の税率は4％である。

👉 日建学院・講師陣の必勝コメント

　税の問題では、数字が正誤判断のカギを握るケースが多くみられます。この問題で悩んだ方は、❷❹に関する正確な数字をしっかり覚えておきましょう。反省すれば一歩前進！　でも、反省を怠れば、三歩後退です…。

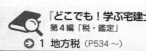

解説 『どこでも！学ぶ宅建士』
第4編「税・鑑定」
➡ 1 地方税（P534〜）

正答率　合格者 **91.3**%　不合格者 **49.3**%

❶ **誤り。不動産取得税の課税標準 ➡ 固定資産課税台帳価格。**

　　不動産取得税の課税標準は、**不動産を取得した時**における不動産の価格です。この「価格」とは、固定資産課税台帳に価格が登録されている不動産の場合であれば、原則として、その**登録価格**（「固定資産課税台帳価格」、固定資産の評価額のこと）を指します。

　　したがって、課税標準は「当該不動産の売買価格」ではありません。また、「固定資産税の課税標準である固定資産の評価額とは異なるもの」でもありません。　　　　　　　　　　　　　　　　　　　➡ 地方税法73条の13、73条の21

❷ **正しい。**

　　不動産取得税の免税点は、①土地の取得については**10万円**、②建築による家屋の取得については、1戸につき**23万円**、③建築「以外」（例えば、売買）による家屋の取得については、1戸につき**12万円**です。

　　そして、課税標準となるべき額が①〜③の額に満たない場合には、不動産取得税は課されません。　　　　　　　　　　　　　　　　➡ 73条の15の2

❸ **誤り。合併による不動産取得 ➡ 不動産取得税は課されない。**

　　不動産取得税は、不動産の取得に対して課される税です。ただし、**法人の合併**により不動産を取得した場合には、例外的に、「形式的な所有権の移転等に対する不動産取得税の非課税」としての扱いにより、**不動産取得税は課されません。**　　　　　　　　　　　　　　　　　　　　　　➡ 73条の7

❹ **誤り。「土地」の取得に対する不動産取得税の標準税率 ➡ 用途に関係なく3％。**

　　不動産取得税の標準税率は、住宅以外の家屋の取得については**4％**（4/100）ですが、住宅または土地の取得については**3％**（3/100）です。したがって、本肢の「土地」については、住宅用地か否か、つまり「用途」に関係なく、「4％」ではなく**3％**です。　　　　　　　➡ 73条の15、附則11条の2

攻略POINT 不動産取得税の税率 ――――――――――――――

　　不動産取得税の税率については、この「**数字**」を押さえておきましょう。

標準税率	$\dfrac{4}{100}$	住宅以外の家屋 （例：オフィスビル）
標準税率の特例措置	$\dfrac{3}{100}$	住宅・土地

――――――――――――――――――――――――――【正解 ❷】

不動産取得税

重要ランク **A**

不動産取得税

<table>
<tr><td>問題</td><td>**2**</td></tr>
</table>

不動産取得税に関する次の記述のうち、正しいものはどれか。
[H30-問24]

❶ 不動産取得税は、不動産の取得があった日の翌日から起算して３月以内に当該不動産が所在する都道府県に申告納付しなければならない。

❷ 不動産取得税は不動産の取得に対して課される税であるので、家屋を改築したことにより当該家屋の価格が増加したとしても、新たな不動産の取得とはみなされないため、不動産取得税は課されない。

❸ 相続による不動産の取得については、不動産取得税は課されない。

❹ 一定の面積に満たない土地の取得については、不動産取得税は課されない。

解説

『どこでも！学ぶ宅建士』
第4編「税・鑑定」
1 地方税（P534～）

正答率	
合格者	89.2％
不合格者	64.9％

①誤り。不動産取得税➡普通徴収による。

よく出る！

不動産取得税の徴収については、普通徴収の方法によらなければなりません。したがって、申告納付をする必要はありません。

地方税法73条の17、73条の18参照

②誤り。改築で価格が増加➡家屋の取得として課税。

家屋を改築したことにより、当該家屋の価格が増加した場合には、当該改築をもって家屋の取得とみなして、増加した部分について不動産取得税が課されます。

73条の2

③正しい。相続による不動産の取得➡不動産取得税は課されない。

よく出る！

都道府県は、相続（包括遺贈及び被相続人から相続人に対してなされた遺贈を含む）による**不動産の取得**に対しては、不動産取得税を**課すことができません。**

73条の7

④誤り。「一定の面積未満は不動産取得税非課税」という規定はない。

都道府県は、不動産取得税の課税標準となるべき額が、一定額に満たない場合においては、不動産取得税を課すことができないという規定はあります（免税点）。しかし、「一定の面積に満たない土地の取得」について、不動産取得税を課すことができない旨の規定はありません。

73条の15の2参照

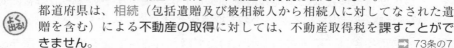

攻略POINT 不動産取得税と固定資産税の特例

不動産取得税と固定資産税の**特例**を比較して、整理しておきましょう。

<table>
<tr><th colspan="2">特例の種類</th><th colspan="2">課税標準</th><th>税率</th><th>税額</th></tr>
<tr><td rowspan="3">不動産取得税</td><td>宅地</td><td colspan="2">1／2</td><td rowspan="3">3／100
（住宅・土地共通）</td><td>一定額の控除あり</td></tr>
<tr><td rowspan="2">住宅</td><td>新築＊1</td><td>1,200万円控除</td><td rowspan="2">――</td></tr>
<tr><td>中古＊1</td><td>一定額の控除</td></tr>
<tr><td rowspan="3">固定資産税</td><td rowspan="2">宅地</td><td>200㎡以下</td><td>1／6</td><td rowspan="2">――</td><td rowspan="2">――</td></tr>
<tr><td>200㎡超</td><td>1／3</td></tr>
<tr><td>住宅</td><td colspan="2">――</td><td>――</td><td>新築住宅は1／2＊2</td></tr>
</table>

＊1：床面積が50㎡以上240㎡以下
＊2：床面積120㎡までの部分に適用

【正解 ③】

不動産取得税

問題 3	不動産取得税に関する次の記述のうち、正しいものはどれか。

[R2(10)-問24改]

❶ 令和7年4月に個人が取得した住宅及び住宅用地に係る不動産取得税の税率は3％であるが、住宅用以外の土地に係る不動産取得税の税率は4％である。

❷ 一定の面積に満たない土地の取得に対しては、狭小な不動産の取得者に対する税負担の排除の観点から、不動産取得税を課することができない。

❸ 不動産取得税は、不動産の取得に対して課される税であるので、家屋を改築したことにより、当該家屋の価格が増加したとしても、不動産取得税は課されない。

❹ 共有物の分割による不動産の取得については、当該不動産の取得者の分割前の当該共有物に係る持分の割合を超えない部分の取得であれば、不動産取得税は課されない。

👆 **日建学院・講師陣の必勝コメント**

　「正答率データ」によると、合格者と不合格者の差が大きい問題です。このうち❶は、実質は、「土地についての税率」を問う目的だけの肢。ここで自信を持って正誤判断できないと、やや難しい❹との間で迷いが生じてしまいます。

❶ 誤り。土地であれば「一律3％」。

不動産取得税の標準税率は、住宅と土地については3／100（3％）、住宅以外の「家屋」については4／100（4％）です。したがって、土地については、住宅用「以外」の土地でも、3％です。

➡ 地方税法73条の15、附則11条の2

❷ 誤り。「一定面積未満を理由に課税しない」旨の規定なし。

課税標準となるべき額が一定の額に満たない場合、不動産取得税は課されません（免税点）。しかし、一定の面積に満たない土地の取得であることを理由に、不動産取得税が課されないとする規定はありません。

➡ 73条の15の2参照

❸ 誤り。改築で価格が増加 ➡ 増加部分に不動産取得税が課される。

家屋を改築したことにより当該家屋の価格が増加した場合、当該改築をもって家屋の取得とみなし、増加した部分について不動産取得税が課されます。

➡ 73条の2

❹ 正しい。共有物の分割による不動産の取得 ➡ 原則、非課税。

共有物の分割による不動産の取得については、分割前の持分の割合を超えなければ、不動産取得税は課されません。

➡ 73条の7

不動産取得税

【正解 ❹】

不動産取得税

問題 4

不動産取得税に関する次の記述のうち、正しいものはどれか。

[R3⑽-問24改]

❶ 令和2年に新築された既存住宅（床面積210㎡）を個人が自己の居住のために取得した場合、当該取得に係る不動産取得税の課税標準の算定については、当該住宅の価格から1,200万円が控除される。

❷ 家屋が新築された日から3年を経過して、なお、当該家屋について最初の使用又は譲渡が行われない場合においては、当該家屋が新築された日から3年を経過した日において家屋の取得がなされたものとみなし、当該家屋の所有者を取得者とみなして、これに対して不動産取得税を課する。

❸ 不動産取得税は、不動産の取得があった日の翌日から起算して2か月以内に当該不動産の所在する都道府県に申告納付しなければならない。

❹ 不動産取得税は、不動産を取得するという比較的担税力のある機会に相当の税負担を求める観点から創設されたものであるが、不動産取得税の税率は4％を超えることができない。

解 説

『どこでも！学ぶ宅建士』
第4編「税・鑑定」
➡ 1 地方税（P534～）

正答率　合格者 **71.1**%　不合格者 **53.5**%

❶ 正しい。**一定の既存住宅➡価格から1,200万円控除。**

個人が自己の居住の用に供する一定の既存（＝中古）住宅（床面積が50㎡以上240㎡以下のもの）を取得した場合における当該住宅の取得に対して課する不動産取得税の課税標準の算定については、一戸について、当該住宅が新築された時における控除額（平成9年4月1日以降に新築した場合：1,200万円）を、価格から控除します。　➡ 地方税法73条の14、施行令37条の18

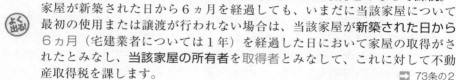

❷ 誤り。**新築から「6ヵ月」経過して最初の使用なし➡取得とみなして課税。**

（よく出る！）家屋が新築された日から6ヵ月を経過しても、いまだに当該家屋について最初の使用または譲渡が行われない場合は、当該家屋が新築された日から6ヵ月（宅建業者については1年）を経過した日において家屋の取得がされたとみなし、当該家屋の所有者を取得者とみなして、これに対して不動産取得税を課します。　➡ 73条の2

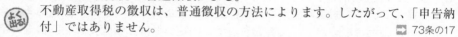

❸ 誤り。**不動産取得税➡普通徴収による。**

（よく出る！）不動産取得税の徴収は、普通徴収の方法によります。したがって、「申告納付」ではありません。　➡ 73条の17

❹ 誤り。**不動産取得税の税率4％は「標準税率」。制限税率ではない。**

不動産取得税の税率の「4％」とは、標準税率のことです。「制限税率」（税率の上限）の規定ではありませんので、「4％を超えることができない」というのは誤りです。

なお、前半の「不動産を取得するという比較的担税力のある機会に相当の税負担を求める観点から創設されたもの」という部分は、正しい記述です。　➡ 73条の15

不動産取得税

【正解 ❶】

固定資産税

問題 **5**

固定資産税に関する次の記述のうち、正しいものはどれか。

[H29-問24改]

❶ 固定資産税は、固定資産が賃借されている場合、所有者ではなく当該固定資産の賃借人に対して課税される。

❷ 家屋に対して課する固定資産税の納税者が、その納付すべき当該年度の固定資産税に係る家屋について家屋課税台帳等に登録された価格と当該家屋が所在する市町村内の他の家屋の価格とを比較することができるよう、当該納税者は、家屋価格等縦覧帳簿をいつでも縦覧することができる。

❸ 固定資産税の納税者は、その納付すべき当該年度の固定資産課税に係る固定資産について、固定資産課税台帳に登録された価格について不服があるときは、一定の場合を除いて、文書をもって、固定資産評価審査委員会に審査の申出をすることができる。

❹ 令和7年1月1日現在において更地であっても住宅の建設が予定されている土地においては、市町村長が固定資産課税台帳に当該土地の価格を登録した旨の公示をするまでに当該住宅の敷地の用に供された場合には、当該土地に係る令和7年度の固定資産税について、住宅用地に対する課税標準の特例が適用される。

日建学院・講師陣の必勝コメント

❹がやや細かいですが、正解肢は基本的な内容で、他の肢も過去に既出です。ぜひ正解したい問題です。

解説 『どこでも！学ぶ宅建士』
第４編「税・鑑定」
➡ **１ 地方税**（P537〜）

正答率　合格者 **78.3** ％　不合格者 **55.4** ％

❶ 誤り。固定資産税の納税義務者 ➡ 原則として所有者。

固定資産税は、固定資産の所有者（質権または100年より永い存続期間の定めのある地上権の目的である土地の場合、その質権者または地上権者）に課す税金です。したがって、賃借人には課されません。　➡ 地方税法343条

❷ 誤り。縦覧 ➡「４月１日から４月20日または最初の納期限まで」に限定。

市町村長は、市町村内の他の家屋の価格と比較できるよう、「毎年４月１日から、４月20日または当該年度の最初の納期限の日のいずれか遅い日以後の日までの間」、家屋価格等縦覧帳簿などを当該市町村内に所在する家屋に対して課す固定資産税の納税者の縦覧に供しなければなりません。したがって、家屋価格等縦覧帳簿を「いつでも」縦覧することができるわけではありません。　➡ 416条

❸ 正しい。価格への不服 ➡ 固定資産評価審査委員会に審査の申出ができる。

固定資産税の納税者は、その納付すべき当該年度の固定資産税に係る固定資産について固定資産課税台帳に登録された価格について不服がある場合においては、固定資産の価格等の登録の公示の日から納税通知書の交付を受けた日後３ヵ月を経過する日までの間等において、文書をもって、固定資産評価審査委員会に審査の申出をすることができます。　➡ 432条

❹ 誤り。更地 ➡ 住宅用地の特例は適用されない。

専ら人の居住の用に供する家屋またはその一部を人の居住の用に供する家屋で政令で定めるものの「敷地の用に供されている土地」には、固定資産税の課税標準の特例が適用されます。この「敷地の用に供されている土地」とは、特例対象となる家屋を維持しまたはその効用を果たすために使用されている１画地の土地で賦課期日現在において当該家屋の存するもの、またはその上に既存の当該家屋に代えてこれらの家屋が「建設中」であるものをいいます。したがって、単に住宅の建設が「予定」されている更地には、住宅用地に対する課税標準の特例は適用されません。

➡ 349条の3の2、総務大臣通知

攻略POINT 固定資産課税台帳

- ３年間は据置き。ただし、地目の変更等があれば見直しされる
- ４月１日から一定の期日まで、納税者は縦覧帳簿を縦覧できる
- 価格は、総務大臣が定めた固定資産評価基準に基づき決定される
- 価格に不服があれば、固定資産評価審査委員会に、文書をもって審査の申出をすることができる

【正解 **❸**】

固定資産税

543

固定資産税

固定資産税に関する次の記述のうち、地方税法の規定によれば、正しいものはどれか。

[R元-問24]

❶ 居住用超高層建築物（いわゆるタワーマンション）に対して課する固定資産税は、当該居住用超高層建築物に係る固定資産税額を、各専有部分の取引価格の当該居住用超高層建築物の全ての専有部分の取引価格の合計額に対する割合により按分した額を、各専有部分の所有者に対して課する。

❷ 住宅用地のうち、小規模住宅用地に対して課する固定資産税の課税標準は、当該小規模住宅用地に係る固定資産税の課税標準となるべき価格の３分の１の額とされている。

❸ 固定資産税の納期は、他の税目の納期と重複しないようにとの配慮から、４月、７月、12月、２月と定められており、市町村はこれと異なる納期を定めることはできない。

❹ 固定資産税は、固定資産の所有者に対して課されるが、質権又は100年より永い存続期間の定めのある地上権が設定されている土地については、所有者ではなくその質権者又は地上権者が固定資産税の納税義務者となる。

日建学院・講師陣の必勝コメント

「正答率データ」によると、合格者と不合格者の差が大きい問題です。❶は難しい内容なので、正誤判断ができなくても仕方ありませんが、❷の「小規模住宅用地の課税標準の特例」の数字は、必ず覚えていなければなりません。

『どこでも！学ぶ宅建士』
第4編「税・鑑定」
➡ 1 地方税 (P537〜)

正答率 合格者 **85.4** %
不合格者 **46.2** %

❶ 誤り。専有部分の床面積の全専有部分の床面積の合計に対する割合。

居住用超高層建築物（いわゆる「タワーマンション」）に対して課される固定資産税については、専有部分の「床面積」の居住用超高層建築物の全ての専有部分の「床面積」の合計に対する割合により按分した額を、固定資産税として納付する義務を負います。 　　　　　　　➡ 地方税法352条

❷ 誤り。200㎡以下の部分の課税標準の特例➡「1／6」。

小規模住宅用地（面積が200㎡以下の部分）に対して課される固定資産税の課税標準は、当該小規模住宅用地に係る固定資産税の課税標準となるべき価格の「6分の1」の額となります。 　　　　　　　➡ 349条の3の2

❸ 誤り。「4月・7月・12月・2月」と異なる納期を定めることも可能。

固定資産税の納期は、4月、7月、12月及び2月中において、当該市町村の条例で定めます。ただし、特別の事情がある場合は、これと異なる納期を定めることができます。 　　　　　　　➡ 362条

❹ 正しい。質権・100年より永い地上権➡質権者・地上権者が納税。

固定資産税は、原則として固定資産の所有者に課されますが、質権または100年より永い存続期間の定めのある地上権の目的である土地については、その質権者または地上権者に課します。 　　　　　　　➡ 343条

固定資産税

攻略POINT 固定資産税　課税標準の特例

固定資産税の課税標準は、住宅用地の場合、200㎡以下の部分（小規模住宅用地）と、200㎡を超える部分について、次のように軽減されます。

❶ 200㎡以下の部分（小規模住宅用地）	1／6
❷ 200㎡を超える部分（その他の住宅用地）	1／3

200㎡ 1／6　100㎡ 1／3

例えば、300㎡の土地の場合、200㎡以下の部分について課税標準が1／6に軽減され、残りの100㎡については1／3に軽減されます。

【正解 ❹】

固定資産税

問題 7

固定資産税に関する次の記述のうち、正しいものはどれか。

[R4-問24]

❶ 固定資産税の徴収については、特別徴収の方法によらなければならない。

❷ 土地価格等縦覧帳簿及び家屋価格等縦覧帳簿の縦覧期間は、毎年4月1日から、4月20日又は当該年度の最初の納期限の日のいずれか遅い日以後の日までの間である。

❸ 固定資産税の賦課期日は、市町村の条例で定めることとされている。

❹ 固定資産税は、固定資産の所有者に課するのが原則であるが、固定資産が賃借されている場合は、当該固定資産の賃借権者に対して課される。

日建学院・講師陣の必勝コメント

　❷の内容は、「正解肢」として出題されたのは初めてであるくらい、正確に覚えるのは困難ですので、この問題は、❶❸❹だけで勝負すべきです。

　このうち❸は、合格者でも苦しむ巧妙な"ひっかけ"ですが、「賦課期日」と「納期」は別物であることを思い出せれば、一筋の光明が差すはずです。そして、残りの❶❹は、それこそ秒殺で一刀両断しましょう！

解説

『どこでも！学ぶ宅建士』
第4編「税・鑑定」
➡ 1 地方税（P537～）

正答率　合格者 **58.6**%　不合格者 **39.1**%

❶ 誤り。固定資産税 ➡ 普通徴収による。

固定資産税の徴収は、「普通徴収」の方法によります。　　➡ 地方税法364条

❷ 正しい。縦覧期間 ➡「4／1～4／20」「最初の納期限日」のどちらか遅い日以後まで。

市町村長は、原則として、毎年4月1日から4月20日、または当該年度の最初の納期限の日のいずれか遅い日以後の日までの間、土地価格等縦覧帳簿および家屋価格等縦覧帳簿を、それぞれの固定資産税の納税者の縦覧に供しなければなりません。　　➡ 416条

❸ 誤り。固定資産税の賦課期日 ➡ 法律で定める。

固定資産税の賦課期日は、当該年度の初日の属する年の1月1日です。これは、地方税法によって法定されており、各市町村の条例で定めるわけではありません。　　➡ 359条

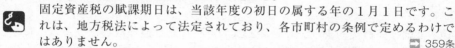

+α 固定資産税の**納期**は、「4月・7月・12月・2月」中において、「当該市町村の条例」で定めます。なお、特別の事情がある場合には、これらと異なる納期を定めることができる点に注意しましょう。

❹ 誤り。固定資産税の納税義務者 ➡ 所有者・質権者・地上権者のみ。

固定資産税は、固定資産の所有者（質権または100年より永い存続期間の定めのある地上権の目的である土地については、その**質権者・地上権者**）に課されます。その固定資産が「賃借」されている場合に、賃借権者に対して課されることはありません。　　➡ 343条

固定資産税

【正解 ❷】

印紙税

<table>
<tr><td>問題</td><td>8</td><td>印紙税に関する次の記述のうち、正しいものはどれか。
[H25-問23改]</td></tr>
</table>

❶ 土地譲渡契約書に課税される印紙税を納付するため当該契約書に印紙をはり付けた場合には、課税文書と印紙の彩紋とにかけて判明に消印しなければならないが、契約当事者の従業者の印章又は署名で消印しても、消印したことにはならない。

❷ 土地の売買契約書（記載金額2,000万円）を3通作成し、売主A、買主B及び媒介した宅地建物取引業者Cがそれぞれ1通ずつ保存する場合、Cが保存する契約書には、印紙税は課されない。

❸ 一の契約書に土地の譲渡契約（譲渡金額4,000万円）と建物の建築請負契約（請負金額5,000万円）をそれぞれ区分して記載した場合、印紙税の課税標準となる当該契約書の記載金額は、5,000万円である。

❹ 「建物の電気工事に係る請負金額は2,200万円（うち消費税額及び地方消費税額が200万円）とする」旨を記載した工事請負契約書について、印紙税の課税標準となる当該契約書の記載金額は、2,200万円である。

👆 **日建学院・講師陣の必勝コメント**

　印紙税は頻出ですが、正解のポイントは、**課税文書と記載金額の理解**に尽きます。

『どこでも！学ぶ宅建士』
第4編「税・鑑定」

→ 2 国税①印紙税・登録免許税・贈与税（P542〜）

正答率	合格者	77.8 %
	不合格者	48.2 %

❶ 誤り。代理人・使用人・その他の従業者による消印でもOK。

　　課税文書に印紙をはり付ける場合には、当該課税文書と印紙の彩紋にかけて、印章または署名で、判明に消さなければなりません。ただし、必ずしも、文書の作成者自らする必要はなく、代理人・使用人・その他の従業者の印章または署名で行うこともできます。　　　　　　　　　→ 印紙税法8条、施行令5条

❷ 誤り。媒介業者が保管する契約書 ➡ 課税文書。

　　「契約当事者以外の者」に提出・交付する一定の文書は、課税文書に該当しません。しかし、この「契約当事者以外の者」とは、たとえば、監督官庁・融資銀行等、契約に直接関与しない者をいい、不動産売買契約における仲介人等、契約に参加する者は含みません。

　　したがって、媒介業者Cが保存する土地の売買契約書には、「不動産の譲渡に関する契約書」として、印紙税が課されます。　　　　　　→ 基本通達20条

❸ 正しい。譲渡と請負を兼ねる契約書 ➡ 高いほうが「記載金額」。

　　「①不動産の譲渡に関する文書」と「②請負に関する文書」の両方に該当する文書は、原則として「①不動産の譲渡に関する文書」となります。

　　しかし、①の契約金額と②の契約金額が区分することができる場合で、①に記載されている契約金額が、②の契約金額に満たないときは、「②請負に関する文書」として課税されます。本肢の場合は、②の契約金額のほうが高いため、当該契約書の記載金額は5,000万円です。

　　　　　　　　　　　　　　　　　→ 課税物件表の適用に関する通則3

❹ 誤り。消費税額等が明らか ➡ 記載金額に含めない。

　　不動産の譲渡等に関する契約書、請負に関する契約書、金銭または有価証券の受取書に、①消費税及び地方消費税の金額が区分記載されている場合、または、②税込価格及び税抜価格が記載されていることにより取引に課される消費税額等が明らかな場合には、消費税額等は記載金額に含めません。

　　　　　　　　　　　　　　　　　　　　　　　　　　→ 国税庁通達

攻略POINT 　売買・譲渡と請負を兼ねる契約書 ─────

　　例えば、1通の契約書に土地の譲渡契約と建物建築請負契約が併記されている場合は、次のようになります。

　● 原則、譲渡契約書として課税

　● 譲渡金額より請負金額の方が高額な場合は、請負契約書として課税

印紙税

【正解 ❸】

印紙税

印紙税に関する次の記述のうち、正しいものはどれか。

[H28-問23改]

❶ 印紙税の課税文書である不動産譲渡契約書を作成したが、印紙税を納付せず、その事実が税務調査により判明した場合は、納付しなかった印紙税額と納付しなかった印紙税額の10%に相当する金額の合計額が過怠税として徴収される。

❷ 「Aの所有する甲土地（価額3,000万円）とBの所有する乙土地（価額3,500万円）を交換する」旨の土地交換契約書を作成した場合、印紙税の課税標準となる当該契約書の記載金額は3,500万円である。

❸ 「Aの所有する甲土地（価額3,000万円）をBに贈与する」旨の贈与契約書を作成した場合、印紙税の課税標準となる当該契約書の記載金額は、3,000万円である。

❹ 売上代金に係る金銭の受取書（領収書）は記載された受取金額が３万円未満の場合、印紙税が課されないことから、不動産売買の仲介手数料として、現金49,500円（消費税及び地方消費税を含む。）を受け取り、それを受領した旨の領収書を作成した場合、受取金額に応じた印紙税が課される。

👆 **日建学院・講師陣の必勝コメント**

　印紙税は、税の分野では、不動産取得税と並んで、得点しやすいテーマです。ですから、不合格者の正答率も、それなりに健闘しています。

　しかし、それをはるかに凌駕するのが**合格者**です。「**正答率データ**」によると、間違えた方は、なんとわずか数%です。

解説

『どこでも！学ぶ宅建士』
第4編「税・鑑定」

➡ 2 国税①印紙税・登録免許税・贈与税 (P542〜)

正答率　合格者 **94.2**%　不合格者 **62.4**%

❶ 誤り。過怠税 ➡ 実質3倍。

課税文書の作成者が、納付すべき印紙税を文書の作成の時までに納付しなかった場合には、印紙税の納税地の所轄税務署長は、その課税文書の作成者から、納付しなかった印紙税の額とその2倍に相当する金額との**合計額**に相当する過怠税を徴収します。つまり、実質「3倍の額」が徴収されることとなります。

➡ 印紙税法20条

❷ 正しい。交換契約書 ➡ 高いほうの価額が「記載金額」。

（よく出る）

交換契約書に交換する双方の価額が記載されているときは、高いほう（等価交換のときは、いずれか一方）の金額が記載金額となります。本肢の場合は、高いほうの金額である「3,500万円」が記載金額となります。

➡ 基本通達23条

❸ 誤り。贈与契約書 ➡ 記載金額は「なし」として扱う。

（よく出る）

贈与契約においては、「譲渡の対価」は生じないため、契約金額はないものとして扱います。本肢のように、単に物件の価額が記載されていても、記載金額はないものとなります。

➡ 23条

❹ 誤り。5万円未満の領収書 ➡ 非課税。

売上代金に係る金銭、または有価証券の受取書に記載された受取金額が5万円未満の場合には、非課税となります。

➡ 印紙税法別表第1　課税物件表

印紙税

攻略POINT ─ 売上代金に係る受取書 ────────────

❹に関して、売上代金に係る金銭等の受取書（領収書）は、原則として課税されますが、次の「例外」に注意しましょう。

● 記載金額が5万円未満
● 営業に関しない受取書 ─┐ 非課税

────────────────────────── 【正解 ❷】

印紙税

問題 10 印紙税に関する次の記述のうち、正しいものはどれか。

[R2⑽-問23]

❶ 「建物の電気工事に係る請負代金は1,100万円（うち消費税額及び地方消費税額100万円）とする」旨を記載した工事請負契約書について、印紙税の課税標準となる当該契約書の記載金額は1,100万円である。

❷ 「Aの所有する土地（価額5,000万円）とBの所有する土地（価額4,000万円）とを交換する」旨の土地交換契約書を作成した場合、印紙税の課税標準となる当該契約書の記載金額は4,000万円である。

❸ 国を売主、株式会社Cを買主とする土地の売買契約において、共同で売買契約書を2通作成し、国とC社がそれぞれ1通ずつ保存することとした場合、C社が保存する契約書には印紙税は課されない。

❹ 「契約期間は10年間、賃料は月額10万円、権利金の額は100万円とする」旨が記載された土地の賃貸借契約書は、記載金額1,300万円の土地の賃借権の設定に関する契約書として印紙税が課される。

解説

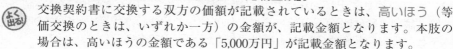

『どこでも！学ぶ宅建士』
第4編「税・鑑定」
→ 2 国税①印紙税・登録免許税・贈与税（P542〜）

正答率	合格者	98.5 %
	不合格者	77.3 %

❶ 誤り。**消費税額等が明らか ➡ 記載金額に含めない。**

不動産の譲渡等に関する契約書、請負に関する契約書、金銭または有価証券の受取書に、①消費税及び地方消費税の金額が区分記載されている場合、または、②税込価格及び税抜価格が記載されていることにより取引に課される消費税額等が明らかな場合には、消費税額等は記載金額に含めません。したがって、記載金額は、消費税額等である100万円を含めない「1,000万円」です。　　　　　　　　　　　　　　　　　　　　　　　　→ 国税庁通達

❷ 誤り。**交換契約書 ➡ 高いほうの価額が「記載金額」。**

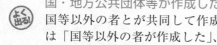

交換契約書に交換する双方の価額が記載されているときは、高いほう（等価交換のときは、いずれか一方）の金額が、記載金額となります。本肢の場合は、高いほうの金額である「5,000万円」が記載金額となります。　　　　　　　　　　　　　　　　　　　　　　　　→ 印紙税法基本通達23条

❸ 正しい。**国等と共同作成 ➡ 国等「以外」が保存する文書は非課税。**

国・地方公共団体等が作成した文書には、印紙税は課されません。国等と国等以外の者とが共同して作成した文書については、国等が保存する文書は「国等以外の者が作成した」、国等以外の者が保存する文書は「国等が作成した」とみなされます。したがって、C社が保存する契約書には、印紙税は課されません。　　　　　　　　　　　　　→ 印紙税法5条、4条、基本通達57条

❹ 誤り。**土地の賃貸借契約書 ➡ 「返還されない金額」が記載金額となる。**

土地の賃貸借契約書については、設定・譲渡の対価たる金額（＝権利金その他名称のいかんを問わず、後日返還されることが予定されていない金額）が記載金額となります。よって、本肢の「権利金」が後日の返還が予定されていないものであれば、その契約書の記載金額は「100万円」です。　　　　　　　　　　　　　　　　　　　　　　　　→ 基本通達23条

> **+α** なお、賃料は、記載金額に含まれないことに注意が必要です。

印紙税

【正解 ❸】

印紙税

問題 **11**

印紙税に関する次の記述のうち、正しいものはどれか。なお、以下の契約書はいずれも書面により作成されたものとする。

[R5-問23]

❶ 売主Aと買主Bが土地の譲渡契約書を3通作成し、A、B及び仲介人Cがそれぞれ1通ずつ保存する場合、当該契約書3通には印紙税が課される。

❷ 一の契約書に土地の譲渡契約（譲渡金額5,000万円）と建物の建築請負契約（請負金額6,000万円）をそれぞれ区分して記載した場合、印紙税の課税標準となる当該契約書の記載金額は1億1,000万円である。

❸ 「Dの所有する甲土地（時価2,000万円）をEに贈与する」旨を記載した贈与契約書を作成した場合、印紙税の課税標準となる当該契約書の記載金額は、2,000万円である。

❹ 当初作成の「土地を1億円で譲渡する」旨を記載した土地譲渡契約書の契約金額を変更するために作成する契約書で、「当初の契約書の契約金額を1,000万円減額し、9,000万円とする」旨を記載した変更契約書について、印紙税の課税標準となる当該変更契約書の記載金額は、1,000万円である。

🔥 **日建学院・講師陣の必勝コメント**

「記載金額の判断」は印紙税での"基本中の基本"ですから、❷～❹でのミスは許されません。勘違いした受験生は、猛復習しましょう！

解説

『どこでも！学ぶ宅建士』
第4編「税・鑑定」
➡ 2 国税①印紙税・登録免許税・贈与税 (P542〜)

正答率		
合格者	89.6 %	
不合格者	52.8 %	

❶ 正しい。仲介人が保存する譲渡契約書 ➡ 印紙税が課税。

 契約の直接の当事者に交付する文書だけでなく、**不動産売買契約の仲介人に交付する文書にも、印紙税が課**されます。したがって、本肢の売主Aと買主Bがそれぞれ保存する土地の譲渡契約書だけでなく、仲介人Cが保存する契約書にも、印紙税が課されます。

➡ 印紙税法2条、3条、基本通達19条、20条

❷ 誤り。譲渡と請負を兼ねる契約書 ➡ 高いほうが「記載金額」。

 「①不動産の譲渡に関する文書」と「②請負に関する文書」の両方に該当する文書は、原則として「①不動産の譲渡に関する文書」となります。しかし、不動産の①②の契約金額が区分することができる場合で、①に記載されている契約金額が、②に記載されている契約金額に満たないときは、「②請負に関する文書」として課税されます。したがって、本肢では、請負金額である「6,000万円」が記載金額となります。

➡ 印紙税法別表第一　課税物件表の適用に関する通則、基本通達24条

❸ 誤り。贈与契約書 ➡ 「記載金額のない文書」として課税。

 不動産の贈与契約書は、**記載金額のない不動産の譲渡に関する契約書**として、印紙税が課されます。　➡ 印紙税法別表第一　課税物件表1号、基本通達23条

> **+α** なお、「時価」は、記載金額とはなりません。

❹ 誤り。減額契約書 ➡ 「記載金額のない文書」として課税。

契約金額等の記載のある原契約書が作成されていることが明らかであり、かつ、**変更契約書に変更金額が記載**されている場合、金額を減少させる変更契約書は「記載金額のない文書」となります。したがって、本肢の「当初の契約書の契約金額を1,000万円減額し、9,000万円とする」旨を記載した変更契約書は、「記載金額1,000万円」ではなく、「記載金額のない文書」となります。なお、この場合、印紙税として、200円が課税されます。

➡ 印紙税法別表第一　課税物件表の適用に関する通則、基本通達30条

> **+α** 「増額」の変更の場合は、変更金額である「増加額」が記載金額となります。

印紙税

【正解 ❶】

登録免許税

問題 12 住宅用家屋の所有権の移転登記に係る登録免許税の税率の軽減措置に関する次の記述のうち、正しいものはどれか。

[H26-問23改]

❶ この税率の軽減措置は、一定の要件を満たせばその住宅用家屋の敷地の用に供されている土地に係る所有権の移転の登記にも適用される。

❷ この税率の軽減措置は、個人が自己の経営する会社の従業員の社宅として取得した住宅用家屋に係る所有権の移転の登記にも適用される。

❸ この税率の軽減措置は、以前にこの措置の適用を受けたことがある者が新たに取得した住宅用家屋に係る所有権の移転の登記には適用されない。

❹ この税率の軽減措置は、所有権の移転の登記に係る住宅用家屋が新耐震基準に適合していても、床面積が50㎡未満の場合には適用されない。

解説

『どこでも！学ぶ宅建士』
第4編「税・鑑定」
→ 2 国税①印紙税・登録免許税・贈与税（P546〜）

正答率	合格者	78.8%
	不合格者	58.4%

❶ 誤り。「税率の軽減措置」➡ 敷地には不適用。

本問の「税率の軽減措置」は、あくまでも「住宅用家屋」の特例です。したがって、敷地の用に供されている土地には適用されません。

➡ 租税特別措置法73条

❷ 誤り。「個人」の住宅の用に供される家屋に限られる。

所有権の移転登記について税率の軽減措置の適用を受けることができるのは、専ら登記を受ける「個人の住宅の用」に供される一棟の家屋に限られます。したがって、社宅は、含まれません。 ➡ 73条、施行令42条、41条

❸ 誤り。複数回、適用OK。

所有権の移転登記に関する軽減税率については、以前適用を受けたことで再度適用を受けることが制限される旨の規定はありません。

❹ 正しい。「床面積50㎡以上」であることが必要。

所有権の移転登記について軽減税率の適用を受けることができるのは、新耐震基準に適合し、かつ、床面積の合計が「50㎡以上」等の要件を満たす一定の住宅用家屋に限られます。 ➡ 租特法73条、施行令42条、41条

登録免許税

【正解 ❹】

贈与税（非課税の特例）

問題 13 「直系尊属から住宅取得等資金の贈与を受けた場合の贈与税の非課税」に関する次の記述のうち、正しいものはどれか。

[H27-問23]

❶ 直系尊属から住宅用の家屋の贈与を受けた場合でも、この特例の適用を受けることができる。

❷ 日本国外に住宅用の家屋を新築した場合でも、この特例の適用を受けることができる。

❸ 贈与者が住宅取得等資金の贈与をした年の1月1日において60歳未満の場合でも、この特例の適用を受けることができる。

❹ 受贈者について、住宅取得等資金の贈与を受けた年の所得税法に定める合計所得金額が2,000万円を超える場合でも、この特例の適用を受けることができる。

日建学院・講師陣の必勝コメント

税法に関しては、改正内容について、日建学院HP（https://www.kskpub.com）において「追録」としてお知らせします。2025年8月末日頃に、あらためてチェックしましょう。

解 説 『どこでも！学ぶ宅建士』
第4編「税・鑑定」
 ② 2 国税①印紙税・登録免許税・贈与税（P548～）

正答率	合格者	**63.0** %
	不合格者	**46.3** %

❶ **誤り。住宅取得等「資金」の贈与に限り、適用可。**
　この特例は、住宅取得等資金の贈与を受けた場合に適用を受けることができます。住宅取得等資金とは、住宅の新築、取得または増改築等の対価に充てるための「金銭」をいい、家屋は含まれません。

➡ 租税特別措置法70条の2

❷ **誤り。日本国外にある家屋➡適用を受けることができない。**
　この特例の適用を受けることができる住宅用家屋は、相続税法の施行地にあるものに限られます。したがって、日本国外の家屋は含まれません。

➡ 70条の2、施行令40条の4の2

❸ **正しい。贈与者の年齢制限はない。**

➡ 租税特別措置法70条の2参照

❹ **誤り。受贈者の合計所得は、2,000万円以下でなければならない。**

　この特例の適用を受けるためには、受贈者の贈与を受けた年の所得税法に定める合計所得金額は、2,000万円以下（住宅用家屋の床面積が40㎡以上50㎡未満の場合は、1,000万円以下）でなければなりません。　➡ 70条の2

+α 「相続時精算課税制度」と混同しないように注意しましょう。

贈与税（非課税の特例）

【正解 ❸】

譲渡所得

問題 **14** 租税特別措置法第36条の2の特定の居住用財産の買換えの場合の長期譲渡所得の課税の特例に関する次の記述のうち、正しいものはどれか。 [H19-問26]

❶ 譲渡資産とされる家屋については、その譲渡に係る対価の額が5,000万円以下であることが、適用要件とされている。

❷ 買換資産とされる家屋については、譲渡資産の譲渡をした日からその譲渡をした日の属する年の12月31日までに取得をしたものであることが、適用要件とされている。

❸ 譲渡資産とされる家屋については、その譲渡をした日の属する年の1月1日における所有期間が5年を超えるものであることが、適用要件とされている。

❹ 買換資産とされる家屋については、その床面積のうち自己の居住の用に供する部分の床面積が50㎡以上のものであることが、適用要件とされている。

❶ 誤り。譲渡資産の対価➡「1億円以下」が適用要件。
譲渡資産の対価の額は、1億円以下であることが、特定の居住用財産の買換え特例の適用要件です。　➡ 租税特別措置法36条の2参照

❷ 誤り。買換資産➡譲渡の年の「前年から翌年の間に取得」。
特定の居住用財産の買換え特例の適用を受けるためには、譲渡資産を売却した年の前年・当年・翌年の3年の間に買換資産を取得することが必要です。　➡ 36条の2

❸ 誤り。譲渡資産➡1月1日での所有期間「10年超」が必要。
特定の居住用財産の買換え特例の適用を受けるためには、譲渡資産について、その譲渡をした日の属する年の1月1日における所有期間が10年を超えていなければなりません。　➡ 36条の2

❹ 正しい。買換資産の床面積➡50㎡以上が必要。
買換資産とされる家屋は、その床面積のうち自己の居住の用に供する部分の床面積が50㎡以上でなければなりません（なお、区分所有建物の場合には280㎡以下という上限があります）。　➡ 施行令24条の2

譲渡所得

【正解 ❹】

561

譲渡所得

令和7年中に、個人が居住用財産を譲渡した場合における譲渡所得の課税に関する次の記述のうち、正しいものはどれか。

[H24-問23改]

❶ 令和7年1月1日において所有期間が10年以下の居住用財産については、居住用財産の譲渡所得の3,000万円特別控除（租税特別措置法第35条第1項）を適用することができない。

❷ 令和7年1月1日において所有期間が10年を超える居住用財産について、収用交換等の場合の譲渡所得等の5,000万円特別控除（租税特別措置法第33条の4第1項）の適用を受ける場合であっても、特別控除後の譲渡益について、居住用財産を譲渡した場合の軽減税率の特例（同法第31条の3第1項）を適用することができる。

❸ 令和7年1月1日において所有期間が10年を超える居住用財産について、その譲渡した時にその居住用財産を自己の居住の用に供していなければ、居住用財産を譲渡した場合の軽減税率の特例を適用することができない。

❹ 令和7年1月1日において所有期間が10年を超える居住用財産について、その者と生計を一にしていない孫に譲渡した場合には、居住用財産の譲渡所得の3,000万円特別控除を適用することができる。

❶ 誤り。**3,000万円控除 ➡ 所有期間の要件はない。**

居住用財産の譲渡所得の3,000万円特別控除については、所有期間の要件はありません。したがって、所有期間が10年以下であっても、適用を受けることができます。　　　　　　　　　　　　　　　　　　➡ 租税特別措置法35条

❷ 正しい。**5,000万円控除と居住用財産の軽減税率は、併用可。**

収用交換等の場合の譲渡所得の5,000万円特別控除と居住用財産を譲渡した場合の軽減税率の特例は、併用することが可能です。　　➡ 31条、33条

❸ 誤り。**居住しなくなってから3年目の年末まで、適用可。**

居住用財産を譲渡した場合の軽減税率の特例は、現に居住の用に供していない家屋であっても、居住の用に供されなくなった日から3年を経過する日の属する年の12月31日までの間に譲渡されたものは、適用を受けることができます。　　　　　　　　　　　　　　　　　　　　　➡ 31条の3

❹ 誤り。**直系血族への譲渡 ➡ 3,000万円控除の適用不可。**

配偶者及び直系血族、生計を一にする親族等、特別の関係がある者へ譲渡した場合には、居住用財産の譲渡所得の3,000万円特別控除の適用を受けることができません。孫は直系血族ですから、生計を一にしているか否かにかかわらず、この特例を受けることができません。

➡ 35条、施行令23条、20条の3

譲渡所得

攻略POINT 居住用財産の3,000万円特別控除の要件 ─────────

居住用財産を譲渡した場合の3,000万円特別控除は、次の要件をすべて満たした場合に適用を受けることができます。

❶ 親族等に対する譲渡でないこと

❷ 「特例を受ける年・前年・前々年」に、この特例の適用を受けていないこと

❸ 買換え特例・住宅ローン控除の適用を受けていないこと

❹ 居住しなくなってから3年を経過する日の属する年の12月31日までの譲渡であること

──────────────────────────────────────【正解 ❷】

地価公示法

問題 16　地価公示法に関する次の記述のうち、正しいものはどれか。

[H23-問25]

❶　公示区域とは、土地鑑定委員会が都市計画法第4条第2項に規定する都市計画区域内において定める区域である。

❷　土地収用法その他の法律によって土地を収用することができる事業を行う者は、公示区域内の土地を当該事業の用に供するため取得する場合において、当該土地の取得価格を定めるときは、公示価格を規準としなければならない。

❸　土地の取引を行う者は、取引の対象土地に類似する利用価値を有すると認められる標準地について公示された価格を指標として取引を行わなければならない。

❹　土地鑑定委員会が標準地の単位面積当たりの正常な価格を判定したときは、当該価格については官報で公示する必要があるが、標準地及びその周辺の土地の利用の現況については官報で公示しなくてもよい。

日建学院・講師陣の必勝コメント

　「正答率データ」によると、合格者と不合格者の差が大きい問題です。❸は、過去問をよく知る受験者にとっては、かなりベタなひっかけにもかかわらず、解答分布で見ると、釣られてしまった不合格者が多数います。

　定番のひっかけでびっくりしているようでは、まだまだ実力不足です。ここでひっかけごと、まるっと覚えてしまいましょう！

解 説　『どこでも！学ぶ宅建士』
第4編「税・鑑定」
▶ 4 地価公示法・不動産の鑑定評価（P556〜）

正答率	合格者	**73.9**%
	不合格者	**40.5**%

❶ **誤り。公示区域 ➡ 都市計画区域内のみに限定されない。**

公示区域とは、都市計画区域及び土地取引が相当程度見込まれる区域で、国土交通大臣が定めるものをいいます。したがって、都市計画区域内に限って定められるわけではありません。
➡ 地価公示法2条、規則1条

❷ **正しい。収用事業のための取得価格 ➡ 公示価格が規準。**

土地収用法その他の法律によって土地を収用することができる事業を行う者は、公示区域内の土地を当該事業の用に供するため取得する場合において、当該土地の取得価格を定めるときは、公示価格を規準としなければなりません。
➡ 地価公示法9条

❸ **誤り。公示価格を指標とした土地取引 ➡ 努力義務。**

都市及びその周辺の地域等において、土地の取引を行う者は、取引の対象土地に類似する利用価値を有すると認められる標準地について公示された価格を指標として取引を行うよう、努めなければなりません。つまり、指標として取引を行うよう「努めなければならない」のであって、「取引を行わなければならない」わけではありません。
➡ 1条の2

❹ **誤り。土地の利用の現況 ➡ 官報で公示。**

土地鑑定委員会は、標準地の単位面積当たりの正常な価格を判定したときは、すみやかに、標準地の①所在地、②単位面積当たりの価格及び価格判定の基準日、③地積及び形状だけでなく、④標準地及びその周辺の土地の利用の現況等についても、官報で公示しなければなりません。
➡ 6条

攻略POINT 地価公示法のまとめ

標準地の選定	土地鑑定委員会が、公示区域内で選定する
鑑　　定	2人以上の不動産鑑定士が、1月1日を価格時点として鑑定する
審査・判定	土地鑑定委員会が、審査・調整の上、「正常な価格」を判定する
公　　示	土地鑑定委員会が、標準地の所在・価格などについて官報で公示する
送付・閲覧	●土地鑑定委員会は、市町村長に、公示した事項を送付する ●市町村長は、公示された地価に関する書面等を、市町村の事務所で閲覧に供する
公示価格の効力	●土地取引を行う者は、公示価格を指標として取引をするよう努めなければならない ●不動産鑑定士が公示区域内で鑑定評価をする際に、正常な価格を求めるときは、公示価格を規準としなければならない ●公共事業等のために公示区域内の土地を取得する際は、公示価格を規準として取得価格を定めなければならない ●土地収用による補償金等を算定するときは、公示価格を規準として算定した価格を考慮しなければならない

地価公示法

【正解 ❷】

地価公示法

問題 **17**

地価公示法に関する次の記述のうち、正しいものはどれか。

[R元-問25]

---

❶ 都市及びその周辺の地域等において、土地の取引を行う者は、取引の対象土地から最も近傍の標準地について公示された価格を指標として取引を行うよう努めなければならない。

❷ 標準地は、都市計画区域外や国土利用計画法の規定により指定された規制区域内からは選定されない。

❸ 標準地の正常な価格とは、土地について、自由な取引が行われるとした場合におけるその取引（一定の場合を除く。）において通常成立すると認められる価格をいい、当該土地に関して地上権が存する場合は、この権利が存しないものとして通常成立すると認められる価格となる。

❹ 土地鑑定委員会は、自然的及び社会的条件からみて類似の利用価値を有すると認められる地域において、土地の利用状況、環境等が特に良好と認められる一団の土地について標準地を選定する。

👉 **日建学院・講師陣の 必勝コメント**

　地価公示法は、一部の例外を除いて、**出題されたら絶対に落とせないテーマ**といえます。そのためにも、まずは基本テキスト等で概略を把握し、次に、本書掲載の問題を、何度も繰り返し解いておきましょう。

正答率	合格者	94.1%
	不合格者	63.2%

❶ 誤り。「類似する利用価値を有する標準地」を指標とする。

都市及びその周辺の地域等において、土地の取引を行う者は、取引の対象土地に「類似する利用価値を有する」と認められる標準地について公示された価格を指標として取引を行うよう努めなければなりません。したがって、「最も近傍の標準地」ではありません。　➡ 地価公示法1条の2

❷ 誤り。公示区域➡都市計画区域外からも選定することができる。

土地鑑定委員会は、公示区域内の標準地について、一定の基準日における当該標準地の単位面積当たりの正常な価格を判定し、これを公示します。この「公示区域」は、都市計画区域その他の土地取引が相当程度見込まれるものとして国土交通省令で定める区域ですが、国土利用計画法の規定により指定された規制区域は除かれます。したがって、公示区域は、国土利用計画法の規制区域内からは選定されませんが、都市計画区域外からは選定されることがあります。　➡ 2条

❸ 正しい。正常な価格➡権利が存しないものとして通常成立する価格。

標準地の「正常な価格」とは、土地について、「自由な取引が行われるとした場合におけるその取引（農地・採草放牧地・森林の取引を除き、農地・採草放牧地・森林以外のものとするための取引は含む）において通常成立する」と認められる価格をいいます。そして、当該土地に建物その他の定着物がある場合または当該土地に関して地上権その他当該土地の使用もしくは収益を制限する権利が存する場合には、これらの定着物または権利が存しないとして通常成立すると認められる価格をいいます。　➡ 2条

❹ 誤り。標準地➡土地の利用状況・環境等が通常と認められる土地。

標準地は、土地鑑定委員会が、自然的及び社会的条件からみて類似の利用価値を有すると認められる地域において、土地の利用状況、環境等が「通常」と認められる一団の土地について選定します。したがって、特に良好と認められる一団の土地について選定するわけではありません。　➡ 3条

【正解 ❸】

地価公示法

問題 18 地価公示法に関する次の記述のうち、誤っているものはどれか。 [R4-問25]

❶ 土地鑑定委員会は、標準地の正常な価格を判定したときは、標準地の単位面積当たりの価格のほか、当該標準地の地積及び形状についても官報で公示しなければならない。

❷ 正常な価格とは、土地について、自由な取引が行われるとした場合におけるその取引（一定の場合を除く。）において通常成立すると認められる価格をいい、当該土地に建物がある場合には、当該建物が存するものとして通常成立すると認められる価格をいう。

❸ 公示区域内の土地について鑑定評価を行う場合において、当該土地の正常な価格を求めるときは、公示価格を規準とする必要があり、その際には、当該土地とこれに類似する利用価値を有すると認められる1又は2以上の標準地との位置、地積、環境等の土地の客観的価値に作用する諸要因についての比較を行い、その結果に基づき、当該標準地の公示価格と当該土地の価格との間に均衡を保たせる必要がある。

❹ 公示区域とは、都市計画法第4条第2項に規定する都市計画区域その他の土地取引が相当程度見込まれるものとして国土交通省令で定める区域のうち、国土利用計画法第12条第1項の規定により指定された規制区域を除いた区域をいう。

日建学院・講師陣の 必勝コメント

いずれも、**過去に出題**された内容です。既視感がなく少し面食らう❷は、過去問頻出の「**地上権（土地の使用収益を制限する権利）がある場合**」に代えて「**建物がある場合**」とされた出題ですが、考え方は一緒です。

それにもかかわらず、合格者と不合格者の正答率には、大差が付いています。つまり、キモは「過去問は、丸暗記するのではなく、理解し尽くすこと」です！"合格への一本道"から脱輪しないように、そのことを噛みしめておきましょう。

解説 『どこでも！学ぶ宅建士』
第4編「税・鑑定」
→ 4 地価公示法・不動産の鑑定評価（P556〜）

正答率	合格者	86.5 %
	不合格者	51.9 %

❶ 正しい。標準地の地積・形状 ➡ 公示が必要。

土地鑑定委員会は、標準地の単位面積当たりの正常な価格を判定したときは、すみやかに、次の事項を官報で公示しなければなりません。

> ① 標準地の所在の郡・市・区・町村・字・地番
> ② 標準地の単位面積当たりの価格・価格判定の基準日
> ③ 標準地の地積・形状
> ④ 標準地およびその周辺の土地の利用の現況　等

➡ 地価公示法6条

❷ 誤り。正常な価格 ➡ 「建物なし」として通常成立する価格。

「正常な価格」とは、土地について、自由な取引が行われるとした場合におけるその取引（農地などの取引を除く）において通常成立すると認められる価格をいい、その土地に建物その他の定着物がある場合または地上権その他その土地の使用・収益を制限する権利が存する場合には、これらの定着物または権利が「存しない」として通常成立すると認められる価格をいいます。

➡ 2条

❸ 正しい。規準 ➡ 公示価格と対象土地の価格に均衡を保たせること。

不動産鑑定士は、公示区域内の土地について鑑定評価を行う場合において、当該土地の正常な価格を求めるときは、公示価格を規準としなければなりません。

この「公示価格を規準とする」とは、対象土地の価格を求めるに際して、当該対象土地とこれに類似する利用価値を有すると認められる1または2以上の標準地との位置・地積・環境等の土地の客観的価値に作用する諸要因についての比較を行い、その結果に基づき、当該標準地の公示価格と当該対象土地の価格との間に均衡を保たせることをいいます。 ➡ 8条、11条

❹ 正しい。公示区域 ➡ 都市計画区域その他の一定の区域。

公示区域とは、都市計画法に規定する都市計画区域その他の土地取引が相当程度見込まれる一定の区域（国土利用計画法により指定された規制区域を除く）をいいます。

➡ 2条

地価公示法

【正解 ❷】

不動産の鑑定評価

問題 **19**　不動産の鑑定評価に関する次の記述のうち、不動産鑑定評価基準によれば、誤っているものはどれか。　　　　[H22-問25]

❶　原価法は、求めた再調達原価について減価修正を行って対象物件の価格を求める手法であるが、建設費の把握が可能な建物のみに適用でき、土地には適用できない。

❷　不動産の効用及び相対的稀少性並びに不動産に対する有効需要の三者に影響を与える要因を価格形成要因といい、一般的要因、地域要因及び個別的要因に分けられる。

❸　正常価格とは、市場性を有する不動産について、現実の社会経済情勢の下で合理的と考えられる条件を満たす市場で形成されるであろう市場価値を表示する適正な価格をいう。

❹　取引事例に係る取引が特殊な事情を含み、これが当該取引事例に係る価格等に影響を及ぼしているときは、適切に補正しなければならない。

❶ **誤り。原価法 ➡ 土地にも適用できる場合がある。**

原価法は、対象不動産が建物または建物及びその敷地である場合において、再調達原価の把握及び減価修正を適切に行うことができるときに有効ですが、対象不動産が土地のみである場合においても、再調達原価を適切に求めることができるときは、この手法を適用することができます。

➡ 不動産鑑定評価基準7章1節

❷ **正しい。価格形成要因 ➡ 一般的・地域・個別的要因。**

不動産の価格形成要因とは、不動産の効用及び相対的稀少性並びに不動産に対する有効需要の三者に影響を与える要因をいい、一般的要因、地域要因及び個別的要因に分けられます。

➡ 3章

❸ **正しい。正常価格 ➡ 合理的市場で形成される適正価格。**

正常価格とは、市場性を有する不動産について、現実の社会経済情勢の下で合理的と考えられる条件を満たす市場で形成されるであろう市場価値を表示する適正な価格をいいます。

➡ 5章3節

❹ **正しい。取引事例 ➡ 事情補正と時点修正が必要。**

取引事例比較法においては、取引事例が特殊な事情を含み、これが当該事例に係る取引価格に影響していると認められるときは、適切な補正を行う必要があります。また、取引事例に係る取引の時点が価格時点と異なることにより、その間に価格水準の変動があると認められるときは、当該事例の価格を、価格時点の価格に修正しなければなりません。

➡ 7章1節

不動産の鑑定評価

【正解 ❶】

不動産の鑑定評価

鑑定評価

重要ランク B

Check!

問題 20 不動産の鑑定評価に関する次の記述のうち、不動産鑑定評価基準によれば、正しいものはどれか。 [H30-問25]

❶ 不動産の価格は、その不動産の効用が最高度に発揮される可能性に最も富む使用を前提として把握される価格を標準として形成されるが、これを最有効使用の原則という。

❷ 収益還元法は、賃貸用不動産又は賃貸以外の事業の用に供する不動産の価格を求める場合に特に有効な手法であるが、事業の用に供さない自用の不動産の鑑定評価には適用すべきではない。

❸ 鑑定評価の基本的な手法は、原価法、取引事例比較法及び収益還元法に大別され、実際の鑑定評価に際しては、地域分析及び個別分析により把握した対象不動産に係る市場の特性等を適切に反映した手法をいずれか1つ選択して、適用すべきである。

❹ 限定価格とは、市場性を有する不動産について、法令等による社会的要請を背景とする鑑定評価目的の下で、正常価格の前提となる諸条件を満たさないことにより正常価格と同一の市場概念の下において形成されるであろう市場価値と乖離することとなる場合における不動産の経済価値を適正に表示する価格のことをいい、民事再生法に基づく鑑定評価目的の下で、早期売却を前提として求められる価格が例としてあげられる。

解　説　『どこでも！学ぶ宅建士』
第4編「税・鑑定」
➡ 4 地価公示法・不動産の鑑定評価 (P560～)

正答率	合格者	59.2 %
	不合格者	26.9 %

❶ **正しい。効用が最高度になる可能性に最も富む ➡ 最有効使用。**
　不動産の価格は、その不動産の効用が最高度に発揮される可能性に最も富む使用を前提として把握される価格を標準として形成されます。これを「最有効使用の原則」といいます。　　　　　　　　　　　➡ 不動産鑑定評価基準4章

❷ **誤り。自用の不動産 ➡ 賃貸を想定して収益還元法を適用する。**

　収益還元法は、賃貸用不動産または賃貸以外の事業の用に供する不動産の価格を求める場合に特に有効です。また、不動産の価格は、一般に当該不動産の収益性を反映して形成されるものであり、収益は、不動産の経済価値の本質を形成するものです。したがって、この手法は、文化財の指定を受けた建造物等の一般的に市場性を有しない不動産以外のものには、基本的にすべて適用すべきものであり、自用の不動産といえども、賃貸を想定することにより適用されるものです。　　　　　　　　　　　➡ 7章1節

❸ **誤り。複数の手法の適用が困難 ➡ できるだけ参酌するよう努める。**
　不動産の価格を求める鑑定評価の基本的な手法は、原価法、取引事例比較法及び収益還元法に大別されます。
　鑑定評価の手法の適用に当たっては、鑑定評価の手法を当該案件に即して適切に適用すべきです。この場合、地域分析及び個別分析により把握した対象不動産に係る市場の特性等を適切に反映した複数の鑑定評価の手法を適用すべきであり、対象不動産の種類、所在地の実情、資料の信頼性等により複数の鑑定評価の手法の適用が困難な場合においても、その考え方をできるだけ参酌するように努めるべきです。　　　➡ 7章1節、8章7節

❹ **誤り。「社会的要請を背景とする鑑定評価目的」など ➡ 特定価格。**

　限定価格とは、市場性を有する不動産について、不動産と取得する他の不動産との併合または不動産の一部を取得する際の分割等に基づき正常価格と同一の市場概念の下において形成されるであろう市場価値と乖離することにより、市場が相対的に限定される場合における取得部分の当該市場限定に基づく市場価値を適正に表示する価格をいいます。本肢の内容は、「特定価格」に関するものです。　　　　　　　　　　　　　➡ 5章3節

不動産の鑑定評価

【正解 ❶】

第5編

５問免除科目

- ●住宅金融支援機構
- ●景品表示法（公正競争規約）
- ●土　　地
- ●建　　物

証券化支援事業

問題 1
独立行政法人住宅金融支援機構（以下この問において「機構」という。）に関する次の記述のうち、誤っているものはどれか。
[H24-問46]

❶ 機構は、証券化支援事業（買取型）において、民間金融機関から買い取った住宅ローン債権を担保としてMBS（資産担保証券）を発行している。

❷ 証券化支援事業（買取型）における民間金融機関の住宅ローン金利は、金融機関によって異なる場合がある。

❸ 機構は、証券化支援事業（買取型）における民間金融機関の住宅ローンについて、借入金の元金の返済を債務者本人の死亡時に一括して行う高齢者向け返済特例制度を設けている。

❹ 機構は、証券化支援事業（買取型）において、住宅の建設や新築住宅の購入に係る貸付債権のほか、中古住宅を購入するための貸付債権も買取りの対象としている。

日建学院・講師陣の必勝コメント

❸は、直接融資業務と混同しないよう注意しましょう。類似の"ひっかけ問題"は、時折出題されています。

解説

『どこでも！学ぶ宅建士』
第5編「5問免除科目」
→ 1 住宅金融支援機構（P572～）

正答率 | 合格者 **86.2** % | 不合格者 **67.8** %

❶ 正しい。住宅ローン債権を担保としてMBSを発行する。
　機構は、民間金融機関から買い取った住宅ローン債権を担保としてMBS（資産担保証券）を発行しています。　　　　　　　　　　　→ 住宅金融支援機構法13条

❷ 正しい。住宅ローン金利は、金融機関によって異なる。
　証券化支援事業の対象となる住宅ローン金利は、金融機関が決定するため、金融機関によって異なる場合があります。　　　　→ 13条、業務方法書3条参照

❸ 誤り。証券化支援事業では、死亡時一括返済制度はない。
　機構が直接融資する場合には、死亡時に一括して返済する高齢者向け返済特例制度がありますが、証券化支援事業（買取型）においては、このような制度は存在しません。　　　→ 住宅金融支援機構法13条、業務方法書24条参照

❹ 正しい。中古住宅を購入するための貸付債権も買取りの対象となる。
　証券化支援事業（買取型）において、機構が買い取る貸付債権には、中古住宅を購入するための貸付債権も含まれます。
　　　　　　　　　　　　　　　　　　　　　　→ 住宅金融支援機構法13条、施行令5条

証券化支援事業

攻略POINT 住宅金融支援機構の主な業務

業務の種類	業　務　の　内　容
証券化支援業務	●民間の金融機関の住宅ローン債権を証券化し、市場から資金調達をして長期固定金利の住宅ローンを可能としたもの ●「買取型」と「保証型」の2種類がある
住情報提供業務	住宅ローンや住宅関連の情報を提供すること
住宅融資保険業務	民間の住宅ローンについて、機構が保険を行うこと
団体信用生命保険業務	貸付けを受けた者が死亡した場合等に、その者にかかる保険金を債務の弁済に充当する業務を行うこと
直接融資業務	災害関連や高齢者向け等、一般の金融機関が融資業務を行うにはリスクを伴う場合に、直接融資をすること

【正解❸】

住宅金融支援機構総合

<table>
<tr><td>問題</td><td>2</td><td>独立行政法人住宅金融支援機構（以下この問において「機構」という。）に関する次の記述のうち、誤っているものはどれか。
[H27-問46]</td></tr>
</table>

❶ 機構は、高齢者が自ら居住する住宅に対して行うバリアフリー工事又は耐震改修工事に係る貸付けについて、貸付金の償還を高齢者の死亡時に一括して行うという制度を設けている。

❷ 証券化支援事業（買取型）において、機構による譲受けの対象となる貸付債権は、償還方法が毎月払いの元利均等の方法であるものに加え、毎月払いの元金均等の方法であるものもある。

❸ 証券化支援事業（買取型）において、機構は、いずれの金融機関に対しても、譲り受けた貸付債権に係る元金及び利息の回収その他回収に関する業務を委託することができない。

❹ 機構は、災害により住宅が滅失した場合におけるその住宅に代わるべき住宅の建設又は購入に係る貸付金について、一定の元金返済の据置期間を設けることができる。

❶ **正しい。高齢者の居住住宅の改良の貸付け ➡ 死亡時の一括償還可。**

　（よく出る！）機構は、高齢者の家庭に適した良好な居住性能及び居住環境を有する住宅とすることを主たる目的とする住宅の改良（高齢者が自ら居住する住宅について行うものに限る）に必要な資金の貸付けを行うことを業務としています。そして、この貸付金の償還は、高齢者の死亡時に一括償還をする方法によることができます。 ➡ 住宅金融支援機構法13条、業務方法書24条

❷ **正しい。貸付債権 ➡ 毎月払いの元金均等、元利均等の方法で償還。**

　証券化支援事業（買取型）において、機構が金融機関から譲受けを行う貸付債権については、原則として、毎月払いの元金均等または元利均等のどちらかの方法により償還される必要があります。

➡ 住宅金融支援機構法13条、業務方法書3条

❸ **誤り。一定の金融機関に対する元利金・利息の回収等の業務委託は可能。**

　（難）機構は、主務省令で定める金融機関に対しては、譲り受けた貸付債権に係る元利金の回収その他回収に関する業務等を委託することができます。

➡ 住宅金融支援機構法16条、13条、施行令7条

❹ **正しい。災害復興建築物の貸付金 ➡ 据置期間を設けることが可能。**

　災害復興建築物（災害により、住宅または主として住宅部分からなる建築物が滅失した場合におけるこれらの建築物または建築物の部分に代わるべき建築物または建築物の部分）等の建設または購入に係る貸付金については、機構が、主務大臣と協議のうえ、据置期間を設けることができます。

➡ 住宅金融支援機構法13条、2条、業務方法書24条

攻略POINT 直接融資業務

　　機構は、個人に対する直接融資は原則として行いませんが、次の場合は**例外的に**、直接融資を業務として行っています。

- ●災害復興建築物の建設・購入・補修等に必要な資金の貸付け
- ●合理的土地利用建築物の建設・購入等に必要な資金の貸付け
- ●子供の育成または高齢者の家庭環境に適した良好な賃貸住宅の建設資金等の貸付け
- ●高齢者の家庭に適した居住性能等を有する住宅の改良資金等の貸付け
- ●財形住宅の貸付業務　等

【正解 ❸】

住宅金融支援機構総合

住宅金融支援機構総合

問題 3 独立行政法人住宅金融支援機構（以下この問において「機構」という。）に関する次の記述のうち、誤っているものはどれか。
[H29-問46改]

❶ 機構は、団体信用生命保険業務として、貸付けを受けた者が死亡した場合のみならず、重度障害となった場合においても、支払われる生命保険の保険金を当該貸付けに係る債務の弁済に充当することができる。

❷ 機構は、直接融資業務において、高齢者の死亡時に一括償還をする方法により貸付金の償還を受けるときは、当該貸付金の貸付けのために設定された抵当権の効力の及ぶ範囲を超えて、弁済の請求をしないことができる。

❸ 証券化支援業務（買取型）に係る貸付金の利率は、貸付けに必要な資金の調達に係る金利その他の事情を勘案して機構が定めるため、どの金融機関においても同一の利率が適用される。

❹ 証券化支援業務（買取型）において、機構による譲受けの対象となる住宅の購入に必要な資金の貸付けに係る金融機関の貸付債権には、当該住宅の購入に付随する当該住宅の改良（高齢者が居住性能又は居住環境の確保又は向上を主たる目的として行うものに限る。）に必要な資金も含まれる。

👉 **日建学院・講師陣の必勝コメント**

住宅金融支援機構の学習では、同機構のホームページがとても参考になります。ぜひ一度、受験対策として「https://www.jhf.go.jp」にアクセスしてみましょう。

❶ 正しい。団体信用生命保険 ➡ 重度障害も充当の対象。

　機構は、①証券化支援事業（買取型）により譲り受ける貸付債権に係る貸付けを受けた者、②災害復興建築物の建設・購入などに必要な資金の貸付け（直接融資）を受けた者とあらかじめ契約を締結して、その者が死亡した場合だけでなく、重度障害の状態となった場合でも、支払われる生命保険の保険金・生命共済の共済金（保険金等）を当該貸付けに係る債務の弁済に充当することを、業務（団体信用生命保険業務）として行っています。

➡ 住宅金融支援機構法13条、業務方法書28条、債務弁済充当約款6条の2

❷ 正しい。死亡時一括償還制度 ➡ 抵当権の効力を超えて請求しない。

　高齢者が自ら居住する住宅とするために行う合理的土地利用建築物の住宅部分の建設・購入に係る貸付けなどの直接融資業務においては、貸付金の償還は、高齢者の死亡時に一括償還をする方法によることができます。この場合、機構は、当該貸付金の貸付けのために設定された抵当権の効力の及ぶ範囲を超える弁済の請求をしないことが可能です。　➡ 業務方法書24条

❸ 誤り。金融機関によって、利率は異なる。

　証券化支援業務（買取型）に係る貸付金の利率は、各金融機関が決定しますので、金融機関によって異なる場合があり得ます。　➡ 業務方法書3条参照

❹ 正しい。「住宅の購入に付随する一定の目的」での改良資金も、対象となる。

　機構は、住宅の建設・購入または改良（ここでいう「改良」は、居住性能・居住環境の確保・向上を主たる目的として高齢者等が行うものに限る）に必要な資金の貸付けに係る金融機関の貸付債権の譲受けを業務として行います（証券化支援事業〔買取型〕）。

　この「資金」には、①住宅の建設に付随する土地・借地権の取得に必要な資金、②住宅の購入に付随する土地・借地権の取得または当該住宅の改良に必要な資金も含まれます。

　本肢では、②の資金に関する貸付債権が問われています。

➡ 住宅金融支援機構法13条、施行令5条

住宅金融支援機構総合

【正解 ❸】

住宅金融支援機構総合

問題 4 独立行政法人住宅金融支援機構（以下この問において「機構」という。）に関する次の記述のうち、誤っているものはどれか。

[H30-問46]

❶ 機構は、住宅の建設又は購入に必要な資金の貸付けに係る金融機関の貸付債権の譲受けを業務として行っているが、当該住宅の建設又は購入に付随する土地又は借地権の取得に必要な資金の貸付けに係る金融機関の貸付債権については、譲受けの対象としていない。

❷ 機構は、金融機関による住宅資金の供給を支援するため、金融機関が貸し付けた住宅ローンについて、住宅融資保険を引き受けている。

❸ 機構は、証券化支援事業（買取型）において、ＭＢＳ（資産担保証券）を発行することにより、債券市場（投資家）から資金を調達している。

❹ 機構は、高齢者の家庭に適した良好な居住性能及び居住環境を有する住宅とすることを主たる目的とする住宅の改良（高齢者が自ら居住する住宅について行うものに限る。）に必要な資金の貸付けを業務として行っている。

解 説

『どこでも！学ぶ宅建士』
第5編「5問免除科目」
➡ 1 住宅金融支援機構（P572〜）

正答率　合格者 **95.5**％　不合格者 **69.1**％

❶ 誤り。**住宅建設・購入に付随する土地・借地権の取得資金の貸付債権も対象。**
　　機構は、住宅の建設・購入または改良（ここでいう「改良」は、居住性能・居住環境の確保・向上を主たる目的として高齢者等が行うものに限る）に必要な資金の貸付けに係る金融機関の貸付債権の譲受けを業務として行います（証券化支援事業〔買取型〕）。
　　この資金には、①住宅の建設に付随する土地・借地権の取得に必要な資金、②住宅の購入に付随する土地・借地権の取得または当該住宅の改良に必要な資金も含まれます。
　　したがって、本肢の「当該住宅の建設又は購入に付随する土地又は借地権の取得に必要な資金の貸付けに係る金融機関の貸付債権」も、譲受けの対象としています。　　　　　➡ 住宅金融支援機構法13条、施行令5条

❷ 正しい。**業務として住宅融資保険法による保険を行う。**
　　機構は、住宅融資保険法による保険を行うことを業務として行っています。
　　　　　　　　　　　　　　　　　　　　　　　　　　➡ 住宅金融支援機構法13条

❸ 正しい。**証券化支援事業（買取型）➡ＭＢＳの発行で資金を調達。**
　　機構は、証券化支援事業（買取型）において、信託した住宅ローン債権を担保として、ＭＢＳ（資産担保証券）を発行することにより、投資家から資金を調達しています。　　　　　　　　　　　　　　　　　➡ 13条参照

❹ 正しい。**高齢者に適した住宅のための改良資金の貸付けを行う。**
　　機構は、高齢者の家庭に適した良好な居住性能及び居住環境を有する住宅とすることを主たる目的とする住宅の改良（高齢者が自ら居住する住宅について行うものに限る）に必要な資金の貸付けを行うことを、業務として行っています。　　　　　　　　　　　　　　　　　　　　　　　➡ 13条

住宅金融支援機構総合

【正解 ❶】

住宅金融支援機構総合

問題 5	独立行政法人住宅金融支援機構（以下この問において「機構」という。）に関する次の記述のうち、誤っているものはどれか。

[R3⑽-問46]

❶ 機構は、証券化支援事業（買取型）において、賃貸住宅の購入に必要な資金の貸付けに係る金融機関の貸付債権を譲受けの対象としている。

❷ 機構は、市街地の土地の合理的な利用に寄与する一定の建築物の建設に必要な資金の貸付けを業務として行っている。

❸ 機構は、証券化支援事業（買取型）において、省エネルギー性に優れた住宅を取得する場合について、貸付金の利率を一定期間引き下げる制度を設けている。

❹ 機構は、経済事情の変動に伴い、貸付けを受けた者の住宅ローンの元利金の支払が著しく困難になった場合に、償還期間の延長等の貸付条件の変更を行っている。

日建学院・講師陣の必勝コメント

　すべての肢が、住宅金融支援機構の過去問で頻出の内容です。しかも、正解肢の❶は、その直前のR2年にも出題された知識です。こうなると、合格者は絶対に取りこぼしをしませんので、データが示すとおり、「不合格者の正答率との差」が際立つわけです。

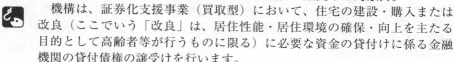
❶ **誤り。「賃貸住宅」にかかる購入資金の貸付債権 ➡ 譲受けの対象外。**

　　機構は、証券化支援事業（買取型）において、住宅の建設・購入または改良（ここでいう「改良」は、居住性能・居住環境の確保・向上を主たる目的として高齢者等が行うものに限る）に必要な資金の貸付けに係る金融機関の貸付債権の譲受けを行います。

　　その譲受けの対象となるのは、**住宅の購入資金の貸付債権については、自ら居住する住宅または自ら居住する住宅以外の親族の居住の用に供する住宅を購入する者に対する貸付けに係るもの**に限られ、**賃貸住宅**（つまり、「賃貸用」）**の購入に必要な資金の貸付けに係るものは対象としていません。**

➡ 住宅金融支援機構法13条、業務方法書3条

❷ **正しい。合理的土地利用建築物の建設等に必要な資金の貸付けを行う。**

　　機構は、合理的土地利用建築物の建設または合理的土地利用建築物で人の居住の用その他その本来の用途に供したことのないものの購入に必要な資金の貸付けを行います。

➡ 13条、2条

> **+α**　「合理的土地利用建築物」とは、市街地の土地の合理的な利用に寄与するとして政令で定める建築物で、相当の住宅部分を有するものなどをいいます。

❸ **正しい。フラット35S ➡ 高・省エネ性能住宅の貸付金利率を引き下げる。**

　　機構は、「フラット35S」として、証券化支援事業（買取型）において、ＺＥＨ住宅（ネット・ゼロ・エネルギー・ハウス）および省エネルギー性・耐震性・バリアフリー性・耐久性・可変性に優れた住宅を取得する場合に、貸付金の利率を一定期間引き下げる制度を設けています。

❹ **正しい。元利金の支払が著しく困難 ➡ 貸付条件の変更等ができる。**

　　機構は、貸付けを受けた者が、一定の災害その他特殊な事由として機構が定める事由により、元利金の支払が著しく困難となった場合においては、機構の定めによって貸付条件の変更または延滞元利金の支払方法の変更ができます。

➡ 業務方法書26条

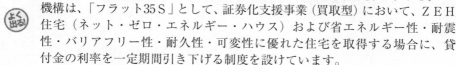

住宅金融支援機構総合

【正解 ❶】

住宅金融支援機構総合

独立行政法人住宅金融支援機構（以下この問において「機構」という。）に関する次の記述のうち、誤っているものはどれか。
[R5-問46]

❶ 機構は、子どもを育成する家庭又は高齢者の家庭（単身の世帯を含む。）に適した良好な居住性能及び居住環境を有する賃貸住宅の建設に必要な資金の貸付けを業務として行っている。

❷ 機構は、証券化支援事業（買取型）において、新築住宅に対する貸付債権のみを買取りの対象としている。

❸ 機構は、証券化支援事業（買取型）において、ＺＥＨ（ネット・ゼロ・エネルギーハウス）及び省エネルギー性、耐震性、バリアフリー性、耐久性・可変性に優れた住宅を取得する場合に、貸付金の利率を一定期間引き下げる制度を実施している。

❹ 機構は、マンション管理組合や区分所有者に対するマンション共用部分の改良に必要な資金の貸付けを業務として行っている。

日建学院・講師陣の必勝コメント

　住宅金融支援機構の「直接融資業務」は、「政策上重要であるにもかかわらず**一般の金融機関による積極的な融資**が期待できない場合」に行われています。
　例えば「どのような場合に融資するのか」、❶❹を参考に、感覚をつかんでおきましょう。ただし、個々の融資事項を丸暗記する必要はありません！

解説　『どこでも！学ぶ宅建士』
第5編「5問免除科目」
→ 1 住宅金融支援機構（P572～）

正　合格者 **96.9** %
答
率　不合格者 **75.2** %

❶ 正しい。「子育て・高齢者世帯向け賃貸住宅」の融資➡機構の業務。

機構は、子どもを育成する家庭または高齢者の家庭（単身世帯を含む）に適した良好な居住性能・居住環境を有する賃貸住宅の建設に必要な資金の貸付けを、業務として行っています。　　　　　　　📙 住宅金融支援機構法13条

❷ 誤り。中古住宅に対する貸付債権➡証券化支援事業での買取りの対象。

機構は、証券化支援事業（買取型）において、新築住宅だけでなく、中古住宅の購入に必要な資金の貸付けに係る貸付債権も、買取りの対象としています。　　　　　　　　　　　　　　　　　　　　　📙 13条

❸ 正しい。一定の住宅の取得➡貸付金利率を一定期間引き下げる制度を実施。

機構は、証券化支援事業（買取型）において、ＺＥＨ（ネット・ゼロ・エネルギーハウス）及び省エネルギー性、耐震性、バリアフリー性、耐久性・可変性に優れた住宅を取得する場合に「貸付金の利率を一定期間引き下げる」制度を実施しています。

❹ 正しい。マンションの共用部分の改良資金の融資➡機構の業務。

機構は、マンションの管理組合や区分所有者に対するマンションの共用部分の改良に必要な資金の貸付けを、業務として行っています。　　　📙 13条

住宅金融支援機構総合

【正解 ❷】

公正競争規約

問題 7	宅地建物取引業者が行う広告等に関する次の記述のうち、不当景品類及び不当表示防止法（不動産の表示に関する公正競争規約を含む。）の規定によれば、正しいものはどれか。

[H23-問47改]

❶ 分譲宅地（50区画）の販売広告を新聞折込チラシに掲載する場合、パンフレット等の媒体を除き、1区画当たりの最低価格、最高価格及び最多価格帯並びにその価格帯に属する販売区画数のみで表示することができる。

❷ 新築分譲マンションの販売において、モデル・ルームは、不当景品類及び不当表示防止法の規制対象となる「表示」には当たらないため、実際の居室には付属しない豪華な設備や家具等を設置した場合であっても、当該家具等は実際の居室には付属しない旨を明示する必要はない。

❸ 建売住宅の販売広告において、実際に当該物件から最寄駅まで歩いたときの所要時間が15分であれば、物件から最寄駅までの道路距離にかかわらず、広告中に「最寄駅まで徒歩15分」と表示することができる。

❹ 分譲住宅の販売広告において、当該物件周辺の地元住民が鉄道会社に駅の新設を要請している事実が報道されていれば、広告中に地元住民が要請している新設予定時期を明示して、新駅として表示することができる。

日建学院・講師陣の必勝コメント

　公正競争規約の規定は、相当なボリュームがあります。しかし、常識的な判断で解ける問題も少なくないので、**最低限のことだけ覚えて、本試験では**現場思考で解くという方法が合理的でしょう。

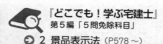

解説

『どこでも！学ぶ宅建士』
第5編「5問免除科目」

➡ 2 景品表示法（P578〜）

正答率　合格者 **97.3** %　不合格者 **76.9** %

❶ **正しい。分譲宅地の価格 ➡「最低・最高・最多価格帯」表示で可。**
　土地の価格については、取引する全ての区画の価格を表示するのが原則です。ただし、分譲宅地の価格については、パンフレット等の媒体を除き、1区画当たりの最低価格、最高価格及び最多価格帯並びにその価格帯に属する販売区画数のみで表示することができます。　　　➡ 表示規約施行規則9条

❷ **誤り。モデル・ルームも、法で規制される「表示」に該当。**
　物件自体による表示及びモデル・ルームその他これらに類似する物による表示は、法で規制される「表示」に該当します。したがって、物件の規模、形状、構造等について、実際のものよりも優良であると誤認されるおそれのある表示をすることはできません。　　　　　　　➡ 表示規約4条、23条

❸ **誤り。徒歩による所要時間 ➡「道路距離80m」を「1分間」として算出。**
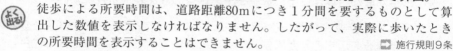
　徒歩による所要時間は、道路距離80mにつき1分間を要するものとして算出した数値を表示しなければなりません。したがって、実際に歩いたときの所要時間を表示することはできません。　　　　　　　➡ 施行規則9条

❹ **誤り。新設予定駅 ➡「①運行主体の公表＋②予定時期の明示」。**
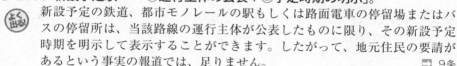
　新設予定の鉄道、都市モノレールの駅もしくは路面電車の停留場またはバスの停留所は、当該路線の運行主体が公表したものに限り、その新設予定時期を明示して表示することができます。したがって、地元住民の要請があるという事実の報道では、足りません。　　　　　　　　　➡ 9条

公正競争規約

【正解 ❶】

公正競争規約

 宅地建物取引業者が行う広告に関する次の記述のうち、不当景品類及び不当表示防止法（不動産の表示に関する公正競争規約を含む。）の規定によれば、正しいものはどれか。　[H25-問47]

❶ 新築分譲マンションの販売広告で完成予想図により周囲の状況を表示する場合、完成予想図である旨及び周囲の状況はイメージであり実際とは異なる旨を表示すれば、実際に所在しない箇所に商業施設を表示するなど現況と異なる表示をしてもよい。

❷ 宅地の販売広告における地目の表示は、登記簿に記載されている地目と現況の地目が異なる場合には、登記簿上の地目のみを表示すればよい。

❸ 住戸により管理費が異なる分譲マンションの販売広告を行う場合、全ての住戸の管理費を示すことが広告スペースの関係で困難なときには、1住戸当たりの月額の最低額及び最高額を表示すればよい。

❹ 完成後8か月しか経過していない分譲住宅については、入居の有無にかかわらず新築分譲住宅と表示してもよい。

日建学院・講師陣の必勝コメント

　景品表示法の学習は、過去問からやるべきです。まずは、本書掲載の問題を2度繰り返し解いて、自分の引っかかるところを明確にしてください。その後、その箇所に対してだけ、基本テキスト等で知識を補充すればOKです！

❶ **誤り。物件の周囲の状況➡現況に反する表示はできない。**

宅地・建物の見取図・完成図・完成予想図は、その旨を明示して用い、当該物件の周囲の状況について表示するときは、現況に反する表示をすることはできません。したがって、「周囲の状況はイメージであり実際とは異なる」旨の表示をしても、実際に所在しない箇所に商業施設を表示するなど、現況と異なる表示をすることはできません。 ➡ 表示規約施行規則9条

❷ **誤り。登記上の地目と現況の地目が異なる場合➡両者を併記。**

地目は、登記簿に記載されているものを表示しなければなりません。この場合において、現況の地目と異なるときは、現況の地目を併記しなければなりません。 ➡ 9条

❸ **正しい。すべて示すことが困難➡最低額及び最高額のみで可。**

管理費（マンションの事務を処理し、設備その他共用部分の維持及び管理をするために必要とされる費用をいい、共用部分の公租公課等を含み、修繕積立金を含まない）については、1戸当たりの月額（予定額であるときは、その旨）を表示しなければなりません。ただし、住戸により管理費の額が異なる場合において、その全ての住宅の管理費を示すことが困難なときは、最低額及び最高額のみで表示することができます。 ➡ 9条

❹ **誤り。新築➡「築1年未満」かつ「居住の用に供されたことがないもの」。**

新築という用語は、建築工事完了後1年未満であって、「居住の用に供されたことがないもの」という意味で用いなければなりません。 ➡ 表示規約18条

公正競争規約

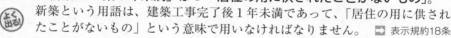

【正解 ❸】

公正競争規約

 宅地建物取引業者が行う広告に関する次の記述のうち、不当景品類及び不当表示防止法（不動産の表示に関する公正競争規約を含む。）の規定によれば、正しいものはどれか。[H28-問47改]

❶ インターネット上に掲載した賃貸物件の広告について、掲載直前に契約済みとなったとしても、消費者からの問合せに対し既に契約済みであり取引できない旨を説明すれば、その時点で消費者の誤認は払拭されるため、不当表示に問われることはない。

❷ 宅地の造成及び建物の建築が禁止されており、宅地の造成及び建物の建築が可能となる予定がない市街化調整区域内の土地を販売する際の新聞折込広告においては、当該土地が市街化調整区域内に所在する旨を16ポイント以上の大きさの文字で表示すれば、宅地の造成や建物の建築ができない旨まで表示する必要はない。

❸ 半径300m以内に小学校及び市役所が所在している中古住宅の販売広告においては、当該住宅からの道路距離又は徒歩所要時間の表示を省略して、「小学校、市役所近し」と表示すればよい。

❹ 近くに新駅の設置が予定されている分譲住宅の販売広告を行うに当たり、当該鉄道事業者が新駅設置及びその予定時期を公表している場合、広告の中に新駅設置の予定時期を明示して表示してもよい。

『どこでも！学ぶ宅建士』
第5編「5問免除科目」

➡ 2 景品表示法（P578〜）

正答率　合格者 **89.6**％　不合格者 **56.9**％

❶ 誤り。**取引できない物件 ➡ 広告表示は不可。**

事業者は、物件は存在するが、実際には取引の対象となり得ない物件に関して広告表示をしてはなりません。これは、問合せに対し取引できない旨を説明しても、同様です。　　　　　　　　　　　　　　　　➡ 表示規約21条

❷ 誤り。**「宅地の造成や建築物の建築ができない」旨まで、表示が必要。**

市街化調整区域に所在する土地（開発許可を受けているものなどを除く）については、「市街化調整区域。宅地の造成及び建物の建築はできません。」と明示しなければなりません。つまり、宅地の造成や建築物の建築ができない旨まで表示する必要があります。　　　　　　　　　　➡ 施行規則7条

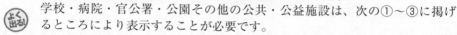 **+α** 新聞折込チラシやパンフレットなどの場合には、16ポイント以上の大きさの文字を用いて明示しなければなりません。

❸ 誤り。**公共・公益施設 ➡ 物件からの道路距離も表示する。**

 学校・病院・官公署・公園その他の公共・公益施設は、次の①〜③に掲げるところにより表示することが必要です。

① 現に利用できるものを表示すること
② 物件からの道路距離または徒歩所要時間を明示すること
③ その施設の名称を表示すること（ただし、公立学校及び官公署の場合は、パンフレットを除き、省略することができる）

したがって、道路距離または徒歩所要時間の表示が必要です。　　➡ 9条

❹ 正しい。**運行主体が公表した場合 ➡ 表示可。**

新設予定の鉄道、都市モノレールの駅もしくは路面電車の停留場またはバスの停留所は、当該路線の運行主体が公表したものに限り、その新設予定時期を明示して表示することができます。運行主体である鉄道事業者が公表している本肢の場合は、表示できます。　　　　　　　　　　➡ 9条

公正競争規約

【正解 ❹】

公正競争規約

宅地建物取引業者がインターネット不動産情報サイトにおいて行った広告表示に関する次の記述のうち、不当景品類及び不当表示防止法（不動産の表示に関する公正競争規約を含む。）の規定によれば、正しいものはどれか。　　　　　　[H29-問47改]

❶　物件の所有者に媒介を依頼された宅地建物取引業者Aから入手した当該物件に関する情報を、宅地建物取引業者Bが、そのままインターネット不動産情報サイトに表示し広告を行っていれば、仮に入手した物件に関する情報が間違っていたとしても不当表示に問われることはない。

❷　新築の建売住宅について、建築中で外装が完成していなかったため、当該建売住宅と構造、階数、仕様は同一ではないが同じ施工業者が他の地域で手掛けた建売住宅の外観写真を、施工例である旨を明記して掲載した。この広告表示が不当表示に問われることはない。

❸　取引しようとする賃貸物件から最寄りの甲駅までの徒歩所要時間を表示するため、当該物件から甲駅までの道路距離を80mで除して算出したところ5.25分であったので、1分未満を四捨五入して「甲駅から5分」と表示した。この広告表示が不当表示に問われることはない。

❹　新築分譲マンションについて、パンフレットには当該マンションの全戸数の専有面積を表示したが、インターネット広告には当該マンションの全戸数の専有面積のうち、最小建物面積及び最大建物面積のみを表示した。この広告表示が不当表示に問われることはない。

解説 『どこでも！学ぶ宅建士』
第5編「5問免除科目」
➡ 2 景品表示法（P578～）

正答率 合格者 **81.2**%
不合格者 **68.0**%

❶ 誤り。**広告表示の間違い ➡ 広告表示をした事業者が不当表示の責めを負う。**
　不動産の内容または取引条件その他取引に関する事項について行う広告その他の表示は、その広告表示を行った事業者が責任を負います。したがって、物件の所有者から依頼を受けた媒介業者から入手した情報をそのまま表示した場合であっても、その情報が間違っていれば、広告表示をした事業者が不当表示に問われることがあります。　　　➡ 表示規約2条、4条参照

❷ 誤り。**「他の建物の外観写真」➡ 構造・階数・仕様が同一のものに限る。**
　宅地または建物の写真・動画は、原則として、取引するものを表示しなければなりません。ただし、取引する建物が建築工事の完了前である等その建物の写真・動画を用いることができない事情がある場合は、取引する建物を施工する者が過去に施工した建物であり、かつ、建物の外観は、取引する建物と構造・階数・仕様が同一であって、規模・形状・色等が類似するものに限り、他の建物の写真・動画を用いることができます。
　したがって、構造・階数・仕様が「同一でない」他の建物の外観写真を掲載すると、不当表示に問われることがあります。　　　➡ 15条、施行規則9条

> **+α** 他の建物の外観の写真・動画を用いて表示する場合は、当該写真・動画が他の建物である旨および取引する建物と異なる部位を、写真の場合は写真に接する位置に、動画の場合は画像中に明示しなければならないとともに、当該写真・動画を大きく掲載するなど、取引する建物であると誤認されるおそれのある表示をしてはなりません。

❸ 誤り。**徒歩の所要時間 ➡ 道路距離80mを1分、1分未満は切上げ。**
　徒歩による所要時間は、道路距離80mにつき1分間を要するものとして算出した数値を表示しなければなりません。この場合において、1分未満の端数が生じたときは、「1分」として算出します。
　　　➡ 表示規約15条、施行規則9条

❹ 正しい。**新築分譲マンション ➡ 最小・最大建物面積のみで表示可。**
　新築分譲マンションの専有面積は、パンフレット等の媒体を除き、最小建物面積・最大建物面積（上限・下限）のみで表示することができます。
　　　➡ 施行規則9条

【正解 ❹】

公正競争規約

問題 **11**

宅地建物取引業者が行う広告に関する次の記述のうち、不当景品類及び不当表示防止法（不動産の表示に関する公正競争規約を含む。）の規定によれば、正しいものはどれか。 [R5-問47]

❶ 実際には取引する意思がない物件であっても実在するものであれば、当該物件を広告に掲載しても不当表示に問われることはない。

❷ 直線距離で50m以内に街道が存在する場合、物件名に当該街道の名称を用いることができる。

❸ 物件の近隣に所在するスーパーマーケットを表示する場合は、物件からの自転車による所要時間を明示しておくことで、徒歩による所要時間を明示する必要がなくなる。

❹ 一棟リノベーションマンションについては、一般消費者に対し、初めて購入の申込みの勧誘を行う場合であっても、「新発売」との表示を行うことはできない。

日建学院・講師陣の必勝コメント

❷〜❹は、近年の表示規約の改正点に関連する出題です。特に❷は、数字を正確に覚えておかないと、本試験の夜に、後悔しきりで眠れなくなること必至…。

表示規約については、基本的には丸暗記不要ですが、こと「数字」に関しては、意識して覚えておきましょう。

❶ 誤り。**取引する意思のない物件の表示 ➡ 「おとり広告」に該当。**
物件は存在するものの、実際には取引する意思がない物件に関する表示は、おとり広告として不当表示となります。　　　　　➡ 表示規約21条

> **+α** 次の表示も「おとり広告」に該当します。
> ① 物件が存在しないため、実際には取引が不可能な物件に関する表示
> ② 物件は存在するが、実際には取引の対象となり得ない物件に関する表示

❷ 正しい。**直線距離で50m以内の街道の名称 ➡ 物件の名称に使用OK。**

物件の名称においては、当該物件から直線距離で50m以内に所在する街道その他の道路の名称（坂名を含む）を用いることができます。　➡ 19条

❸ 誤り。**物件からの徒歩所要時間 ➡ 「自転車による所要時間」では代替不可。**
デパート・スーパーマーケット・コンビニエンスストア・商店等の商業施設は、現に利用できるものを、物件からの道路距離または徒歩所要時間を明示して表示しなければなりません。そのため、自転車による所要時間の表示では、徒歩による所要時間に代替することはできません。➡ 施行規則9条

❹ 誤り。**一棟リノベーションマンション ➡ 「新発売」と表示OK。**
「新発売」という用語は、新たに造成された宅地・新築の住宅（造成工事または建築工事完了前のものを含む）・一棟リノベーションマンションについて、一般消費者に対し、初めて購入の申込みの勧誘を行うこと（一団の宅地・建物を数期に区分して販売する場合は「期」ごとの勧誘）をいい、その申込みを受けるに際して一定の期間を設ける場合には、「その期間内における勧誘」という意味で用いることができます。したがって、本肢の場合は、「新発売」と表示できます。　　　　　　　➡ 表示規約18条

公正競争規約

【正解 ❷ 】

土地（等高線）

問題 **12** 土地の形質に関する次の記述のうち、誤っているものはどれか。
[H20-問49]

---

❶ 地表面の傾斜は、等高線の密度で読み取ることができ、等高線の密度が高い所は傾斜が急である。

❷ 扇状地は山地から平野部の出口で、勾配が急に緩やかになる所に見られ、等高線が同心円状になるのが特徴的である。

❸ 等高線が山頂に向かって高い方に弧を描いている部分は尾根で、山頂から見て等高線が張り出している部分は谷である。

❹ 等高線の間隔の大きい河口付近では、河川の氾濫により河川より離れた場所でも浸水する可能性が高くなる。

❶ 正しい。**等高線の間隔が「密」なら急斜面、「疎」なら緩斜面。**

等高線とは、平均海面から高さの等しい点を結んだ線を地図上に表したものをいい、山の形など地表面の高低を表す方法の1つです。この等高線の密度が高い（線の間隔が狭い）ほど傾斜は急で、密度が低い（線の間隔が広い）ほど傾斜は緩やかとなります。

❷ 正しい。**扇状地の等高線 ➡ 同心円状になる。**

谷の出口から平野に向かって開く半円錐形の砂礫堆積地形を扇状地といい、地図上、扇形に等高線の間隔が広くなっている部分として表示されます。この部分は、等高線の間隔が狭い山地の部分に挟まれているように表され、そのため、その等高線は同心円状になるという特徴があります。

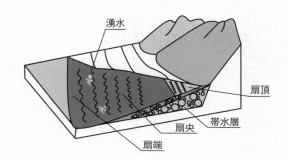

❸ 誤り。**山頂から見て等高線が張り出している部分 ➡ 尾根。**

地形図上の等高線から、山の形を読み取ることができ、等高線が山頂に向かって高い方に弧を描いている部分（山頂からみて凹型にへこんでいる部分）は谷で、山頂からみて等高線が張り出している部分（山頂からみて凸型に外へ出ている部分）は尾根となります。

❹ 正しい。**等高線の間隔が大の河口付近 ➡ 広範囲が浸水しやすい。**

等高線の間隔が大きいということは、その場所が平坦な地形であることを表しています。河川が氾濫した場合、平坦な地形ほど広範囲に水がたまりやすいことから、等高線の間隔の大きい河口付近では、河川の氾濫により、河川より離れた場所でも浸水する可能性が高いといえます。

【正解 ❸】

土　地

土地に関する次の記述のうち、最も不適当なものはどれか。

[H29-問49]

❶　扇状地は、山地から河川により運ばれてきた砂礫等が堆積して形成された地盤である。

❷　三角州は、河川の河口付近に見られる軟弱な地盤である。

❸　台地は、一般に地盤が安定しており、低地に比べ、自然災害に対して安全度は高い。

❹　埋立地は、一般に海面に対して比高を持ち、干拓地に比べ、水害に対して危険である。

❶ 適当。**扇状地 ➡ 河川により運ばれた砂礫等が堆積した地盤。**

　扇状地とは、土砂などが山側を頂点として扇状に堆積した地形のことです。河川が山地から平野や盆地に移行する場所でよく見られ、河川によって運ばれてきた砂礫等が堆積して形成されます。

❷ 適当。**三角州 ➡ 河口付近に土砂の堆積で形成された軟弱な地盤。**

　三角州とは、河川によって運ばれた土砂が河口付近に堆積することにより形成された地形のことです。そのほとんどが軟弱な地盤です。

❸ 適当。**台地 ➡ 地盤が安定しており、自然災害に安全度が高い。**

　台地とは、表面が比較的平らで、周囲より一段と高い地形のことです。一般に、地盤は安定しており、自然災害に対する安全度が高いとされています。

❹ 最も不適当。**埋立地 ➡ 干拓地より水害に対して安全。**

　埋立地とは、大量の土砂を積み上げてつくられた陸地のことです。これに対して、干拓地は、水面や湿地を堤防などで仕切り、内側の水を抜いてつくられた陸地のことです。ですから、埋立地は、一般に海面に対して数mの比高を持ちますので、海面よりも低いことも多い干拓地に比べると、水害に対して安全です。

土地

攻略POINT 干拓地と埋立地

❹について、両者の違いをまとめておきましょう。

干拓地	●海や湖沼などを干拓して造成した土地 ●地盤が軟弱で排水も悪く、地盤沈下や液状化を起こしやすい
埋立地	●海面に対して数mの比高を持つ ●災害に対して干拓地より安全

【正解 ❹ 】

土　地

問題 **14**　土地に関する次の記述のうち、最も不適当なものはどれか。
[H30-問49]

❶　山麓の地形の中で、地すべりによってできた地形は一見なだらかで、水はけもよく、住宅地として好適のように見えるが、末端の急斜面部等は斜面崩壊の危険度が高い。

❷　台地の上の浅い谷は、豪雨時には一時的に浸水することがあり、現地に入っても気付かないことが多いが、住宅地としては注意を要する。

❸　大都市の大部分は低地に立地しているが、この数千年の間に形成され、かつては湿地や旧河道であった地域が多く、地震災害に対して脆弱で、また洪水、高潮、津波等の災害の危険度も高い。

❹　低地の中で特に災害の危険度の高い所は、扇状地の中の微高地、自然堤防、廃川敷となった旧天井川等であり、比較的危険度の低い所が沿岸部の標高の低いデルタ地域、旧河道等である。

❶ 適当。地すべり地形 ➡ 急斜面部等は斜面崩壊の危険度が高い。

　　山麓の地形の中で、地すべりによってできた地形は、一見なだらかで安定し、水はけもよく、住宅地として好適のように見えます。しかし、末端の急斜面部等は斜面崩壊の危険度が高いです。

❷ 適当。台地の上の浅い谷 ➡ 住宅地としては注意が必要。

　　台地は、一般には住宅地として適しています。しかし、台地の上の浅い谷は、現地に入っても気付かないことが多いですが、豪雨時には一時的に浸水することがありますので、住宅地としては注意が必要です。

❸ 適当。低地 ➡ 地震に脆弱で、洪水、高潮、津波等の危険度も高い。

　　現在の日本の大都市の大部分は、低地に立地しています。しかし、この低地は、この数千年の比較的短期間に形成されて、かつては湿地や旧河道であった地域が多いため、地震災害に対して脆弱で、また洪水、高潮、津波等の災害の危険度も高いです。

❹ 最も不適当。扇状地の微高地等 ➡ 災害の危険度は低い。

　　低地の中で特に災害の危険度の「低い」所は、扇状地の中の微高地、自然堤防、廃川敷となった旧天井川等です。一方、比較的危険度の「高い」所は、沿岸部の標高の低いデルタ地域、旧河道等です。本肢は、**記述が逆となって**います。

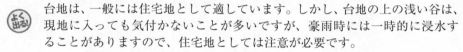

【正解 **❹**】

土　地

問題 15 土地に関する次の記述のうち、最も不適当なものはどれか。

[R元-問49]

❶　台地、段丘は、農地として利用され、また都市的な土地利用も多く、地盤も安定している。

❷　台地を刻む谷や台地上の池沼を埋め立てた所では、地盤の液状化が発生し得る。

❸　台地、段丘は、水はけも良く、宅地として積極的に利用されているが、自然災害に対して安全度の低い所である。

❹　旧河道や低湿地、海浜の埋立地では、地震による地盤の液状化対策が必要である。

🖐 **日建学院・講師陣の必勝コメント**

❶と❸の内容を比較すれば、解答は容易です。受験対策上のテクニックとして、このように、**ひとつの論点について異なることを記述している場合は、どちらかの肢が正解**の可能性が高いといえます。

❶ 適当。**台地・段丘➡地盤が安定。**
　　台地、段丘は、地盤が安定していることから、農地として利用されるほか、
都市的な土地利用も多くなっています。

❷ 適当。**台地上の谷・池沼の埋立地➡地盤の液状化の危険あり。**
　　台地を切り刻む谷や台地上の池沼を埋め立てた所は、地表近くに地下水が
あり、地盤の液状化の危険性があります。

❸ 最も不適当。**台地・段丘➡自然災害に対して安全度が高い。**
　　台地や段丘は、水はけもよく、地盤が安定していることから、自然災害に
対して安全度が高いエリアといえます。したがって、宅地として積極的に
利用されます。

❹ 適当。**旧河道・低湿地・海浜の埋立地➡地盤の液状化対策が必要。**
　　旧河道・低湿地・海浜の埋立地は、地表近くに地下水があり、地盤の液状
化の危険性があります。したがって、地震による地盤の液状化対策が必要
です。

土
地

【正解 ❸】

建　物

建築物の構造に関する次の記述のうち、最も不適当なものはどれか。 [H28-問50]

❶ 鉄骨造は、自重が大きく、靭性が小さいことから、大空間の建築や高層建築にはあまり使用されない。

❷ 鉄筋コンクリート造においては、骨組の形式はラーメン式の構造が一般に用いられる。

❸ 鉄骨鉄筋コンクリート造は、鉄筋コンクリート造にさらに強度と靭性を高めた構造である。

❹ ブロック造を耐震的な構造にするためには、鉄筋コンクリートの布基礎及び臥梁により壁体の底部と頂部を固めることが必要である。

🔥 日建学院・講師陣の 必勝コメント

　建物については、過去問をなぞって出題されることが多くみられます。本問も、❹以外は、定番の出題内容です。このように、「過去問で得点できる」となると、合格者の正答率は一気に跳ね上がります。つまり、宅建の学習は、「**過去問に始まり、過去問に終わる**」のです。

❶ 最も不適当。**鉄骨造 ➡ 自重が軽く、靱性が大きい。**
　　鉄骨造は、自重が軽く、靱性が大きいことが特徴です。そのため、大空間の建築や高層建築に利用されます。

❷ 適当。**鉄筋コンクリート造では、ラーメン式の構造が一般的。**
　　鉄骨造、鉄筋コンクリート造、鉄骨鉄筋コンクリート造の建築物の骨組の形式は、ラーメン式の構造が一般に用いられます。

【ラーメン構造】
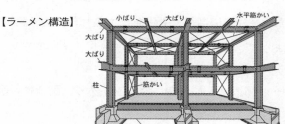

❸ 適当。**鉄骨鉄筋コンクリート造で、強度・靱性がさらに高まる。**
　　鉄骨鉄筋コンクリート造においては、鉄骨で柱や梁等の骨組を組み、その周りに鉄筋を配筋してコンクリートを打ち込みます。鉄筋コンクリート造と鉄骨造の長所を兼ね備えており、鉄筋コンクリート造よりも強度・靱性がさらに高まります。

❹ 適当。**ブロック造の耐震化には、壁体の底部と頂部を固める。**
　　ブロック造とは、コンクリートブロックを積み上げ、鉄筋とコンクリートやモルタルで補強した壁をもつ構造です。耐震的な構造とするためには、鉄筋コンクリートの布基礎及び臥梁により壁体の底部と頂部を固めることが必要です。

攻略POINT 鉄骨造 ──────────────

　●構造部材が鉄筋コンクリート造よりも軽いうえに、ねばり強く、
　　寸法精度を高くすることができるので、大スパンの建物（工場・
　　倉庫等）や超高層建築が可能

　●不燃材料ではあるものの、高温で強度がなくなるので、耐火被覆を
　　しなければ耐火構造にはならない

【**正解 ❶**】

建物

607

□ □ □ ✎ Check!

重要ランク
A

建 物

問題 **17**

建物の構造と材料に関する次の記述のうち、最も不適当なものはどれか。

[H29-問50]

❶ 木材の強度は、含水率が小さい状態の方が低くなる。

❷ 鉄筋は、炭素含有量が多いほど、引張強度が増大する傾向がある。

❸ 常温、常圧において、鉄筋と普通コンクリートを比較すると、熱膨張率はほぼ等しい。

❹ 鉄筋コンクリート構造は、耐火性、耐久性があり、耐震性、耐風性にも優れた構造である。

解 説

『どこでも！学ぶ宅建士』
第5編「5問免除科目」
→ 4 建物（P594〜）

❶ 最も不適当。**木材の強度 ➡ 含水率が小さい状態の方が高い。**
木材の強度は、含水率が小さい状態の方が「高く」なります。

❷ 適当。**鉄筋 ➡ 炭素含有量が多いほど、引張強度が増大する。**
鉄筋は、炭素含有量が多いほど硬度が高くなるため、引張強度が増大する傾向にあります。その代わりに、ねばりは減少し、加工がしにくくなります。

❸ 適当。**鉄筋とコンクリートの熱膨張率は、ほぼ等しい。**
常温、常圧では、鉄筋とコンクリートの熱膨張率はほぼ等しくなっています。ですから、通常の温度変化ではひび等が入りにくくなっており、鉄筋コンクリート構造が成り立つのです。

❹ 適当。**鉄筋コンクリート構造 ➡ 耐火・耐久・耐震・耐風性に優れる。**
鉄筋コンクリート構造は、一般に、耐火性・耐久性が高く、耐震性・耐風性にも優れた構造とされています。

建物

攻略POINT コンクリートと鉄筋
コンクリートと鉄筋は、相互に弱点を補い合っています。

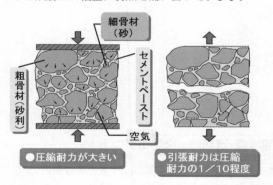

【正解 ❶】

□ □ □ ✎ Check!

重要ランク **A**

建　物

　建築物の構造に関する次の記述のうち、最も不適当なものはどれか。

[H30-問50]

❶　木造建物を造る際には、強度や耐久性において、できるだけ乾燥している木材を使用するのが好ましい。

❷　集成木材構造は、集成木材で骨組を構成したもので、大規模な建物にも使用されている。

❸　鉄骨構造は、不燃構造であり、耐火材料による耐火被覆がなくても耐火構造にすることができる。

❹　鉄筋コンクリート構造は、耐久性を高めるためには、中性化の防止やコンクリートのひび割れ防止の注意が必要である。

👆 **日建学院・講師陣の必勝コメント**

　建物としては、**比較的容易な問題**です。どの肢も過去に出題されたものばかりで、正答率の高さにそのことが表れています。キチンと復習しましょう。

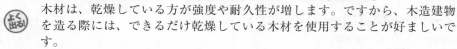

❶ **適当。できるだけ乾燥している木材を使用することが好ましい。**

木材は、乾燥している方が強度や耐久性が増します。ですから、木造建物を造る際には、できるだけ乾燥している木材を使用することが好ましいです。

❷ **適当。集成木材構造➡大規模な建物にも使用されている。**

集成木材構造は、集成木材で骨組を構成したもので、大規模な建物にも使用されています。

❸ **最も不適当。鉄骨構造➡耐火被覆なしだと耐火構造にできない。**

鉄骨構造は、不燃構造ですが、熱に弱いので、耐火材料による耐火被覆がなければ、耐火構造にすることはできません。

❹ **適当。ＲＣ構造では、中性化やコンクリートのひび割れに注意。**

鉄筋コンクリート（RC）構造は、その耐久性を高めるためには、中性化やコンクリートのひび割れの防止に注意する必要があります。

建物

【正解 ❸ 】

宅地建物取引士講座 コース

日建学院では様々なコースを用意しています。ご自分のペース、スタイルに合った最適なコースをお選びくだ

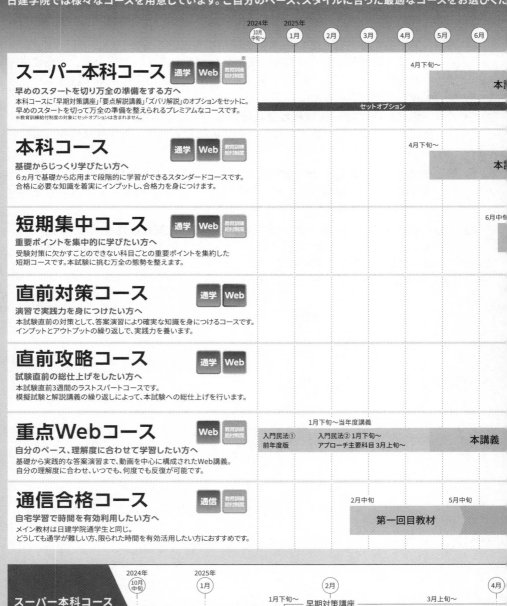

	2024年 10月 中旬〜	2025年 1月	2月	3月	4月	5月	6月

スーパー本科コース 通学 Web 教育訓練給付制度 ※

早めのスタートを切り万全の準備をする方へ

本科コースに「早期対策講座」「要点解説講義」「ズバリ解説」のオプションをセットに。
早めのスタートを切って万全の準備を整えられるプレミアムなコースです。
※教育訓練給付制度の対象にセットオプションは含まれません。

4月下旬〜 本講

セットオプション

本科コース 通学 Web 教育訓練給付制度

基礎からじっくり学びたい方へ

6ヵ月で基礎から応用まで段階的に学習ができるスタンダードコースです。
合格に必要な知識を着実にインプットし、合格力を身につけます。

4月下旬〜 本講

短期集中コース 通学 Web 教育訓練給付制度

重要ポイントを集中的に学びたい方へ

受験対策に欠かすことのできない科目ごとの重要ポイントを集約した
短期コースです。本試験に挑む万全の態勢を整えます。

6月中旬

直前対策コース 通学 Web

演習で実践力を身につけたい方へ

本試験直前の対策として、答案演習により確実な知識を身につけるコースです。
インプットとアウトプットの繰り返しで、実践力を養います。

直前攻略コース 通学 Web

試験直前の総仕上げをしたい方へ

本試験直前3週間のラストスパートコースです。
模擬試験と解説講義の繰り返しによって、本試験への総仕上げを行います。

重点Webコース Web 教育訓練給付制度

自分のペース、理解度に合わせて学習したい方へ

基礎から実践的な答案演習まで、動画を中心に構成されたWeb講義。
自分の理解度に合わせ、いつでも、何度でも反復が可能です。

1月下旬〜当年度講義

入門民法①
前年度版

入門民法② 1月下旬〜
アプローチ主要科目 3月上旬〜

本講義

通信合格コース 通信 教育訓練給付制度

自宅学習で時間を有効利用したい方へ

メイン教材は日建学院通学生と同じ。
どうしても通学が難しい方、限られた時間を有効活用したい方におすすめです。

2月中旬 5月中旬

第一回目教材

	2024年 10月 中旬	2025年 1月		2月			4月

スーパー本科コース
セットオプション内容

1月下旬〜 早期対策講座

3月上旬〜

入門民法①(前年度版)

入門民法②(新年度版)

アプローチ主要科目配信開

ガイド

日建学院コールセンター ☎0120-243-229

株式会社建築資料研究社　東京都豊島区池袋2-50-1　受付／AM10:00～PM5:00(土・日・祝日は除きます)

| | 9月 | 10月 | 本試験 |

10月上旬 直前攻略

早期対策	2024年10月中旬～
開講日	2025年4月下旬～
学習期間	約6ヵ月(週1回または2回通学)
受講料	一般／**280,000**円 学生／**170,000**円
	(税込・教材費込 一般／308,000円 学生／187,000円)

10月上旬 直前攻略

開講日	2025年4月下旬～
学習期間	約6ヵ月(週1回または2回通学)
受講料	一般／**230,000**円 学生／**120,000**円
	(税込・教材費込 一般／253,000円 学生／132,000円)

オプション
- 「入門民法・アプローチ主要科目」**20,000**円(税込 22,000円)
- 「要点解説」**50,000**円(税込 55,000円)
- 「ズバリ解説」**30,000**円(税込 33,000円)

10月上旬 直前攻略

開講日	2025年6月中旬～
学習期間	約4ヵ月(週1回または2回通学)
受講料	一般／**180,000**円 学生／**100,000**円
	(税込・教材費込 一般／198,000円 学生／110,000円)

オプション
- 「ズバリ解説」**30,000**円(税込 33,000円)

10月上旬 直前攻略

開講日	2025年8月上旬～
学習期間	約2ヵ月(週1回または2回通学)
受講料	**120,000**円 (税込・教材費込 132,000円)

オプション
- 「ズバリ解説」**30,000**円(税込 33,000円)

10月上旬 直前攻略

開講日	2025年10月上旬
学習期間	約3週間
受講料	**50,000**円 (税込・教材費込 55,000円)

オプション
- 「ズバリ解説」**30,000**円(税込 33,000円)

当初試験機関が公表した
本試験日当日まで配信

講座配信日	2024年10月中旬～
	2025年度本試験日当日まで
受講料	一般／**100,000**円 学生／**80,000**円
	(税込・教材費込 一般／110,000円 学生／88,000円)

材

教材発送日	2025年2月中旬～
学習期間	約8ヵ月
受講料	一般／**38,000**円 学生／**30,000**円
	(税込・教材費込 一般／41,800円 学生／33,000円)

オプション
- 「ズバリ解説」**30,000**円(税込 33,000円)

※詳細は最寄りの日建学院にお問い合わせください。

Web配信は当初試験機関が公表した本試験日当日まで

| 6月 | 6月 | 10月 |

要点解説講義

ズバリ解説 (4月中旬より随時)

試験直前の総仕上げ！

日建学院の公開模擬なら
全国規模の実力診断!!

全国統一
公開模擬試験

試験日
2025年 10月 5日 日【予定】

※各校により実施日が異なる場合がありますので、受験校にご確認ください。

詳細な個人分析表で
現状の弱点と立ち位置を把握

左より順に、「得点」・「平均点」・「偏差値」そして「受験者数とその中の順位」を表示します。

合格の可能性をA～Dの4つのランクで表示します。

試験結果に対するコメント。試験の評定をこちらに表示します。

過去に受験した、模擬テストの得点履歴もこの欄に表示します。

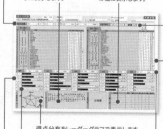

得点分布をレーダーグラフで表示します。各科目の得点バランスがひと目で確認できます。

基礎力・応用力が各科目別にパーセントで表示され、学習理解度が把握できます。

各分野別に、受験者数とその中での順位をここに表示します。

得点から偏差値までの4つの項目を棒グラフで見やすく表示します。

多くの受験者が正解した、正答率の高い問題を誤答すると、不得意分野として正答率の隣に★印が表示されます。この★印の分野・分類を優先して復習することが、学習する上でとても重要です。

プラス「どこでも！学ぶ宅建士 年度別本試験 ズバリ解説」で 理解度アップ！

2025年4月中旬視聴開始！

「ズバリ解説」は、解説ページにある番号を入力するだけで解答肢までしっかり解説した映像講義が視聴できる便利なツールです。本書に則しているから使いやすく、疑問があればスマホを使ってその場で解決！視覚と聴覚から入ってくるから理解度もアップします。限られた学習時間を有効に使うことのできる個別学習システム『ズバリ解説』を、ぜひ、**本書にプラス**してご活用ください。

「本書・問題集→ズバリ解説」アクセスと効率学習の方法

STEP 1 問題を解く

該当箇所の問題を解きます。

POINT

問題を解く上で大切なことは、正解することだけではありません。できてもできなくても実施することが大切です。

STEP 2 ズバリ解説にアクセス

解説ページに記載されたコード番号を確認し、パソコン、スマートフォンなどで、「ズバリ解説」にアクセスします。

［ズバリ解説：71540］

本試験の正答率 **59.5 %**

POINT

選択肢すべてを正しく理解できていないと本試験での得点に結びつきません。「ズバリ解説」を有効に活用し、合格に向かって前進しましょう。

「ズバリ解説講義」は、いつでも、どこでも、何度でも受講できます

日建学院のズバリ解説はパソコンだけでなマートフォンやタブレットでも受講できます。仕事の休憩時間や通勤時間など、問題集さればいつでも受講OK。重要事項を効率的に得できるから、合格へ効果的に近づけます。

宅建合格者

空いている時間に「ズバリ解説」を、くり返し視て聴いて合格しました。

竹口舞さん

理解できないところを納得いくまでチェック！

問題を解いたあと、もっともっと学習能力を高めていきたい、そんなふうに悩んだときに役立つのが、この「ズバリ解説」です。問題集についている"ズバリ番号"を入力するだけで、解答肢まで丁寧に解説された「映像講義」を視聴することができるのです。文章だけではわかりにくいことも、日建学院の工夫がなされた映像講義なら一目瞭然。問題集を解いているのに講義を受けているほどの充実した内容に学習意欲もぐんぐん高まりました。

理解するまで、くり返し視聴します！

インターネットで利用できるため、自分の都合のいい時間にいつでも学習できることも大きな魅力です。そしてまた、何度でもくり返して、わかるまで徹底的に視聴しました。1編が約10分と短時間なのもうれしいです。

STEP	
3	**「ズバリ解説コード」を入力**

「ズバリ解説コード」を入力します。

POINT

「ズバリ解説コード」を入力することで、指定の問題をピンポイントで検索します。

STEP	
4	**ズバリ解説を視聴する**

ズバリ解説で解説講義を視聴し、理解を深めましょう。

POINT

問題をズバリ！瞬時に！詳しく解説する講義を目で視て耳で聴くことで、理解が進みます。解説講義の映像や画像と一緒に、理解するまで、何度も視聴しましょう。

※一部の携帯端末では受講できない場合がございます。お申込みの際には必ず動作環境をご確認ください。

受講料	配信期間	申込方法
30,000円 （税込：33,000円）	2025年4月中旬〜 2025年本試験当日まで	最寄りの日建学院各校 または 日建学院コールセンターへ

お問合せ・資料請求・試験情報 ── ※2024年本試験当日とは、例年の宅建士本試験日である10月第3日曜を指します。

日建学院コールセンター ☎フリーダイヤル **0120-243-229**

株式会社建築資料研究社 東京都豊島区池袋2-50-1　　受付／AM10:00〜PM5:00（土・日・祝日は除きます）

■**正誤等に関するお問合せについて**
　本書の記載内容に万一，誤り等が疑われる箇所がございましたら，郵送・FAX・メール等の書面にて以下の連絡先までお問合せください。その際には，お問合せされる方のお名前・連絡先等を必ず明記してください。また，お問合せの受付け後，回答には時間を要しますので，あらかじめご了承いただきますよう，お願い申し上げます。
　なお，**正誤等に関するお問合せ以外のご質問，受験指導および相談等はお受け**できません。そのようなお問合せにはご回答いたしかねますので，あらかじめご了承ください。

お電話によるお問合せは，お受けできません。

[郵送先]
〒171-0014
東京都豊島区池袋2-38-1　日建学院ビル 3F
建築資料研究社 出版部
「2025年度版 どこでも！学ぶ宅建士 テーマ別過去問題集」正誤問合せ係
[FAX]
03-3987-3256
[メールアドレス]
seigo@mx1.ksknet.co.jp

メールの「件名」には，書籍名の明記をお願いいたします。

■**本書の法改正・正誤等について**
　本書の発行後に発生しました令和7年度試験に関係する法改正・正誤等についての情報は，下記ホームページ内でご覧いただけます。
　なお，ホームページへの掲載は，対象試験終了時ないし，本書の改訂版が発行されるまでとなりますので，あらかじめご了承ください。

https://www.kskpub.com ➡ **お知らせ(訂正・追録)**

＊装　　丁／広田　正康
＊イラスト／株式会社アット
　　　　（イラスト工房 http://www.illust-factory.com）

日建学院 「宅建士 一発合格！」シリーズ

2025年度版　どこでも！学ぶ宅建士　テーマ別過去問題集

2024年12月7日　初版第1刷発行

編　著　日建学院
発行人　馬場 栄一
発行所　株式会社建築資料研究社
　　　　〒171-0014　東京都豊島区池袋2-38-1
　　　　日建学院ビル 3F
　　　　TEL：03-3986-3239
　　　　FAX：03-3987-3256

印刷所　株式会社ワコー

ⓒ建築資料研究社2024　　ISBN978-4-86358-976-6 C0032
〈禁・無断転載〉